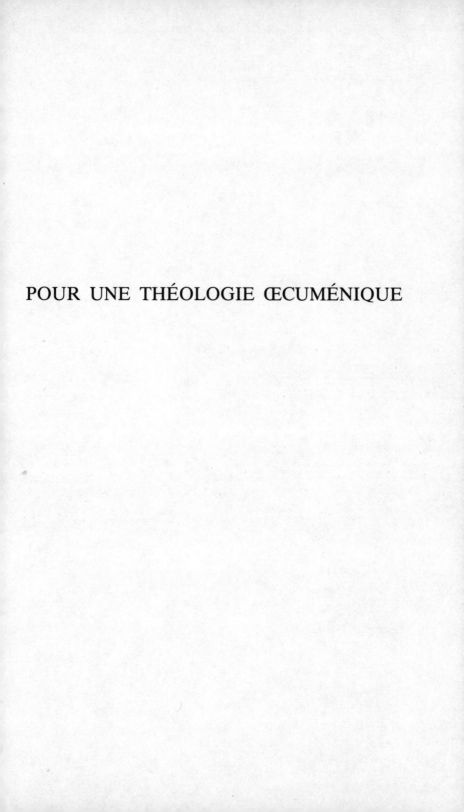

POUR UNE THÉOLOGIE ŒCUMÉNIQUE

BERNARD SESBOÜÉ, s.j.

POUR UNE THÉOLOGIE ŒCUMÉNIQUE

Église et sacrements
Eucharistie et ministères
La Vierge Marie

LES ÉDITIONS DU CERF
29, bd Latour-Maubourg, Paris
1990

Imprimi potest :
Paris, le 31 janvier 1990
Jacques Gellard, s.j.
prov.

Imprimatur :
Paris, le 19 février 1990
Maurice Vidal,
v.é.

INTRODUCTION

Les textes rassemblés dans ce volume sont tous, à des titres divers, liés à mon engagement dans le dialogue doctrinal entre Églises séparées, dont l'essor a suivi le concile de Vatican II. C'est ce qui fait *leur unité d'inspiration*. Je collabore depuis 1967 à la recherche du Groupe des Dombes auquel je suis heureux de reconnaître ici ma dette. Car c'est là que j'ai reçu l'esprit de l'œcuménisme spirituel qui vient de l'abbé Couturier en même temps qu'une véritable méthode de théologie œcuménique. J'ai travaillé également dans le cadre de diverses instances officielles du dialogue œcuménique en France (la Commission épiscopale pour l'Unité des chrétiens qui a organisé les assemblées trisannuelles de Bièvres puis de Chantilly, le Comité mixte catholique-protestant, puis le Comité mixte catholique-baptiste) et au plan international (au service du Secrétariat, aujourd'hui Conseil pontifical pour l'unité des chrétiens).

Aucune de ces contributions n'a donc été écrite au terme d'une recherche isolée, purement spéculative ou méthodiquement programmée : plusieurs m'ont été demandées dans des circonstances bien précises à l'occasion de rencontres œcuméniques ou de travaux collégialement engagés, d'autres à la suite de la publication de divers documents, d'autres enfin sont le fruit d'intuitions et de réflexions induites par ces différentes rencontres. Toutes sont donc, chacune à leur manière, des textes d'action. Toutes entendent garder une dimension opératoire concrète, car elles veulent contribuer à lever les obstacles qui demeurent encore aujourd'hui sur la route de la pleine communion entre chrétiens. Elles demeurent également datées, s'étageant de 1971 à 1988, et l'une ou l'autre peut se ressentir du moment où elle a été écrite. Elles ne me semblent pas pour autant dépassées, car elles concernent une tâche qui est encore largement devant nous. Mais afin de leur garder leur ton propre, j'ai préféré, sauf exceptions, et compte tenu de mises à jour et d'allègements indispensables, les laisser telles quelles.

A cette unité d'esprit et d'intention se joint une *unité de contenu*. Par la force des choses ces écrits abordent les points les plus fondamentaux du contentieux œcuménique contemporain, principalement entre les Églises séparées d'Occident. On le sait, ce qui nous divise encore ne concerne pas la foi trinitaire et christologique (ce qui ne veut pas dire qu'aucune question ne se pose en ce domaine), mais principalement la conception de l'Église et des sacrements. Le corps du volume est donc fait de contributions qui portent sur ces deux points, étroitement liés d'ailleurs, si l'on retient la perspective de l'Église-sacrement. A propos des sacrements proprement dits, le dialogue a porté d'une part sur l'économie globale des sacrements et d'autre part sur l'eucharistie et les ministères. J'y ai joint deux contributions récentes sur la Vierge Marie, sur laquelle le dialogue œcuménique s'est encore peu penché ; mais l'on ne peut considérer la question mariale comme un point marginal du dialogue œcuménique, tant les difficultés majeures qui se posent à son sujet renvoient à celles qui concernent l'Église.

Pour faciliter la lecture, les contributions ont été regroupées de façon thématique en six points, l'ordre chronologique étant le plus possible respecté à l'intérieur de chaque section. L'Église et l'économie sacramentelle, l'eucharistie et les ministères forment les trois sections centrales (3, 4 et 5). Une section d'introduction rappelle la visée spirituelle majeure de l'œcuménisme de la conversion : car il est aussi vain que prétentieux de vouloir une réconciliation sans conversion (1). Une autre évoque certains préalables doctrinaux (2). La dernière concerne la Vierge Marie (6). Une conclusion enfin revient sur la tension entre unité et pluralisme, sujet toujours délicat de débats ces dernières années.

Conscient des limites de ce recueil, je présente cet ouvrage comme ma petite contribution théologique à la recomposition de l'unité de tous les chrétiens.

Bernard SESBOÜÉ s.j.
1er janvier 1990

Origine des textes

Chap. 1er : Exigences de l'œcuménisme, *Croire aujourd'hui*, janvier 1971, p. 31-43.

Chap. 2 : La *metanoia* confessionnelle de l'Église catholique, *Unité des chrétiens*, 62, avril 1986, p. 11-14.

Chap. 3 : Quelle est l'autorité des accords œcuméniques ? *Unité des chrétiens*, 14, avril 1974, p. 27-28 (texte repris et mis à jour).

Chap. 4 : Le contentieux sur la foi entre Églises séparées, *Unité des chrétiens*, 46, avril 1982, p. 14-21.

Chap. 5 : Cinq questions théologiques posées à propos du thème « Jésus-Christ, vie du monde » (à l'occasion de l'Assemblée de Vancouver), *The ecumenical review*, vol. 34, 2, avril 1982, p. 147-158 (non publié en français).

Chap. 6 : Les sacrements de la foi. L'économie sacramentelle, célébration ecclésiale de la justification par la foi. *La Maison-Dieu*, 116, 1973, p. 89-121.

Chap. 7 : Les indulgences. Problème œcuménique à nouveau posé ? *Études* juillet-août 1983 (359/ 1-2), p. 115-121.

Chap. 8 : Ecclésiologie de communion et voies vers l'unité. Conférence non publiée donnée au IXe Congrès des Jésuites engagés dans l'œcuménisme, juillet 1981.

Chap. 9 : Y a-t-il une différence séparatrice entre les ecclésiologies catholique et protestante ? *NRT* 109 (1987), p. 3-29.

Chap. 10 : L'accord eucharistique des Dombes. Réflexions théologiques. *ISTINA* n° 2, 1973, p. 210-229.

Chap. 11 : Réflexions sur la présence réelle dans l'eucharistie (non publié).

Chap. 12 : La consistance eucharistique de la Cène protestante, *Prêtres diocésains*, numéro spécial 1980, p. 107-112.

Chap. 13 : Eucharistie : deux générations de travaux, *Études*, juillet 1981 (355/7), p. 99-115.

Chap. 14 : Les ministères dans l'Église, *Serviteurs de l'Évangile. Les ministères dans l'Église*, collectif, Paris, Cerf, 1971, p. 95-130.

Chap. 15 : « Pour une réconciliation des ministères », réflexions théologiques sur le document des Dombes, *Études*, mai 1973, p. 739-761.

Chap. 16 : « Le ministère épiscopal », réflexions théologiques sur le document des Dombes, *Études*, mars 1977, p. 381-400.

Chap. 17 : Le déplacement des catégories du ministère apostolique à Vatican II et sa répercussion sur le dialogue œcuménique, *Églises, Sociétés et Ministères*, Travaux et Conférences du Centre-Sèvres, 7, 1986, p. 169-197.

Chap. 18 : Marie, comblée de grâce, *Marie. Conférences de Notre-Dame de Paris pour le Carême 1988*, collectif, Limoges, Droguet et Ardant, 1988, p. 53-67.

Chap. 19 : Théologie mariale et dialogue œcuménique, *Lumière et Vie*, 189, novembre 1988, p. 49-63.

Conclusion : Unité, pluralisme et confession de foi. Extraits de *Unité des chrétiens*, 15, juillet 1974, p. 39-46.

Épilogue : Extrait de *Unité des chrétiens*, 45, janvier 1982, p. 25.

PREMIÈRE SECTION

UNE VISÉE SPIRITUELLE
L'ŒCUMÉNISME
DE LA CONVERSION

CHAPITRE PREMIER

EXIGENCES DE L'ŒCUMÉNISME

I. COMMENT INTERPRÉTER L'HISTOIRE DE L'ŒCUMÉNISME ?

En simplifiant beaucoup, il semble que le mouvement œcuménique ait connu deux grandes périodes.

La première pourrait s'intituler *l'œcuménisme de la charité*. Cet œcuménisme a comporté une *conversion du cœur* profonde des uns et des autres à notre fraternité chrétienne, par une redécouverte, dans la bienveillance et le respect mutuel, de notre commune qualité de chrétiens. Cet œcuménisme nous a poussés à prier ensemble et à poser en commun des actes de service de l'humanité. Tout cela est loin d'être périmé et demande à pénétrer aujourd'hui de plus en plus la masse de nos communautés.

Sur cet œcuménisme des retrouvailles s'en est greffé un second, celui du *dialogue doctrinal*. Il y avait là un pas de plus, qui demandait une autre dimension de conversion, non plus simplement la conversion du cœur — qui n'est nullement à déprécier, car elle constitue un point de départ constamment nécessaire — mais bien la *conversion de l'intelligence*, indispensable pour entreprendre d'abord la confrontation d'un contentieux doctrinal, puis des démarches théologiques communes sur la base d'une compréhension toujours plus vaste de nos langages divisés. Il s'agit par conséquent d'un travail sur les points de doctrine qui nous divisent ou semblent nous diviser. Inutile de souligner le travail considérable qui a été ainsi accompli. Le jugement porté par les partisans de l'œcuménisme séculier [1] sur le prétendu échec de l'œcuménisme théologique est, à mon sens, un peu rapide. Un tel jugement traduit une ignorance assez massive des résultats importants obtenus. Mais, comme tel, il est significatif : il nous montre que le grand public, disons plutôt les communautés chrétiennes, demeurent beaucoup trop mal informées. Par voie de conséquence, la *conversion des mentalités* — c'est-à-dire de cette cristallisation des attitudes de l'intelligence qui se produit dans tout groupe social — n'a pas suffisamment suivi la conversion des intelligences chez les partenaires du dialogue. Finalement l'œcuménisme séculier reste en retard sur le progrès du rapprochement doctrinal.

Une appréciation honnête nous demande de reconnaître ces résultats : il ne s'agit pas de nous voter des félicitations ni d'en rester là. Mais combien de malentendus ont été dissipés, de faux problèmes évacués, combien de vrais problèmes ont été situés à leur juste portée et progressent vers une solution. Le travail s'est élargi à des entreprises communes comme la traduction œcuménique de la Bible — ce n'est pas un mince résultat. Il a permis également un rapprochement sensible des liturgies. Certes, il n'est encore achevé et demande à être poursuivi avec plus d'intensité et d'urgence que jamais.

Pourtant nous sentons aujourd'hui un essoufflement de ce dialogue, nous connaissons le risque du plafonnement et nous nous heurtons à une limite. C'est que l'unité ne peut pas être le fruit spontané d'un accord théologique, simplement obtenu au terme d'un dialogue. Nous prenons conscience, avec une nuance de mélancolie, que le dialogue qui n'est que dialogue risque de tomber dans le bavardage.

C'est que nous arrivons à un point où le « mouvement » de l'œcuménisme nous demande de poser progressivement des actes ecclésiaux de réconciliation ; et la conversion qui nous est désormais demandée, supposant une conversion du cœur

---

1. Voir *I.D.O.C. international*, n° 20, p. 32-48 : considérant que « l'œcuménisme traditionnel semble avoir abouti à une impasse » (p. 33) et que « l'entente doctrinale totale est un but utopique et irréalisable » (p. 34), l'œcuménisme séculier se présente comme « la conséquence œcuménique d'une théologie et d'une foi basées sur l'engagement total de l'Église dans le monde séculier » (p. 40).

et une conversion de l'intelligence toujours en progrès, est ce que nous pourrions appeler la *conversion confessionnelle*. La conversion, c'est-à-dire le changement d'attitude et de mentalité, qui est à la base de tout œcuménisme doit se manifester dans des actes capables de créer une situation nouvelle. Il faut donc, sous l'impulsion de l'Esprit, prendre des décisions qui engagent un processus, un mouvement, concret de réconciliation. Bref, il faut passer de la recherche en groupes disséminés, sporadiques, à des modifications dans la vie et les manières de faire des Églises. Il faut insister sur cette nécessité d'une transformation concrète, visible, des comportements des communautés. On peut en signaler deux aspects : le premier, c'est la reconstitution dans l'unité de tous les signes, de toutes les réalités, de toutes les structures (touchant à la prédication, aux sacrements, aux ministères, etc.) qui appartiennent au mystère de l'Église et qui sont aujourd'hui soit dispersés, soit revêtus du signe de la séparation. Le second, c'est que la réconciliation doit être l'acte des communautés prises dans leur ensemble et acceptant d'en assumer et d'en vivre toutes les exigences. L'entrée dans ce mouvement constitue un seuil redoutable à franchir, et l'on comprend l'espèce d'hésitation et de plafonnement œcuménique, après la très belle avancée de ces dernières années. Ce seuil est au fond celui de l'irréversibilité, de l'acceptation d'un processus auquel on se livre dans la foi sans savoir où il va nous mener, mais dans la conscience que le statu quo est désormais impossible. Ici, en effet, le vieil adage des maîtres spirituels se vérifie : qui n'avance pas recule.

II. DISCERNER LES SACRIFICES

Précisons encore la nature et les exigences de la « conversion confessionnelle » qui nous est demandée aujourd'hui. Toute conversion, dit-on traditionnellement, est une mort à soi-même et un accueil du Dieu vivant. Elle est conversion de soi à Dieu. S'il en est ainsi, nous pensons que la conversion en jeu passe pour chacun par *une mort à son égoïsme confessionnel*. Qu'est-ce que cela veut dire ?

Apparemment, la chose va de soi, puisque nous voulons que la division actuelle des confessions chrétiennes séparées, ayant leur consistance propre tant au plan doctrinal qu'au plan sociologique, disparaisse au profit d'une seule Église vraiment universelle. Mais, plus profondément, mourir à son égoïsme confessionnel pourrait être compris au sens d'une mort à son identité confessionnelle, ce qui est une expression très choquante pour tout homme sincèrement fidèle à sa propre Église. Car la fidélité à la foi reçue des apôtres fonde pour chacun une fidélité à sa propre Église ou communauté, et un amour de cette communauté dans laquelle il a reçu la foi. L'identité confessionnelle apparaît donc pour chacun comme un bien inaliénable et l'unité ne peut se faire que dans le respect de cette fidélité fondamentale.

Pourtant, nous portons tous en nous la conviction qu'il n'y a qu'une seule Église et que la fidélité à notre foi, même considérée dans son origine confessionnelle déterminée, nous pousse à chercher cette unité et à œuvrer pour elle. Cette exigence est aussi incoercible que la précédente. Si notre identité confessionnelle entre en conflit avec cette requête d'unité et sa mise en œuvre, il nous faut alors reconnaître que cette identité repose *aussi* sur des bases pécheresses, mieux : que ce qui solidifie chaque confession face aux autres, ce qui l'isole dans sa particularité, ce qui l'empêche de communier, est pécheur. Autrement dit, nous devons reconnaître la dimension d'égoïsme *institutionnel* et d'égoïsme *doctrinal* qui est immanente à chacune de nos « confessions ». Möhler disait que l'égoïsme est le principe de toute hérésie. Il avait profondément raison, même si l'on prend le terme d'hérésie au sens, le plus générique, de ce qui détruit la communion constitutive de l'Église. Par « mort à notre égoïsme confessionnel » il faut donc entendre le renoncement à la dimension pécheresse qui, au long des siècles, s'est solidifiée en un certain nombre d'habitudes affectives et mentales et de traits sociologiques. Il faut aussi inclure la reconnaissance humble que ce sont ces traits égoïstes des uns et des autres qui maintiennent encore aujourd'hui l'identité séparée de nos confessions, identité *séparée* que nous devons affecter du signe du provisoire.

De telles affirmations demandent un discernement concret de ce qui fait la vie et l'être de nos confessions respectives. Bref, il s'agit de distinguer quels sont les *sacrifices impossibles*, les *sacrifices inutiles* et les *sacrifices nécessaires*. Nous ne nous attarderons guère aux deux premières catégories. Nous voyons plus facilement l'ordre des *sacrifices impossibles* : il s'agit globalement de la fidélité à la foi et à l'exigence évangélique, qui peut comporter une légitime originalité d'accent par le fait d'une tradition spirituelle et religieuse déterminée. L'appréciation des *sacrifices inutiles* permettrait de dégager toute une zone de différences compatibles avec l'unité et la communion parfaite dans la foi. Ces différences sont le fruit d'évolutions historiques et culturelles distinctes et pourraient éventuellement — ou provisoirement — fonder la diversité de communautés de style, d'institutions et d'habitudes originales. Car nous devons nous garder de confondre unité et uniformité, et admettre ce que Möhler — encore lui — a décrit sous le titre d'« unité dans la multitude ». De notre côté catholique, où la rigidité institutionnelle est une tradition, et où ce qui est essentiel, fondamental pour l'Église est trop immédiatement identifié avec des réalisations historiques qui en rajoutent considérablement, cette investigation demande une conversion de mentalité.

Reste l'ordre des *sacrifices nécessaires*. Il est capital de bien les déterminer.

D'emblée, apparaît un sacrifice qui commande tous les autres et dont j'emprunterai l'expression au Frère Pierre-Yves Emery : nous devons renoncer, de part et d'autre, à justifier la rupture [2]. Durcissons pour être plus clair : il nous faut reconnaître que la rupture a été un *péché*, des deux côtés ; un péché contre le mystère de l'Église, un péché qui affecte notre substance ecclésiale à tous, et un péché qui risque de contaminer secrètement nos théologies, car la théologie est habile à justifier ce qui est injustifiable. Méfions-nous de toute théologie qui justifie subtilement une situation de rupture. Pour prendre une référence décisive, la diversité des situations ecclésiologiques que l'on trouve dans le NT [3] n'engendrait pas de rupture. Il y avait reconnaissance mutuelle de toutes ces

---

2. Réflexion faite lors de la rencontre œcuménique des Dombes, en 1967.
3. Par exemple, les Actes et les épîtres nous montrent des Églises de tradition juive à côté d'Églises de culture grecque.

communautés dans la communion d'une même Église. Nous ne pouvons donc pas invoquer le patronage du NT pour justifier notre situation actuelle. Or, nous risquons de justifier la rupture chaque fois que nous proposons une perspective théologique de l'unité qui ne passe pas par la nécessaire conversion.

Ce n'est pas le lieu de porter un jugement historique ou même doctrinal sur les responsabilités de la rupture de 1054 et de celle du XVIᵉ siècle [4]. Mais chacune des unités issues de ces ruptures devrait avancer une parole d'aveu délibérément orientée vers la réconciliation à venir. Il apparaît avec évidence que dans toutes nos rencontres actuelles la parole de l'aveu pénitentiel n'a pas encore assez progressé. Il est clair que n'a de valeur en cette matière que ce que chacun est capable de dire sur soi et non pas ce que l'un dit de l'autre. C'est dans la mesure où chacun parle courageusement de soi, qu'il peut aider l'autre à faire de même et à engager le dialogue de la réconciliation.

Toute conversion, disions-nous, est une mort à soi-même et une conversion au Dieu vivant. Il n'en va pas autrement de la conversion à l'unité. Möhler rappelait que pour les Pères de l'Église « le retour à l'unité des croyants est une conversion à l'unité de Dieu » [5]. S'il en est ainsi, la situation actuelle de nos Églises comporte un témoignage d'athéisme — ou de polythéisme. Si le Dieu *UN* se révèle dans l'Église, il ne peut se révéler que dans l'Église *UNE*. Ne comparons pas trop vite les familles catholique, protestante et orthodoxe aux trois Personnes trinitaires ; la comparaison nous condamne. Notre division atteste qu'en un sens nous ne connaissons pas Dieu. « Le vrai Dieu n'habite pas là où il y a isolement [6]. » Cette réflexion nous persuade encore, s'il en était besoin, du caractère « objectivement » hérétique de la situation actuelle : elle peut alimenter notre méditation et notre action œcuménique.

---

4. Ruptures avec l'Orthodoxie et les Églises issues de la Réforme.
5. *L'Unité dans l'Église*, Cerf, coll. « Unam sanctam » 2, 1938, p. 91.
6. MÖHLER glosant Ignace d'Antioche, *ibid.*, p. 83, cf. *Éphésiens* 5, 3.

III. L'AVENIR DE L'ŒCUMÉNISME

Risquons maintenant quelques réflexions prospectives sur la ou les figures que peut prendre l'accomplissement progressif de l'unité. Car nous sommes désormais arrivés à un point où cette réflexion est nécessaire et même urgente. Le refus d'y penser peut traduire une ambiguïté profonde sur la qualité de notre désir de l'unité. Finalement, au fond de nous-mêmes, la voulons-nous vraiment ou bien acceptons-nous qu'elle ne soit qu'« eschatologique » ?

Nous devons donc maintenant entreprendre une série de réflexions analogues à celles des diverses disciplines de « futurologie » qui sont en train de se développer dans les sciences humaines et la réflexion politique. Qui ne doute de l'intérêt de prévoir l'avenir autant que faire se peut ? Que sera la société de l'an 2000 ? Quels seront les problèmes démographiques et économiques des vingt prochaines années ? Quel sera le rapport entre société développée et tiers monde ? Quelles nouvelles nuisances va engendrer le genre moderne de vivre ? Quelles sont nos réserves de pétrole, mais aussi d'eau et d'air ? Dans un domaine qui présente quelque analogie avec le nôtre, quelle figure peut prendre l'unité de l'Europe ? Voilà toute une série de questions auxquelles nous sommes bien obligés de réfléchir.

Déjà l'attention sur les sacrifices impossibles, inutiles et nécessaires nous a orientés sur la voie. Elle nous permet de pressentir ce que ne peut pas être l'unité retrouvée : tout d'abord elle ne sera pas le fruit instantané d'une décision des autorités compétentes. L'exemple des échecs des conciles de Lyon et de Florence [7] nous rappelle le peu de poids de tels accords quand ils ne sont pas voulus par les communautés en cause. D'ailleurs la situation moderne des Églises et la volonté de participation de tous aux orientations majeures de la communauté nous persuadent que rien ne peut se faire sans une dynamique communautaire de l'unité, dynamique qui est

---

7. Conciles « d'unité ».

encore aujourd'hui beaucoup trop sporadique. Ensuite, l'unité ne peut pas, semble-t-il, consister dans une unification administrative complète, sur le modèle de ce qui existe dans l'Église romaine de rite latin. Des articulations souples demandent à être mises en place dans un exercice renouvelé du rapport de l'Église locale à l'Église universelle.

Ces notations restent négatives. On peut essayer aussi d'envisager les *phases* possibles d'un rapprochement intéressant les différents *secteurs* de la vie ecclésiale. Ce terme de phase ne doit pas être trop pressé, car les suggestions que nous allons faire ne prétendent pas traduire un ordre strictement chronologique :

a) Une phase importante consisterait dans une *prédication évangélique de la pénitence*, capable d'atteindre profondément et largement les communautés. C'est un objectif pastoral fondamental pour nous que de manifester l'urgence de la réconciliation dans la situation, providentielle, de l'Église au sein du monde d'aujourdhui. Cette exigence doit être perçue par les masses chrétiennes. Que chacun puisse évaluer l'enjeu de l'unité, les conséquences concrètes à en tirer dans sa vie, disons brutalement « le prix à payer ». Cette prédication comporterait une large part d'information sur la problématique actuelle de l'unité, les progrès accomplis et ce qui reste à faire. Elle pourrait donner lieu à des rencontres œcuméniques — au niveau des paroisses, des communautés diverses de base, etc. — où s'exprimeraient la correction fraternelle d'une part et l'humble aveu de son égoïsme confessionnel d'autre part. Il importe, en effet, que ce rapprochement soit compris par tous comme une dynamique de réconciliation et non pas comme un processus de concession. Devant certaines réalisations liturgiques on entend dire de part et d'autre : « On se protestantise ! » ou « On se catholicise ! ». Cette interprétation de la dynamique en cours en termes de concession est franchement mauvaise.

b) D'autre part, une intervention active des *Églises locales* devrait permettre de faire ensemble tout ce qui est possible (et en particulier de prendre en charge cette prédication de la pénitence). S'il est vrai que le sommet ne pourra renouer complètement que lorsque la base se sera effectivement réconciliée, les Églises locales doivent œuvrer avec courage et persévérance au rapprochement des communautés. Car il y a une dépendance et une interaction entre les actes de rapprochement qui se produisent à la base et au sommet : il ne s'agit nullement de minimiser la part et l'importance de la réconciliation au sommet, mais, à l'heure actuelle, c'est la réconciliation au niveau de la base qui accuse un retard. Il est clair que les situations locales sont très différentes et que le point d'avancée œcuménique est inégal. La nature des réalisations et des objectifs mis en commun sera donc, elle aussi, variable. S'il est indispensable de respecter le facteur temps, il est non moins nécessaire de laisser jaillir une sainte émulation en ce domaine, à l'exemple de l'émulation des Églises sollicitées par Paul dans sa collecte au profit de l'Église de Jérusalem (2 Co 8-9).

La mise en œuvre de cette dynamique demande du côté catholique une personnalisation plus grande de l'Église locale. C'est un effort difficile de rénovation que nous avons à accomplir et qui intéresse de près le ministère épiscopal. Entendons ce concept d'Église locale avec le relief et les échelons qui lui correspondent : ce n'est pas simplement le diocèse, c'est aussi la conférence épiscopale au niveau d'une nation, d'une région ou d'une unité linguistique, etc. Il y a là des articulations qui permettent de maintenir l'unité dans la souplesse. Pensons au bras de la roulette du dentiste qui comporte un grand nombre d'articulations, afin de permettre une liberté d'action de l'appareil dans tous les plans désirés, alors qu'un même mouvement circule d'un bout à l'autre. Une relation rénovée entre le pape et les évêques, dans l'esprit de Vatican II, pourrait apporter alors une contribution décisive, l'initiative épiscopale jouant pleinement son rôle dans le double lien à la communauté locale et au collège des évêques unis au pape. Ce qui suppose chez l'évêque une connaissance personnelle de la situation œcuménique de son peuple, ressentie par ses oreilles, par ses yeux, dans sa chair et dans son cœur.

Revenons maintenant au dialogue théologique. Deux grandes tâches — parmi beaucoup d'autres — seraient à accomplir : une réflexion commune et élaborée devrait être menée sur le discernement de ce qui appartient à l'unanimité nécessaire dans la confession de foi et de ce qui est du ressort du pluralisme théologique. Beaucoup de chemin a été parcouru en ce sens ; il reste encore à avancer. Autre objectif, qui pourrait d'ailleurs constituer le lieu pratique de ce discernement : il serait urgent, dans le prolongement des diverses traductions œcuméniques, de réaliser un exposé œcuménique de la foi pour les hommes de notre temps. Il s'agirait d'une sorte de « catéchisme » de nature œcuménique, un catéchisme à éditions successives, à éditions annuelles même, jalonnant, au fur et à mesure de ses parutions, les progrès accomplis et l'élargissement des points d'accord doctrinaux, et donnant l'état des questions encore non résolues. Un tel objectif serait un stimulant pour le dialogue doctrinal et aiderait celui-ci à sortir du secret des cercles de spécialistes. L'ouvrage pourrait devenir un outil de catéchèse et de prédication et aider à la formation permanente dont nous sentons tous la nécessité.

Venons-en au point le plus délicat peut-être, celui de la réconciliation liturgique. Si nous admettons, avec Vatican II, que la liturgie est le sommet de l'action ecclésiale, il est clair que la réconciliation des Églises doit se signifier liturgiquement. Chaque pas accompli authentiquement dans la conversion et la réconciliation devrait pouvoir se signifier au plan de l'action liturgique. Réciproquement, chaque avancée dans la délicate « hospitalité eucharistique » doit s'appuyer sur des actes de réconciliation *ecclésiale*. A ce prix, progressivement et dans une compréhension plus vraie des cas de nécessité spirituelle urgente, la communion ouverte puis peut-être la communion réciproque, pourraient devenir possibles. L'inter-célébration ne pourrait être que le fruit d'une réconciliation des ministères dont on ne peut détailler ici le sens et la forme.

Concluons en évoquant la responsabilité propre des ministres de l'Église dans cette longue marche vers l'unité. On peut élargir à notre problème le mot souvent cité sur le prêtre : « En lui se concentre la difficulté de toute l'Église. » Dans les ministres de toutes les Églises se concentrent la difficulté, la responsabilité et aussi la contradiction de toute la tâche œcuménique. Le ministère est en effet traversé par une tension contradictoire : d'un côté les pasteurs sont ministres de telle confession chrétienne, reconnus pleinement par elle seule, et leur ministère ecclésial est affecté de cette limite confessionnelle. D'un autre côté le ministère dans l'Église, auquel ils ont conscience de participer authentiquement, est de soi une responsabilité à la face de l'Église universelle, de cette Église à réconcilier œcuméniquement. Déjà au plan local le pasteur est en charge de l'unité de la communauté. Nous savons aussi que cette charge ne se termine pas aux frontières de l'activité pastorale immédiate, mais participe au ministère total de toute Église. Les ministres ne doivent-ils pas prendre aujourd'hui davantage conscience de leur responsabilité au-delà même des limites confessionnelles ?

La voie vers l'unité est inévitablement dangereuse, scabreuse même. Prenons conscience de toute la somme de courage lucide dont nous avons besoin pour assumer la contradiction que les restes encore vivaces de la division risquent de nous faire ressentir douloureusement. Travailler à l'unité, c'est viser une ligne de crête où la marche est difficile. Mais l'œcuménisme n'est-il pas une forme d'alpinisme ?

CHAPITRE 2

LA *METANOIA* CONFESSIONNELLE DE L'ÉGLISE CATHOLIQUE

Metanoia, c'est un mot grec des évangiles qui se traduit normalement par « conversion » ; mais comme le latin l'avait traduit par *poenitentia*, il a donné aussi en français le terme de pénitence, dont la connotation est, pour nous, plus extérieure. En fait, conversion et pénitence sont comme l'âme et le corps d'une attitude unique qui engage un changement de vie tout orienté vers la réconciliation avec Dieu et avec les autres.

Chacun voit bien ce que veut dire la conversion personnelle à partir d'une situation de péché. Si l'on en croit les premières prédications de Jésus dans l'Évangile : « Convertissez-vous et croyez à l'Évangile » (Mc 1, 15), notre démarche de foi et notre démarche de conversion sont indissolublement solidaires du début à la fin de notre vie chrétienne. Mais que signifie ce mot quand il est appliqué à l'Église en général, et plus particulièrement à la situation actuelle des confessions chrétiennes divisées ? Il veut dire que *l'Église, entendue comme le corps des croyants, a toujours besoin d'être purifiée ou « réformée »*, selon une perspective reconnue par Vatican II. Car il y a, en elle, des forces de dissociation et de péché contre lesquelles « pénitence » et « conversion » doivent toujours être en action. C'est la forme communautaire du combat spirituel. Le mot de « réforme » a donc parfaitement droit de cité dans l'Église catholique : n'a-t-on pas parlé de « réforme grégorienne » au XIe siècle, de « décrets de réformation » au concile de Trente, de « contre-réforme » ensuite ? Au début de son pontificat, Paul VI exprimait sa résolution de concourir à la réforme de l'Église (*Ecclesiam suam*, II).

Or, les divisions et les schismes dans l'Église jaillissent précisément de ce lieu de péché, d'un péché contre la charité d'abord, mais qui n'est pas loin d'entraîner un péché contre la plénitude de la vérité. Le problème n'est pas, pour nous, de déterminer la responsabilité respective des partenaires, mais de reconnaître une complicité dans le mal qui nous affecte tous. L'histoire nous apprend que dans les situations de crise où une dynamique de séparation et d'*estrangement* est à l'œuvre, chacun des partenaires cherche à se justifier et à accuser l'autre : « Vous nous avez quittés ! — Non, c'est vous qui nous avez chassés... » Cette attitude développe un langage polémique qui cherche à creuser le fossé entre les anciens frères devenus ennemis. Tous les coups semblent alors bons pour disqualifier l'adversaire (un peu comme dans une campagne électorale) et accuser sa différence avec lui. Au plan doctrinal, la polémique se fait alors controverse : chacun accumule les raisonnements qui justifient sa position et cherche à disqualifier celle de l'adversaire. Tout porte alors à surenchérir sur la différence séparatrice et à grossir la motivation doctrinale de la division. De grands noms se sont adonnés jusqu'à un passé récent à ce genre littéraire : on peut trouver dans leurs œuvres des analyses théologiques sérieuses, mais nous sommes gênés par un ton où chacun s'identifie trop vite avec la vérité et par une mentalité dans laquelle tous communiaient. Qui ne peut lire aujourd'hui, sans malaise, cette phrase de Bossuet aux protestants : « Je les convaincrai par des arguments invincibles ! » ?

La conversion confessionnelle engage un processus exactement contraire. Sa première question est : En quoi ai-je péché contre mon frère ? En quoi ai-je manqué d'amour envers lui ? Quelle part de vérité ai-je méconnue chez lui ? Cette *metanoia* confessionnelle inclut bien évidemment la conversion personnelle des cœurs et des intelligences, mais elle la dépasse, car elle est plus que la somme des conversions individuelles. Elle vise une réalité originale, la conversion organique d'un corps, avec toute sa dimension sociale qui s'exprime, en particulier, dans les mentalités. Il s'agit d'une prise de conscience de l'Église instituée et structurée, d'un peuple entourant ses pasteurs et vivant en communion avec eux le retournement de la conversion. Concrètement cette conversion passe par tous les actes qui habitent normalement une conduite de pénitence et de réconciliation. Elle comporte une contrition authentique. Elle s'exprime sous la forme d'un aveu qui est un désaveu de soi : elle reconnaît publiquement les torts historiques que l'on a eus envers son frère ou que l'on a encore à son égard ; elle confesse les points aveugles du christianisme que l'on essaie de vivre. Elle s'épanouit enfin en « satisfaction », c'est-à-dire en une conduite nouvelle qui cherche à réparer ses torts, dans la mesure du possible, à réformer sa manière de vivre en Église, et à renouer une pleine relation de fraternité. Toute cette conduite est, d'une part, une offrande de réconciliation dans le pardon donné ; mais elle est aussi une attente de réconciliation dans le pardon invoqué. Cette conversion d'un corps demande à se produire au niveau des communautés chrétiennes les plus élémentaires, comme à celui des Églises particulières (diocèses) et à celui des instances responsables les plus officielles de toute l'Église.

Mais, dira-t-on, on ne peut pas oublier les torts de l'autre : il faut que lui aussi s'engage dans sa propre *metanoia*. Sans doute, mais cette réflexion recouvre une illusion et un piège. Elle rappelle la réaction des enfants dans leurs disputes : « C'est lui qui a commencé ; c'est à lui de commencer à redevenir gentil. » Si j'attends que l'autre commence une conduite de conversion pour engager la mienne, alors j'enracine et je justifie en lui la même attitude. Et rien ne se passera. Je dois m'avancer à mes risques et périls, confiant dans la fécondité spirituelle de la conversion et de l'aveu. Le rédacteur de ces lignes en a fait personnellement l'expérience dans le dialogue doctrinal : la reconnaissance de nos propres torts et « des points aveugles » de notre doctrine, bien loin de provoquer chez le partenaire une attitude triomphante (« Je vous l'avais bien dit ! »), l'invite lui-même à entrer dans cette dynamique et à s'interroger à son tour sur ses torts. Dans le dialogue œcuménique, comme dans toute rupture entre hommes d'ailleurs, c'est ce que chacun est capable de dire sur soi-même qui est fécond.

1. De grands exemples dans le passé et le présent

Pieuses paroles, dira-t-on encore, on voit mal l'Église catholique s'engager sur une telle voie. Le peut-elle d'ailleurs, étant donné ce que sont sa « prétention » ecclésiologique particulièrement élevée et sa certitude de vivre selon une foi « infaillible » et d'avoir les promesses de la vie éternelle ? Outre que cette réflexion confond le divin et l'humain dans l'Église, elle fait fi de très grands exemples passés et récents de conversion et d'aveu. Le plus émouvant est, sans doute, celui du pape Adrien VI, hollandais et dernier pape non italien avant Jean-Paul II, qui, au cours d'un trop bref pontificat (1522-1523), avait essayé d'engager l'Église catholique sur la voie de la réforme et de la conversion. Voici le texte qu'il fit lire par le nonce Chieregati à la diète de Nuremberg le 25 novembre 1522, donc dans les tout premiers temps de l'appel de Luther à la réforme :

Nous reconnaissons librement que Dieu a permis cette persécution de l'Église à cause des péchés des hommes et particulièrement des prêtres et des prélats [...] Nous savons que même au Saint-Siège, depuis nombre d'années, beaucoup d'abominations ont été commises : abus des choses saintes, transgression des commandements, de telle sorte que tout a tourné au scandale. Il n'y a pas lieu de s'étonner que la maladie soit descendue de la tête aux membres, des papes chez les prélats. Nous tous, prélats et ecclésiastiques, nous nous sommes détournés de la voie de la justice. Il y a déjà longtemps que personne n'a fait de bien, et c'est pourquoi nous devons tous adorer Dieu et nous humilier devant lui ; chacun de nous doit examiner en quoi il est tombé et s'examiner plus rigoureusement lui-même qu'il ne le sera par Dieu au jour de sa colère. En conséquence, tu promettras en notre nom que nous mettrons toute notre application à commencer par améliorer la cour de Rome, de laquelle peut-être est venu tout le mal ; c'est d'elle que sortira la guérison, comme c'est d'elle qu'est venu la maladie [1].

---

1. O. DE LA BROSSE, J. LECLER, H. HOLSTEIN, C. LEFEBVRE, *Latran V et Trente*, t. 1, Paris, Orante, 1975, p. 168-169.

Le drame d'un tel aveu est qu'il est resté celui du pape et qu'il n'est pas devenu assez rapidement une conversion de toute l'Église.

A cette parole d'aveu fait écho, quatre cent quarante ans plus tard, la parole de Paul VI au début de son pontificat. Dans son discours d'ouverture de la deuxième session du concile (29 septembre 1963), c'est-à-dire dans sa première adresse aux Pères conciliaires après son élection, le pape saluait les observateurs des autres Églises ou communautés chrétiennes et poursuivait :

> Si, dans les causes de cette séparation, une faute pouvait nous être imputée, nous en demandons humblement pardon à Dieu et nous sollicitons aussi le pardon des frères qui se sentiraient offensés par nous. Et nous sommes prêts, en ce qui nous concerne, à pardonner les offenses dont l'Église catholique a été l'objet et à oublier les douleurs qu'elle a éprouvées dans la longue série des dissensions et séparations. Que le Père céleste accueille notre présente déclaration et nous ramène tous à une paix véritablement fraternelle [2].

Mais, en la matière, le geste est encore plus signifiant que le simple aveu. Quelque temps plus tard, Paul VI vécut le grand baiser de réconciliation avec le patriarche Athénagoras en Terre sainte et les deux hommes procédèrent à la levée mutuelle d'excommunications millénaires. Au moment de célébrer, dix ans après, la levée de ces excommunications, le même Paul VI eut ce geste imprévu et bouleversant : comme porté par une impulsion de l'Esprit, il se jeta aux pieds du métropolite Méliton, envoyé du patriarche Dimitrios, et les lui baisa. Ce n'était plus embrasser le patriarche, mais baiser les pieds de son représentant. Dans des temps qui ne sont pas tellement éloignés de nous, l'étiquette vaticane voulait que les bénéficiaires d'une audience baisent les pieds du pape. Cette requête désuète donnait de celui-ci l'image combien ambiguë d'un potentat. Et voilà que le geste se retourne et prend un sens authentique, celui du geste évangélique de Jésus

---

2. JEAN XXIII — PAUL VI, *Discours au Concile*, Paris, Centurion, 1966, p. 115-116.

se mettant aux pieds de ses disciples et les invitant à se laver les pieds les uns aux autres (Jn 13, 14) [3].

Mais ce ne sont là que les gestes d'un homme, pensera-t-on encore. De par la fonction même du pape, ces gestes engagent l'Église catholique. Mais il est vrai qu'ils ne suffisent pas. En fait, au moment du concile Vatican II, c'est l'Église catholique tout entière, par la décision de ses évêques, qui a vécu un moment intense de conversion confessionnelle en s'engageant hardiment, à son tour, sur la voie de l'œcuménisme, sur laquelle les anglicans, les Églises issues de la Réforme et l'Orthodoxie l'avaient précédée. A l'origine de la convocation du concile, il y avait la conversion personnelle de Jean XXIII en ce sens. Mais une question demeurait : le concile allait-il entrer dans cette perspective et vivre la mutation qui lui était proposée ? On savait l'existence de groupes qui voulaient en rester à la position de l'encyclique *Mortalium animos* (1928) du pape Pie XI, extrêmement sévère vis-à-vis des initiatives de ce qui allait devenir le Conseil œcuménique, et dont la lecture nous attriste aujourd'hui. Beaucoup d'évêques étaient incertains de la position de leurs collègues. Ce fut une joyeuse surprise de découvrir, tout à coup, une large majorité en accord sur l'essentiel : « Lorsque les évêques se sont aperçus qu'ils étaient d'accord, écrit le P. Congar, l'Église catholique s'est convertie à l'œcuménisme et quelques minutes, quelques heures au maximum [4]. » Cette conversion s'est inscrite d'abord dans le texte très neuf que fut le décret sur l'œcuménisme, *Unitatis redintegratio*, et depuis lors dans un engagement qui ne s'est pas démenti et se concrétise au plan universel par l'inlassable activité du Secrétariat romain pour l'unité.

2. Les tâches de la metanoia catholique aujourd'hui et demain

Est-ce à dire que tout est déjà fait ? Certes non ! Et il n'est pas inutile d'indiquer, ici, quelques-unes des pistes sur

---

3. On peut lire le récit de la scène par le métropolite Méliton dans la *Doc. cath.* 1695 (1976), p. 342-343.
4. Yves CONGAR, « De Pie IX à Jean XXIII », *Unité des chrétiens*, n° 46, avril 1982, p. 12.

lesquelles l'Église catholique doit encore faire avancer sa conversion confessionnelle dans les années à venir. Mais, tout d'abord, une objection peut venir à l'esprit : n'y a-t-il pas un secteur où une telle conversion est impossible, le secteur proprement doctrinal, puisque l'Église proclame son « infaillibilité » et son « indéfectibilité » ? La chose n'est pas aussi simple. D'abord, comme le disait, un jour, le P. de Baciocchi, *on peut avoir tort dans sa manière d'avoir raison.* Il y a une manière de s'identifier à la vérité, dont on prétend être le dépositaire, qui peut être une injure à la vérité. En réalité, plus la « prétention » (entendue en un sens positif) de l'Église catholique, en ce domaine, est grande, plus elle doit être dite et vécue dans l'humilité. Il y a des discours vrais qui font mal. Prenons-en un exemple récent, dans le plein respect pour le dicastère qui l'a émis. En 1973, la Congrégation pour la doctrine de la foi a publié un document intitulé : *Mysterium Ecclesiae* [5], et qui rappelle un certain nombre de données doctrinales catholiques sur la question de l'infaillibilité. Quoi qu'il en soit de son contenu (et en particulier de la reconnaissance particulièrement ouverte de l'historicité du langage dogmatique), le ton et le langage du document ont offensé nos partenaires. Il y a des choses que l'on n'a le droit de dire qu'avec crainte et tremblement. Il y a une sécurité quelque peu supérieure dans les affirmations qui ne rendent pas la vérité attirante.

D'autre part, l'infaillibilité ne couvre pas tout dans le langage et l'agir de l'Église. Elle laisse la porte ouverte à des prises de position ambiguës, à des unilatéralismes qui conduisent soit à des oublis, soit à une fixation exagérée sur certains points du mystère, surtout dans les périodes de décadence théologique. Elle permet une amélioration toujours à rechercher du langage de la foi.

Il est impossible de donner, ici, le catalogue complet des domaines où la conversion catholique devrait se développer et entrer dans les faits. N'oublions pas tout d'abord que la conversion des cœurs, des intelligences et des mentalités, doit encore largement progresser dans le peuple de Dieu. Celle-ci étant supposée, retenons deux secteurs principaux, celui du

---

5. *Documentation catholique*, 1936, 15 juillet 1973, p. 664-670.

langage parlé et celui du langage vécu. Le langage parlé
concerne l'expression doctrinale et pastorale du mystère chrétien dans sa totalité ; le langage vécu concerne la manière
concrète de « faire Église », de donner à celle-ci un visage,
c'est-à-dire de donner à la structure que le Christ a voulue
pour elle un mode d'organisation adapté à notre temps et qui
fasse droit aux justes requêtes de nos partenaires chrétiens.

Dans le domaine du *langage parlé*, le dialogue doctrinal,
déjà exceptionnellement fécond, doit évidemment continuer et
progresser encore. Mais il doit aborder, avec plus de précision,
les difficiles questions de l'interprétation des conciles et du
discours dogmatique en général, en distinguant justement
l'autorité respective des diverses affirmations et en reconnaissant que la visée d'absolu qui habite les énoncés de la foi
s'inscrit toujours dans la contingence d'un langage historiquement situé. Dans cet esprit, il doit chercher à reformuler de
manière œcuménique la visée imprescriptible des formulations
anciennes, quand celles-ci sont devenues par trop conflictuelles
du fait de la division. L'histoire ancienne des conciles nous
en donne d'ailleurs l'exemple : Chalcédoine a « corrigé » le
langage d'Éphèse. Dans une certaine mesure, cette reformu-
lation s'est accomplie à Vatican II par rapport à Vatican I.
Le travail reste à poursuivre. C'est pourquoi le document des
Dombes sur *Le Ministère de communion dans l'Église
universelle* [6] s'exprime ainsi : « Dans un esprit de *metanoia*,
nous souhaitons que l'expression dogmatique de ce ministère,
qui est donnée depuis le concile de Vatican I et qui heurte
profondément la sensibilité chrétienne de nos frères séparés
d'Orient et d'Occident, donne lieu à un commentaire officiel
et actualisé, voire à un changement de vocabulaire, qui l'intègre
dans une ecclésiologie de communion » (n° 149). Déjà le
dialogue œcuménique a élaboré sur des points en voie de
réconciliation un langage nouveau ; il a reconnu la nécessité
de renoncer à certains langages fautifs, il est très souhaitable
que les déclarations doctrinales nouvelles des pasteurs de
l'Église adoptent ces langages réconciliés et contribuent à leur
mise en œuvre, au lieu de continuer par habitude, comme

---

6. Groupe des Dombes, *Le Ministère de communion dans l'Église universelle*,
Centurion, 1986.

c'est parfois encore le cas, à employer un langage « classique », souvent non recevable par nos frères. Une réflexion sur les conséquences œcuméniques de l'idée conciliaire de la « hiérarchie des vérités » appartient à la même dynamique.

Le *langage vécu* est non moins important, car une certaine manière de vivre peut contredire les meilleures déclarations. Le même document du Groupe des Dombes a bien formulé l'essentiel de la tâche de l'Église catholique en ce domaine : « La conversion de l'Église catholique consisterait à maintenir l'équilibre entre les dimensions *communautaire, collégiale et personnelle* de ce ministère [de communion] » (n° 134). Ce qui est dit ici du ministère de communion vaut de toute la vie de l'Église catholique. Selon une pente historique, celle-ci a avancé vers une organisation sociétaire toujours plus centralisée. Les grandes séparations de 1054 et du XVIe siècle l'ont encouragée en ce sens. L'autorité personnelle du pape et des pasteurs soumis à lui en venait à éclipser la vie communautaire du peuple de Dieu et la collégialité des évêques et des ministères en général. Déjà la réflexion du concile a engagé un retournement en la matière dans le sens d'une ecclésiologie de communion (récemment confirmée par le synode extraordinaire de 1985) : celle-ci a permis une remise en honneur du rôle des laïcs dans l'Église et une mise en œuvre de la collégialité à travers l'activité des synodes et des conférences épiscopales. Le Groupe des Dombes suggère un pas nouveau et décisif sur la voie de la décentralisation. Il s'agirait de distinguer de manière pratique les deux fonctions exercées par l'évêque de Rome sur l'Église d'Occident, c'est-à-dire sa responsabilité de *ministre de la communion de toutes les Églises*, en vertu de laquelle il préside, au titre de successeur de Pierre, à la communion dans la charité et à l'unanimité dans la foi, et sa *responsabilité de patriarche d'Occident*, en fonction de laquelle il administre l'Église latine [7]. Pour que cette distinction soit vraiment opératoire, l'Église latine pourrait être distribuée en plusieurs grandes Églises continentales (de nouvelles formes de « patriarcats ») disposant d'un large domaine de compétences. Une telle décentralisation contribuerait à donner un visage nouveau à l'Église et elle permettrait aux patriarcats orthodoxes, à la Communion anglicane, éventuellement aux

---

7. Ce point sera développé *infra*, p. 147-152.

fédérations mondiales des Églises issues de la Réforme, de voir concrètement à quoi les engagerait le lien de la pleine communion renoué avec l'Église de Rome. Il va de soi que cette attitude nouvelle devrait être vécue à leur échelle propre dans les Églises particulières (ou diocèses), où les dimensions communautaire, collégiale et personnelle trouveraient un meilleur équilibre. Un autre domaine de la conversion confessionnelle au plan du langage vécu serait une purification de certaines pratiques de la religion populaire où la part de la foi est souvent mélangée à des attitudes proches de la superstition. Il y en aurait certainement d'autres.

Tout ce qui vient d'être dit s'inscrit dans la perspective de l'œcuménisme spirituel dont un grand représentant fut à Lyon l'abbé Couturier et que le décret de Vatican II sur l'œcuménisme a clairement encouragé. La réconciliation entre les Églises ne peut venir que de la conversion de chacune, elle-même inlassablement demandée dans la prière. Au-delà de toutes les raisons de conjoncture, si l'on peut dire que l'œcuménisme piétine, c'est parce que cette conversion piétine encore. La réconciliation finale elle-même sera le fruit d'un acte de conversion mutuelle qui rendra possible non seulement la pleine réconciliation des personnes, mais encore celle de la foi, des sacrements et de la structure de l'Église. Pour hâter la venue de ce jour, convertissons-nous et croyons à l'Évangile !

DEUXIÈME SECTION

PRÉALABLES

CHAPITRE 3

QUELLE EST L'AUTORITÉ DES ACCORDS ŒCUMÉNIQUES ? *

Devant la multiplication des documents d'accords œcuméniques, la question est aujourd'hui posée : quelle autorité faut-il leur attribuer ? Malgré son apparente simplicité, ce problème suppose une réflexion assez complexe sur la portée ecclésiologique des différents dialogues interconfessionnels [1]. Un point décisif est en tout cas de savoir *qui parle* dans tel dialogue, et, par voie de conséquence, *qui signe* telle déclaration commune, tel rapport, tel accord.

Concrètement trois cas se présentent : « ceux qui signent » peuvent être des autorités d'Église, ou des membres de Commissions officielles nommées par ces mêmes autorités, ou encore des membres de groupes œcuméniques privés. Considérons ces trois cas :

1. Les autorités des Églises

Paul VI a signé un certain nombre de déclarations communes avec les responsables d'autres Églises, comme le patriarche

---

* Article repris et remis à jour.

1. Cf. sur ce sujet le document de travail du Secrétariat pour l'Unité des chrétiens intitulé « Réflexions et suggestions concernant le dialogue œcuménique » et signé du cardinal WILLEBRANDS et du P. J. HAMER, in *Doc. cath.*, 1571 (1970) p. 876-882. Peu après, du P. J. HAMER, « Réflexions sur les dialogues théologiques interconfessionnels », in *Doc. cath.*, 1634 (1973), p. 569-573.

Athénagoras [2], l'archevêque Ramsey [3], le pape Shenouda III d'Alexandrie [4], et d'autres encore.

Puisque les autorités suprêmes des Églises s'engagent ès qualités dans ces déclarations, il s'agit d'un accord des Églises entre elles. Sans plus attendre, celles-ci peuvent et doivent en tirer les conséquences qui s'imposent en matière de pastorale ou de discipline. Du côté catholique ces documents sont à interpréter selon les mêmes règles que les autres textes pontificaux (c'est-à-dire en tenant compte de la nature du document, de sa solennité, de son genre littéraire, de son contenu, etc.).

2. *Les commissions interconfessionnelles officielles*

Celles-ci sont aujourd'hui nombreuses et appartiennent soit au dialogue *bilatéral* soit au dialogue *multilatéral* : dans le premier cas deux confessions nomment une commission mixte qui étudiera le contentieux précis qui les sépare ; le second cas est celui du Conseil œcuménique des Églises, dont la Commission *Foi et Constitution* essaie de faire avancer ensemble toutes les Églises membres vers une conversion œcuménique. Ces deux voies sont complémentaires.

Je cite seulement les commissions les plus importantes dont l'Église catholique est l'un des partenaires (car il existe aussi un dialogue orthodoxe-anglican, luthérien-anglican, etc.) : en Occident, la Commission internationale catholique-luthérienne [5] ; la Commission mixte avec l'Alliance réformée mondiale [6] ; la Commission internationale anglicane-catholique romaine (ARCIC) [7] ; les commissions avec les méthodistes,

---

2. Levée des anathèmes entre Rome et Constantinople, déclaration commune de S.S. Paul VI et de S.S. le patriarche Athénagoras (*Doc. cath.*, 1462 [1966], p. 67-68).

3. Déclaration commune du pape et du Dr Ramsey (*Doc. cath.*, 1469 [1966], p. 681-683).

4. Déclaration commune du pape Paul VI et du patriarche Shenouda III, pape d'Alexandrie, concernant en particulier la christologie (*Doc. cath.*, 1632 [1973], p. 515-517).

5. Ses résultats sont rassemblés dans le volume *Face à l'Unité. Tous les textes officiels (1972-1985)*, Paris, Cerf, 1986.

6. Cette commission a publié le rapport « La présence du Christ dans l'Église et dans le monde », in *Doc. cath.* 1737 (1978), p. 206-223.

7. Les documents de la première phase de son travail sont rassemblés dans le *Rapport final*, Windsor, septembre 1981, Paris, Cerf, 1982.

les baptistes, certaines Églises pentecôtistes, etc. ; il faut y ajouter deux commissions au statut plus particulier, la Commission tripartite catholique-luthérienne-réformée qui a étudié les problèmes du mariage [8] et le groupe mixte de travail entre l'Église catholique et le Conseil œcuménique des Églises [9]. Dans le dialogue avec l'Orient on compte trois commissions principales : une Commission de conversations entre représentants de l'Église catholique et de l'Église orthodoxe russe ; la Commission entre l'Église catholique et l'Église copte orthodoxe d'Égypte ; enfin la Commission mixte catholique-orthodoxe pour le dialogue théologique, constituée en 1979 par le pape Jean-Paul II et le patriarche Dimitrios, qui a déjà publié plusieurs documents.

De son côté la Commission *Foi et Constitution* du Conseil œcuménique des Églises a engagé un travail multilatéral de longue haleine qui a abouti en 1982 à la publication du rapport de Lima sur *Baptême, Eucharistie, Ministère* [10]. Si ces commissions sont officielles et leurs membres nommés par mandat de leurs Églises, leurs conclusions en tant que telles, même quand elles sont publiées, n'ont *pas encore* de valeur officielle. Le document de Cantorbéry (ARCIC) précise ainsi son statut :

Comme le déclarent les deux co-présidents dans leur préface, actuellement ce n'est qu'une déclaration commune de la Commission [...]. Ce n'est pas une déclaration de l'Église catholique ou de la Communion anglicane : elle n'engage pas leur autorité. Elle n'autorise pas un changement de la discipline ecclésiastique actuellement en vigueur [11].

On peut rapprocher cette notation d'une prise de position plus explicite du Cardinal Willebrands :

Même officiellement constituées, ces commissions ne sont pas des organes du magistère et leurs déclarations n'ont pas l'autorité du magistère de l'Église. Les conclusions des commissions interconfessionnelles restent, pour le moment, sous la responsabilité de leurs

---

8. Cette commission a publié son rapport final : « La théologie du mariage et le problème des mariages mixtes », in *Doc. cath.*, 1736 (1978), p. 158-172.

9. D'autre part des théologiens catholiques participent à part entière au travail théologique de la Commission *Foi et Constitution*.

10. Centurion/Presses de Taizé, 1982.

11. *Doc. cath.* 1644 (1973), p. 1066.

auteurs. Le fait qu'elles aient été publiées ne change rien ni à leur nature ni à leur autorité. Elles ne sont des déclarations ni de l'Église catholique ni des Églises ou communautés ecclésiales avec lesquelles un dialogue a été engagé. Elles n'autorisent aucun changement de la discipline ecclésiastique en vigueur [12].

Tant de précisions négatives ne résonnent-elles pas comme une mise en garde ? Il s'agit plutôt à mon avis d'une mise au point assez évidente. L'écho souvent considérable provoqué par ces déclarations chez beaucoup de prêtres et de fidèles a pu donner lieu à quelque confusion. Leur mandat amène en effet ces commissions à se prononcer sur des questions délicates du contentieux œcuménique. Elles expriment ou suggèrent des « avancées » qui alimentent une espérance et produisent parfois un impact plus grand sur l'opinion publique que les déclarations des autorités, que leur responsabilité même cantonne souvent dans des affirmations plus générales. C'est pourquoi il était bon de rappeler le statut encore provisoire de ce type de document.

Mais il demeure que les Églises se sont engagées de manière officielle dans un dialogue pour lequel elles ont donné mandat. Du côté catholique, le Secrétariat romain pour l'unité

veille à choisir des théologiens qui offrent la garantie de représenter les diverses positions légitimement tenues dans l'Église catholique, et se préoccupe de veiller à ce que le mandat déterminé de commun accord soit exécuté [...]. Ces dialogues officiels supposent un engagement plus ou moins similaire de la part de nos partenaires anglicans et protestants [13].

De plus, le même Secrétariat autorise la publication de ces textes, qui lui paraissent donc suffisamment valables, même s'il n'en assume pas toutes les conclusions.

Dialogue *officiel*, mais résultat *provisoire*, c'est-à-dire résultat d'*étape*, voilà ce qu'il faut retenir. Ces accords représentent un jalon dans un processus encore inachevé. Ils sont ensuite envoyés aux autorités locales des Églises respectives, afin de recevoir leurs avis et critiques. Ils sont publiés, afin de

---

12. Cardinal WILLEBRANDS, « Les commissions mixtes et leurs premiers résultats », in *Doc. cath*, 1646 (1974), p. 64.

13. J. HAMER, « Réflexions sur les dialogues théologiques interconfessionnels », in *Doc. cath.*, 1634, (1973), p. 571.

permettre aux théologiens et à d'autres de faire progresser la recherche. La Commission anglicane-catholique romaine dit expressément que les autorités « ont permis que ce rapport soit publié pour qu'il puisse être discuté par d'autres théologiens », et, qu'en conséquence, elle « sera heureuse de recevoir des réactions, des observations et des critiques, faites dans un esprit constructif et fraternel » [14].

La phase ouverte par ces publications est celle d'une série de « navettes » entre les diverses commissions et les autorités des Églises auxquelles elles présentent leurs résultats. Le plus souvent ces autorités consultent leurs Églises locales (Conférences épiscopales, Facultés de théologie, etc.) avant d'élaborer un document d'appréciation sur les résultats obtenus. Dans l'état actuel des choses ces documents font la part du positif et de ce qui laisse encore à désirer : ils suggèrent des améliorations [15]. Ces « navettes » fonctionnent de manière analogue pour les dialogues bilatéraux et le dialogue multilatéral [16]. Parfois les commissions reprennent leur travail et publient soit des clarifications [17] soit de nouveaux documents.

Ce mouvement d'échanges et de réflexion est aujourd'hui encore en devenir, parce que les résultats, pour « substantiels » que soient certains d'entre eux, n'ont pas encore abouti à une réconciliation doctrinale complète des points étudiés et moins encore à la recomposition totale de l'unanimité dans la foi. Tel est pourtant bien le but poursuivi par les plus avancés de ces dialogues. Si certaines commissions mixtes sont encore occupées à dresser un état fondé de leurs divergences et de leur accord dans la foi, et à permettre des relations vraiment œcuméniques « à la base », d'autres par contre ont pour raison d'être le retour à la pleine communion dans la foi. Si le

---

14. « Accord de Cantorbéry », Statut du Document, *ibid.*, p. 1066.

15. Cf. les observations — assez sévères — de la Congrégation pour la doctrine de la Foi sur le rapport final de l'ARCIC (*Doc. cath.* 1830 [1982], p. 507-512), et la réponse catholique au B.E.M., établie par le Secrétariat pour l'Unité des chrétiens en collaboration avec la Congrégation pour la doctrine de la Foi — beaucoup plus positif — (*Doc. cath.* 1954 [1988], p. 102-119).

16. *Foi et Constitution* a publié deux volumes en anglais, constitués par les réactions des diverses Églises du Conseil œcuménique.

17. Par exemple l'ARCIC a publié trois fois des « Élucidations » à propos de l'eucharistie, du ministère et de l'autorité dans l'Église, cf. *Rapport final, op. cit.*

processus devait s'arrêter en chemin, il serait privé de sa véritable signification.

Quand les résultats seront jugés satisfaisants, il appartiendra alors aux autorités des Églises de se prononcer de manière définitive et d'en tirer les conséquences. C'est à ce moment que du côté catholique le Magistère interviendra de manière décisive. L'Orthodoxie a elle aussi ses instances de régulation doctrinale. Du côté des confessions issues de la Réforme, le problème est de savoir quelle instance sera habilitée à reconnaître la foi de son Église dans de nouveaux documents. Au terme de cette reconnaissance définitive et partagée, les documents d'accord deviendront donc, chacun en fonction de leur nature, des *documents de foi* pour les Églises intéressées, analogues aux grands textes symboliques ou conciliaires.

Le même type de dialogue par commissions mixtes mandatées existe aussi au plan national, par exemple en France [18] et aux États-Unis. Toutes proportions gardées, il s'inscrit dans un processus analogue et constitue un appoint précieux au travail des commissions internationales.

3. *Les groupes œcuméniques privés*

C'est à cette catégorie qu'appartient le Groupe des Dombes, qui coopte librement ses membres depuis l'initiative première de l'abbé Couturier. Ceux-ci ne sont donc l'objet d'aucun mandat de la part de leurs Églises. Chacun y exerce sa responsabilité de chrétien, de pasteur, voire de théologien au regard de sa propre discipline, dans un climat de grande liberté. Le Groupe a donc seul la responsabilité de ce qu'il décide de publier (avec les nuances qu'il met lui-même). C'est dire que ses documents ont une autorité purement privée, quant à leur origine.

Autorité *privée* ne veut pas dire autorité *nulle*. Ce travail « libre », qui exprime la nécessaire participation des chrétiens au dialogue doctrinal et à l'expression de la foi, veut être loyalement accompli au service des Églises. C'est pourquoi, tout en gardant un statut qui lui paraît fécond, le groupe tient

---

18. Le comité mixte catholique-protestant en France a publié fin 1972 une « Déclaration commune sur le baptême » et un « Accord doctrinal sur le mariage », in *Doc. cath.*, 1623 (1973), p. 22-24.

régulièrement au courant de ses travaux les autorités ecclésiales en France [19]. Il leur envoie la primeur de ses productions, avant même leur publication. C'est pourquoi aussi il a voulu donner une diffusion plus large à ses travaux sur l'Eucharistie et les ministères, afin de provoquer la réflexion œcuménique de nombreuses communautés. L'espoir du Groupe est de voir fonctionner ses documents comme une discrète interpellation adressée à la fois aux autorités et au peuple des Églises. Son désir est enfin qu'ils puissent contribuer à leur niveau aux processus officiels que les Églises ont mis en route.

Dans la mesure où l'écho reçu est positif, ces documents voient leur autorité « morale » grandir. Un bilan est sans doute difficile à établir et il serait différent pour chacun d'eux. L'intérêt suscité dans de nombreux groupes œcuméniques ou non, en France et à l'étranger, a été grand. L'accord eucharistique a provoqué des réactions positives de la part de certaines autorités [20]. Le document sur les ministères a été utilisé par des commissions officielles. Le document sur le ministère épiscopal a été pris en compte par *Foi et Constitution* pour l'élaboration du texte de Lima sur les ministères. Diverses critiques ont été également adressées, invitant à des clarifications et à des améliorations. L'avenir de l'autorité des résultats obtenus aux Dombes est donc encore en sursis. Mais l'essentiel est que les contributions de ce groupe entrent dans le grand « marché commun » du dialogue doctrinal.

---

19. Un rapport sur les activités du groupe a même été fait lors de la réunion plénière des consulteurs du Secrétariat romain pour l'unité, en novembre 1973.

20. Voir le commentaire donné par Mgr Pézeril (*Doc. cath.*, 1610 [1972], p. 527-531) sur l'accord eucharistique. Le même accord a fait l'objet d'une prise de position positive de la part du synode de l'Église évangélique luthérienne en juin 1973.

CHAPITRE 4

LE CONTENTIEUX SUR LA FOI
ENTRE ÉGLISES SÉPARÉES

Est-il possible de faire le point du contentieux doctrinal existant aujourd'hui entre les Églises divisées, c'est-à-dire entre les grandes familles confessionnelles d'une part et l'Église catholique d'autre part ? Si l'on veut prendre la démarche œcuménique en son sens propre, c'est-à-dire la réconciliation des chrétiens, un tel effort suppose acquis des critères de discernement de l'identité chrétienne. Qui est chrétien et qui ne l'est pas ? La question s'est inévitablement posée au moment de la création du Conseil œcuménique des Églises. Car il fallait bien mettre une condition d'ordre doctrinal à l'entrée au C.O.E. Cette condition fut d'abord la confession de Jésus, comme Seigneur, fondement christologique qui s'est ensuite élargi dans une perspective trinitaire. Aussi, ma réflexion considérera-t-elle les grandes Églises et confessions dont l'identité chrétienne ne fait pas de doute. Je ne m'occuperai pas de certains groupes, éventuellement « sectes », dont l'identité chrétienne est tout à fait sujette à caution et qui ne sont d'ailleurs généralement pas habités par une attitude œcuménique.

Une révolution « copernicienne »

Lorsqu'on parle aujourd'hui des relations entre les Églises chrétiennes, n'a-t-on pas tendance à être trop optimiste et à s'exprimer parfois comme si rien ne nous séparait plus ? Il

est vrai qu'à la suite des initiatives du pape Jean XXIII, du
concile de Vatican II et du mouvement qui a été ainsi induit,
une sorte de révolution « copernicienne » s'est produite dans
la vie de l'Église catholique. Ne disait-on pas autrefois : nous
sommes avant tout divisés, bien qu'un certain fonds chrétien
nous unisse ? Et l'on fondait sur toutes les raisons de la
division une attitude, soit d'ignorance, soit de rivalité sourde,
soit d'opposition manifeste. L'on dit maintenant : nous sommes
avant tout unis en tant que chrétiens, bien que certains points
importants de la foi et de la vie ecclésiale nous séparent
encore. Autrement dit, nous vivons déjà d'une communion
réelle, mais d'une communion incomplète. C'est ainsi que
Paul VI, dans son message pascal de 1972, s'adressait aux
« frères chrétiens [...] auxquels ne nous unit pas encore une
parfaite communion ». Et l'on fonde sur cette communion déjà
large la possibilité de faire ensemble tout ce qui peut l'être.

Cette conversion d'attitude est décisive. Elle ne doit pas
cependant donner à penser que rien ne sépare plus les chrétiens,
et l'honnêteté œcuménique demande de faire le point du
contentieux qui demeure à ce jour. Je dirais même que cette
attitude nous permet de faire ce point en toute vérité, parce
qu'elle l'inscrit dans la charité et dans une dynamique de
réconciliation. Ce point est d'ailleurs lui-même mouvant, car
les dialogues doctrinaux, actuellement menés avec discrétion
et ténacité, élargissent incontestablement le domaine de l'accord
dans la foi. Ce que je vais esquisser est donc du domaine du
provisoire et mon plus grand espoir est que ce que je vais
mentionner soit au plus vite dépassé et qu'un tel sujet devienne
sans contenu.

Dynamique de rupture et dynamique de retrouvailles

L'appréciation d'un contentieux ne peut, en effet, pas être
la même lorsqu'on est dans une dynamique de séparation ou
dans une dynamique de retrouvailles. Dans un dynamique de
séparation, le contentieux doctrinal est au point de départ
assez faible. Mais le manque mutuel de charité et le désir ou
la volonté de la scission ont tendance à se justifier doctrinalement. Aussi, tout ce qui constituait originellement un
ensemble de perceptions différentes, un climat théologique,

spirituel, liturgique divers va chercher à se poser en divergences et en oppositions proprement doctrinales. C'est la caractéristique propre de la phase de division : on l'a vue tant en Orient qu'en Occident et l'on en trouve encore des exemples à l'époque contemporaine. A la limite, des frères que rien dans la foi ne sépare encore, ne peuvent plus communiquer. La perte de la charité fraternelle n'est jamais neutre au regard de la vérité. Elle engendre facilement le refus d'une vérité complète. Au contraire, le retour à une attitude de charité mutuelle permet un retour à une vérité plus plénière. Le contentieux doctrinal a beau être réel, parfois important, le désir de la réconciliation permet de s'écouter, de se comprendre et même de découvrir en certains cas que ce qui était interprété dans un climat polémique comme une divergence se ramène à une différence compatible avec l'unanimité nécessaire dans la foi. La conversion du cœur ouvre à une conversion de l'intelligence et contribue à désépaissir le domaine du contentieux.

Il est d'ailleurs remarquable que dans les deux périodes de transition, de la communion à la rupture et de la rupture vers la communion, on rencontre des « dialogues » doctrinaux. Avant de se résoudre à la scission ou quand celle-ci vient de naître, il y a encore des hommes de bonne volonté pour tenter de maintenir l'unité. Je pense à certains dialogues entre Orient et Occident qui ont pu se continuer longtemps à travers le Moyen Age, comme celui d'Anselme de Havelberg et de Nicetas de Constantinople. Je pense également aux colloques de Haguenau, Worms et Ratisbonne, suscités par Charles Quint en 1540, afin de résoudre le contentieux doctrinal. Les participants n'étaient pas des comparses : Melanchton, Bucer et Pistorius du côté protestant ; Eck, Plug, Gropper, Contarini du côté catholique. A cette époque la rupture n'était pas encore consommée ; on gardait espoir dans la réunion d'un concile à venir. A Ratisbonne par exemple, on se mit d'accord sur le libre arbitre de l'homme, le péché originel et la justification ; mais on achoppa sur l'Église, l'eucharistie et les ministères. Le lieu de l'échec est significatif : la volonté de vivre dans une même Église n'était plus suffisante pour permettre de résoudre certains problèmes. D'ailleurs, quelle qu'ait été la bonne volonté des participants, ces dialogues s'inscrivaient

dans un environnement de rupture. A supposer qu'ils aient
abouti, ils n'auraient pas été reçus.

Nous connaissons aujourd'hui une nouvelle période de dialogues doctrinaux avec la multiplication des commissions mixtes
entre l'Église catholique et les autres Églises d'Orient ou
d'Occident, et avec les travaux de la Commission *Foi et
Constitution* du C.O.E. Mais maintenant, le climat permet de
poser dans la sérénité la question capitale de savoir dans
quelle mesure une différence est une divergence. Dans une
dynamique de retrouvailles on essaie de reconnaître et de
respecter toutes les différences légitimes et de réduire les
vraies divergences.

La démarche œcuménique en théologie

La démarche œcuménique en théologie essaie de progresser
sur la voie de la recomposition de l'unité dans la foi. Elle
vise d'abord à déblayer tous les faux problèmes accumulés
par des siècles de polémique, et ensuite à cerner les points
clés du contentieux. En présence de divergences réelles, elle
s'interroge sur leur signification et le degré de leur pertinence ;
elle cherche à faire jouer certaines complémentarités positives
aujourd'hui masquées par les divergences. Elle n'a pas peur
de poser la question de la nécessité d'une conversion d'ordre
proprement doctrinal pour retrouver sur le point considéré
l'unanimité dans la foi, restant sauves les diversités légitimes.
Il ne s'agit donc jamais de se mettre d'accord sur une base
minimale, ou d'engager des transactions du type « donnant
donnant », mais de prendre en compte tous les éléments de
vérité inscrits dans les positions confessionnelles séparées et
de découvrir leur point d'intégration dans un *en-avant* qui
représentera une vérité plus plénière où l'exclusif et l'unilatéral
se trouveront convertis, mais où les valeurs imprescriptibles
au regard de l'Évangile seront honorées et reconnues. C'est
par ce chemin austère que passe la réconciliation doctrinale [1].

---

1. Voir sur ce sujet l'intéressant article de Joseph DE BACIOCCHI, « Accords
des Dombes et théologie œcuménique », in *Istina* 1974/2, p. 160-179.

I. ENTRE LES ÉGLISES ORTHODOXES ET L'ÉGLISE CATHOLIQUE

Pourquoi cette rupture ?

La rupture entre Orient et Occident date de 1054 : elle s'est exprimée dans l'échange des anathèmes entre le cardinal Humbert, légat du pape, et Michel Cérulaire, patriarche de Constantinople. Ces anathèmes ont été rapportés après la rencontre du pape Paul VI et du patriarche Athénagoras. Mais cette date n'est que le point de repère du consentement formel et mutuel au divorce qui était lentement entré dans les faits depuis longtemps. Quelles en sont les raisons ? Les rivalités politiques entre Orient et Occident y ont joué un grand rôle. Elles se sont conjuguées avec une rivalité culturelle, l'Occident manifestant de plus en plus un sentiment d'émancipation, de « décolonisation » culturelle, pourrait-on dire, vis-à-vis de l'Orient. En Orient, l'empire subsiste et l'Église reste très impériale, avec tout ce que cela comporte d'ambiguïtés dans les interventions d'empereurs « théologiens » ; en Occident, l'empire a disparu et l'autorité papale devient le grand élément d'unité de l'Église. Entre les deux régions, la perception concrète du mystère chrétien se fait dans un climat spirituel et théologique sensiblement différent. L'Orient est très sensible à la théophanie de Dieu dans le mystère du Christ et de l'Église : c'est l'aspect sous-jacent à la théologie de l'Icône. Il voit davantage, dans le Christ, Dieu manifesté dans sa gloire, que l'homme anéanti, alors que l'Occident insistera davantage sur l'humanité du Christ. En Orient le mystère de la foi est avant tout le lieu d'une contemplation objective : le croyant prie, adhère, loue et rend grâce à Dieu. C'est l'Orient qui aura été le lieu privilégié des débats christologiques et trinitaires.

L'Occident sera plus « pratique » et débattra de questions relatives au « sujet croyant » et de problèmes ecclésiologiques et sacramentaires : la validité du baptême des hérétiques, la grâce et le péché au temps de Pélage. L'Occidental se pose davantage la question : comment le mystère chrétien vient-il en moi, comment me change-t-il ? quel est le rôle propre de l'Église ? Rien de tout cela qui soit une divergence proprement dite, mais des particularités qui s'accentuent dans une évolution centrifuge. Le langage de la foi prend lui aussi une certaine distance : des conflits d'autorité naissent entre papes et empereurs, pour des raisons christologiques, dans le siècle qui suit Chalcédoine et une première rupture de trente-cinq ans (484-519) entre Orient et Occident prend valeur d'un sinistre présage. Tout un ensemble d'impondérables aura joué, pour qu'un jour on prenne conscience qu'on ne veut plus vivre dans la communion. Les différences, les malentendus, les maladresses — l'Occident en a commis beaucoup — et les sourdes tensions se réveillent alors en autant de griefs. Tout devient motif de rupture, même les points les plus extérieurs comme la question de la barbe des prêtres ou l'usage du pain azyme ou fermenté pour la célébration de l'eucharistie [2].

Un millénaire de séparation

Il va sans dire qu'un millénaire de séparation n'a pas contribué à arranger les choses. Aujourd'hui, le climat de charité est revenu mais beaucoup de susceptibilités demeurent. Et l'on constate de part et d'autre un écart de mentalité culturelle qui rend très difficile le dialogue œcuménique : il s'exprime dans le langage, la sensibilité religieuse et la perception elle-même du contentieux doctrinal. On doit constater ici une sorte de paradoxe : le dialogue avec l'Orthodoxie, où le contentieux doctrinal est assez faible, a pris un net temps de retard sur celui mené entre les Églises divisées d'Occident, où le contentieux est manifestement plus lourd, mais où une certaine communauté culturelle facilite la compréhension mutuelle.

C'est ainsi que pour un catholique, les points de contentieux doctrinal avec l'Orient sont très circonscrits et faciles à énumérer : c'est dans cet esprit que je les mentionnerai. Pour un orthodoxe l'appréciation des choses sera très différente et pourra varier considérablement suivant le partenaire ou le

---

2. Sur toutes ces différences, voir le livre très bien informé de W. DE VRIES, *Orthodoxie et catholicisme*, Desclée, 1967.

climat d'une réunion. Elle pourra même passer du tout au rien ou du rien au tout.

« Mais qu'est-ce qui nous sépare ? », disait naguère le patriarche Athénagoras dans sa sainte impatience de la communion retrouvée. Mais d'autres orthodoxes verront un enjeu de foi en toutes choses, parce que tout se tient dans la foi et dans l'Église, et qu'il leur apparaît impossible de reconnaître comme Église de Dieu une Église qui n'est pas en pleine communion avec eux. Dans cette perspective, le « Filioque » distille un venin sur toute la doctrine catholique et nos sacrements ne peuvent être considérés comme valides que par « économie ». Un doute radical plane ainsi sur l'Église catholique, alors que cette dernière reconnaît sans difficulté dans les Églises orthodoxes des « Églises sœurs ». Je ne mentionne pas ceci dans un esprit de confrontation, mais pour faire saisir la différence de problématique dans laquelle baigne inévitablement tout dialogue.

Un dialogue christologique exemplaire

L'Église copte d'Égypte appartient au groupe des Églises non chalcédoniennes, c'est-à-dire des Églises qui ont gardé en christologie un langage « monophysite » dans la tradition de Cyrille d'Alexandrie, poursuivie après Chalcédoine par Sévère d'Antioche. Ces Églises n'ont jamais pu admettre la formule « en deux natures » du concile de Chalcédoine, dans laquelle elles ont toujours suspecté un relent de nestorianisme. Il s'agit en l'occurrence d'une question de langage et non de foi christologique : mais encore fallait-il pouvoir le reconnaître ensemble. Or, le 10 mai 1973, le pape Shenouda d'Alexandrie et le pape Paul VI ont signé une déclaration commune qui me semble exemplaire dans l'ordre de la réconciliation doctrinale. Cette déclaration comporte en effet une confession de foi christologique qui, s'inspirant au plus près de la définition de Chalcédoine, en évite l'expression litigieuse, mais en exprime le sens d'une autre manière. Autrement dit, on sort de préalables devenus stériles du type : reconnaissez la définition de Chalcédoine telle quelle ; ou : renoncez au langage des deux natures. Mais on reconnaît mutuellement l'authenticité de la foi christologique de son partenaire en admettant une diversité de langage. On ne reste pas rivé à des mots chargés d'une opposition plus que millénaire ; on confesse ensemble un sens qui est au-dessus de toute ambiguïté. Cet acte œcuménique constitue une référence importante pour l'interprétation des conciles : il nous dit que nous sommes tenus aujourd'hui par le sens visé et affirmé par les conciles et non par les mots. Dans le dialogue œcuménique, ce fait est encore unique à ma connaissance [3].

Primauté romaine et ministère d'unité

Entre l'ensemble des Églises orthodoxes et l'Église catholique, le point majeur du contentieux réside dans la reconnaissance de la primauté du siège de Rome et la conception du ministère d'unité de toute l'Église. Le malentendu entre Orient et Occident remonte sur ce point très loin dans l'histoire. Le P. de Vries, a bien montré que dès l'époque d'Éphèse et de Chalcédoine on n'interprétait pas de la même façon en Orient et en Occident le rapport du pape au concile [4]. L'Orient a toujours reconnu au siège de Rome une primauté d'honneur en raison de sa fondation sur Pierre et Paul. Rome est le premier des grands patriarcats d'origine apostolique et cette primauté d'honneur entraîne une certaine responsabilité dans l'ordre de l'unité. Rome préside à la charité et constitue une instance de recours et d'arbitrage dans les cas de conflits ou de crise. Mais fondamentalement le pape est le premier entre des égaux *(primus inter pares)*. L'Orient n'admet donc pas que l'évêque de Rome, patriarche d'Occident, puisse disposer d'un pouvoir de juridiction universelle, ordinaire et immédiat, tel que le concile de Vatican I l'a défini. Dans l'état actuel des positions un immense travail reste à faire pour parvenir à une réconciliation. L'accord sur un tel point aurait des conséquences immédiates. Il demandera aux uns et aux autres un acte de conversion : en particulier la renonciation aux autocéphalies d'une part, et de l'autre l'assurance que l'autorité

---

3. Cf. le texte de cette déclaration dans *Doc. cath.* 1633 (1973), p. 515-516

4. Sur cette question, cf. W. DE VRIES, *Orient et Occident. Les structures ecclésiales vues dans l'histoire des sept premiers conciles œcuméniques*, Cerf, 1974.

du pape ne doit en aucun cas porter atteinte à la juridiction des évêques et aux libertés traditionnellement vécues dans les Églises d'Orient, et aussi une meilleure distinction entre ce qui appartient formellement au ministère de Pierre en tant que tel, et ce qui est le fait du patriarcat d'Occident ou de développements historiques contingents qui n'ont rien à voir avec la constitution de l'Église.

Dans un contexte différent, la question du ministère d'unité de toute l'Église se pose également entre Églises divisées d'Occident : je n'y reviendrai donc pas. Mais c'est de ce côté que le dialogue œcuménique sur ce sujet est le plus engagé. Il a été largement abordé par la Commission anglicane-catholique (ARCIC) dans le document de Venise sur l'autorité dans l'Église et dans le rapport final de cette Commission [5]. Une commission nationale mixte entre catholiques et luthériens, aux États-Unis, a elle aussi publié un document fort intéressant accompagné de plusieurs études historiques et théologiques de ses membres [6].

Le « Filioque »

Un contentieux doctrinal traditionnel entre Orient et Occident tourne autour de la question du « Filioque ». L'Orient a développé une doctrine trinitaire dans laquelle le Père est seule source : l'Esprit procède donc du Père par le Fils, mais non du Père et du Fils. En Occident, saint Augustin a proposé le premier une théologie de la procession du Père et du Fils, à partir d'une visée trinitaire où le rapport entre nature et personnes divines est perçu autrement. Jusque-là, nous sommes en présence d'une différence théologique, mais pas d'une divergence. Mais les théologiens latins du temps de Charlemagne ont pris l'initiative d'ajouter la mention du Filioque dans le symbole liturgique vénérable qui remonte à Nicée-Constantinople. Or le concile d'Éphèse avait décidé en 431 que l'on ne ferait désormais plus d'adjonction au texte du

---

5. ARCIC, *Rapport final*, Windsor, septembre 1981, Paris, Cerf, 1982.

6. Cf. *Papal Primacy and the universal Church*, Paul C. EMPIE et T. Austin MURPHY éd., Lutherans and Catholics in dialogue V, Augsburg, Minneapolis, Minnesota, 1974. Cf. également : GROUPE DES DOMBES, *Le Ministère de communion dans l'Église Universelle*, Paris, Centurion, 1986.

symbole de foi. Cette ajoute faite de manière unilatérale par l'Occident et ratifiée après quelques réticences par les papes a toujours été considérée en Orient comme inadmissible. Sur ce point, quoi qu'il en soit du bien-fondé doctrinal du Filioque, nous devrions reconnaître que l'Orient a raison.

La visée trinitaire grecque a de fait une difficulté spécifique à admettre que l'Esprit procède du Père et du Fils, car, pour elle, cela revient soit à poser deux principes dans la Trinité, soit à ramener le Père et le Fils au statut d'une personne double et donc à faire de la Trinité une dyade. Du côté latin au contraire, on estime que la procession de l'Esprit à partir du Fils aussi est nécessaire pour maintenir la distinction entre le Fils et l'Esprit. En tout cela, il y a d'abord une différence théologique et non forcément une divergence doctrinale. Mais, dans une dynamique de scission qui cherche à se justifier, la polémique a surenchéri : les Grecs ont lancé la formule polémique : l'Esprit procède du Père seul *(a Patre solo)* ; les Latins les ont accusés d'hérésie ; et bien entendu il s'est trouvé aussi des Grecs pour dire que le Filioque était hérétique. Les efforts de réconciliation des conciles de Lyon II et de Florence ont été des échecs. Pourtant ce dernier concile avait développé une interprétation très voisine des formules grecque et latine.

Où en est-on aujourd'hui [7] ? Du côté catholique il semble tout à fait possible de reconnaître qu'il s'agit d'une différence de systématisation qui n'engage pas la foi. Les formules « du Père par le Fils » ou « du père et du Fils » sont toutes les deux légitimes et orthodoxes. Du côté de l'Orient les positions varient davantage. Il y a encore des théologiens pour voir dans le Filioque une hérésie. D'autres, qui jouissent d'une réelle autorité, tiennent par contre qu'il s'agit de deux *theologoumena* différents, c'est-à-dire deux conclusions théologiques diverses mais compatibles dans la foi. Peu avant sa mort, Paul Evdokimov avait même proposé une voie de réconciliation, typiquement œcuménique, sur un en-avant. Le danger du Filioque, disait-il, est de poser un lien privilégié entre le Père et le Fils dont le Saint-Esprit est exclu. Or les relations

---

7. On trouvera un excellent point œcuménique de la question du Filioque dans le volume du Conseil œcuménique des Églises, « La Théologie du Saint-Esprit dans le dialogue œcuménique », in Doc. *Foi et Constitution* n° 103, Paris, Centurion, Presses de Taizé, 1981.

trinitaires sont toutes nécessairement triples. Pour équilibrer
le Filioque, il faudrait donc affirmer le *Spirituque*. Qu'est-ce
à dire ? Que le fils, dans sa génération, reçoit du Père l'Esprit-
Saint. Il y a en effet des indications scripturaires dans ce sens,
qui concernent immédiatement le rôle du Fils et de l'Esprit
dans l'histoire du salut. De même que le Fils envoie l'Esprit
de la part du Père (Jn 15, 26 ; 16, 7. 13-15), de même l'Esprit
joue un rôle dans la génération humaine du Fils, dans sa
venue au moment du baptême de Jésus, pendant tout son
ministère et au moment de sa résurrection. La réciprocité est
donc totale [8]. Ce n'est que la proposition d'un théologien,
mais elle est tout à fait suggestive et pleine d'espérance.

L'invocation de l'Esprit ou épiclèse

Un reproche courant de l'Orthodoxie à la théologie et à la
praxis ecclésiales catholiques est de sous-estimer le rôle du
Saint-Esprit dans la vie de l'Église et de vivre sur une sorte
de « christomonisme ». Le reproche a été longtemps justifié.
Il portait très particulièrement sur l'oubli ou la tombée en
désuétude de l'invocation de l'Esprit ou épiclèse dans la
célébration de l'eucharistie. L'épiclèse nous rappelle en effet
que c'est l'Esprit de Dieu qui vient par sa toute-puissance
réaliser la présence réelle du ressuscité dans les oblats. Le
prêtre de par son ordination — accomplie elle aussi avec une
invocation de l'Esprit — est le ministre officiellement habilité
dans l'Église, par grâce de Dieu, pour dire cette prière que
la promesse du Christ s'engage à exaucer. La réforme liturgique
accomplie à Vatican II a remis en honneur l'épiclèse dans la
célébration eucharistique et a fait droit pour l'essentiel à cette
requête. L'exemple a d'ailleurs été suivi par l'Église anglicane
qui a, elle aussi, réintroduit l'épiclèse dans la célébration
eucharistique.

---

8. Cf. Paul EVDOKIMOV, *L'Esprit-Saint dans la tradition orthodoxe*, Cerf,
1969, p. 66-78.

Autres points

Pour être tout à fait exhaustif, il faut mentionner aussi une difficulté sur le purgatoire, d'ordre vraisemblablement théologique. En Occident, le mot ne se trouve en effet qu'au XIIe siècle pour désigner un lieu et la façon de concevoir la libération progressive des âmes des défunts est différente en Orient. La position de Luther sera beaucoup plus formelle dans sa négation du purgatoire, mais le dossier était pour lui lié à l'affaire des indulgences.

Bien entendu les Orientaux ne se sentent pas liés par les décisions des conciles latins, ni par les définitions dogmatiques mariales proclamées par les papes sur l'Immaculée Conception et l'Assomption, même si la piété grecque, très vive envers la Mère de Dieu *(Theotokos)*, célèbre avec ferveur cette dernière fête. Ils estiment qu'il n'y a pas là matière à définition dogmatique, mais que ce sont encore des *theologoumena* féconds pour la vie de foi des fidèles.

Compte tenu de ces points tout de même limités, et d'une différence de mentalité qui est peut-être l'obstacle le plus difficile, nous avons la même foi que les chrétiens orthodoxes, celle de Nicée-Constantinople et de Chalcédoine, et la même conception fondamentale de l'Église et des sacrements. Cela autorise un immense espoir d'une pleine communion, dans l'esprit et par la poursuite des démarches déjà accomplies.

II. ENTRE LES ÉGLISES ISSUES DE LA RÉFORME ET L'ÉGLISE CATHOLIQUE

Le contexte de la rupture

Prenons comme point de départ 1517, l'année de la « révolte » de Luther. Le visage du catholicisme était lourdement marqué par nombre d'abus et de scandales. Outre toutes les misères qui affectaient le clergé, la religion populaire était peu fondée doctrinalement et apparaissait comme une religion des « œuvres », avec tout un appareil de rites, de dévotions, d'aumônes et de pratiques diverses. L'affaire des indulgences était le symbole jugé scandaleux de ce type de religion : par l'intermédiaire d'une « œuvre » humaine on escomptait un bien spirituel. L'autorité ecclésiastique prétendait domestiquer les dons de Dieu dans des pratiques fructueuses pour ses propres intérêts : la basilique Saint-Pierre de Rome a été construite avec le fruit des indulgences récoltées en Allemagne... Tout cet état de choses était l'héritage d'une Église médiévale devenue bien décadente. Un des drames de cette triste histoire est qu'en 1517, au moment où Luther lançait son premier appel au concile, s'achevait précisément à Rome le Ve concile du Latran qui n'avait pas opéré une réforme réelle de l'Église. Mais pour Léon X, le concile était fait... Et le concile de Trente se réunira en 1545, l'année de la mort de Luther.

Luther a vécu une conversion personnelle très douloureuse : il est passé d'une religion des œuvres à une religion de la foi pure. Lui, moine augustin adonné par vocation à l'ascèse, il a fait l'expérience que les « œuvres » et les pénitences auxquelles il se soumettait le laissaient pécheur et toujours en proie à la grande angoisse religieuse qui a marqué cette époque : comment Dieu me regarde-t-il ? Suis-je digne d'amour ou de haine ? Ne suis-je pas réprouvé ? Au cœur de cette angoisse, Luther découvre comme une libération l'enseignement de l'épître aux Romains : l'homme est justifié par la foi seule, par sa foi au Christ et non par les œuvres. Sur la base de cette expérience, il annonce ce que Daniel Olivier appelle « un christianisme existentiel », dégagé des catégories scolastiques et parlant le langage de la foi vécue. C'est le christianisme intérieur, celui de la conversion, de la conscience et de la liberté, celui dont les hommes de ce temps ont besoin. La rencontre de cette attente et de l'intuition de Luther explique le succès prodigieusement rapide de sa parole. Son langage est littéralement détonnant.

Luther veut rajeunir le visage de l'Église et le « décaper » des multiples adjonctions dont le Moyen Age l'a alourdi, afin de faire briller en elle la proclamation l'Évangile. Sa démarche le conduit donc à revenir aux sources, l'Écriture d'abord et avant tout, mais aussi les Pères de l'Église. Il est porté en cela par le sens et le goût du texte qui fleurit à la Renaissance.

En tout cela, il n'y a rien encore qui sorte du bien commun de tous les chrétiens. Il y a bien plutôt de très grandes intuitions chrétiennes auxquelles le PL. Bouyer tiendra à rendre justice dans son livre *Du protestantisme à l'Église*. Mais le climat est à la rupture, aux violences verbales, aux surenchères des conditions posées. La responsabilité de la scission est évidemment partagée et ce n'est pas mon but d'en juger ici. L'important est plutôt que chaque Église sorte de l'attitude polémique qui stigmatise les fautes et les erreurs de l'autre, et s'interroge elle-même sur ses propres responsabilités. Car la rupture a été un péché commun des uns et des autres.

Dans ce climat de rupture les intuitions spirituelles de Luther vont se « doctrinaliser » et se durcir dans un certain nombre de refus et d'unilatéralismes, en particulier en ce qui concerne l'Église. On voit ainsi ses positions évoluer. Reconnaissons d'ailleurs que la manière dont bien des catholiques ont mené à l'époque la polémique avec lui ont contribué à ce durcissement de sa pensée. Les adversaires nourrissaient à plaisir leurs débats d'oppositions jugées incompatibles. Le manque de charité obscurcissait l'accès de la vérité. Luther opère donc à partir de ce moment une relecture globale du mystère chrétien qui donne à ses intuitions majeures une dimension doctrinale exclusive qu'elles n'avaient pas au départ.

De subtils « clivages »

Je m'avance ici sur un terrain particulièrement délicat où je risque sans cesse le procès de tendance, car il s'agit de choses par définition difficiles à cerner. Je le fais dans un esprit de discernement et de clarification, demeurant tout à fait conscient que l'accord dans la foi entre Églises issues de la Réforme et Église catholique est essentiel, puisqu'il porte sur le crédo lui-même, celui de Nicée-Constantinople, et l'enseignement des sept premiers conciles œcuméniques. Je recenserai ensuite les points objectifs du contentieux qui portent avant tout sur l'Église et les sacrements et non sur la confession de foi primordiale. Pourtant il me semble qu'au-delà de ces points précis, il y a deux manières d'envisager et de comprendre le mystère de la foi, profondément différentes. J'emploie à ce sujet le terme de « clivages ». Ce sont des différences

d'attitudes, de principes, de méthodes, assez subtiles en elles-
mêmes mais qui resurgissent de dossier en dossier, ou d'époque
en époque.

Le clivage essentiel tourne sur la conception du *rapport de
l'homme à Dieu*. A ses origines, la Réforme était habitée par
un sens très fort de la transcendance de Dieu et une conception
très augustinienne du péché. Cela aboutit à une compréhension
du rapport entre Dieu et l'homme où celui-ci apparaît toujours
comme écrasé dans son péché, jamais vraiment justifié. Or
dans la vie historique d'une communauté un tel déséquilibre
est difficilement supportable. Et l'on constate alors un mouvement de balancier qui aboutit inversement à l'exaltation de
l'homme et à un certain exil de Dieu. N'est-ce pas ce qui
s'est produit au XIXe siècle dans l'évolution du protestantisme
libéral, où le christianisme intérieur, religion de l'Esprit opposée
à la religion de l'autorité qu'est le catholicisme, va prendre
la forme d'une sorte de religion de la raison, dont les prémisses
ont été posés par Kant ? Plus près de nous on peut rappeler
la réaction vigoureuse d'un Karl Barth, contre le libéralisme
et vers un retour à l'orthodoxie : on retrouve chez lui la
transcendance absolue de Dieu et le refus de toute mainmise
de l'homme sur Dieu. Tel est le sens de son refus des preuves
rationnelles de l'existence de Dieu et de son refus de l'analogie.
Chez Karl Barth l'opposition entre la foi et la religion est
radicale, parce que la religion signifie pour lui l'effort radicalement pécheur par lequel l'homme prétend domestiquer
Dieu. La foi est un don gratuit que l'homme ne peut que
recevoir, tellement gratuit, tellement hors de nos prises, que
l'on se demande s'il est vraiment reçu. Or, plus récemment
encore, le mouvement de balancier nous a valu la théologie
de la mort de Dieu. Avec une grande lucidité, un théologien
protestant allemand, H. Zahrnt, a rendu compte de ces évolutions du pendule dans la pensée protestante [9]. Ce débat sur
la connaissance de Dieu est encore sous-jacent au dialogue
critique entre W. Kasper et J. Moltmann sur *Le Dieu crucifié* [10],
après avoir été naguère le lieu privilégié du dialogue entre
H. Urs von Balthasar et K. Barth.

---

9. Cf. H. ZAHRNT, *Aux prises avec Dieu. La théologie protestante au
XXe siècle*, Cerf, 1969.
   10. Sur ce point cf. *infra*, le chap. 9 « Y a-t-il une différence séparatrice... »,
p.184-187.

Ce clivage se retrouve, dans une certaine mesure toujours difficile à évaluer, avec le domaine de la christologie. La même verticalité souligne alors l'acte de Dieu qui nous sauve dans le Christ, au détriment de l'activité libre de son humanité. Tel fut le cas chez Luther, que l'on a pu accuser de monophysisme ou de mono-énergisme, *théologiques* au moins. La question avait été soulevée à nouveau par le P. Congar et a fait l'objet d'une mise au point de la part de M. Lienhard [11]. Je ne prétends pas mettre en cause l'orthodoxie de la christologie de Luther qui s'est toujours voulu fidèle à Chalcédoine, mais un certain déséquilibre de sa pensée qui porte atteinte à la pleine réalité de la médiation du Christ. Cela n'est pas sans conséquence dans l'estimation de la causalité salvifique du Christ [12].

On retrouve analogiquement la même préoccupation dans le souci manifesté par Karl Barth de n'attribuer aucun rôle à la Vierge Marie dans l'économie du salut. Ce serait encore une fois reconnaître la possibilité d'une action à la créature. Telle est sans doute la source profonde du contentieux marial entre protestantisme et catholicisme. Il ne s'agit pas bien sûr d'enlever Marie à l'Église des sauvés dont elle est le membre le plus éminent, mais de reconnaître que la libre et gratuite disposition de Dieu a voulu passer par son *Fiat*.

Les clivages ecclésiologiques

Le clivage dans la perception du mystère de l'Église est une conséquence de ce qui vient d'être dit. Luther, et Calvin à sa suite, ont développé de manière dangereuse une distinction déjà présente dans la théologie d'Augustin : l'Église invisible et l'Église visible. Le mystère de l'Église, don de Dieu aux hommes, est avant tout invisible : seul Dieu connaît les siens, ses amis, ceux qui seront sauvés et appartiennent à son peuple. Les Églises visibles sont des rassemblements de fidèles, qui

---

11. Cf. Y. CONGAR, « Regards et réflexions sur la christologie de Luther », dans *Chrétiens en dialogue*, Cerf, Paris, 1964, p. 453-489. M. LIENHARD, *Luther témoin de Jésus-Christ*, Cerf, 1973.
12. Cf. *infra*, le chap. 9 « Y a-t-il une différence séparatrice... », p. 178-180.

valent ce qu'ils valent, mais ne peuvent prétendre à un lien indissoluble avec le mystère invisible. Ce serait enfermer la souveraine liberté de Dieu. La pensée protestante est habitée par une allergie devant tout « ici et maintenant » de la manifestation et de l'action de Dieu, selon la logique même de l'incarnation, où le Verbe de Dieu, dit saint Irénée, s'est fait visible et palpable. On en voit tout de suite la conséquence dans l'évaluation de l'économie sacramentaire : l'affirmation catholique de la causalité sacramentelle, tout simplement parce que les sacrements sont des actes du Christ célébrés par l'Église, provoque spontanément un soupçon : n'est-ce pas emprisonner Dieu dans nos rites, nous l'approprier et le domestiquer en le soumettant à un pouvoir humain ? Les sacrements sont donc chose respectable mais très seconde, des gestes extérieurs de protestation de notre foi ; car ces gestes de l'homme restent en dehors de la justification par la foi. Il est remarquable qu'au moment même où le dialogue doctrinal fait d'importants progrès dans le domaine de divers sacrements, la notion même de sacrement et la sacramentalité de l'Église redeviennent l'objet d'interrogation et de débat œcuméniques. C'est pour cette raison que le Groupe des Dombes a consacré un document à la question des sacrements en général dans leur lien à l'Esprit et à l'Église [13].

Pour le catholicisme, l'Église est l'expression visible, communautaire, instituée, du mystère du don de Dieu aux hommes en Jésus-Christ, et cela en vertu même de la libéralité du Verbe incarné qui s'est engagé avec elle et en elle jusqu'à la fin des temps. Et les sacrements sont la célébration ecclésiale de la justification par la foi [14]. En me présentant aux sacrements, je proclame devant toute la communauté que c'est le Christ qui me sauve par sa pure grâce. Ma foi risque de verser dans les illusions de la conscience, si elle ne prend pas corps, au milieu du corps des croyants, à travers le langage symbolique de la liturgie. La perception du rapport au corps est ici très différente de celle du protestantisme.

---

13. Groupe des Dombes, *L'Esprit-Saint, l'Église et les Sacrements*, Presses de Taizé, 1979.

14. Cf. *infra*, le chap. 6 sur « Les sacrements de la foi. L'économie sacramentelle, célébration ecclésiale de la justification par la foi », p. 91-127.

Autre aspect de ces clivages ecclésiologiques : les ministères. La conception catholique de la médiation du Christ engage que cette médiation soit représentée, c'est-à-dire rendue présente et actuelle dans la vie de l'Église. C'est pourquoi le rôle du ministère apostolique structurant l'Église, parce qu'il re-présente — ministériellement bien sûr — l'initiative du Christ à son égard, est considéré avec tant d'attention. On sait que l'ecclésiologie de Luther, qui fait uniquement appel au sacerdoce universel des baptisés, contredit cette visée. Calvin serait plus proche de nous sur ce point. Heureusement c'est un domaine où récemment d'importantes progrès ont été accomplis.

Ce même type de clivage ne resurgit-il pas aujourd'hui dans le domaine de l'éthique, où nous voyons les Églises séparées prendre des options nettement divergentes devant des problèmes nouveaux et créer par là même un nouveau contentieux entre elles ?

La justification par la foi

La justification par la foi, l'« Évangile » de Luther, fut l'objet de nombreuses controverses au XVIe siècle. Disons tout net qu'il ne s'agit pas là d'une doctrine particulièrement luthérienne, mais d'une doctrine paulinienne et donc tout simplement chrétienne. Elle est donc aussi celle de l'Église catholique. Harnack n'avait-il pas dit au début du siècle que si le décret du concile de Trente sur la justification avait été voté au concile précédent du Latran en 1517 et était passé dans le corps de l'Église, la Réforme ne se serait pas développée [15] ? Mais ici encore l'attitude polémique a accumulé les divergences à travers les différences. Aujourd'hui de grands débats ont clarifié fondamentalement la situation : je pense au dialogue de K. Barth et de H. Küng et à celui du même Barth avec Henri Bouillard [16]. Pour ma part, j'estime qu'il n'y a plus en la matière de divergence dans la foi, même si les systématisations théologiques restent assez différentes. Il

---

15. A. HARNACK, *Dogmengeschichte III*, p. 711, cité par H. KÜNG, *La Justification*, Paris, DDB, 1965, p. 132.
16. Cf. H. BOUILLARD, *Karl Barth*, t. 2, *Parole de Dieu et existence humaine*, Aubier, 1957 ; H. KÜNG, *op. cit.*.

est clair que la conception protestante ne se réduit pas à la justification « forensique », c'est-à-dire à un jugement de Dieu qui serait extérieur au pécheur, mais qu'elle engage aussi une réelle « sanctification ». On s'est longtemps battu, parce qu'on ne mettait pas les mêmes choses sous les mêmes mots. Cela dit, qui est capital, car il importe de toujours distinguer ce qui appartient à la foi et ce qui est de l'ordre de la théologie, j'estime que la thématisation protestante de la justification n'est pas suffisamment équilibrée. Elle a toujours peur de trop donner à l'homme et de mettre en cause la priorité de Dieu : le « clivage » rejaillit aussi en ce domaine, et on le retrouve encore au niveau des conséquences en l'homme de la justification.

Écriture et Tradition ou Évangile et Église

Ce vieil objet de contentieux est lui aussi résolu pour l'essentiel. L'humour veut ici que ce soit l'exégèse protestante qui ait redécouvert que la rédaction de l'Écriture était elle-même un acte de tradition portée par un peuple. La conférence de *Foi et Constitution*, en 1962 à Montréal, contemporaine des débuts du concile de Vatican II, a renouvelé assez radicalement la problématique de la question. Du côté catholique, la constitution *Dei Verbum* de Vatican II sur la révélation divine est allée dans le même sens, en articulant de manière concrète le rapport de l'Écriture à la tradition apostolique qui l'a engendrée et à la tradition post-apostolique qui la transmet en s'y soumettant. Toutes deux « jaillissent d'une source divine identique » (*D.V.* 9) et ne forment qu'un tout. Il était ainsi mis un terme à une jurisprudence fautive d'interprétation du décret du concile de Trente sur le même sujet, qui avait réintroduit « deux sources » là où le concile parlait d'une source unique.

Le problème qui demeure concerne sans doute l'autorité de l'Église à l'égard du message consigné dans l'Écriture. L'Église catholique l'a toujours affirmée, tandis que les Églises de la Réforme confessent l'autorité souveraine des saintes Écritures et soulignent la nécessaire obéissance de l'Église à son égard. Les deux choses sont vraies et doivent être tenues ensemble dans un paradoxe qui n'est qu'apparent. L'autorité doctrinale de l'Église ne porte pas directement sur l'Écriture, elle s'exerce sur les croyants pour les maintenir dans une obéissance fidèle à l'Écriture. Tout acte d'interprétation de l'Écriture est un acte d'autorité qui est identiquement un acte de soumission. Il en va ainsi déjà pour l'établissement du canon au IIe siècle. Ce fut un acte de réception et de soumission aux Écritures du Nouveau Testament, considérées comme attestation même de la Parole de Dieu ; mais ce fut aussi un acte d'autorité, puisque l'Église a elle-même décidé de ce qui était Écriture et de ce qui ne l'était pas. Tout autre acte d'autorité et d'interprétation (dans les conciles par exemple...) peut être ramené à ce cas inaugural. La considération de l'autorité doctrinale dans l'Église, nécessaire pour maintenir celle-ci dans l'obéissance à la révélation, demeure encore un point de réconciliation à venir [17].

Le baptême

Le baptême est désormais l'objet d'une très large reconnaissance mutuelle entre les Églises issues de la Réforme et l'Église catholique. On peut dire que l'unanimité de la foi existe pour la doctrine du baptême, restant sauves de réelles particularités théologiques. Nous disposons maintenant de nombreux textes d'accord ou de documents qui permettent d'étudier le baptême de manière vraiment œcuménique [18].

L'eucharistie

L'eucharistie a été l'objet ces dernières années de la réconciliation doctrinale la plus spectaculaire entre grandes Églises : sur ce point les documents sont également nombreux et doctrinalement très riches. La difficile question du sacrifice a

---

17. Sur ce thème, cf. B. SESBOÜÉ, *L'Évangile dans l'Église. La tradition vivante de la foi*, Centurion, 1975.

18. Documents œcuméniques sur le baptême : Foi et Constitution, *Baptême Eucharistie Ministère* (B.E.M.), Paris, Centurion/Presses de Taizé, 1982. En France : Comité mixte catholique-protestant, « Déclaration commune sur le baptême », in *Doc. cath.* 1623 (1973), p. 22-24. Groupe privé des prêtres et pasteurs de Lyon, « Propositions sur le baptême », in *Unité chrétienne*, 29, 1973, p. 12-20.

trouvé son point d'accord grâce à la doctrine biblique du
« mémorial sacrificiel » : l'eucharistie est sacrifice, parce qu'elle
est le mémorial sacramentel de l'unique sacrifice du Christ ;
elle ne porte donc nullement ombrage à cette unicité. Celui-
ci n'est pas « répété » ni « renouvelé », il est rendu effectivement présent, il est « actualisé » par la toute-puissance de
l'Esprit du ressuscité. Un progrès sensible se fait jour aussi
sur la présence réelle du Christ dans l'eucharistie : un nouveau
langage se dégage pour l'affirmer sans ambiguïté. Les catholiques découvrent avec joie la foi de leurs frères sur ce point ;
les protestants sortent de leur soupçon de chosisme.

Des problèmes demeurent cependant : le premier concerne
la présidence de l'eucharistie et nous renvoie donc à la question
des ministères. Il a pour conséquence que l'Église catholique
ne peut reconnaître la plénitude sacramentelle de la sainte
Cène des Églises de la Réforme. Cela ne veut pas dire qu'elle
n'est pas en état de reconnaître une réelle « consistance »
eucharistique à cette célébration [19]. Le second problème
concerne la permanence de la présence après la célébration
proprement dite. Car « ce qui est donné comme corps et sang
du Christ reste donné comme corps et sang du Christ, et
demande à être traité comme tel » [20]. L'influence du document
des Dombes a amené de nouvelles pratiques en la matière
dans certaines Églises de la Réforme. L'idée pénètre dans
d'autres documents d'accord. Mais la permanence de la présence n'est pas encore devenue doctrine et pratique communes.
Le troisième problème enfin est celui de l'hospitalité eucharistique, c'est-à-dire de l'accueil à la table eucharistique d'une
Église de chrétiens appartenant à une autre confession. L'ecclésiologie protestante la considère volontiers comme une
pratique qui peut être généralisée dans l'état actuel des relations
œcuméniques entre chrétiens. Mais on retrouve ici une émergence du « clivage » : l'ecclésiologie catholique est beaucoup
plus exigeante en la matière, de par sa conception du lien
entre Église visible et mystère du don de Dieu. L'ecclésiologie

19. Cf. *infra*, le chap. 12 sur « La consistance eucharistique de la Cène »,
p. 225-231.
20. GROUPE DES DOMBES, *Vers une même foi eucharistique ? Accord entre
catholiques et protestants*, Presses de Taizé, 1972, n° 19. Les autres principaux
documents œcuméniques sur l'eucharistie sont recensés *infra*, chap. 13, p. 251-
252.

orthodoxe est encore plus rigoureuse dans son affirmation du lien entre Église et eucharistie. Sur la base des documents récents [21], on peut envisager des gestes particuliers et originaux d'hospitalité eucharistique, dans des cas non seulement de détresse, mais de besoin spirituel réel comme ceux des foyers mixtes, et à l'intérieur d'une dynamique œcuménique vécue dans la durée et l'engagement réel au service de l'unité, comme c'est le cas pour certains groupes. Ces gestes doivent toujours garder la signification d'une *exception* et d'une *anticipation* de l'unité à retrouver. Ils sont posés dans la grâce et dans la foi pour que l'eucharistie fasse l'Église une. Ils ne peuvent en aucun cas devenir une banalité ou être le fait d'une assemblée fortuite. Car alors ils avaliseraient concrètement le statu quo comme situation de communion suffisante. Malheureusement en France cette visée ecclésiologiquement exigeante de l'hospitalité eucharistique, et qui se comprend comme l'expression des exigences de l'Évangile, n'est pas suffisamment prise en compte par les Églises de la Réforme.

Les ministères

La question des ministères a également été l'objet d'un dialogue intense ces dernières années. Les documents sont nombreux en la matière [22]. De grandes lignes d'accord se dégagent concernant le ministère ordonné, son fondement christologique et sa référence pneumatologique, sa signification et ses tâches dans la structure de l'Église, son caractère personnel et collégial. La succession apostolique du ministère est mieux acceptée, parce que mieux comprise dans la suc-

---

21. Documents de base : Vatican II, Décret U.R. n° 8. Directoire pour les questions œcuméniques, *Doc. cath.* 1496 (1967), p. 1086-1090. Note du Secrétariat pour l'Unité des chrétiens, *Doc. cath.* 1527 (1968), p. 1860-1861. Déclaration du Secrétariat, *Doc. cath.* 1556 (1970), p. 113-115. Instruction du Secrétariat, *Doc. cath.* 1614 (1972), p. 708-711. Note du Secrétariat, *Doc. cath.* 1643 (1973), p. 1005-1006. En France : Comité mixte catholique-protestant, « Déclaration sur les problèmes dits de l'intercommunion », Ed. St-Paul, 1969. « L'hospitalité eucharistique pour les foyers mixtes. Directives de Mgr Elchinger aux fidèles de Strabourg », *Doc. cath.* 1626 (1973), p. 161-169. « L'hospitalité eucharistique avec les chrétiens issus des Églises de la Réforme en France », Note de la Commission épiscopale pour l'unité, *Doc. cath.* 1849 (1983), p. 368-369.

22. Les principaux documents œcuméniques sur les ministères sont recensés *infra* au chap. 17, p. 368.

cession apostolique de toute l'Église. Même la réflexion sur le ministère épiscopal progresse dans le cadre de *Foi et Constitution*.

Pourtant la question des ministères constitue encore aujourd'hui le verrou majeur à l'avancée œcuménique. Les accords en devenir n'ont pu permettre de franchir le seuil d'une véritable réconciliation des ministères, qui doit à mon sens être autre chose qu'une simple reconnaissance mutuelle. Ses modalités sont encore à chercher. Mais pour qu'une telle chose devienne possible, il faut que les accords doctrinaux réalisés deviennent conviction vécue par les ministres et le peuple des Églises. Or malheureusement aujourd'hui on constate de la part de certaines Églises des décisions et des pratiques en la matière qui contredisent le contenu de ces accords. Je pense en particulier à la multiplication de ministres non ordonnés et à la généralisation de la délégation pastorale.

En ce qui concerne le dialogue avec la communion anglicane, l'appréciation catholique des ordinations anglicanes est certainement aujourd'hui beaucoup plus positive qu'elle ne l'était lors de la déclaration de nullité en 1896. Beaucoup d'espoirs semblaient permis en la matière, si la difficile question de l'ordination des femmes n'était venue mettre un frein nouveau à l'avancée de cette question.

Le mariage

Au plan doctrinal les dialogues récents ont dégagé une grande convergence [23] tant sur le rapport du mariage au dessein créateur que sur sa signification proprement chrétienne au regard de l'alliance du Christ avec son Église. Si le terme de sacrement n'est pas employé du côté de la Réforme, il est cependant reconnu que le mariage est « un signe du don de

---

23. Principaux documents œcuméniques sur le mariage : ARCIC, « Théologie du mariage et ses applications aux mariages mixtes (1967-1975) », cf. *Doc. cath.* 1720 (1977), p. 458. Commission tripartite luthéro-réformée-catholique, « La théologie du mariage et les problèmes des mariages mixtes », *Doc. cath.* 1736 (1978), p. 157-172. En France : Comité mixte catholique-protestant, « Accord doctrinal sur le mariage » *Doc. cath.* 1623 (1973), p. 22-24. La revue *Foyers mixtes* n° 37/38 (1977), 54 bis (1982) et 71 (1986) contient de nombreux documents émanant des Églises.

la grâce » [24]. Deux difficultés demeurent principalement : l'appréciation de la signification de la célébration ecclésiale par rapport à la célébration civile demeure diverse de part et d'autre. De plus l'attitude des Églises devant les situations d'échecs est différente. Les autres Églises, tout en professant l'indissolubilité du mariage, admettent certains cas d'exception et permettent parfois le remariage. L'Église catholique ne reconnaît que des cas de nullité engagée dès le début du mariage, même si c'est l'échec qui permet de remonter à cette nullité. Aujourd'hui elle est de plus en plus attentive à tout ce qui peut grever humainement ou même psychologiquement la réalité d'un engagement matrimonial. Aussi peut-on se demander si et dans quelle mesure, à travers des critères très différents, l'attitude des Églises devant les situations d'échecs n'est pas moins différente qu'il n'y paraît.

Tout ce que j'ai dit du dialogue doctrinal montre qu'il y a maintenant entre les Églises un climat de charité et d'écoute et que nous vivons une dynamique de retrouvailles. Parce que nous pérégrinons vers l'unité, les arêtes de nos divisions sont moins tranchées qu'elles ne l'étaient dans la période d'ignorance mutuelle. Et il y a quelque analogie entre la période de « prérupture » et la période de « précommunion » que nous vivons maintenant dans l'espérance. Alors rien n'était encore définitivement joué, les liens de communion s'étaient seulement distendus : certains chrétiens voulaient rejoindre Luther dans son souci de purifier l'Église, mais ils étaient encore soucieux de rester fidèles au siège de Rome. La dynamique de retrouvailles est elle aussi une situation de tension et de discernement, dans laquelle nous cherchons, par le dialogue et dans la prière, à trouver notre route dans ce pèlerinage vers l'unité que Dieu voudra. C'est dans cet esprit que j'ai écrit ces lignes, inscrivant la nécessaire lucidité sur ce qui nous reste à accomplir dans une attitude de bienveillance et de charité vis-à-vis des autres et d'humilité vis-à-vis de nous-mêmes.

---

24. Accord doctrinal sur le mariage du Comité mixte catholique-protestant, n° 4, cf. note 23.

Il nous reste encore de grands pas à accomplir sur la voie de l'unité, parce qu'il ne peut y avoir de réconciliation sans conversion. Ce dont j'ai parlé a trait à la conversion des intelligences et des mentalités. Celle-ci n'est pas la seule à mettre en œuvre. Mais elle est indispensable à la conversion vers l'unanimité dans la foi. N'oublions jamais aussi que lorsque nous exposons et défendons les positions de notre Église, il peut nous arriver d'avoir tort dans notre manière d'avoir raison, parce que nous ne sommes pas guidés par le respect de l'autre, par toute la richesse de l'Évangile dont il est le témoin. Nous avons tous à avancer courageusement sur la voie de la réconciliation doctrinale, où le peuple de nos Églises vit un certain retard par rapport aux autres modes de conversion engagés... Restera alors devant nous le pas décisif de la réconciliation proprement ecclésiale, où les Églises parviendront à une pleine communion de foi, de sacrements et de ministères, dans le respect des diversités propres à chacune. Le jour, l'heure et les modalités en sont encore le secret de Dieu, mais nul chrétien ne peut renoncer à avancer sur la route qui mènera jusque-là.

CHAPITRE 5

« JÉSUS-CHRIST, VIE DU MONDE » :

Cinq questions théologiques posées à propos du thème de Vancouver (1983)

« Jésus-Christ, Vie du monde », le titre du thème choisi pour la prochaine assemblée du Conseil œcuménique des Églises, met ensemble trois termes centraux du christianisme : la personne de *Jésus*, confessé comme *Christ*, Seigneur et Fils de Dieu, le nom en dehors duquel il n'en est pas d'autre « offert aux hommes qui soit nécessaire à notre salut » (Ac 4, 12), celui qui est pour nous la révélation définitive du visage même de Dieu ; la *vie*, don reçu de Dieu et ouvert à la « vie éternelle » dont parle l'évangile de Jean, ce bien le plus cher de tout homme, celui que nous sentons menacé par toutes les formes de contraintes et de souffrances et que nous savons promis au tragique destin de la mort, mais aussi celui dont l'épanouissement définitif est l'objet de notre plus secret désir : que veut l'homme, en effet, sinon vivre, vivre pleinement aux plans personnel et collectif, vivre toujours, vivre absolument ? Le *monde* enfin, création de la bienveillance de Dieu, confié à l'homme pour son achèvement, mais aussi asservi au pouvoir du péché et qui gémit dans l'attente de sa libération, ce monde que Dieu a tant aimé qu'il a donné son Fils, son unique, afin qu'il soit sauvé par lui (cf. Jn 3, 16-17), notre monde d'aujourd'hui, théâtre des réussites techniques les plus éclatantes et des injustices ou des oppressions les plus odieuses, dont l'espérance fondamentale semble vaciller au milieu de ses conflits économiques, politiques, sociaux et culturels, ce monde menacé jusque dans son vouloir vivre.

Jésus-Christ, la vie et le monde, voilà donc trois mots dont la prochaine assemblée se donne pour tâche d'analyser les communications et correspondances multiples, à la lumière du témoignage de l'Écriture, au sein de la tradition ecclésiale qui a conduit jusqu'à nous la confession vivante de Jésus-Christ, dans le redoutable contexte qui est le nôtre à la fin du deuxième millénaire, et avec le but de marquer une étape dans la longue marche des Églises vers l'unité que veut pour elles le Seigneur. Ces trois mots vont à l'essentiel, puisqu'ils recouvrent l'identité, humano-divine, de Jésus et tout l'enjeu, humano-divin, du salut chrétien. C'est de leur articulation même que doit jaillir la lumière que nous cherchons. S'il est inconcevable de considérer Jésus-Christ dans une spéculation pure, objective et froide, indépendamment du rapport « vital » qui nous relie à lui, ce serait également une tentation de construire des discours sur les aspects les plus séduisants de notre requête de la vie et de notre souci du monde, en maintenant une distance ou un flou subtil vis-à-vis de celui « en qui était la vie » (Jn 1, 4) et qui a dit de lui-même : « Je suis la vie » (Jn 14, 6).

A cette vaste tâche, dont je n'oublie pas les multiples harmoniques, cette réflexion voudrait apporter une contribution proprement *théologique* et *œcuménique*. Le thème de l'assemblée porte sur l'objet même de la confession de foi chrétienne et ses implications sotériologiques les plus concrètes. Il nous invite donc à opérer une sorte de vérification de notre unanimité dans la foi en un domaine qui a été le lieu, depuis une vingtaine d'années, d'un mouvement de réflexion remarquablement fécond, mais qui, paradoxalement, a été rarement l'occasion d'un dialogue proprement œcuménique [1].

Le mouvement de réflexion christologique qui vient de se développer en Occident a bénéficié du climat nouveau qui règne dans les relations entre Églises. La séparation confessionnelle n'est plus un mur étanche à l'abri duquel chacun poursuit des recherches indépendantes. Les théologiens sys-

---

1. Quelquefois cependant, par exemple *Die Frage nach Jesus Christus im ökumenischen Kontext*. Hrsg von Hubert Kirchner, Evangelische Verlaganstalt Berlin.

tématiques ont emboîté le pas sur la pratique des exégètes qui utilisaient depuis plus longtemps leurs résultats respectifs. Que l'on pense à l'influence exercée par K. Barth sur H. Urs von Balthasar, à celle du même Balthasar sur J. Moltmann dans la théologie de la croix, à celle de K. Rahner sur W. Pannenberg dans la compréhension spéculative de l'identité de Jésus, et réciproquement de Pannenberg sur Rahner, ou encore à celle de Pannenberg sur W. Kasper, pour ne prendre que quelques exemples dans la sphère particulièrement vivante de la théologie de langue allemande.

Ces échanges n'ont pas été sans un dialogue critique, précis et rigoureux ; cependant ils n'ont pas revêtu la dimension proprement œcuménique des dialogues qui leur sont contemporains et portent sur le contentieux ecclésiologique et sacramentel. La christologie et la sotériologie ne sont-elles pas pour l'essentiel l'objet de notre communion dans la même foi, alors que nos différends majeurs portent sur la compréhension de l'Église ? Il serait vain pourtant de se cacher que dans ce domaine jouent subtilement des clivages décisifs qui affectent globalement toute l'appréhension et l'interprétation du mystère chrétien, et dont les différends ecclésiologiques ne sont peut-être que la manifestation. On ne peut non plus ignorer la sourde inquiétude qui s'exprime dans certains milieux de l'Orthodoxie vis-à-vis d'une avancée christologique occidentale jugée trop audacieuse dans ses réinterprétations de l'image de Jésus. Pour les résumer de manière simplificatrice, ces inquiétudes nous disent à peu près ceci : n'êtes-vous pas en train de compromettre la réalité du « vrai Dieu » en Jésus, et de mettre par conséquent en cause l'événement du salut accompli dans notre monde par le Verbe de Dieu en personne, selon la perspective de la communication des idiomes, dans son mystère de mort et résurrection ? A la lumière de cette situation, dont les difficultés ne doivent pas cacher les promesses, je me demande s'il ne serait pas opportun que l'assemblée générale de Vancouver fasse place dans ses travaux à des débats christologiques à visée proprement œcuménique, afin de faire le point sur ce qu'engage nécessairement notre confession de foi au Christ, telle qu'elle doit être exprimée aujourd'hui pour la vie du monde.

De tels débats devraient faire jouer positivement les complémentarités propres aux grandes traditions théologiques de l'Orthodoxie, du catholicisme et du protestantisme (compte tenu des nuances propres à la Communion anglicane), mais aussi aider les unes et les autres à convertir leurs unilatéralismes et leurs points aveugles dans une émulation de la foi et de la pensée théologique. Car je reste persuadé qu'en la matière « le vrai est le tout » et un tout inaccessible sans une attitude de conversion. Pour m'expliquer davantage, j'ose esquisser à mes risques et périls, et en n'engageant que moi, une typologie de nos attitudes théologiques respectives. Que l'on veuille bien me lire avec indulgence pour des simplifications inévitables, et aussi avec un peu d'humour.

La théologie orthodoxe est la théologie de la Tradition au sens le plus grand du terme. Elle a le sens aigu de ce qui est imprescriptible dans la foi chrétienne et demeure, quoi qu'il en soit des changements de l'histoire. Elle entend rester éminemment fidèle à son passé. Elle parle d'abondance du cœur à partir de la grande voix des Pères de l'Église et n'a aucun complexe à annoncer dans leur simplicité les grands paradoxes du mystère chrétien. On connaît son insistance sur la pneumatologie. Elle vit également d'une tradition contemplative et liturgique exemplaire : elle célèbre toujours la gloire de Dieu par le Fils et dans l'Esprit.

La théologie orthodoxe sait, bien entendu, que la véritable Tradition est créatrice et qu'il ne faut pas la confondre avec la multiplicité des traditions. Néanmoins les Occidentaux se demandent parfois si elle ne consent pas trop facilement à la répétition, si elle écoute suffisamment les questions de notre temps et si, en particulier, elle est suffisamment attentive à la requête historico-critique. Il lui arrive de citer les Pères de l'Église comme s'ils étaient nos contemporains ou comme si la fécondité de l'histoire de l'Église s'était quelque peu tarie depuis leur époque. Avec elle le dialogue doctrinal est le lieu d'une surprise : pourquoi, pour ne prendre que l'exemple du dialogue entre théologie orthodoxe et théologie catholique, a-t-il pris un net retard par rapport au dialogue qui s'est développé avec les théologies des Églises issues de la Réforme ? Pourquoi apparaît-il particulièrement difficile, là où les divergences dans la foi sont les plus minimes ? La distance culturelle ne jouerait-elle pas ici un rôle indu ?

La théologie protestante est éminemment biblique, c'est là un de ses charismes majeurs. Elle se développe dans une grande liberté vis-à-vis de la référence traditionnelle et dogmatique de la foi, ce qui lui donne une grande hardiesse herméneutique et un vigoureux pouvoir d'affirmation. Elle est très sensible à l'exigence historico-critique et scientifique, aux requêtes culturelles et aux a priori de la conscience de notre temps : pour toutes ces raisons elle entend actualiser le message de la foi. Elle est également très attentive aux questions posées par les jeunes Églises. Fidèle aux intuitions de la Réforme, elle met l'accent sur le point de vue du sujet croyant et sur l'expérience de la foi, plus que sur l'objectivité du mystère (dont elle renonce volontiers à donner une vision englobante) et sur la manière dont il prend institutionnellement corps dans l'Église. Elle a une dimension prophétique : elle est l'expression d'une foi inquiète, jamais satisfaite d'elle-même et qui se fait volontiers cri. Tous ces traits lui donnent du souffle et lui confèrent un grand pouvoir de séduction. Le théologien protestant met en œuvre, avec une grande force de suggestion, une dimension renouvelée du mystère chrétien qui provoque facilement l'adhésion, même l'enthousiasme. Cela donne des angles à une pensée créatrice et facilement percutante. Et il faut reconnaître à la théologie protestante le mérite d'avoir été pendant des décennies un moteur puissant de la recherche théologique.

Ces qualités ont évidemment leur contre-partie : la théologie protestante fait une trop grande place aux positions des savants (exégètes, historiens, théologiens) au détriment du sens de la foi qui habite les communautés. Elle a une propension à critiquer les données de la foi et à les mesurer aux résultats de la science du jour ou des requêtes de la culture. Aussi fournit-elle un grand cimetière d'hypothèses abandonnées, après avoir été présentées comme des vérités définitives. Et elle est habitée par un mouvement de balancier historique qui la fait aller d'un extrême à l'autre, par exemple de l'affirmation unilatérale de la transcendance de Dieu, au risque d'écraser l'homme, jusqu'aux ambiguïtés de l'immanence de Dieu en l'homme. Il lui manque, semble-t-il, un élément régulateur qui la ramène à certains impératifs de la foi ecclésiale transmise et vécue.

La théologie catholique a peut-être des arêtes moins nettes et je ne voudrais surtout pas la présenter comme le juste milieu entre les deux autres. Elle a reçu de sa tradition propre le souci de la systématisation englobante et dans ses meilleures expressions elle garde un souci « catholique » qui ne la rend pas toujours aisée à comprendre. Consciente des apories inhérentes au mystère chrétien et de la facilité avec laquelle on peut le fausser par des interprétations unilatérales, elle entend « tenir les deux bouts de la chaîne » et garder la tension entre les données antagonistes qu'il faut pourtant concilier. De ce fait, elle est souvent le témoin de la *lectio difficilior* de la foi. Ce souci lui donne un côté prudent, nuancé et patient devant les grandes contestations du monde contemporain, qui peut sembler aussi hésitant et compliqué, d'autant plus qu'elle conduit ses relectures de l'Écriture dans un rapport ferme à la Tradition ecclésiale et aux expressions magistérielles de la foi.

Sans doute a-t-elle pris avec un temps de retard le tournant scientifique et critique ; elle a été parfois chosiste et elle s'est contentée de répétition scolastique, quand il fallait faire face à des situations neuves. Il faut dire aussi que, jusqu'à une époque récente, elle a été surveillée de trop près par un magistère susceptible, ce qui lui a enlevé beaucoup de créativité. Mais elle a également connu les grands renouveaux biblique, patristique et liturgique qui ont permis la réalisation de Vatican II. Aujourd'hui elle présente un visage plus éclaté et recherche un équilibre nouveau. Aussi certains sont-ils tentés de lui demander si sa sérénité traditionnelle ne reste pas une façade couvrant des divergences profondes. Son projet n'est-il pas la représentation de l'impossible ?

Ces trois traditions théologiques présentent une complémentarité réelle. Elles ont à s'écouter et à se reconnaître. Il ne saurait être question de ramener à l'uniformité les richesses qui sont propres à chacune. Mais aussi elles doivent travailler à convertir par le dialogue leurs points faibles et leurs incompréhensions. Dans une certaine mesure chaque tradition peut être médiatrice entre les deux autres. La référence à l'Orthodoxie est indispensable au dialogue intérieur à l'Occident, plus facilement tenté de concéder à l'esprit du temps. La Réforme est au regard de l'Orient l'expression d'un christianisme pneu-

matologique assez libre au regard de la structure ecclésiale.
Le catholicisme constitue à son tour un pont entre les divergences les plus grandes qui séparent l'Orthodoxie de la
Réforme. Et tous trois ont à se convertir ensemble à la voix
des jeunes Églises.

Dans cette espérance et dans cet esprit je voudrais maintenant
proposer aux débats théologiques que permettra l'assemblée
de Vancouver cinq questions proprement théologiques qui me
paraissent engagées par le thème « Jésus-Christ, vie du
monde ». Ces questions tiennent compte de l'état actuel de
la réflexion christologique dans le domaine de l'exégèse et de
la dogmatique. Elles visent à la vérification en commun et à
l'élargissement entre nos Églises du consensus dans la foi au
Christ avec toutes les conséquences que celle-ci implique pour
la vie de l'Église et son rapport au monde. Elles n'invitent
donc pas à approfondir, voire à privilégier telle ou telle visée
proprement systématique, mais bien plutôt, compte tenu de
toutes les diversités légitimes, à discerner les résultats les plus
positifs de la recherche contemporaine et à les mettre au
service soit d'une proposition commune de la foi, soit de
propositions diverses dans leur formulation, mais capables de
se reconnaître comme authentiques. Notre communion dans
la foi ne serait pas une réalité vivante si elle n'acceptait ce
genre de confrontations capables de la construire sans cesse.

1. Comment rendons-nous compte de l'identité de Jésus de Nazareth, Christ et Seigneur ?

Il est bien acquis aujourd'hui que l'identité personnelle et
concrète entre le Jésus prépascal, le crucifié, et le Seigneur
ressuscité est l'*articulus stantis vel cadentis christologiae* [2]. Ce
que les anciens Pères percevaient comme l'unité du vrai homme
et du vrai Dieu en une seule personne, de manière quelque
peu statique, nous l'appréhendons aujourd'hui de préférence
— mais sans contradiction — dans la ligne de la christologie

---

2. W. Thüsing, dans K. RAHNER, W. THÜSING, *Christologie — systematisch und exegetisch*, « Quaestiones disputatae 55 », Herder, 1972, p. 259.

à deux degrés de Rm 1, 3-4, comme l'unité du vrai homme, « issu selon la chair de la lignée de David, établi, selon l'Esprit-Saint, Fils de Dieu avec puissance par sa résurrection d'entre les morts, Jésus-Christ, notre Seigneur ». Cette identité comporte donc un avant et un après, si l'on considère les deux états historiquement parcourus par Jésus selon l'économie, mais elle n'est évidemment pas entendue dans un sens adoptianiste : le vrai homme Jésus était déjà, dans la condition du Serviteur obéissant (kénose), le Fils de Dieu que sa résurrection a manifesté ; et le Seigneur glorifié reste le crucifié, mais il est désormais l'homme Jésus revêtu de la gloire propre à la vie de Dieu.

Sur la base de cette donnée fondamentale, bien des questions se posent à nous : comment, tout d'abord, rendons-nous compte de cette identité entre le « Jésus de l'histoire » et le « Christ de la foi » ? Au terme de bien des débats et après de nombreux mouvements de balancier entre le pôle de l'histoire, porteur de toutes les requêtes de la science et de la critique, et le pôle de la foi, qui est la sphère propre de l'écoute de la Parole transcendante de Dieu et de l'accueil de son intervention dans notre monde, comment concevons-nous l'articulation nécessaire de ces deux pôles dans une unité vivante ? Comment mettons-nous en œuvre dans notre proposition de la foi la correspondance fondamentale entre le Jésus terrestre et le Christ ressuscité ?

Cette question engage, en particulier et donc sans s'y réduire, la compréhension de l'identité entre le corps de Jésus « dans les jours de sa chair » (He 5, 7) et le corps du ressuscité. Celle-ci est clairement affirmée dans le message du NT : il s'agit « du même ». Cependant cette identité comporte à la fois une continuité et une discontinuité radicale, dont Paul rendait compte à l'aide de l'image de la semence et de la moisson (1 Co 15, 35-44). Aujourd'hui ne sommes-nous pas plus sensibles à la discontinuité qu'à la continuité ? Le contexte culturel de l'Occident ne le porte-t-il pas vers un certain docétisme de la résurrection ? Comment donc rendons-nous compte, au regard de la foi mais aussi à celui des exigences de la rationalité moderne, de l'affirmation inouïe de la résurrection corporelle de Jésus ? Quelle portée donnons-nous, en la situant à sa place dans l'ensemble du message de la résurrection, à la donnée évangélique du tombeau trouvé vide ?

Il ne s'agit pas là d'arguties théologiques pour spécialistes. La portée sotériologique des deux formes de cette question est décisive. Il y va en effet de l'articulation, c'est-à-dire de la continuité et de la discontinuité, entre la vie humaine et la « vie éternelle », entre notre monde et le monde de la fin. Il y va de la réalité de la victoire sur la mort annoncée par le ressuscité. Il y va du contenu même du message de vie qui est au cœur du christianisme : la « vie éternelle » est révélée concrètement dans la « vie humaine » de Jésus. Or nous avons de plus en plus conscience que nous sommes corps et que nous n'avons pas simplement un corps. Nous sommes chaque jour plus sensibles à l'infinie richesse et variété des valeurs humaines dans l'histoire et les cultures. Nous espérons que toutes les réussites humaines au service de la création et de la communauté des hommes aient en quelque sorte une valeur définitive. Il se trouve justement que la Bonne Nouvelle chrétienne, depuis ses origines, nous dit que l'homme est sauvé tout entier et très concrètement dans sa condition historique. La vie éternelle ne se construit pas sur la destruction de la vie temporelle, mais sur son dépassement *(Aufhebung)*. De cette promesse la résurrection de Jésus, dont l'éclat rejaillit sur tout l'itinéraire de sa vie « selon la chair », est la prophétie en acte. Notre manière d'annoncer Jésus-Christ est étroitement solidaire de la vie que nous annonçons au monde.

2. Comment rendons-nous compte de la véritable humanité de Jésus ?

Que Jésus ait été un homme, cela ne faisait aucun doute pour ceux qui l'avaient approché. Nous connaissons cependant les diverses formes de docétisme qui ont marqué les conflits de l'Église ancienne. C'est contre une forme plus subtile de docétisme, l'hérésie d'Eutychès, que fut formulée la définition de Chalcédoine. Or cette définition, en raison de la mention « en deux natures », n'a jamais fait l'unanimité en Orient et plusieurs Églises ont tenu à rester fidèles au langage de Cyrille d'Alexandrie. Il en est résulté une situation de division entre ces Églises et les Églises chalcédoniennes. Or en 1973 le pape Paul VI et le patriarche Shenouda de l'Église copte d'Alexandrie ont signé une déclaration commune [3] comportant une confession de foi christologique développée : ce texte reprend à dessein plusieurs expressions de la formule de Chalcédoine (en particulier les quatre adverbes devenus six : « sans mélange, sans commixtion, sans confusion, sans altération, sans division, sans séparation »), mais à l'exception de l'expression « en deux natures ». Cet accord me semble un modèle d'herméneutique conciliaire : maintenant que les controverses des ve et vi[e] siècles sont apaisées et que les partenaires sont devenus mieux capables de discerner l'enjeu réel de la foi et les difficultés provoquées par les mots, le document exprime une pleine communion dans la foi christologique sans se river à ces mots. La rédaction nouvelle s'inspire respectueusement de la définition controversée, mais en prenant une distance verbale par rapport à elle.

Cette démarche commune pose une question à toutes les Églises : les Églises orthodoxes chalcédoniennes reconnaissent-elles comme authentique la foi christologique exprimée dans cet exposé ? Approuvent-elles la démarche de réconciliation accomplie par Paul VI et le patriarche Shenouda ? Seraient-elles prêtes à s'y associer ? Comment les Églises d'Occident séparées de l'Église catholique jugent-elles un accord de ce genre ? Leur paraît-il tracer une voie féconde qui pourrait être transposée dans d'autres domaines du contentieux doctrinal ? Comment les jeunes Églises se situent-elles par rapport à cette recherche de règlement d'un contentieux du passé ? La réponse à ces questions nous permettrait d'opérer une vérification commune de notre rapport aux grands documents confessionnels anciens. Nous savons que ces documents sont régulateurs et non fondateurs de la foi, comme le sont les Écritures. En conséquence ils ont toujours à être interprétés dans leur relation aux Écritures dont ils nous disent le sens, à la lumière de la conjoncture ecclésiale qui les a suscités et qui nous rappelle leur intention, et en fonction de la situation et des besoins actuels de la foi.

Mais la justesse de la confession doctrinale n'est pas tout. Il doit lui correspondre une juste considération de la véritable humanité de Jésus dans la théologie, dans la prédication, la liturgie et le dialogue pastoral. Une fois encore il y va de

---

3. Cf. *Doc. cath.* 1633 (1973), p. 515-516.

l'authenticité de notre prédication chrétienne de Jésus-Christ, vie du monde. La redécouverte de la dimension de l'humanité de Jésus en Occident n'est ni une mode ni une concession à l'esprit du jour, quoi qu'il en soit de certaines insistances unilatérales qui ont pu inquiéter légitimement nos frères orientaux. Elle est une fidélité au kérygme du Nouveau Testament : « Jésus le Nazôréen, cet *homme* que Dieu avait accrédité auprès de vous... » (Ac 2, 22), et une fidélité aux grandes argumentations sotériologiques des Pères pour lesquels le Christ n'a sauvé que ce qu'il a assumé : s'il ne s'était pas fait ce que nous sommes, corps et âme, il n'aurait pu donner la vie à notre corps et à notre âme. Comment rendons-nous compte aujourd'hui de l'humanité de Jésus, étant admis que notre manière d'appréhender la vérité de l'homme est plus synthétique et historique qu'analytique ? Jésus a assumé vraiment la condition de l'homme, en particulier la courbe d'une existence historique et d'un destin personnel. La relation filiale, absolument unique, qui l'a toujours rapporté au Père s'est soumise aux conditions et aux médiations propres à l'exercice d'une conscience humaine. La « kénose » volontaire de ses prérogatives divines a affecté non seulement sa puissance, mais aussi sa science. C'est avec sa volonté humaine, librement engagée, qu'il a opéré notre salut. Enfin, il est non seulement « vrai homme », mais aussi « l'homme vrai », c'est-à-dire non pas celui qui aurait possédé et mis en œuvre toutes les potentialités théoriques de l'humanité, mais l'homme « sans péché » qui a révélé et réalisé en même temps de manière parfaite la vocation de l'homme selon Dieu. Dans sa vie de Serviteur, nous découvrons que « la gloire de Dieu, c'est l'homme vivant » [4].

N'avons-nous pas besoin de nous entendre les uns les autres, en particulier l'Orient et l'Occident, sur ces données capitales de notre foi commune, tant il est vrai que la manière de vivre de l'homme Jésus nous révèle ce qu'est la Vie éternelle et que sa manière de donner sa vie pour nous nous donne la Vie ?

---

4. Irénée de Lyon, *Adversus Haereses*, IV, 20, 7, « Sources Chrétiennes » 100/2, p. 649.

3. Comment rendons-nous compte de la véritable divinité de Jésus ?

Les christologies occidentales récentes se sont attachées à rendre compte de manière nouvelle du lien d'unité de Jésus avec Dieu et du contenu de l'expression « Fils de Dieu ». Elles ont cherché à le faire dans un plus grand respect du mouvement de la christologie du NT qui met en correspondance la confession du ressuscité et l'existence filiale de Jésus dans sa vie prépascale. Toutes ces initiatives n'ont pas été également heureuses : certaines ont pris une distance, source d'obscurité ou d'ambiguïté, par rapport à la formule éphésienne de l'union hypostatique ; d'autres ont paru jeter un soupçon sur le caractère « ontologique » de l'identité divine de Jésus. C'est principalement sur ce point qu'un malaise est né chez certains représentants de l'Orthodoxie. Pourtant l'entreprise est fondamentalement légitime, dans la mesure où la tâche constante de l'Église est de rendre compte du mystère de la foi dans une perspective toujours plus biblique, et avec un langage qui situe les affirmations décisives dans le mouvement de leur genèse et permette ainsi à l'homme moderne d'y accéder ou de s'y retrouver au-delà de ses objections culturelles. L'enjeu est ici capital et il serait tragique de voir se dessiner à travers la différence de langage une nouvelle divergence dans la foi, et même un simple soupçon, tant nous avons besoin les uns des autres pour témoigner devant le monde de manière crédible de l'unique Seigneur. Or nous devons faire face à une double exigence : maintenir au-dessus de toute hésitation et de tout « flou artistique » l'annonce de la filiation divine de Jésus et en même temps montrer qu'il ne s'agit pas là d'une affirmation mythologique, mais de la compréhension de la qualité unique de l'événement total de Jésus comme l'intervention définitive de Dieu dans notre histoire.

N'avons-nous donc pas besoin de mieux nous comprendre sur l'articulation nécessaire entre ce qu'il est convenu d'appeler la « christologie d'en bas » et la « christologie d'en haut » ? Comment rendons-nous compte de l'origine de Jésus en Dieu, de sa conception virginale, de l'envoi du Fils par le Père, de la connotation de sa préexistence, et finalement de la perspective johannique de l'incarnation du Verbe ? Pour le NT

ces affirmations sont apparues comme la correspondance nécessaire du côté du commencement et de l'origine (protologie)
de ce qui était confessé du côté du terme et de la fin
(eschatologie) à propos du Christ Seigneur. Elles expriment
toute la profondeur de la communion de vie entre Jésus et
Dieu, entre le Fils et le Père. Elles sont la présupposition de
la conviction chrétienne pour laquelle l'événement de Jésus-
Christ est la communication à l'Église et au monde de la Vie
de Dieu.

4. Comment comprenons-nous le rapport de l'humanisation à la divinisation dans la vie de l'homme ?

La vie plénière et authentique de l'homme est à la fois
humanisation et divinisation : mais comment comprendre l'articulation qui va de l'une à l'autre dans l'égal respect de la
distinction des plans et de l'unité concrète de l'homme ?
Certaines prédications de la divinisation de l'homme dans les
temps modernes ont pu sembler faire fi de la consistance
propre et de la valeur de la vie humaine et de tous les efforts
qu'elle déploie pour rendre l'homme plus homme. Inversement
certains préfèrent aujourd'hui et même opposent la tâche de
la pleine humanisation de l'homme au don de la divinisation.
Or la prédication chrétienne ne peut consentir à laisser s'évanouir en un discours abstrait et sans contenu, voire dans le
silence, le message néotestamentaire de l'adoption filiale (Rm 8,
15 ; Ga 4, 5 ; Ep 1, 5 ; Jn 1, 12 ; 1 Jn 3, 1-2 ; ...) et de la
divinisation (2 P 1, 4), repris comme un refrain par toute la
tradition patristique : « Le Verbe de Dieu s'est fait cela même
que nous sommes, pour faire de nous cela même qu'il est »[5] ;
« Le Verbe s'est fait homme pour que nous soyons divinisés.[6] »
Ce serait consentir à un divorce mortel avec ce que nous
célébrons dans la liturgie. Nous avons besoin que toute la
tradition orientale nous rappelle que la vocation dernière de
l'homme est de devenir Dieu par participation. En anthropologie chrétienne l'homme ne peut se définir complètement
sans que sa relation à Dieu soit mentionnée. Mais nous avons

5. *Ibid.*, V, Préf., « Sources chrétiennes » 153, p. 15.
6. ATHANASE, *Sur l'incarnation du Verbe*, 54, 3 ; « Sources Chrétiennes »
199, p. 459.

aussi besoin que la réflexion occidentale nous rappelle que la divinisation de l'homme ne saurait être la destruction ou l'absorption de l'homme en tant qu'il est homme, mais sa réalisation suprême. C'est pourquoi le concile de Vatican II a rappelé opportunément que dans le Christ « la nature humaine a été assumée, non absorbée ; par le fait même, cette nature a été élevée en nous aussi à une dignité sans égale » [7] : il ne faisait que reprendre l'enseignement des conciles de Chalcédoine et de Constantinople II et III.

Un homme qui appartient à la fois à l'Orient et à l'Occident, Irénée de Smyrne et de Lyon, a magnifiquement exprimé cette visée dans la formule célèbre évoquée ci-dessus et dont la forme complète est la suivante : « *Gloria enim Dei homo vivens, vita autem hominis visio Dei* (la gloire de Dieu, c'est l'homme vivant, mais la vie de l'homme, c'est de voir Dieu) [8]. » La phrase résume tout le dessein de Dieu sur l'homme : Dieu veut que l'homme vive, en tant qu'il est un homme, et il met sa propre gloire dans cette vie ; mais la vie de l'homme, en définitive, est dans sa communion avec Dieu qui se donne à voir à l'homme : vision, dans la foi, du Verbe fait chair devenu visible à nos yeux, vision, dans la gloire, au sein du face-à-face avec le Père. Telle est la vie éternelle, déjà mystérieusement communiquée dans le présent temporel de l'homme.

La réflexion sur le rapport entre vie humaine et vie divinisée n'est-elle pas au cœur du thème retenu pour Vancouver et des quatre sous-thèmes qui le développent : la vie, don de Dieu, la vie face à la mort, la vie dans la plénitude, la vie dans l'unité ? Il s'agit de tirer ici toutes les conséquences de l'incarnation du Verbe de Dieu, venant vivifier notre chair d'homme, et de la doctrine paulinienne de la justification par la foi. Il s'agit de reconnaître, « sans confusion ni séparation » [9], le lien concret d'unité entre le don de Dieu qui a l'initiative absolue de nous sauver et de nous donner la vie, sans aucun mérite de notre part, et l'agir de l'homme dans la foi et la grâce au service de la vie de tous, c'est-à-dire, en langage moderne, le lieu de toutes les tâches créatrices dans la société et dans le monde et de toutes les luttes pour la justice, la libération et la paix entre les hommes. Sans confondre libération

---

7. Vatican II, *Gaudium et Spes*, 22 § 2.
8. IRÉNÉE, *op. cit.* IV, 20, 7.
9. Cf. la définition de Chalcédoine.

des hommes et salut en Jésus-Christ et en respectant la consistance propre au monde de la création, il s'agit de montrer qu'au regard des chrétiens rien de ce qui est humain n'est étranger au royaume de Dieu. S'il est déjà difficile de se livrer à une analyse exacte des données en présence, il est encore plus délicat de vivre l'équilibre existentiel de la foi, qui échappe tant à un surnaturalisme abstrait et passif qu'à un naturalisme activiste et pélagien.

5. Comment comprenons-nous le mystère de l'Église, don de Jésus-Christ pour la vie du monde ?

La compréhension du mystère de Jésus-Christ, Verbe incarné et ressuscité par le Père dans la puissance de l'Esprit pour la vie du monde, a un impact direct sur la compréhension du mystère de l'Église, de ses ministères et de ses sacrements. Comment comprenons-nous la réalité et le réalisme du don de vie que Dieu nous fait dans et par l'Église ?

L'Église n'est pas le Christ, mais elle est son Corps et son Épouse. Son lien à l'événement de Jésus-Christ, c'est-à-dire son apostolicité, est indissociable de son lien à l'Esprit, puisqu'elle a son fondement dans l'unité des mystères de Pâques et de Pentecôte ; et nous savons combien l'Église primitive avait la conviction d'avoir reçu le don de l'Esprit de Dieu. Comment rendons-nous compte aujourd'hui de ce lien unique, et différencié de l'Église au Christ et à l'Esprit ? Nous sommes sans doute habités à ce sujet par des tentations antagonistes : d'une part, une compréhension tellement immédiate de l'action de Dieu dans l'Église — analogiquement « monophysite » — que sa dimension proprement humaine et la part en elle des libertés pécheresses des hommes en soient méconnues. On risque alors une domestication ou une chosification de la transcendance des dons de Dieu, manipulés dans l'agir des institutions ; la promesse de l'assistance donnée par le Christ à son Église peut se traduire par un relâchement dans une sécurité possédée et par l'oubli de la réforme perpétuellement nécessaire de l'Église. D'autre part, existe aussi la tentation de considérer de façon trop lâche le lien entre le don de Dieu et le rassemblement visible des croyants. L'effectivité de la grâce est alors exilée sous la catégorie de la promesse et dans cette séparation — de type analogiquement nestorien — les valeurs humaines sont l'objet d'un honneur qui oublie leur nécessaire conversion.

Dans le même esprit, concevons-nous les ministères comme un envoi « théologal » qui vient du Père, s'exerce au nom du Christ, au service de la grâce de l'Esprit ? Le ministère de l'Évangile annonce la vie au monde, la vie que le monde ne peut donner, et convoque celui-ci au bain qui donne la vie et à la table qui la nourrit.

Selon la même cohérence, concevons-nous les sacrements comme les dons vivifiants de la grâce de Dieu, comme les gestes du Christ ressuscité, accomplis dans la puissance de son Esprit, et célébrés par l'Église dans la louange, la foi et l'invocation [10] ? Y voyons-nous le lieu privilégié et rendu visible de la communication de la vie de Dieu aux hommes ? Y reconnaissons-nous la célébration ecclésiale de la justification par la foi, c'est-à-dire la confession publiquement et communautairement vécue que seul le don de Dieu venu jusqu'à nous par Jésus-Christ et dans son Esprit nous sauve et nous donne la vie, à l'exclusion de nos œuvres ?

Que l'on pardonne l'ampleur de ces questions. Elles sont cependant unies les unes aux autres par une logique évidente. C'est le mérite du thème retenu pour Vancouver de nous ramener tous à ces cohérences vitales. J'ai la conviction que tout effort mené pour y répondre ensemble nous met au service de la vie que nous avons mission d'annoncer au monde : « Car la vie s'est manifestée, et nous avons vu et nous rendons témoignage et nous vous annonçons la vie éternelle... » (1 Jn 1, 2).

---

10. Cf. GROUPE DES DOMBES, *L'Esprit-Saint, l'Église et les Sacrements*, Presses de Taizé, 1979.

TROISIÈME SECTION

ÉGLISE ET ÉCONOMIE SACRAMENTELLE

CHAPITRE 6

LES SACREMENTS DE LA FOI

L'économie sacramentelle célébration ecclésiale de la justification par la foi

« Comment sommes-nous chrétiens ? Par la foi, tout le monde le dira. Mais de quelle manière sommes-nous sauvés ? Parce que nous sommes renés d'en haut, évidemment par la grâce du baptême. Car comment le serions-nous autrement[1] ? » C'est ainsi que Basile de Césarée associait spontanément, au cours de ses argumentations sur le Saint-Esprit, la foi et le baptême, qui constituent ensemble le fondement unique de la vie chrétienne. Ce faisant, il exprimait le mouvement inaugural qui va de la prédication de l'événement de Jésus (Ac 2, 22-36) à la conversion du cœur des auditeurs, et à leur baptême pour le pardon de leurs péchés et le don de l'Esprit (Ac 2, 37-38). Il était également fidèle au développement de l'épître aux Romains qui pose d'abord fortement la thèse de la justification par la foi, « indépendamment des œuvres de la loi » (3, 28), et formule ensuite la doctrine du baptême, par lequel le chrétien participe au mouvement de mort et de résurrection du Christ, pour y recevoir la vie, passer de la loi à la grâce et devenir « esclave de la justice » (6, 18). Pour emprunter un témoignage à un horizon tout

---

1. Basile DE CÉSARÉE, *Sur le Saint-Esprit* X, 26, texte grec et trad. B. PRUCHE, Paris, Cerf. coll. « Sources Chrétiennes », 17 bis, 1968, p. 337.

différent de la pensée chrétienne, recueillons la même corrélation chez saint Thomas : « De même que les anciens Pères
ont été sauvés par la foi dans le Christ à venir, ainsi nous
sauvons-nous par la foi au Christ dont la naissance et la
passion sont aujourd'hui chose réalisée. Les sacrements sont
des signes attestant cette foi qui justifie l'homme [2]. » Le même
auteur répète volontiers que l'Église « est constituée par la
foi et les sacrements de la foi » [3]. Le concile de Trente enfin
intègre constamment la mention du baptême à sa doctrine de
la première justification. Il souligne également que le recouvrement de la justification passe par le sacrement de la
pénitence [4]. La tradition chrétienne exprime donc avec une
belle unanimité un lien indéchirable entre l'économie de la
justification par la foi et celle des sacrements, au point de
considérer l'une et l'autre comme une unité concrète comportant un intérieur et un extérieur.

Dimension œcuménique du problème

Pourtant les temps modernes semblent avoir introduit une
scission dans cette unité. Je pense évidemment au contentieux
qui s'est élevé entre catholiques et protestants depuis la
Réforme. Disons, pour faire bref, et avec le degré de simplification que suppose une telle schématisation, que la figure
chrétienne du protestantisme est celle, plus intérieure, de la
justification par la foi, et que la figure chrétienne du catholicisme est celle, plus extérieure, du salut célébré dans le
recours aux sacrements. Cette répartition confessionnelle de
différents éléments, qui appartiennent inséparablement à la

---

2. S. Thomas d'Aquin, *Summa theologiae*, III[a], q. 61, a. 4, *in corp. Les
sacrements*, trad. de A.-M. Roguet, Paris-Tournai-Rome, Desclée, Éd. de la
Revue des Jeunes, 1945, p. 65.
3. S. Thomas d'Aquin, *op. cit.*, II[a], q. 61, a. 2, ad 3um (*ibid.*, p. 138).
4. Cf. Conc. Trid., Sess. VI, *Decretum de justificatione*, chap. 4 : « Insi-
nuatur descriptio justificationis et modus eius in statu gratiae » (Dz-Sch,
n. 1524/796) ; chap. 14 : « De lapsis et eorum reparatione » (Dz-Sch., n. 1542/
807).
De même, « pour achever la doctrine salutaire de la justification, [...] on
a jugé à propos de traiter des sacrements très saints de l'Église, par lesquels
toute vraie justice ou bien commence, ou bien grandit quand elle a commencé,
ou bien se répare quand elle est perdue ». *Sess.* VII, *Decretum de sacramentis*,
Proem. (Dz.-Sch., n. 1600/843a).

réalité chrétienne, risque de méconnaître leur implication au point de fausser celui que l'on entend privilégier.

Sans doute le dialogue œcuménique a-t-il déjà clarifié les malentendus les plus grossiers et posé les jalons d'une perspective juste. Il semble néanmoins que le problème se repose aujourd'hui, au moment même où le tissu commun de la foi est en voie de recomposition à travers une série d'accords significatifs sur un certain nombre de sacrements [5]. Du cas particulier de chaque sacrement la question se déplace vers le sacrement en tant que tel et le sens de la sacramentalité de l'Église [6]. Est-ce que, de part et d'autre, on accorde finalement la même valeur à ces actes de la vie ecclésiale ? Si la sensibilité sacramentelle est certainement fort différente dans les diverses confessions, il importe cependant de s'interroger plus avant, afin de mieux discerner ce qui ressort d'un pluralisme légitime, ou ce qui risquerait de recouvrir une séparation dans la visée même de la foi. Le professeur André Dumas posait cette question, en situant rapidement la ligne de pente de sa propre pensée en la matière. Son interpellation exprime très exactement l'enjeu du débat :

« ... Que voulons-nous dire par *sacrement* ? Vous l'avez constaté, c'est autour de la « sacramentalité » du baptême, du mariage, de l'Eucharistie que si souvent nous achoppons ! Or autant je suis absolument convaincu que la corporalité est essentielle et que la sacramentalité la manifeste et la vit, autant je redoute une sacramentalité qui penserait manifester et vivre une présence plus réelle que ne serait la Parole. Les sacrements m'apparaissent des engagements et des manifestations corporelles, mais non des communications substantielles risquant de devenir extrinsèques à la foi. Si nous savions mieux ce que nous disons bibliquement et annonciativement en parlant

---

5. Je pense aux différents accords, soit officieux soit officiels, qui ont été publiés ces dernières années en France et à l'étranger. Ils portent sur le baptême, le mariage, l'eucharistie et les ministères.

6. Le document du Groupe des Dombes (*Pour une réconciliation des ministères*. Éléments d'accord entre catholiques et protestants, Taizé, Presses de Taizé, 1973) reconnaît la nécessité d'une étude de la sacramentalité : « Une recherche sur la sacramentalité reste à poursuivre, en raison de l'importance de cette notion dans le dialogue œcuménique », *op. cit.*, p. 24, en note. Le groupe a apporté sa contribution à cette recherche dans le texte intitulé *L'Esprit-Saint, l'Église et les Sacrements*, Presses de Taizé, 1979.

de sacrement, nous aurions fait un immense pas en avant dans l'œcuménisme [7].

Enjeu pastoral

Si la question comporte un enjeu œcuménique évident, elle a aussi un enjeu pastoral. Nous voyons aujourd'hui se répandre une position qui s'exprime volontiers ainsi : « Je suis croyant, mais pas pratiquant. » Dans la meilleure hypothèse on peut l'interpréter en ces termes : « J'entends bien référer ma vie au salut apporté par le Christ, mais je n'ai nul besoin pour ce faire de me plier à l'observation des rites proposés et demandés par l'Église. » Mais que signifie cette foi qui refuse de prendre corps dans l'assemblée chrétienne visible et concrète ? Traduit-elle vraiment l'exigence paulinienne de la justification par la foi, ou ne risque-t-elle pas plutôt de fonctionner comme une « autosuffisance » de la conscience, qui esquive les médiations nécessaires à une soumission authentique au jugement de Dieu ? Corrélativement, nous voyons des chrétiens pratiquants, pour lesquels la participation aux sacrements constitue une sorte d'observance légale ou d'assurance vis-à-vis de Dieu, ou peut même à la limite servir d'alibi à une conviction de foi qui ne sait plus se dire. Les dissociations anciennes prennent une figure nouvelle et reposent la question de l'originalité propre au rite chrétien.

Ma réflexion voudrait se situer au croisement de ces deux enjeux. La thèse sous-jacente à cette contribution peut se résumer en ces mots : l'économie sacramentelle est la célébration ecclésiale de la justification par la foi. Autrement dit, quand un chrétien, confessant sa foi dans et devant l'Église, reçoit un sacrement, il accomplit concrètement la structure de l'enseignement paulinien de la justification par la foi. Il professe en acte que c'est un Autre, le Christ, qui le justifie gratuitement, ici et maintenant, indépendamment de quelque œuvre que ce

---

7. A. DUMAS, « Je reçois, je critique », *Unité des Chrétiens* (7), juillet 1972. Ce numéro donne le compte rendu des interventions faites lors de la session œcuménique de Bièvres en avril 1972.

Sur l'histoire des doctrines catholiques et protestantes concernant le rapport entre foi et sacrement, on consultera utilement L. VILLETTE, *Foi et Sacrement*, t. 2, *De saint Thomas à Karl Barth*, Paris, Bloud et Gay, 1964. Cf. également le point de vue de V. VAJTA, *Évangile et Sacrement*, Paris, Cerf, 1973.

soit. Il lève l'ambiguïté inhérente à une proclamation de la justification par la foi, qui serait de l'ordre de la pure expérience intérieure. Il accepte en effet que l'altérité radicale du salut et de la justice qu'il reçoit soit effectivement célébrée sous la forme d'un don visible, et se traduise par une dépendance vécue envers l'acte accompli sur lui par l'Église, étant entendu que cet acte est la symbolisation rituelle rendant présent l'acte sauveur du Christ lui-même.

J'essaierai donc d'analyser d'abord la structure fondamentale de la doctrine de la justification par la foi ; puis je montrerai comment celle-ci s'accomplit dans l'économie sacramentelle, qu'elle exige normalement. Cela permettra de mieux exprimer l'articulation des deux côtés d'une économie en fait unique ; réciproquement, apparaîtront alors les déviations les plus graves auxquelles peuvent conduire des affirmations théologiques ou des pratiques pastorales qui ne respectent pas cet équilibre doctrinal.

I. LA STRUCTURE FONDAMENTALE DE LA JUSTIFICATION PAR LA FOI

« La thèse centrale de saint Paul, en ce qui concerne la justification, [...] est que l'homme est justifié *par la foi au Christ*, et par là seulement [8]. » Dans l'espace sémantique de l'épître aux Romains cette foi s'oppose aux œuvres et en particulier aux œuvres de la loi. Elle ne saurait donc être considérée comme une œuvre qui sauve : la foi n'est pas la cause de la justification, elle n'en est que la condition du côté de l'homme. Elle exprime le rapport fondamental de l'homme à l'œuvre réalisée par Dieu dans le Christ, qui fait du jugement de grâce et de justification un événement visible de notre histoire.

La structure fondamentale de la justification est donc celle d'un acte interpersonnel qui se joue entre deux partenaires, Dieu et l'homme, où le premier exerce son jugement de justice

---

8. H. BOUILLARD, *Karl Barth*, t. 2, *Parole de Dieu et existence humaine*, Paris, Aubier, 1957, p. 82.

sur le pécheur et le second reçoit par la réponse de sa foi le
don de la réconciliation et de l'amitié divine : « Tu es avec
moi. » Il est vrai que cette relation interpersonnelle ne doit
pas être comprise de manière immédiate et simple comme la
relation qui va de l'homme à l'homme. Elle repose sur un
paradoxe, puisqu'en aucun cas Dieu et l'homme ne peuvent
être connumérés et mis sur le même plan, du fait de l'altérité
radicale de Dieu et de la priorité absolue de l'acte créateur
comme de l'acte de justification. Néanmoins, le dessein créateur
et sauveur de Dieu, comme l'avait bien exprimé saint Irénée,
est de mettre sa gloire dans un dialogue d'amour et de
communion avec un libre partenaire [9]. Il existe donc une
certaine « réciprocité » entre Dieu et l'homme, celle qui s'exprime dès le contrat de l'Alliance ancienne ; mais il s'agit
d'une réciprocité « devenue », qui est elle-même le fruit d'un
don. Elle a pris sa figure concrète définitive quand Dieu s'est
fait homme en Jésus-Christ, afin de s'adresser humainement
à l'homme et de vivre à l'intérieur de la symbolique corporelle
de l'existence humaine le drame de la réconciliation de l'homme
avec Dieu. Compte tenu de ce paradoxe fondamental, où tout
est de Dieu, même la réponse libre de la foi de l'homme, et
où néanmoins cette réponse de foi est bien celle de l'homme
effectivement justifié, la doctrine chrétienne de la justification
par la foi repose sur la dualité des partenaires, sur la relation
de Dieu à l'homme.

A. *La justification, œuvre visible de Dieu dans notre histoire*

La dogmatique protestante met volontiers l'accent sur le
côté de Dieu qui justifie l'homme dans sa grâce souverainement
libre. La réflexion catholique n'a aucune réserve à mettre
devant cette donnée évidemment biblique. Sans réexprimer ici

---

9. « Au commencement non plus, ce ne fut pas parce qu'il avait besoin
de l'homme que Dieu modela Adam, mais pour avoir quelqu'un en qui
déposer ses bienfaits. » IRÉNÉE DE LYON, *Contre les hérésies*, IV, 14, 1 (Introd.,
trad. fr. A. ROUSSEAU, en colla. avec B. HEMMERDINGER, Ch. MERCIER,
L. DOUTRELEAU, Paris, Cerf, coll. « Sources Chrétiennes », 100/2, 1965,
p. 539).

cette doctrine, qui a trouvé en Barth [10] son meilleur interprète
moderne, je voudrais seulement attirer l'attention sur la modalité concrète, visible et historique, de l'exercice du jugement
de justification dans l'économie du salut. Le dessein de Dieu
prend corps dans la constitution d'un peuple et il s'accomplit
de manière définitive par le don du Christ, bienveillance du
Père manifestée et agissante en notre faveur, alors que nous
étions encore ennemis (Rm 5, 10). La personne du Christ
Jésus est devenue pour nous « justice, sanctification et rédemption » (1 Co 1, 30).

Sur ce point les vocabulaires confessionnels divergent : la
dogmatique protestante appelle « justification » ce que la dogmatique catholique nomme pour sa part « rédemption » objectivement entendue. Mais cette différence ne saurait poser
aucune difficulté, puisque les deux termes ont également leur
fondement dans le langage paulinien. L'intérêt du vocabulaire
protestant est de souligner que la justification du pécheur n'est
pas un acte purement intérieur du Dieu invisible, qui atteindrait
sans médiation la conscience intime de l'homme. La décision
divine s'est réalisée visiblement dans un événement de notre
histoire : elle est devenue Parole et Acte, prononcée et accompli
par le Verbe de Dieu fait chair. Au sens littéral, elle a *pris
corps*. Pour reprendre le vocabulaire de Barth, la justification
est bien une œuvre, l'œuvre du Dieu fait homme accomplie
au profit de ses frères les hommes. L'interprétation ecclésiale
de la vie du Christ a vu à juste titre l'instant décisif de cette
œuvre dans la mort et la résurrection de celui qui a été « livré
pour nos fautes et ressuscité pour notre justification » (Rm 4,
25). Mais puisqu'il est impossible de séparer dans le Christ
personne et mission, il est juste de dire que tous les événements
de l'existence de Jésus, tous les *mysteria carnis Christi* de la
théologie ancienne, ont valeur salvatrice à l'intérieur de l'unité
indéchirable de sa destinée. Ils en dévoilent les multiples
aspects, en référence aux diverses situations de la condition
humaine. Toute la vie de Jésus a donc à la fois manifesté et
rendu effective la grâce de Dieu au bénéfice de l'homme. Elle
l'a déjà en un sens « célébrée » dans un langage d'existence
humaine, allant jusqu'au langage du sang. Ne devons-nous pas

---

10. La doctrine, développée par K. BARTH sur la justification, dans sa
Dogmatique, a été exposée par H. KÜNG dans son ouvrage : *La justification,
la doctrine de Karl Barth. Réflexion catholique*, Paris, DDB, 1965.

nous attendre à ce que cette effectivité concrète et visible d'un langage « total », dans lequel un homme agit pour les hommes, ne trouve sa correspondance dans l'instant où cette grâce atteint chacun ?

On ne saurait trop souligner à ce niveau combien Dieu fait tout et combien la coopération de l'homme est impossible, si ce n'est celle exercée par l'humanité même du Fils. Aussi, par manière de pierre d'attente, je me risque à employer dès maintenant une expression controversée, dans le seul but d'exprimer le théocentrisme de la justification. Le mystère pascal du Christ réalise *ex opere operato* la justification de l'homme.

B. *La foi, réponse de l'homme à la justification*

La réponse de la liberté graciée de l'homme à la grâce de la justification, c'est la foi. Réponse paradoxale, puisque c'est dans la grâce que l'homme répond effectivement à la grâce, par une foi qui lui est « comptée » comme justice (cf. Rm 4, 22-25). Cette foi est indissociablement une foi en la promesse divine de réconciliation et une foi en l'événement salutaire, accompli par le Christ et annoncé par la prédication de l'Église.

Cette foi n'est pas un acte purement intérieur du croyant. Elle comporte le double moment de l'assentiment intérieur et de la confession extérieure : « Si, de ta bouche, tu confesses que Jésus est Seigneur et si, dans ton cœur, tu crois que Dieu l'a ressuscité des morts, tu seras sauvé. En effet, croire dans son cœur conduit à la justice et confesser de sa bouche conduit au salut » (Rm 10, 9-10). Le texte de Paul établit une corrélation stricte entre la foi et la confession de la foi au milieu de la communauté. Il souligne également, dans le même mouvement de pensée, la médiation extérieure de la prédication qui atteint chaque croyant *ex auditu* : « Comment croiraient-ils en lui sans l'avoir entendu ? Et comment l'entendraient-ils, si personne ne le proclame ? [...] Ainsi la foi vient de la prédication et la prédication, c'est l'annonce de la parole du Christ » (Rm 10, 14 et 17). Ainsi, entre l'événement de Jésus-Christ et l'adhésion du croyant intervient la prédication visible et communautaire de la Parole, qui actualise cet événement dans l'*hic et nunc* historique de chaque homme. Une telle annonce ne peut se faire en ordre dispersé : elle est le fait d'envoyés (Rm 10, 15). Et elle est ordonnée au rassemblement de la communauté.

Ainsi à la visibilité de l'œuvre de la justification accomplie par le Christ répond la visibilité de la prédication et de la réponse de la foi. Ce simple constat montre combien il serait abstrait d'opposer purement et simplement justification par la foi et sacrements comme un intérieur et un extérieur. S'il est permis d'employer dès maintenant le terme de sacrement dans un sens large et pourtant fondamental et « inaugural » par rapport à la suite, le mystère pascal est le « sacrement » de notre justification, et la prédication ecclésiale de la Parole a elle aussi une portée « sacramentelle » dans l'accès de chacun à la justification par la foi. Mais je prends ici le terme de « Parole » au sens plein, où elle doit actualiser complètement l'événement de la Parole qui s'est fait chair et s'est exprimée dans le langage total de l'existence humaine. La question qui reste ouverte est alors celle-ci : quelles formes d'expression et de célébration doit prendre, dans l'intention même du Christ, cette Parole « sacramentelle », pour signifier et accomplir la promesse qu'elle annonce ? Dans cette question toute la doctrine des sacrements est déjà enveloppée.

II. LA STRUCTURE DES « SACREMENTS DE LA FOI »

Les sacrements sont la célébration rituelle, et donc sociale, dans l'Église de l'événement de justification et de sanctification [11] accompli par Dieu en Jésus-Christ. Je ne

---

11. Pour la dogmatique catholique la doctrine de la justification englobe le processus de la sanctification. Ce que je vais affirmer des sacrements en parlant le plus souvent de justification concerne donc chacun de ceux-ci, qu'ils soient la célébration et le don de la première justification (baptême) ou du recouvrement de celle-ci (pénitence), ou la célébration de l'achèvement de l'initiation chrétienne (confirmation et Eucharistie), de l'aliment et du progrès de la justice et de la sainteté reçues (Eucharistie), ou encore celle d'un don de justice et de sainteté appropriée à certaines situations ou fonctions (mariage, ordre, onction des malades). La dogmatique protestante marque avec plus de fermeté la césure entre l'instant propre de la justification et le temps consécutif de la sanctification (cf. K. BARTH, *Dogmatique* IV, 2, 2 trad. fr.,

m'arrêterai pas ici sur la fonction rituelle comme telle. Sa valeur propre et sa nécessité dans l'existence humaine étant supposées acquises, je parle en fonction de l'originalité du rite chrétien, qui est d'être un mémorial de l'événement du Christ. En d'autres termes le « symbolisé » du symbole sacramentel est toujours l'acte du Christ, Parole de Dieu, en faveur de son Église et de chaque croyant de son Église [12]. Dans la célébration sacramentelle l'événement se fait institution, mais l'institution est aussi la présence de l'événement, selon la particularité différenciée propre à chaque sacrement.

Pour rendre compte de la structure sacramentelle, deux points de vue successifs doivent être envisagés. Le premier et le plus immédiat analyse la célébration concrète qui met en relation un fidèle, sujet du sacrement, et un ministre de l'Église, qui le lui donne. La structure interpersonnelle du don donné et reçu se vérifie visiblement, au point que la justification par la foi, telle que je viens de l'analyser, exige normalement de s'accomplir dans une telle « célébration de la foi ».

Le second point de vue est en fait plus profond et plus radical : il conditionne la réalité exprimée dans le premier. Au nom de quoi l'acte du ministre de l'Église peut-il prétendre à être la présence visible de l'acte du Christ ? Il ne le peut que porté par la foi continue de l'Église, elle-même suscitée comme corps de salut par l'événement du Christ. C'est la foi de l'Église aux mystères constitutifs de sa propre naissance, mort et résurrection du Christ, don de l'Esprit à la Pentecôte, qui lui permet de se comporter efficacement en sacrement primordial du salut. Autrement dit, la célébration sacramentelle n'est un acte du Christ que si elle est un acte du culte de l'Église fondée par lui et lui demandant dans une prière de foi de rendre présente *hic et nunc* la puissance divine de son mystère pascal. Tout sacrement est une *prière exaucée*. C'est

---

Genève, Labor et Fides, 1970, fasc. 21, p. 138). Mais la distinction de ces deux moments ne comporte aucune dépréciation du second. D'ailleurs la structure de l'un commande très exactement la structure de l'autre. La sanctification, de même que sa croissance, est un don gratuit de Dieu dans et par le Christ, don reçu dans la foi.

12. « *Au point de vue de la foi*, un sacrement est un *acte de Dieu par le Christ ressuscité*, acte par lequel Dieu fait vivre l'Église et donne le salut aux personnes bénéficiaires du rite. » : J. DE BACIOCCHI, « Les sacrements, actes libres du Seigneur », in *Nouvelle Revue théologique* 73, 1951, p. 681.

pourquoi la célébration sacramentelle comporte la prière à l'Esprit, l'épiclèse, qui accompagne la parole déclarative et « performative ». Le ministère sacramentel de l'Église est fondamentalement un ministère de la foi.

A. Premier point de vue : le sujet et le ministre du sacrement

Présence de deux partenaires

Dans une célébration sacramentelle une chose frappe au premier abord : c'est la présence de deux partenaires qui dialoguent et agissent en restant chacun dans un rôle bien spécifique. Le ministre *in persona Ecclesiae* annonce la Parole de Dieu et accomplit la Parole gestuée, qu'est le sacrement proprement dit. Le fidèle de son côté, par sa demande du sacrement, son attitude et ses réponses, exprime sa foi en l'acte du Christ qui l'atteint dans le présent de sa vie. Ce dialogue est un petit mimodrame, au cours duquel se signifie la relation de la foi annoncée à la foi reçue et professée. Cet aspect se trouve illustré avec une pertinence particulière dans la série des dialogues baptismaux. Au moment de l'entrée en catéchuménat des adultes le célébrant pose la question : « Que demandez-vous à l'Église de Dieu ? » et le futur catéchumène répond : « La foi [13]. » Un tel dialogue, sous son apparente simplicité, est éminemment dialectique. Ce n'est que poussé par la conversion à la foi que le catéchumène peut s'engager sur la route du baptême. Sa démarche est le fruit d'une annonce déjà entendue et d'une réponse de foi déjà faite. Et pourtant il proclame qu'il vient demander à l'Église la foi avec le baptême. Il reconnaît donc que le don de la foi lui est fait par l'Église et que ce don est lié à l'événement baptismal auquel il se prépare. Si la foi est don de Dieu, elle est aussi un don sacramentel et ecclésial.

Au cœur de la célébration sacramentelle le dialogue baptismal comporte les trois questions fondamentales, celles qui étaient ponctuées dans l'Église ancienne par la triple immersion et

---

13. *Rituel du baptême des adultes par étapes*, Paris, Accueil et Dialogue/ CNPL, 1968, p. 20.

constituaient la formule sacramentelle, et qui aujourd'hui précèdent immédiatement la formule de l'ablution :

— Croyez-vous en Dieu le Père tout-puissant, créateur du ciel et de la terre ?
— Je crois.
— Croyez-vous en Jésus-Christ, son Fils unique, notre Seigneur, ... ?
— Je crois.
— Croyez-vous au Saint-Esprit, à la sainte Église catholique, ... ?
— Je crois [14].

Le ministre redit sous forme interrogative une formule symbolique qui est ici une proclamation ritualisée du kérygme. Il exprime devant le catéchumène l'interpellation de la Parole de Dieu agissant dans notre histoire. A chaque question le catéchumène répond qu'il a entendu cette Parole et qu'il lui apporte la réponse et l'engagement de sa foi. Il proclame ainsi qu'il se sait sauvé par Jésus-Christ, justifié par sa foi en lui. Au même moment il est plongé dans l'eau, au nom du Père, du Fils et du Saint-Esprit. La concomitance, dans le rite ancien, et la proximité, dans le rite moderne, entre ce dialogue de foi et le geste de l'eau signifient que ce qui est dit est actuellement réalisé et vécu, expriment l'identité entre l'un et l'autre et manifestent le caractère « performatif » de la parole sacramentelle, qui accomplit ce qu'elle dit du fait même qu'elle le dit. Ce qui est proclamé, c'est le salut apporté par la mort et la résurrection de Jésus-Christ, l'envoyé du Père et le donateur de l'Esprit ; ce qui est vécu, c'est le mime de la plongée du néophyte dans ce même événement de mort et de résurrection, grâce à son actualisation rituelle.

La célébration sacramentelle rend visible devant la communauté ecclésiale la structure de la justification par la foi. Elle se présente comme l'instant récapitulateur de tout le processus de l'annonce efficace de la Parole de Dieu et de la réponse de la foi de l'homme. A ce titre le sacrement peut à bon

---

14. *Ibid.*, p. 54. Ce dialogue est attesté par HIPPOLYTE DE ROME, *Tradition apostolique*, 21 (Introd., trad. et notes par B. BOTTE, 2ᵉ éd., Paris, Cerf, coll., « Sources Chrétiennes », 11 bis, 1968, p. 80-95).

droit être rangé dans la catégorie de la Parole [15]. Il ne doit surtout pas lui être opposé comme s'il était quelque chose de radicalement différent [16]. Le binôme classique de la Parole et des sacrements recouvre en fait une unité profonde, mais articulée. La Parole de Dieu n'est jamais vaine, elle accomplit ce qu'elle annonce [17]. Elle participe donc de la catégorie de sacrement. Réciproquement les sacrements sont l'annonce de la Parole efficace de Dieu en Jésus-Christ, de la Parole qui s'est faite événement et a vécu le langage concret de notre corporéité. Comme dans la vie du Verbe incarné, la Parole annoncée dans l'Église devient événement par la prédication, et elle le devient de manière plus décisive dans les moments où elle revêt symboliquement son maximum d'efficacité, parce qu'elle rend présent l'événement sauveur du Christ mort et ressuscité. C'est ce que Rahner a bien senti, quand il dit que le prêtre est « *le héraut officiel de la Parole de Dieu à un point tel que cette Parole lui est confiée avec les plus hauts degrés d'intensité auxquels elle atteint dans l'ordre sacramentel* [...] Il l'est dans la façon suprême dont se réalise cette parole, celle de la célébration eucharistique, anamnèse de la mort et de la résurrection de Jésus-Christ » [18].

---

15. Cf. R. DIDIER, « Le sacrement comme Parole », in : R. DIDIER (éd.), *L'Eucharistie, le sens des sacrements*. Un dossier théologique Faculté de théologie de Lyon, Diff. Profac. 1971, p. 166-169 et 300-313.

16. La difficulté exprimée par André Dumas dans le texte cité plus haut présuppose une différence radicale entre Parole et sacrement. La sacramentalité ne prétend pas « vivre une présence plus réelle que ne serait la Parole » ; elle vit la présence la plus réelle *de la Parole*. Il existe une réciprocité entre la parole et le sacrement, bien exprimée par cette thèse déjà ancienne des Dombes : « La Parole est de l'ordre du sacrement en ce qu'elle met les hommes devant la réalité actuelle pour nous de la médiation accomplie. Le sacrement est de l'ordre de la Parole en ce qu'un rapport d'intention à l'événement de cette médiation lui est essentiel », cf. GROUPE DES DOMBES, *Thèses de 1957*, n. 4, *Pour la communion des Églises. L'apport du Groupe des Dombes*, Paris, Centurion, 1988, p. 14.

17. Le terme *rhèma* (Lc 1, 37) désigne à la fois la parole et l'action dans le grec biblique.

18. K. RAHNER, « Le premier point de départ théologique d'une recherche pour déterminer l'essence du sacerdoce ministériel », *Concilium* (43), 1969, p. 81.

Le rapport de Malte note que « le second concile du Vatican a mis un accent nouveau sur l'annonce de l'Évangile comme tâche fondamentale du prêtre. Dans l'administration même des sacrements, il a été souligné qu'il s'agit des sacrements de la foi, née de la Parole et nourrie par elle » et renvoie au *Décret sur le ministère et la vie des prêtres*, n. 4. Cf. « Rapport de la commission d'étude évangélique luthérienne-catholique romaine sur le

J'ai pris comme sacrement de référence la célébration du baptême. On pourrait développer des perspectives semblables à partir du sacrement de pénitence, par exemple, dont le rite est constitué par un dialogue où la parole de pardon répond à la parole de l'aveu exprimant la conversion dans la foi. Par sa démarche le pénitent proclame que la justice et le salut ne peuvent lui venir de ses œuvres, si spirituelles et sincères qu'elles soient, mais seulement de la croix du Christ. Il est d'ailleurs remarquable que dans la doctrine catholique le sacrement de la pénitence soit considéré comme un jugement, mettant en présence un « accusé » et un « juge », et fasse appel à l'idée de « sentence ». Ce langage austère nous rappelle en définitive que ce sacrement actualise effectivement dans le présent du croyant pécheur le jugement de condamnation du péché dans la chair (Rm 8, 3) et le jugement de justification du pécheur par le sang du Christ (cf. Rm 5, 9). Le jugement de grâce rendu du haut de la croix est inséparablement Parole et acte ; il est rendu symboliquement présent dans un sacrement dont la parole est aussi un acte [19].

Parole et sacrement : convergences paradoxales
à travers les divergences confessionnelles

Cette conception du sacrement permet de discerner des convergences inattendues sous-jacentes aux insistances opposées, couramment exprimées dans le catholicisme et le protestantisme. La dogmatique protestante est attentive à souligner le point de vue de l'interpellation actuelle de la Parole de Dieu, qui me justifie dans mon présent existentiel. C'est aujourd'hui que le Christ me dit : tu es à mon côté. Le catholicisme voit l'expression privilégiée de cette contemporanéité toujours présente dans la célébration sacramentelle. « Concrètement, écrit E. Schillebeeckx, les sacrements sont précisément la marque extérieure de la bienveillance divine vis-à-vis d'un homme en particulier : le sacrement est préci-

---

thème "l'Évangile et l'Église" », n. 61, *Doc. cath.* (1621), 1972, p. 1078 ; *Face à l'unité*, Paris, Cerf, 1986, p. 48.

19. Je me suis expliqué sur ce point dans l'article « Une catéchèse au XIIIe siècle », *Christus* 19 (74), 1972, p. 194-197.

sément cette bienveillance divine [20]. » La même chose peut se dire en termes plus métaphysiques : « Le sacrement est l'Instant éternel de Dieu, dans la forme du temps et surmontant dans le temps même la temporalité [21]. » Une telle perspective n'exclut évidemment pas la considération de la valeur permanente de certains sacrements (en particulier du baptême), dont la grâce toujours actuelle est rapportée à l'événement d'une célébration, qui a marqué visiblement et socialement l'existence du chrétien. D'autres sacrements sont là d'ailleurs, dont la répétition constitue aussi une actualisation de la grâce fondamentale du baptême.

La même visée donne son sens exact à la formule tant contestée de l'*ex opere operato*. Ne retenons pas ici les déformations toujours possibles de la praxis, ou les abus de certaines théologies trop « chosistes ». Rappelons seulement que l'*opus operatum* ne s'oppose nullement aux dispositions du sujet [22]. L'efficacité concrète du sacrement ne sera pas en proportion inverse, mais en proportion directe de celles-ci. La formule exprime simplement que l'*œuvre opérée* dans le sacrement est l'acte même du Christ, non celui de l'Église, encore moins celui du sujet. De par la volonté du Seigneur qui s'engage dans l'événement sacramentel, le rite, parole de Dieu gestuée, participe de l'efficience même de l'événement pascal. « Un sacrement est donc premièrement et fondamentalement un acte personnel du Christ qui nous saisit, sur le plan de la visibilité terrestre de l'Église, dans une forme de manifestation fonctionnelle ou institutionnelle [23]. »

L'insistance catholique à souligner que la puissance de grâce des sacrements vient fondamentalement de l'acte accompli, et non des dispositions du sujet, répond à l'insistance protestante à refuser de faire entrer les œuvres dans la justification, puisque l'homme justifié ne peut « coopérer à la croix » selon le mot de Barth. L'*ex opere operato* signifie également que l'Église n'est pas maîtresse des sacrements, que leur efficacité n'est pas son œuvre, mais celle du Dieu souverainement libre

---

20. E.H. SCHILLEBEECKX, *Le Christ, sacrement de la rencontre de Dieu*, Paris, Cerf, coll. « Lex orandi », 31, 1960, p. 102.

21. E. POUSSET, *Concile de Trente. Session VI : le décret de la justification*, Fourvière/Lyon, polycopié, 1964, p. 7.

22. Abusivement assimilées dans la Scolastique postérieure à l'*opus operantis*, contrairement à la signification originelle du binôme.

23. E.H. SCHILLEBEECKX, *op. cit.*, p. 82.

qui nous justifie en son Fils. Quoi qu'il en soit des risques de « manipulation » apparente par l'Église de l'événement sauveur [24], l'acte du Christ reste toujours transcendant par rapport aux limites humaines de la célébration. Je réfléchis ici dans le cas normal où le sacrement, célébré dans l'obéissance au Seigneur, reçoit toute son efficacité de grâce. La causalité du sacrement n'est donc rien d'autre que la causalité de l'acte sauveur du Christ rendu symboliquement présent sous une forme rituelle. Chaque sacrement revêt donc analogiquement le caractère du « mémorial », qui trouve son sommet dans la célébration de l'Eucharistie.

Du côté du sujet seule la foi et les dispositions que la foi doit normalement développer en lui [25] lui permettent de correspondre à la proposition de grâce qu'est l'événement du Christ symboliquement célébré sur lui. Le sacrement reçu est donc bien une *protestatio fidei*, selon l'expression familière à saint Thomas. La foi intervient dans la constitution du sacrement, en tant que celui-ci est un acte de l'Église croyante et un acte d'un croyant dans l'Église. Mais pas plus que l'événement sauveur de la croix n'a dépendu de la foi des apôtres, l'événement sacramentel ne dépend pas de la foi du sujet, ainsi que le souligne très heureusement pour le cas de l'Eucharistie l'accord des Dombes de 1971 :

Le discernement du corps et du sang du Christ requiert la foi. Cependant, la présence du Christ à son Église dans l'eucharistie ne dépend pas de la foi de chacun, car c'est le Christ qui se lie lui-même, par ses paroles et dans l'Esprit, à l'événement sacramentel, signe de sa présence donnée [26].

Questions complémentaires

1. Que faut-il penser des cas où les sacrements sont donnés sans qu'aucune demande ou réponse de foi ne soit actuellement possible ? Pensons principalement au cas du baptême des enfants si largement vérifié dans la tradition de l'Église. Disons

---

24. Sur lesquels je reviendrai plus loin.
25. Je me situe au-delà du débat, désormais clarifié, entre *fide sola* et *fide viva*.
26. GOUPE DES DOMBES, *Vers une même foi eucharistique ?* Accord entre catholiques et protestants, Presses de Taizé, 1972, n. 18.

d'abord que de tels cas sont des cas limites et qu'ils doivent être compris à l'intérieur de l'économie générale des sacrements ; ils ne doivent jamais être revêtus d'une normativité à partir de laquelle on déduirait une théologie sacramentaire [27].

« Chez les enfants, la foi de l'Église supplée à l'absence d'intention pieuse », dit saint Thomas [28], qui est sur ce point un témoin classique de la tradition. Cette foi de l'Église, concrétisée par la foi de ceux qui présentent l'enfant au baptême, suffit à faire que le sacrement soit effectivement donné et reçu [29]. Il reste qu'un tel baptême repose aussi sur une anticipation et qu'il ne revêtira son efficacité définitive, que s'il est reconnu par l'enfant grandissant et donne lieu à une réponse personnelle de foi. Le baptême est en effet le sacrement de toute l'existence chrétienne ; la théologie ancienne l'appelait un *sacramentum manens*. Son actualité ne se réduit donc pas à celle de sa célébration, et la protestation de foi qu'il exige une fois pour toutes est coextensive à toute cette existence. Voici comment un texte oecuménique français décrit l'existence baptismale du chrétien :

Le caractère baptismal de l'existence chrétienne nous fait reconnaître et vivre celle-ci comme une réponse toujours neuve à l'initiative de Dieu. Initiative de Dieu qui est un appel, une Parole, un amour qui nous saisit, nous empoigne, nous associe à Jésus-Christ, nous plonge dans la mort et la résurrection de Jésus, nous fait vivre dans le souffle de l'Esprit. Le baptême place toute l'existence chrétienne sous le signe de la reconnaissance, de la louange, de l'action de grâce pour l'initiative de Dieu.

---

27. Cf. sur ce point mon article « Liberté de l'homme et réception des sacrements », *Présences* (102), 1968, p. 50-56.

28. S. Thomas d'Aquin, *Summa theologiae* IIIᵃ, q. 68, a. 9, *concl.*, *ad 1um* et *ad 2um* (cité par E.H. Schillebeeckx, *op. cit.*, p. 171).

29. « L'enfant qui vient au monde dans une famille chrétienne, reliée à une communauté ecclésiale, est déjà concerné, de manière particulière par Jésus-Christ, grâce à la médiation de la foi de ses proches. Il est déjà "personnellement engagé" par la foi de l'Église. Sa rencontre avec Jésus-Christ est déjà inscrite dans une histoire. Elle peut devenir un événement sacramentel. L'Église peut reconnaître que cet enfant est "baptisable". » Cf. Groupe œcuménique pastoral de Lyon, « Propositions sur le baptême », *Unité chrétienne* (29), 1973, p. 18.
Je n'entre pas ici dans l'ensemble des questions soulevées aujourd'hui à propos du baptême des enfants. Le document cité prend à ce sujet, dans sa partie pastorale, une position réfléchie et nuancée.

Le caractère baptismal de l'existence chrétienne nous remet sans cesse en face de la primauté de la foi, de l'adhésion à Jésus-Christ [30].

Comme on le voit, la suppléance de la foi de l'Église, des proches et de la communauté locale, ne joue qu'au point de départ. Elle ne met pas en cause la structure interpersonnelle du sacrement, qui se vérifie par la réponse de foi vécue au cours de l'existence chrétienne. Il en va de même d'un sacrement éventuellement donné à un malade qui ne jouit plus de sa connaissance. Une telle célébration ne peut avoir de sens que dans la présomption fondée que le croyant la désirait et se trouve dans les dispositions qui lui permettent d'en recevoir le fruit.

2. Une seconde question concerne la manière de comprendre le lien temporel entre l'événement extérieur de la célébration et l'événement intérieur de la justification et de la sanctification. Il ne s'agit évidemment pas d'une simultanéité mécanique ou magique. La tradition chrétienne a toujours reconnu l'existence d'une distinction entre l'acte symbolique accompli par le ministre et l'efficacité propre à l'acte symbolisé du Christ. Elle n'a pas confondu la causalité de l'un et de l'autre. Cette conscience s'est exprimée en particulier dans la doctrine du vœu, de l'anticipation, et même de la reviviscence des sacrements.

Le vœu sincère du sacrement, c'est-à-dire un désir suffisamment authentique pour passer à l'acte, dès que les possibilités seront données, a déjà l'efficience de grâce du sacrement célébré. Car la foi animée du vœu du sacrement vérifie déjà concrètement la structure profonde de la justification par la foi. Elle porte en elle le rapport de communion au mystère pascal du Sauveur et le lien d'obéissance à la Parole en acte, exprimant visiblement le don gratuit de Dieu. Le vœu du sacrement constitue un lien objectif entre la foi et la célébration. Il ne tire évidemment pas son efficacité de lui-même, puisqu'il est efficace dans la mesure où il porte un désir authentique de se soumettre à la réalité de l'acte sauveur accompli par le Christ. Il y a donc dans ce cas une anticipation du don sur le signe efficace de ce même don.

---

30. « Propositions sur le baptême », *Unité chrétienne* (29), 1973, p. 14.

Une telle anticipation est enseignée traditionnellement dans le cas des sacrements qui demandent normalement un cheminement de préparation, c'est-à-dire le baptême et la pénitence. Pour saint Thomas le cas normal et normatif de ces deux sacrements est celui où le catéchumène et le pénitent se présentent déjà justifiés à la célébration elle-même. Le devenir de leur conversion, accompli dans la foi et prévenu par la bienveillance divine, a atteint un degré de maturité suffisant pour accueillir la décision de la justification et le don de l'amour théologal sanctifiant. Cela ne veut pas dire que cette décision et ce don soient indépendants de l'acte sacramentel, puisqu'ils sont donnés à l'intérieur d'un processus ecclésial qui conduit au sacrement. « En ce sens la grâce dite antérieure au sacrement doit être appelée sacramentelle [31]. »

Le Nouveau Testament donne lui aussi des exemples analogues d'une certaine distance, mais jamais d'une rupture, entre le don de grâce et le geste ecclésial. Quand Pierre est averti que des païens ont reçu l'Esprit, il réagit ainsi : « Quelqu'un pourrait-il empêcher de baptiser par l'eau ces gens qui, tout comme nous, ont reçu l'Esprit-Saint ? » (Ac 10, 47). On aurait pu penser que le don reçu de l'Esprit rendait le baptême d'eau désormais inutile. Bien au contraire il l'exige. La conversion et la vocation extraordinaires de Paul vérifient la même donnée (Ac 9, 17-18). La liberté souveraine de Dieu en ses dons ne dispense jamais l'Église de poser, chaque fois qu'elle le peut, le signe sacramentel qui symbolise visiblement dans la communauté le salut opéré dans l'événement de Jésus-Christ.

On pourrait faire la même remarque à propos de la doctrine de la « reviviscence » des sacrements : quand de mauvaises dispositions du sujet ont empêché un sacrement de porter son fruit, une conversion ultérieure dans la foi lui permet de recevoir la grâce sacramentelle. Cela vaut des sacrements qui ne se répètent jamais (baptême, confirmation, ordre) ou rarement (mariage). Pour saint Thomas, la chose se vérifiait aussi dans le cas de la pénitence [32].

31. E.H. SCHILLEBEECKX, op. cit., p. 174.
32. S. THOMAS D'AQUIN, Scriptum super sententiis, IV, d. 17, q. 3, a. 4, sol. 1 (éd. F. Moos, Paris, Lethielleux, 1947, n. 473, p. 911).

B. Deuxième point de vue : la foi de l'Église dans la célébration des sacrements

Le problème de la structure de l'économie sacramentelle, où se célèbre la justification par la foi, se repose au niveau même de toute l'Église. Ce qui se vérifie quand chaque fidèle reçoit un sacrement doit se retrouver avec la même cohérence du côté de l'Église qui le célèbre. Cette perspective, à la fois plus large et plus profonde, doit permettre de dégager ce qui fonde la réalité salutaire de l'acte sacramentel, tel qu'il a été envisagé. Il ne servirait à rien en effet que le fidèle ait une vie sacramentelle portée par la foi et libre de toute conception magique, si l'Église de son côté ne vivait pas la même conviction de foi, dans sa manière de se situer par rapport aux sacrements dont elle est la bénéficiaire et le ministre. Il faut donc rendre compte de la nature du lien entre la célébration ecclésiale et l'événement du Christ. L'exemple sacramentel de référence sera désormais l'Eucharistie, où se vérifie de manière privilégiée le rapport de l'Église à son Seigneur.

L'Église bénéficiaire des sacrements

Ce qui vaut de chaque fidèle dans l'Église, vaut également de l'Église tout entière : elle est tout entière justifiée et sanctifiée par sa foi et elle est la grande bénéficiaire de la Parole et des sacrements, avant de et afin de pouvoir en être le ministre. Elle est la grande baptisée, la grande confirmée par le don de l'Esprit, elle est le Corps du Christ sans cesse construit par l'Eucharistie [33]. Entre l'Église et le Christ ressuscité qui est toujours avec elle, joue la dualité interpersonnelle du don qui fait du Christ le Sauveur et de l'Église la sauvée. Cette altérité radicale de l'Époux et de l'Épouse ne saurait être abolie même à l'intérieur de l'unité qui existe entre la

---

33. On connaît le texte d'Yves de Chartres cité par le père de Lubac : « Per aquam baptismatis adjuncta, chrismatis oleo peruncta, sancti Spiritus igne solidata, per humilitatis Spiritum hostia placens effecta », De Convenientia veteris et novi Sacrificii (PL 162, col. 544), cité dans : Catholicisme, les aspects sociaux du dogme, 3ᵉ éd. rev. et augm., Paris, Cerf, coll. « Unam sanctam », 3, s.d., p. 59.

tête et le corps. Elle est signifiée par la dépendance constante où se trouve l'Église vis-à-vis des sacrements, qui sont la source de sa vie. C'est pourquoi en toute vérité les sacrements font l'Église [34]. Saint Thomas n'hésite pas devant les formules les plus concrètes, quand il reprend à son compte l'image patristique, qui voit les sacrements répandus avec le sang et l'eau du côté ouvert du Christ en croix : il parle des sacrements *quibus Ecclesia fabricatur* [35], ou *quibus Ecclesia est instituta* [36]. De même que l'Église est née une première fois du mystère pascal s'achevant par le don visible de l'Esprit, de même à chaque génération elle naît et grandit de la célébration des sacrements qui sont en elle la présence agissante du même mystère. A ce mystère l'Église adhère et répond par sa foi ; elle reçoit dans son être même un don, qui demeure le fait de la souveraine et transcendante gratuité du Dieu sauveur. Elle est justifiée par l'obéissance de la foi, qu'elle exprime en célébrant des sacrements qui la dépassent. C'est pourquoi elle ne peut en instituer de nouveaux : elle désobéirait fondamentalement au principe de sa propre justification, puisqu'elle proposerait alors ses propres œuvres comme cause de salut [37]. La formule de saint Thomas citée plus haut synthétise bien l'équilibre de ces données : l'Église « est constituée par la foi et les sacrements de la foi » [38].

L'Église ministre des sacrements

C'est à l'intérieur de ce don de justice et de sainteté, communiqué par le Christ à son Église croyante dans les célébrations sacramentelles, que doit être compris le ministère

---

34. « Sacramenta faciunt Ecclesiam », H. DE LUBAC, *ibid.* Le même auteur a développé sa pensée dans *Méditation sur l'Église,* en lançant les formules qui ont fait fortune : « L'Église fait l'Eucharistie » et « l'Eucharistie fait l'Église », cf. 2e éd., Paris, Aubier, 1953, p. 113 et 129.

35. S. THOMAS D'AQUIN, *Scriptum super sententiis,* IV, d. 18, q. 1, a. 1, *sol.* 1, *ad* 1 (éd. Moos, n. 24, p. 931).

36. S. THOMAS D'AQUIN, *Summa theologiae,* Ia, q. 92, a. 3, *in corp.*

37. « L'Église ne se reconnaît pas le pouvoir d'attribuer à n'importe lequel de ses actes valeur de sacrement. L'extension de son sacramentalisme est fixé par le Christ, son fondateur : sur ce point, elle se sait tenue d'obéir, sans plus. » Cf. J. de BACIOCCHI, « Les sacrements, actes libres du Seigneur », *Nouvelle Revue théologique* 73, 1951, p. 690.

38. S. THOMAS D'AQUIN, *Summa theologiae,* IIIa, q. 64, a. 2, *ad 3 um* (trad. citée, p. 138).

de la Parole et des sacrements qui lui est confié. Qui dit
« ministère », dit aussi « intendance » ou « gérance » au nom
d'un autre. Le ministre n'est jamais l'auteur ni le maître de
ce qu'il gère. Sans entrer ici dans la théologie des ministères,
notons que cette affirmation est valable de l'Église tout entière
en tant que celle-ci est « ministre » de tous les sacrements,
qui sont célébrés *in virtute Christi*[39]. Tel est en effet le
retournement qui se produit entre l'*Ecclesia convocata*, la
« communauté des convoqués » et l'*Ecclesia convocans*, la
« convocation divine »[40] : l'Église justifiée par la foi et les
sacrements devient à son tour ministre de la justification (Paul
dit « de la réconciliation » 2 Co 5, 18), c'est-à-dire ministre
du don qu'elle reçoit et qui la constitue. C'est pourquoi dans
ce nouveau cas comme dans le premier, il s'agit encore d'un
don reçu dans la foi.

Telle est la raison pour laquelle le ministère de la Parole
et des sacrements est lui-même un sacrement. Le sacrement
du ministère, ou sacrement de l'ordre, signifie au regard de
toute l'Église que celui-ci est un don du Christ. Il est l'objet
d'une « ordination », célébrée par un geste d'épiclèse et d'envoi
en mission (l'imposition des mains) et une prière consécratoire,
qui expriment qu'il ne s'agit pas d'une simple investiture
humaine, ou d'une délégation de pouvoir et de tâche, mais
d'un don de Dieu fait au ministre. Si donc chaque sacrement
est un don gratuit de Dieu, l'habilitation à les célébrer est
elle aussi un don. Que celle-ci soit l'objet d'un signe sacramentel
distinct, rappelle à l'Église qu'elle reste toujours « convoquée
par le Christ » : c'est pourquoi elle porte en elle « le signe
ministériel que c'est lui qui convoque »[41]. Ce signe marque
sa dépendance radicale par rapport au Christ ; il lui rappelle
qu'elle ne peut en aucun cas s'identifier à lui de manière
immédiate. Il a donc une valeur structurelle fondamentale. Il
réfère concrètement l'Église à l'événement de sa fondation et
à l'envoi apostolique original ; il rend présent le fait que
l'Église n'est pas maîtresse des sacrements qu'elle distribue[42].
Ici encore l'insistance catholique sur l'ordination sacramentelle,

---

39. *Ibid.*, a. 9, *in corp.*
40. H. de LUBAC, *Méditation sur l'Église*, 2e éd., p. 88.
41. GROUPE DES DOMBES, *Pour une réconciliation des ministères, op. cit.*,
n. 9.
42. *Ibid.*, n. 22.

qui habilite le ministre à célébrer les sacrements et en particulier l'Eucharistie, est strictement corrélative de l'insistance protestante à proclamer qu'aucune œuvre humaine ne peut coopérer à la justification par la foi.

Le sacrement, prière exaucée

Ce qui vient d'être dit marque concrètement la célébration de chaque sacrement. Il ne suffit pas que la dépendance ministérielle de l'Église par rapport au Christ soit signifiée dans la seule ordination. Il serait très dangereux que dans les autres célébrations l'Église semble agir en son nom propre, comme si elle s'identifiait au Christ et prétendait domestiquer sa seigneurie souveraine. L'Église n'est pas la source efficace du salut, elle en est le « sacrement » actif, parce que reçu. Il y aurait donc une ambiguïté fondamentale, si le rapport entre le ministre et le sujet était clos, comme si tout se passait dans les paroles déclaratives de l'un et de l'autre.

Mais la célébration des sacrements est toujours un acte du culte de l'Église en la personne de l'assemblée et du ministre, auquel s'associe celui qui les reçoit. Ce culte exprime la foi de l'Église au Christ et sa prière instante pour que celui-ci veuille bien dans sa souveraineté et selon sa promesse, rendre présent et actuel le don de grâce accompli dans l'événement pascal. Tel est le sens de l'épiclèse, remise en relief dans les récentes prières eucharistiques, et dont on peut dire qu'elle est la loi de toute célébration sacramentelle. Ce n'est que dans la prière à l'Esprit du Christ ressuscité, que l'Église peut être certaine d'être exaucée et dire au nom du Christ la parole qui a l'efficace de sa propre Parole. On sait qu'aujourd'hui encore certaines formules sacramentelles gardent la forme déprécative (ordination, onction des malades) ; dans d'autres cas la forme déprécative et la forme déclarative sont étroitement associées (confirmation, Eucharistie, pénitence) ; dans tous les cas la célébration baigne dans un ensemble liturgique où s'exprime fortement la prière officielle de l'Église, c'est-à-dire « la prière de la foi » (Jc 5, 15).

Cette prière de l'Église se joint à la prière du Christ à son Père, prière dans laquelle Jésus a vécu le mystère pascal, prière constante du Seigneur ressuscité « toujours vivant pour

intercéder » en sa faveur (He 7, 25). Cette association de la
prière de l'Église à celle du Christ s'exerce principalement
lors de la célébration eucharistique, où l'Église apprend du
Christ à s'offrir elle-même [43]. Cette prière est certaine d'être
exaucée. Elle exprime toute la foi de l'Église qui se rapporte
à l'événement sauveur où elle a trouvé justification et sanctification ; elle proclame sa dépendance et son obéissance vis-
à-vis des ordres du Seigneur. Elle prend appui sur la promesse
toute-puissante de Dieu, promesse accomplie dans l'événement
pascal et promesse fidèlement maintenue en vue de sa réalisation eschatologique. Dans la conviction, faite d'obéissance
et de foi en la mission reçue, que porte cette prière, le
ministre de l'Église peut alors rendre présent le mystère du
salut et en déclarer efficacement le don.

III. UNE ÉCONOMIE UNIQUE

A. *Les sacrements, « représentation » de la justification par la foi*

Si cette visée est juste, les sacrements peuvent être considérés
comme une « représentation » de la justification par la foi.
Je prends ce terme au sens fort, et en utilisant plusieurs de
ses harmoniques. La foi chrétienne est centrée autour d'une
« figure », et la figure centrale de la révélation est le Christ [44].
Le Christ, dans sa manifestation humaine, est représentation
de Dieu ; il en est la représentation suprême et indépassable,
puisqu'il rend personnellement présent Dieu parmi nous. Il
« re-présente » Dieu en langage d'existence humaine, c'est-à-
dire à travers l'ensemble des figures de communication, dans
lesquelles l'homme s'exprime. Dans son mystère pascal il rend
présent le jugement de justice et de réconciliation porté par
Dieu sur le monde des hommes. En lui la bienveillance
transcendante et éternelle de Dieu prend figure et devient

---

43. « ... quae cum ipsius Capitis corpus sit, *se ipsam per ipsum discit
offerre* », S. AUGUSTIN, *De Civ. Dei,* l. X, c. 6.
44. Cf. H. Urs von BALTHASAR, *La Gloire et la Croix. Les aspects esthétiques
de la révélation,* t. 1, *Apparition,* Paris, Aubier, 1965, p. 391 s.

événement dans notre histoire. Dans cette représentation, elle s'exprime et se réalise de notre côté.

Modalité propre aux sacrements

A leur tour les sacrements rendent présent, selon la modalité propre à chacun, ce même événement de Jésus dans l'histoire de l'Église et l'histoire de chaque croyant. La « représentation » sacramentelle répond à la représentation fondamentale qu'est l'incarnation du Verbe en Jésus de Nazareth. Elle ne constitue pas une figure originale ou indépendante de la sienne :

La figure sensible, extraordinairement rigoureuse et exigeante des sacrements qui doivent simplement être accomplis, écrit H. Urs von Balthasar, n'appelle pas simplement la foi nue à entrer en action, elle évoque la vérité historique tout aussi rigoureuse à laquelle ils doivent leur origine. Celui qui comprend cela n'est pas en danger de confondre la sainteté avec l'action sacramentelle extérieure, mais se trouve placé par la forme sensible du sacrement immédiatement devant l'événement qui s'y rend présent. L'image le contraint à l'acte, en lui révélant l'acte d'institution lui-même enfermé dans l'image. C'est là qu'il faut voir l'essentiel du sacrement... [45].

L'économie cohérente qui va du Christ aux sacrements montre que la justification par la foi ne saurait se passer de représentation.

Mais les sacrements sont aussi des « représentations » en un certain sens théâtral du terme, puisqu'ils sont la célébration mimée d'un événement fondamental. Dans ces représentations il n'y a d'ailleurs pas de spectateur ; tout le monde, ministre, assemblée, sujet, y est acteur. Pour tous « il se passe quelque chose ». Le rite n'est pas la vie [46], mais il assume dans une représentation active et de manière symbolique la totalité du langage de la vie. Car le langage de la communication entre les hommes n'est pas purement « verbal » : la parole y est acte et les actes y sont langage. Réduire la représentation de

---

45. *Ibid.*, p. 358.
46. « *Le rite n'est pas la vie, mais sa célébration*. De ce point de vue, le rite se situe hors de la vie de tous les jours, parce que, comme fondement et garantie de la vie quotidienne, il ne peut s'identifier avec elle », R. DIDIER, *op. cit.*, p. 305.

l'événement du Christ à une parole « pure », c'est lui enlever la possibilité d'être pour nous une parole totale. C'est le même principe d'incarnation qui a assumé en Jésus la loi de la condition humaine, et respecte dans les sacrements le jeu de la représentation humaine. Il est d'ailleurs remarquable qu'à la tendance théologique contemporaine interprétant les sacrements à l'intérieur de la catégorie de la parole, réponde la recherche structuraliste nous affirmant que « le rite liturgique est, avant tout, un *geste*. Il n'est certainement pas un spectacle. Son but n'est pas de "communiquer" quoi que ce soit à quelqu'un qui est là comme un spectateur. Dans ce sens il n'est pas un "dire", mais un "faire". Il est de l'ordre de la *praxis*, mais cette *praxis* suppose et contient une communication, sans laquelle il perdait son identité » [47]. L'implication de la parole et du geste est en définitive la même dans l'existence du Christ et dans la représentation sacramentelle.

Statut et caractère de la représentation pour l'homme

Une telle correspondance est d'une portée capitale. Elle pose finalement de part et d'autre un unique problème, celui de la représentation. L'homme est fondamentalement représentation [48]. Il ne lui est donc pas possible de dépasser les représentations, même si la dynamique de son existence est traversée par un mouvement de négation des représentations. Il n'est pas davantage possible au chrétien de dépasser les représentations de sa foi, même s'il doit les comprendre comme représentations et donc à ce titre les critiquer, puisqu'elles ont leur centre et leur fondement dans la représentation insurmontable qu'est la personne de Jésus-Christ. La représentation de l'Église, des Écritures et des sacrements n'est pas plus surmontable que la représentation fondamentale de Dieu qu'est le Christ.

---

47. M. AMALADOSS, « Sémiologie et sacrement », *La Maison-Dieu* (114), 1973, p. 10-11.
48. « *Nous sommes représentation*, nous le sommes radicalement et définitivement. Il n'y a pas à s'en attrister, c'est notre être même », E. POUSSET, *in*, B. SESBOÜÉ (éd.), *Annoncer la mort du Seigneur*. Un dossier théologique, Faculté de théologie de Fourvière-Lyon, Diff. Profac, 1971, p. 17.

La représentation n'est jamais évacuable de l'existence humaine, elle est pourtant en elle-même toujours inadéquate. Ce double fait rappelle à l'homme qu'il n'est pas à lui-même son origine et sa fin, et qu'il ne coïncide pas de manière immédiate avec ce qu'il est et est appelé à être. La représentation, selon l'étymologie du mot, renvoie à autre chose qu'elle-même. Que les représentations soient nécessaires à la foi est un signe de cette distance, et de la transcendance du rapport de l'homme à Dieu. La représentation sacramentelle me rappelle en particulier que je ne coïncide pas avec ma vocation divine, que je ne possède pas mon propre salut, que je ne suis en aucun cas capable de le produire, mais que je le reçois comme un don, à travers une figure qui maintient toujours la distance entre l'auteur de ce don et moi-même. La part nécessaire de la représentation dans la justification par la foi vérifie une donnée anthropologique, qui ne constitue pas une naturalisation du mystère chrétien, puisqu'elle n'est que la conséquence de l'incarnation.

La loi de la représentation est donc engagée dans une justification et une sanctification dont la structure est déterminée par l'Incarnation. Nous admettons que toute grâce soit christique, qu'elle soit reçue dans une foi explicite au Christ ou non. Nous disons aussi que toute grâce est ecclésiale, qu'elle soit reçue dans l'appartenance effective à l'Église ou non ; la même logique doit nous pousser à affirmer que toute grâce est sacramentelle, qu'elle soit conférée par la réception d'un sacrement ou non [49]. C'est cette continuité profonde que voulait mettre en relief une théologie récente, quand elle développait les catégories de Christ-Sacrement (E. Schillebeeckx) et d'Église-Sacrement (O. Semmelroth, K. Rahner, H. de Lubac). Saint Thomas avait perçu à sa manière la même logique, en remarquant que le sacrement se conforme au mystère de l'Incarnation, puisqu'il joint un *verbum* à une chose sensible, tandis que « le Verbe de Dieu est uni à une chair sensible [50] ».

---

49. Je m'inspire des formules d'un cours polycopié sur les sacrements de Th. Léonard.

50. S. Thomas d'Aquin, *Summa theologiae,* IIIᵃ, q. 60, a. 6, *in corp.* (trad. citée, p. 34).

B. Pour une clarification des débats confessionnels

Autrefois les protestants disaient volontiers aux catholiques :
« Vous soutenez que les sacrements opèrent sans la foi » ; à
quoi les catholiques répondaient : « Pas du tout, c'est vous
qui affirmez que la foi opère sans les sacrements [51]. » Ces
reproches mutuels reposaient sur un schéma empoisonné, peut-
être commun aux deux partis, où les sacrements venaient
inconsciemment remplacer les œuvres dans le binôme paulinien,
qui oppose la foi et les œuvres. Or le glissement sémantique,
qui interprète le rapport foi-sacrements à la lumière de l'opposition foi/œuvres, est mortel. Toute cette analyse a tendu
à montrer que dans les sacrements la foi en acte répond à la
Parole en acte. Les sacrements ne sont donc nullement extérieurs à la foi ; ils ne sont efficaces que dans la foi, non pas
que la foi opère en eux l'efficience, puisque la foi n'est pas
une œuvre, mais parce que c'est dans la foi seule qu'est reçu
le don visiblement exprimé de la justice et de la sainteté. La
foi chrétienne est une foi sacramentelle, c'est pourquoi les
sacrements sont compris à l'intérieur d'un *fide sola* justement
affirmé.

La même visée permet d'opérer un discernement dans le
débat entre la causalité sacramentelle et un certain « occasionnalisme » sacramentel. Le fondement et la condition de
possibilité de la causalité « instrumentale » des sacrements ne
sont rien d'autre que l'efficience même de l'acte du Christ.
Proclamer que le sacrement *donne* la grâce du salut, c'est
proclamer que dans le sacrement je rencontre ecclésialement
et visiblement dans mon historicité propre l'événement sauveur
de Jésus-Christ, dont je proclame qu'il est la source de ma
justice [52]. La question de la causalité sacramentelle doit être
posée en définitive au niveau de l'humanité du Christ.

La rigueur de la structure de la justification par la foi est
au contraire occultée, pour ne pas dire contredite, si l'on ne

---

51. C'est en ce sens que doivent être compris certains textes polémiques
du concile de Trente, en particulier les canons 4, 5 et 8 de la Session VII
(Dz.-Sch., n. 1064/847 ; 1605/848 ; 1608/851).

52. « Le baptême est cet acte dans lequel et par lequel la rencontre de
Jésus-Christ et d'un homme devient un événement », cf. « Propositions sur
le baptême », *Unité chrétienne, art. cit.*, p. 18.

voit dans les sacrements que des occasions d'exprimer et de
fortifier notre foi. Sans doute les sacrements sont-ils des
« protestations de notre foi », en dehors de laquelle ils ne
seraient que magie vide. Mais donner à entendre qu'ils ne
seraient que des occasions de recevoir la grâce, revient à faire
dépendre leur causalité éventuelle de la foi protestée. Le risque
est alors grand de faire fonctionner la foi comme une œuvre.
L'occasionnalisme sacramentel ne risque-t-il pas de tomber
dans ce piège et de contredire la gratuité de la prévenance
absolue de Dieu dans le don de la grâce ? Si le sacrement
est l'aliment de la foi, il l'est en ce sens que le don de Dieu
nourrit la foi qui s'y engage. Ce n'est pas la foi qui se nourrit
elle-même en produisant des paroles et des gestes à la face
de l'Église.

IV. LES DANGERS DES DISSOCIATIONS

Un certain nombre de malentendus grève, encore aujour-
d'hui, non seulement la doctrine, mais surtout la pratique
ecclésiale, du fait que l'on dissocie consciemment ou inconsciemment la foi et les sacrements. Avec les divergences confessionnelles sont ici en cause des problèmes pastoraux, problèmes
que les pasteurs se posent et aussi problèmes que certains
chrétiens posent à leurs pasteurs, quand ils avouent leur
désaffection croissante pour les rites sacramentels. Nous envi-
sagerons successivement les dangers que présentent une sous-
estimation des sacrements, puis les dangers d'une pratique
sacramentelle plus ou moins dégradée.

A. *Le côté de la foi*

Le premier, et peut-être le plus grave danger de l'unilatéralisme, d'une foi qui reste « abstraite » est le retour à
l'« autojustification » évoquée au début de cet article. Je
proclame en parole que Dieu seul me justifie, mais je prétends
en même temps m'en remettre à la pure expérience de ma
conscience, en négligeant ou même en refusant les médiations

ecclésiales. Les débats anciens sur la certitude de la justification présentaient déjà ce risque, dans la mesure où la réalité même de la justification paraissait dépendre du caractère indubitable d'une certitude. Quelle que soit la doctrine, il y a une manière de ramener la justification à l'expérience subjective que le croyant peut en avoir qui recouvre, concrètement, une grave ambiguïté.

Aucun moderne ne soutient sans doute de thèse aussi extrême en la matière. Mais bien des attitudes spontanément exprimées rejoignent cette dangereuse logique. Prenons par exemple l'objection classique, souvent entendue contre le sacrement de pénitence : pourquoi me faut-il passer devant l'Église et son ministre pour me réconcilier avec Dieu ? J'avoue mon péché à Dieu dans ma conscience et il me pardonne. C'est là que l'essentiel se passe de toute façon. Une telle prise de position est, chrétiennement parlant, fort ambiguë en ce qu'elle prétend et en ce qu'elle refuse. Ne prétend-elle pas en effet domestiquer le pardon de Dieu, en le rendant immédiatement disponible à la conscience ? Ne cherche-t-elle pas à éviter les médiations onéreuses de la communication, qui sont normalement néces-saires à l'homme pour le faire sortir des illusions de la conscience pécheresse livrée à elle-même ? D'autre part elle refuse un sacrement dont la figure symbolique est celle de la réconciliation fraternelle. Cette figure nous rappelle qu'il n'y a pas de péché contre Dieu, qui ne soit aussi péché contre son frère et que, selon l'Évangile, on ne peut prétendre demander la réconciliation à Dieu sans se réconcilier avec son frère (Mt 5, 23-24). La pénitence n'est-elle pas l'engagement du Christ et de son mystère dans le « sacrement naturel » de la réconciliation fraternelle, quand celui-ci est vécu en Église ? Il traduit le fait élémentaire que nul ne peut se réconcilier tout seul. On ne peut le refuser, sans entrer — objectivement — en contradiction avec une des conséquences normales de l'Incarnation, qui a fait du Christ notre frère.

Un exemple analogue peut être pris, qui concerne aussi bien la vie ecclésiale globale que celle de chaque chrétien. On prend aujourd'hui une plus vive conscience de la dépen-dance radicale de l'Église par rapport à l'Évangile. L'Évangile est présenté comme la référence ultime et finalement toute simple, qui permet de juger des problèmes, au-delà des complications ecclésiastiques. Cette exigence est fondamentale et son rappel ne peut être que bienfaisant. Néanmoins des questions demeurent : Qu'est-ce que l'Évangile ? Où le trouver en vérité ? Comment rejoindre authentiquement sa pensée sur tant de points qu'il n'aborde pas en clair ? Comment ne pas le domestiquer et ne pas y trouver en définitive ce que nos présupposés culturels y cherchent ? Comment reconnaître sa transcendance et son autorité, quand il condamne ce qui est l'objet de notre désir ? L'Évangile est un don de grâce fait à l'Église. Celle-ci ne peut jamais se l'approprier de manière immédiate. C'est pourquoi l'annonce officielle de l'Évangile, continuation de la première « ambassade » des apôtres, demeure en elle un signe sacramentel, c'est-à-dire la marque concrète que l'Évangile la dépasse et qu'elle le reçoit et le transmet dans l'obéissance, grâce au don de l'Esprit. Cette dépendance concerne à la fois le ministère officiel et toute la communauté dans leurs relations mutuelles. C'est l'obéissance de l'Église, communautairement poursuivie et vécue, qui maintient tous et chacun dans l'obéissance à l'Évangile.

Un deuxième danger risque d'opposer une religion des sacrements, faite de rites extérieurs assez grossiers pour aider la foi des faibles et des simples, et une religion de la foi pure, toute spirituelle et intérieure, dégagée des prescriptions matérielles et destinée à une certaine élite culturelle. L'illusion qu'il puisse y avoir une foi supérieure, libérée des représentations communautaires, est directement contraire à la loi de l'incarnation. Dans cette perspective, où se rejoignent curieusement l'ancien platonisme et le criticisme moderne, « non seulement tout ce qui est sacramentel et institutionnel dans l'Église, mais l'humanité du Christ tout entière est alors considérée, par une simplification abusive, comme destinée aux "simples chrétiens" qui ont besoin de béquilles matérielles ; ceux qui sont plus avancés dans la perfection peuvent se passer des symboles, dont ils ont pu atteindre le noyau spirituel [53] ».

La part du rapport de l'homme à l'homme dans le rapport de l'homme à Dieu se trouve alors corrélativement dépréciée :

L'homme ne peut entrer en contact avec Dieu que dans la mesure où il entre en contact avec ses semblables. La foi est essentiellement

---

53. H. Urs von BALTHASAR, *op. cit.*, p. 369-370.

ordonnée au « Tu » et au « Nous », c'est à travers cette double relation seulement qu'elle lie l'homme à Dieu. Du point de vue de la structure intime de la foi, *la relation à Dieu et la relation aux autres hommes sont inséparablement liées.* Entre les deux il y a corrélation et non juxtaposition. Sous un autre angle on pourrait dire : *Dieu ne peut venir à l'homme que par l'homme ;* il ne cherche pas l'homme en dehors de ses relations sociales [54].

Cette implication de la présence de Dieu dans le rapport de l'homme à l'homme est aujourd'hui universellement soulignée. On parle volontiers du « sacrement du frère ». Il serait donc paradoxal de sous-estimer ou de rejeter ce qui dans la structure de l'Église exprime le passage par le frère et la communauté dans la révélation et le don du salut ; surtout à ce niveau où le rapport aux frères est, de par l'engagement du Seigneur dans l'événement sacramentel, le lieu symbolique du rapport au Christ frère.

B. Le côté des sacrements

Reconnaissons que, aujourd'hui encore dans la conscience d'une certaine génération chrétienne, les sacrements peuvent être considérés comme des *bonnes œuvres* à accomplir. Se confesser souvent, communier souvent, éventuellement faire dire des messes, tout cela peut entrer dans une conception de la vie chrétienne où l'intensité de la pratique sacramentelle est en elle-même porteuse de mérites, au lieu d'être considérée comme le ressourcement irremplaçable d'une vie. Une telle visée est évidemment ambiguë, elle peut devenir en certains cas franchement erronée. Car, ce qui est retenu avant tout, c'est l'acte du fidèle qui investit sa générosité dans les célébrations de l'Église et risque de nourrir une espérance inavouée d'acquérir des droits aux dons de Dieu [55].

---

54. J. RATZINGER, *Foi chrétienne hier et aujourd'hui,* Tours, Mame, 1969, p. 46. C'est moi qui souligne.

55. La pratique des honoraires de messes court un tel risque, si elle n'est pas justement comprise : elle peut aboutir à faire considérer l'Eucharistie comme un sacrifice de substitution à la manière des sacrifices de l'ancienne Loi. Reconnaissons que sa signification est aujourd'hui bien difficile à faire percevoir authentiquement.

Une catéchèse encore récente a sans doute trop parlé des sacrements comme des *moyens* de la sanctification. S'il est vrai que les sacrements sont des « instruments » de l'économie par laquelle Dieu vient vers l'homme, ils ne sont en aucun cas des moyens à la disposition de l'homme. Le Christ n'est pas un moyen et la rencontre sacramentelle du Christ ne l'est pas non plus. Elle est infiniment plus, puisqu'elle est le lieu où l'unique médiation du Christ est rendue présente et s'exerce effectivement. Elle est la réalité même du mystère chrétien, vécu dans la foi.

Une telle perspective engendre d'ailleurs actuellement son propre contraire dans les nouvelles générations chrétiennes. Déçus par des sacrements « où il ne se passe rien », beaucoup manifestent une désaffection pour des actes qui leur apparaissent comme une répétition formaliste et obligatoire. L'objection est souvent entendue : « Depuis le temps que je me confesse, que je communie, et que je ne change pas ! » ou à l'inverse : « Je ne sens plus aucun besoin des sacrements, le fait d'y renoncer n'a en fait rien changé à ma vie. » Une certaine figure de la pratique sacramentelle, dans une routine institutionnelle qui ne tenait pas compte des exigences actuelles de la conscience, est ici à mettre légitimement en cause. Mais ces déceptions traduisent aussi une compréhension encore bien grossière de l'efficience sacramentelle. Celle-ci n'agit pas comme un traitement médical qui réussit. Elle fonde radicalement l'existence d'une manière sans doute transcendante à l'expérience immédiate, mais dont les fruits se manifestent cependant à long terme à celui qui sait les discerner dans la foi. Aussi la pastorale actuelle essaie-t-elle de présenter les sacrements comme la célébration du don de Dieu reçu dans la foi. Cette célébration ne peut, par hypothèse, s'identifier avec le contenu de la vie quotidienne ; elle est le temps et le lieu où le sens de cette vie est fondé et reçu.

Une autre objection est souvent faite par nos frères protestants : la conception catholique des sacrements met le don de Dieu à la disposition des hommes qui peuvent le « manipuler » à leur volonté. La liberté souveraine et transcendante de Dieu n'en devient-elle pas domestiquée ? Le père Paul Doncœur relatait naguère la réflexion d'un assistant incroyant au terme de la célébration d'un baptême d'adulte : « C'est de la grâce à bon marché. » Cette mainmise apparente de l'homme sur l'initiative de Dieu à de quoi choquer. Pourtant, quels que soient les risques bien réels d'une dégradation de la pratique chez le sujet et même chez le ministre, cette mainmise n'est qu'apparente. L'Église n'a jamais prétendu confisquer la grâce dans ses sacrements, ni interdire à Dieu d'agir en dehors des rites qui lui sont confiés. Elle proclame aussi que ses sacrements n'apportent aucun don à celui qui ne les reçoit pas dans la foi et avec les dispositions requises. Elle les accomplit dans la foi et l'obéissance de l'épouse à qui l'époux a tout remis en gérance, mais aussi dans l'invocation de l'Esprit, qui seul leur donne leur efficacité. En aucun cas le sacrement ne saurait donc être utilisé comme un alibi de la conversion. Il est au contraire la visibilité ecclésiale de celle-ci, c'est-à-dire qu'il en est à la fois le signe et la cause [56]. Toute perversion utilitaire des sacrements réduit ceux-ci à néant.

La dépendance radicale de l'Église vis-à-vis de Dieu dans la célébration des sacrements est d'ailleurs exprimée et vécue dans la dépendance mutuelle du ministre et du sujet :

Le sujet ne tient pas Dieu à sa merci, puisque lui-même a besoin du pouvoir et de la liberté du ministre ; le ministre ne tient pas Dieu à sa merci, puisque l'efficacité de son acte est conditionnée par le travail du Saint-Esprit dans le sujet. C'est à la souveraine liberté que chacun des deux partenaires est renvoyé par le besoin où il se trouve de la coopération de l'autre [57].

L'ouverture à Dieu est impliquée dans l'onéreuse ouverture au frère.

Le paradoxe est ici analogue à celui que constitue le rapport de l'Écriture à l'Église. L'Église n'a pas de pouvoir sur l'attestation écrite de la Parole de Dieu, qu'elle reçoit comme un élément de sa propre structure. Elle ne peut que lui obéir, sans rien lui ajouter, ni rien en retrancher. Néanmoins, c'est elle qui en a défini le canon et qui a la charge de son interprétation authentique. Elle reçoit de même les sacrements

---

56. La doctrine scotiste des deux voies de la justification, opposant la voie plus facile du sacrement à celle plus onéreuse d'une conversion totale, porte en elle une dissociation mortelle.

57. J. DE BACIOCCHI, *art. cit.*, p. 689, note 11.

qui la constituent, sans avoir le pouvoir d'en inventer de nouveaux, ni de changer la réalité profonde de ceux qui lui ont été donnés. Néanmoins, c'est elle qui a fait le discernement progressif du septénaire, pose les conditions de leur célébration, en renouvelle, et parfois très profondément, la forme liturgique chaque fois que cela lui semble pastoralement nécessaire. Dans un cas comme dans l'autre elle exerce un ministère, qui ne peut confisquer ni la Parole de Dieu ni les sacrements. Ni l'une ni les autres ne lui appartiennent ; jamais elle n'est en droit d'exercer à leur occasion une quelconque volonté de puissance.

L'intuition théologique qui domine cette contribution est fort simple : l'économie sacramentelle est la célébration ecclésiale de la justification par la foi. Elle semble pouvoir synthétiser heureusement des aspects trop souvent isolés, soit dans la réflexion doctrinale, soit dans la catéchèse, soit dans la praxis ecclésiale. Elle a voulu faire droit également aux intuitions chrétiennes imprescriptibles, qui sont la richesse tant du protestantisme que du catholicisme. Elle a cherché à tracer la voie de leur plus parfaite réconciliation. Mais comme tous les problèmes s'enchaînent, j'ai conscience d'avoir posé avec plus d'acuité celui du rapport entre le visible et l'invisible dans l'Église, présentée en définitive comme le sacrement de la justification.

J'ai refusé de consentir aux oppositions immédiates et cherché à manifester l'unité des facettes complémentaires du mystère chrétien. Certains trouveront sans doute cette étude trop « catholique ». Mon intention était surtout d'appliquer à la réflexion théologique la parole évangélique : « C'est ceci qu'il fallait faire, sans négliger cela » (Mt 23, 23).

CHAPITRE 7

LES INDULGENCES

Problème œcuménique à nouveau posé ?

En proclamant « l'année jubilaire de la Rédemption », dont il souhaitait qu'elle soit « une année vraiment sainte, un réel temps de grâce et de salut »[1], le pape Jean-Paul II indiquait les conditions nécessaires pour gagner l'indulgence plénière attachée à ce jubilé. L'indulgence entre dans un « appel au repentir et à la conversion, dispositions nécessaires pour participer à la grâce de la Rédemption »[2], mais on prévoit également un certain nombre de mesures concrètes indiquant ce qu'il faut *faire* pour y avoir accès. Il se trouve que nos frères luthériens célébraient cette même année 1983 le cinquième centenaire de la naissance de Luther (10 novembre 1483). Simple coïncidence, sans aucun doute. Mais l'actualité souligne le rapprochement : l'Église catholique proclame solennellement une indulgence, juste au moment où les chrétiens issus de la Réforme célèbrent celui dont le premier coup d'éclat fut une contestation radicale des indulgences, quand il placarda ses célèbres 95 thèses sur le portail de l'église de Wittemberg pour la Toussaint 1517. Il suffit de fréquenter les rencontres œcuméniques actuelles en France pour se rendre compte de la profonde sensibilité de nos frères, luthériens et réformés, devant ce qui leur apparaît comme une insistance renouvelée. Déjà quelques articles grinçants ont paru sur la

---

1. JEAN-PAUL II, « Ouvrez les portes au Rédempteur », Bulle d'indiction du Jubilé, n° 2 ; *Doc. cath.* 1846 (1983), p. 183.
2. *Ibid.,* n° 11, p. 187.

question. Un réformé, profondément choqué, m'a montré le tract distribué dans une Église parisienne sur l'indulgence. Paradoxalement, cette affaire atteint les protestants infiniment plus au vif que les catholiques, dont l'attitude vivante de foi ne fait plus une grande place aux indulgences [3]. Ces derniers y voient une invitation à une démarche pénitentielle secondaire et libre, alors que les chrétiens issus de la Réforme y lisent la mise en cause de l'Évangile de la justification par la foi et le spectre revenu d'une prétendue doctrine catholique de la justification par les œuvres organisée sous le pouvoir de l'Église. Car on oublie trop facilement, du côté catholique, que Luther ne s'est pas seulement insurgé contre les abus des indulgences (leur prolifération, leur lien à des aumônes collectées de manière éhontée), mais aussi contre leur principe même, jugé incompatible avec l'Évangile et qui suppose chez l'Église un pouvoir qui n'appartient qu'à Dieu, en particulier en ce qui concerne les défunts. Aussi cette question, bien secondaire pour les uns, touche-t-elle un contentieux essentiel pour les autres. Or le dialogue œcuménique ne peut vivre que si chaque partenaire accepte que les problèmes posés par ses frères deviennent ses propres problèmes. Nous le rappelons en ce moment avec fermeté dans des domaines que nous jugeons essentiels, comme celui du ministère. Nous devons donc entendre avec la plus grande attention la question qui nous est posée sur notre pratique et notre doctrine. Dans cet esprit et dans l'espoir de contribuer à un meilleur dialogue, je propose quelques éléments du dossier des indulgences.

L'émergence progressive d'une pratique

Les premiers témoignages remontent au XIe siècle. Pour comprendre cette « nouveauté », il faut la situer dans le contexte historique de la discipline médiévale de la pénitence privée, encore largement habitée par certaines convictions de l'ancienne pénitence publique. L'idée de la pénitence antique était en effet que la conversion du pécheur ne peut pas s'accomplir réellement sans l'aide de la durée, proportionnée

---

3. Trait souligné par K. RAHNER, « Remarques à propos de la théologie des indulgences », Écrits théologiques, t. V, DDB, 1966, p. 113.

à la gravité de la faute, pendant laquelle le pécheur repentant était écarté de l'eucharistie et se soumettait à diverses pratiques corporelles et liturgiques. La réconciliation n'était accordée qu'au terme du processus, au cours duquel toute l'Église accompagnait le pénitent de sa prière et de ses intercessions, jugées indispensables pour obtenir le pardon divin. L'idée sous-jacente, existentiellement bien fondée, était que nos actes nous transforment et que le péché laisse des séquelles sous la forme de fragilité plus grande, de propension à pécher et, dans une certaine mesure, de justice à rétablir. Il importe donc qu'une conduite nouvelle, menée sous la mouvance de la grâce divine, vienne restaurer un certain équilibre. Dans cette pratique nous voyons donc deux aspects qui se combineront plus tard dans l'indulgence : le péché entraîne une « peine temporelle », inscrite dans la durée de notre existence; l'accomplissement de cette peine est inséparable de la prière de l'Église.

Le changement de la discipline pénitentielle au cours du Moyen Age crée un élément nouveau. Désormais la réconciliation (ou absolution) est donnée immédiatement après la confession et avant l'accomplissement d'une satisfaction qui peut demeurer rigoureuse et longue. Celle-ci reste longtemps marquée par les « tarifs » des pénitentiels du haut Moyen Age et demeure exprimée en durée (semaines, mois, années). On va donc distinguer plus nettement désormais l'absolution de la faute, donnée dans le sacrement, et la pastorale des « peines temporelles » dues au péché. L'indulgence n'interviendra que dans ce dernier domaine, point que l'on oublie trop souvent. D'autre part, la requête des fidèles se fait insistante pour qu'une peine longue soit commuée en une peine plus rapide, quitte à ce que celle-ci comporte un acte particulièrement significatif, un pèlerinage par exemple. L'Église, de son côté, est toujours consciente de son devoir d'aider le pécheur de son intercession et elle désire pastoralement contribuer à l'allègement de la « peine temporelle ». Elle estime pouvoir le faire au nom de la solidarité ecclésiale, qui n'est rien d'autre que la communion des saints, et sur le fondement du « trésor spirituel » que constituent les mérites du Christ, de qui vient toute rédemption, et des saints qui sont justifiés par sa grâce. Telle est l'origine des « absolutions » extra-sacramentelles, ou

« indulgences », par lesquelles les évêques proposent aux chrétiens certaines pratiques satisfactoires brèves en lieu et place plus ou moins partiels des peines temporelles auxquelles ils sont soumis. C'est pourquoi les indulgences partielles resteront longtemps tarifées, d'une manière devenue plus tard incompréhensible aux chrétiens eux-mêmes, en jours, semaines, mois ou années. Correspondant à la mentalité spirituelle d'une époque, l'indulgence se multiplia rapidement dès le XIIe siècle. La plus célèbre fut à Assise celle de la Portioncule, liée à un pèlerinage. En 1300 le pape Boniface VIII indicte le premier Jubilé, comportant une indulgence « plénière », c'est-à-dire de toute la peine temporelle due aux péchés [4], aux chrétiens qui visiteraient les grandes basiliques romaines.

L'Église a la conviction qu'elle agit en ce domaine pour le bien spirituel du pécheur considéré devant Dieu. Si elle accorde dans le sacrement le pardon des péchés au nom du Christ, elle a conscience que son ministère de rémission s'étend aussi au domaine des indulgences. Dès lors on pense que l'indulgence a également valeur pour les peines de purification que le pécheur doit subir avant de paraître devant Dieu (le purgatoire) et que l'on peut « appliquer » une indulgence à un défunt. Les indulgences applicables aux défunts apparaissent au XVe siècle. Leur compréhension trop chosiste contribuera à leur succès et amènera les abus des quêtes « indulgenciées » et les lamentables prédications d'un Tetzel : nous voici revenus à la situation dénoncée par Luther en 1517.

La théologie classique des indulgences

Abélard en avait vigoureusement repoussé le principe. Les premiers théologiens scolastiques sont hésitants. Saint Thomas en donne une doctrine qui restera classique [5], en nouant entre elles de manière formelle les données immanentes à la pratique qu'il a sous les yeux. Il en voit le fondement dans le « pouvoir des clés » remis par le Christ à son Église : « Je te donnerai les clés du Royaume des Cieux ; [...] tout ce que tu délieras

---

4. La première idée d'une telle indulgence se fit jour quand les papes libérèrent de toutes leurs peines temporelles les chrétiens qui s'engageaient dans la croisade.

5. Saint THOMAS d'AQUIN, *Somme théologique*, Suppl. q. 25.

sur la terre sera délié dans les cieux » (Mt 16,9). Dans le cas des indulgences l'Église se sert de la « clé de la juridiction » qui n'est pas sacramentelle.

Cela dit, la théologie catholique est toujours restée assez circonspecte sur deux points. Tout d'abord le succès même remporté par les indulgences a été trop souvent source d'abus. « L'apologétique a toujours eu fort à faire, écrit J.-C. Didier, pour dissocier de ses abus l'authentique notion d'indulgence et justifier celle-ci [6]. » Ces abus sont souvent venus des autorités qui les concédaient : sans parler des chasses à l'aumône qui ont marqué la fin du Moyen Age, leur multiplication incohérente les a souvent réduites à l'insignifiance [7]. Une pastorale insuffisamment exigeante a encouragé l'ambiguïté latente dans le désir de l'indulgence chez les fidèles. Ceux-ci y ont trop facilement vu une œuvre qui agit automatiquement et constitue une sorte d'assurance sur le salut. La pratique des indulgences s'est progressivement détachée de la conduite pénitentielle sacramentelle où celles-ci prenaient originellement leur sens. La mentalité a véhiculé une conception « bancaire » du trésor de l'Église et une idée assez commerciale de l'échange des mérites, en particulier au profit des défunts. Enfin la notion même de peine a pris la coloration vindicative d'une punition.

L'autre point difficile concerne le mode d'efficacité des indulgences. On a traditionnellement distingué une action « par mode d'absolution » pour les vivants (libération des peines imposées par l'Église dans le cadre du sacrement) et une action « par mode d'intercession » à l'égard des défunts. Car les fidèles défunts échappent à la juridiction de l'Église. De plus, « même dans le cas de l'indulgence plénière, écrit J.-C. Didier, [...] on ne peut pas donner l'assurance que la peine est entièrement remise au tribunal de Dieu. L'abondance même des indulgences "plénières" que les fidèles peuvent gagner dit implicitement le décalage entre les deux fors » [8], c'est-à-dire les plans ecclésiastique et divin. En définitive, nous ne savons jamais en quoi nous restons débiteurs en face de la justice divine.

---

6. *Catholicisme,* art. « Indulgences », t. V col. 1526, Letouzey et Ané, 1963.
7. Abus reconnus par PAUL VI, cf. *infra.*
8. Cf. *Catholicisme, ibid.*

Vers un renouveau de la doctrine :
B. Poschmann et K. Rahner

Peu après la fin de la dernière guerre, le grand spécialiste allemand de la pénitence, Bernard Poschmann, proposait une « nouvelle » théologie des indulgences [9]. Cette « nouveauté » consistait en fait à relier la doctrine aux institutions originelles de l'Église dans l'établissement des indulgences. En 1949, Karl Rahner exprimait son accord de fond avec son collègue et résumait ainsi sa pensée : l'indulgence

est une combinaison de l'ancienne « absolution » des peines temporelles du péché, absolution efficace comme *prière de l'Église,* et d'une remise juridictionnelle des pénitences ecclésiastiques. Même dans le cas de l'indulgence plénière, l'Église ne fait que viser la remise temporelle de toutes les peines du péché, mais elle ne peut garantir certainement que les peines sont pleinement remises par Dieu [10].

En ce sens l'indulgence agit toujours, pour les vivants comme pour les morts, par mode d'intercession, en ce qui regarde leur efficacité devant Dieu. Mais il s'agit d'une intercession officielle accomplie par l'Église sous l'autorité du ministère apostolique et qui s'appuie sur les mérites du Christ et des saints [11].

La constitution de Paul VI : « Indulgentiarum Doctrina »

En 1965 le pape Paul VI donnait une constitution apostolique [12] dans laquelle il reprenait l'ensemble de la question avant de promulguer des normes nouvelles. Retenons les points les plus saillants : la nature des peines dues au péché

---

9. B. POSCHMANN, *Der Ablass im Licht der Bussgeschichte,* Bonn, Hanstein, 1948.

10. K. RAHNER, *art. cit.,* p. 123.

11. Lors du concile de Vatican II, la position de B. Poschmann et K. Rahner fut défendue par les interventions du patriarche Maximos IV et des cardinaux Alfrink, Döpfner, König. Cf. H. VORGRIMLER, *Busse und Krankensalbung, Handbuch der Dogmengeschichte,* IV, 3, Herder Freiburg, 1978, p. 214.

12. PAUL VI, Constitution apostolique « *Indulgentiarum doctrina* » sur la révision des indulgences, *Doc. cath.* 1487 (1965), p. 198-218.

est exprimée sans aucune représentation vindicative (n° 2) ; le concept « bancaire » du trésor de l'Église est formellement nié : il ne s'agit pas d'« une somme de biens, ainsi qu'il en est des richesses matérielles accumulées au cours des siècles » ; il s'agit du Christ lui-même, Christ tout entier, tête et membres ; et cette doctrine du trésor est en fait identique à celle de la communion des saints (n° 5) ; les abus du passé en la matière sont reconnus ; mais le pape dit aussi que, dans l'indulgence, « l'Église non seulement prie, mais, de par son autorité, distribue aux fidèles bien disposés le trésor des satisfactions du Christ et des saints, pour la rémission de la peine temporelle » (n° 8) ; sans qu'il soit indiqué toutefois qu'il s'agisse nécessairement d'un acte juridictionnel ; au nom de la liberté des enfants de Dieu, chaque chrétien est libre d'y recourir ou non ; le texte insiste sur la nécessaire conversion sans laquelle toute indulgence ne serait qu'illusion ; enfin les normes suppriment la quantification en jours ou en années des indulgences partielles, rattachent les indulgences aux actions accomplies par les fidèles et non plus aux lieux et aux objets, et diminuent fortement le nombre des indulgences plénières.

K. Rahner se demanda alors [13] si ce texte venait contredire la position de Poschmann et la sienne. Le point clé est évidemment la reprise de l'affirmation que l'Église, dans les indulgences, non seulement prie mais distribue des biens spirituels de par son autorité. Mais les deux choses, prière et autorité, doivent-elles forcément s'opposer ? Il y a plusieurs formes de prière, de la prière privée à la prière officielle de l'Église, qui s'exerce dans les sacrements et reçoit, au nom de l'autorité du Christ, toute son efficacité. Dans le cas des indulgences, ne s'agit-il pas d'une forme de prière qui est en même temps un acte d'autorité, et se trouve porteuse de toute l'efficacité de l'intercession de l'Église ? Et Rahner de conclure que le document de Paul VI ne s'oppose pas à la « nouvelle » théologie des indulgences.

Dernier élément enfin : le nouveau Droit Canon promulgué en 1983 par Jean-Paul II consacre cinq canons aux indulgences, là où le code de 1917 en avait vingt-six. Il passe sous silence

---

13. K. RAHNER, « Zur heutigen kirchenamtlichen Ablasslehre », *Schriften zur Theologie* B. VIII, Benziger Einsiedeln, 1967, p. 488-518. Le même volume des *Schriften* contient un « Petit traité théologique sur l'indulgence », p. 472-487.

nombre de données tombées en désuétude. La définition de l'indulgence est reprise textuellement de la constitution de Paul VI :

L'indulgence est la rémission devant Dieu de la peine temporelle due pour les péchés dont la faute est déjà effacée, rémission que le fidèle bien disposé obtient à certaines conditions déterminées, par l'action de l'Église, laquelle, en tant que dispensatrice de la rédemption, distribue et applique par son autorité le trésor des satisfactions du Christ et des saints (can. 992).

Il est sans doute dommage que, dans l'inévitable raccourci de sa formule, cette définition ne mentionne pas la prière de l'Église en lien étroit avec l'autorité qu'elle exerce pour le salut.

Réflexions œcuméniques

J'espère qu'un protestant aura pu me lire jusqu'ici sans crier à l'abomination de la désolation et sans voir dans cette doctrine des indulgences un aspect typique de « l'hérésie catholique » et une prétention injustifiée à la médiation de l'Église. L'émotion actuelle montre que le dialogue doctrinal devra reprendre cette question. Dans un esprit de conversion confessionnelle, je suggère quelques réflexions qui s'adressent aux protestants d'une part et aux catholiques de l'autre.

Aux premiers je pose la question : peut-on dire que la doctrine des indulgences, telle qu'elle est proposée aujourd'hui dans l'Église catholique, porte atteinte à l'Évangile de la justification par la foi ? Si l'on reconnaît que les indulgences sont d'abord une intercession officielle, adressée dans la foi par l'Église au Père et fondée sur la croix du Christ, si l'on admet que les œuvres liées aux indulgences ne sont en rien des œuvres qui justifient ou des œuvres de la loi, mais des œuvres de la foi, c'est-à-dire une intercession personnellement vécue dans une démarche agissante de conversion, y a-t-il là quelque chose de véritablement inadmissible ?

Le contentieux doctrinal qui nous divise encore en la matière concerne certainement la conception de l'Église, de son rôle et de son autorité en tant que « ministre de la Rédemption ».

Mais ce contentieux porte d'abord sur les sacrements dans leur rapport à la justification par la foi, et n'est-ce pas là que le dialogue devrait progresser par priorité ?

Ce problème supposé résolu, la mentalité protestante serait-elle prête à accepter qu'une pratique sobre des indulgences dans l'Église catholique, considérée comme une démarche sincère de conversion intégrée dans la prière du corps de toute l'Église, appartienne au domaine des diversités légitimes et ne mette pas en cause l'unanimité de la foi ? Il va de soi qu'une telle pratique ne saurait être imposée à quiconque.

Du côté catholique, nous devrions être plus attentifs au malaise engendré chez nos frères chrétiens issus de la Réforme par notre pratique et notre langage sur les indulgences. On devrait d'abord s'interroger sur une donnée contradictoire : d'une part les indulgences sont aujourd'hui l'objet d'une large désaffection. Elles étaient fortement liées à un monde de chrétienté et à une certaine figure de vie chrétienne qui ont désormais fait place à une mentalité croyante bien différente. Dans une certaine mesure, cette évolution est liée à une purification de la foi. D'autre part, on peut se demander si le christianisme populaire, pour respectable qu'il soit, dans la mesure où il pratique encore les indulgences, ne leur accorde pas une efficacité mécanique et automatique qu'elles n'ont pas et ne les considère pas comme des œuvres qui procurent le salut. N'oublions pas, en effet, que le véritable problème pastoral, de nos jours, concerne la démarche elle-même de conversion et la fréquentation du sacrement de réconciliation.

Enfin, certain langage pastoral n'est-il pas en inflation dangereuse par rapport au mode d'efficacité que la doctrine et la réflexion théologique reconnaissent aux indulgences ? Ne vaudrait-il pas mieux inviter les fidèles à prier et à faire pénitence pour demander l'indulgence de Dieu, plutôt qu'à « gagner » une indulgence ? Ne serait-il pas préférable de leur demander de rejoindre la prière officielle de l'Église, en accomplissant volontiers les gestes concrets indiqués à titre de signes de leur participation à la démarche commune, prière adressée pour notre libération de toutes les conséquences du péché et dont l'efficacité propre repose sur le mystère du Christ total, confessé dans la foi ? Bref, un langage qui insisterait sur le caractère « déprécatif » de l'indulgence manifesterait le souci œcuménique de nous faire bien comprendre par nos frères protestants et de répondre à ce qu'il y a de vraiment juste dans leurs requêtes, en même temps qu'il aiderait à réduire la séculaire ambiguïté qui tourne autour du vocabulaire de l'indulgence.

CHAPITRE 8

ECCLÉSIOLOGIE DE COMMUNION ET VOIES VERS L'UNITÉ

L'intention de ce Congrès est de nous faire réfléchir sur des *initiatives* à prendre dans l'Église en vue d'assurer le progrès de l'unité des chrétiens. Mais l'exploration des initiatives possibles et souhaitables au service de l'unité met inévitablement en cause des données doctrinales. Mieux, ces données nous décrivent d'elles-mêmes tout un espace de possibilités qui demeurent encore aujourd'hui largement inexploitées. C'est pourquoi je voudrais commencer en développant une conception doctrinale du rapport entre l'Église universelle et les Églises particulières [1]. Celle-ci doit nous permettre de comprendre la nature et la portée exactes de la division des chrétiens. Elle nous autorise également à dégager une orientation fondamentale pour ce qui concerne le retour à l'unité. J'espère que le caractère quelque peu déductif de cet exposé ne rebutera personne. Mon but est bien d'en venir à des propositions aussi concrètes que possible. Je suis persuadé en l'occurrence que la doctrine est au service de l'ouverture.

---

1. Pour des raisons théologiques (cf. H. DE LUBAC, *Les Églises particulières dans l'Église universelle*, Aubier Montaigne, 1971, p. 43-56) et œcuméniques (cf. GROUPE DES DOMBES, *Le Ministère épiscopal*, Presses de Taizé, 1976, n° 9 et note 4), j'emploierai l'expression d'« Église particulière » de préférence à celle d'« Église locale ».

I. FONDEMENT THÉOLOGIQUE :
UNE ECCLÉSIOLOGIE DE COMMUNION

Pour être bref, je proposerai sous forme de thèses, rapidement commentées, une ecclésiologie de communion :

1. *Entre chaque Église particulière et l'Église universelle il existe, au sein même de la distinction concrète évidente, une identité réelle au plan du mystère. C'est, en effet, « l'Église totale » [qui] devient saisissable dans l'Église locale » (K. Rahner* [2]*). Le mystère total de l'Église est pleinement signifié et réalisé dans le peuple entourant son évêque. Le grand nombre des Églises particulières ne multiplie pas l'Église une.*

Dès l'Écriture le même nom d'Église est donné à la communauté particulière et à la totalité du peuple chrétien (1 Co 1, 2 ; Ep 5, 23; etc.). La même identité est exprimée dans le thème patristique de « l'unique demeure » répandue à travers le monde entier [3]. Cet usage deviendra constant et se trouve ainsi confirmé par Vatican II : chaque « communauté locale » (il s'agit du diocèse présidé par l'évêque) doit pouvoir « être appelée en vérité du nom qui honore l'unique Peuple de Dieu et l'honore tout entier, à savoir "l'Église de Dieu" » (*L.G.*, 28). Cette identité de nom est révélatrice d'une donnée tout à fait originale : l'Église particulière n'est pas une circonscription administrative de l'Église universelle [4]. La totalité du mystère de l'Église subsiste dans l'Église particulière.

Cette donnée fondamentale suppose une réciprocité : d'une part l'Église universelle n'existe que dans et par des Églises particulières; d'autre part, « l'Église particulière [est] tenue de représenter le plus parfaitement possible l'Église universelle » (*A.G.* 20), c'est-à-dire qu'elle doit vivre dans la conscience

---

2. *L'Épiscopat et l'Église universelle*, sous la direction de Y. Congar et B.D. Dupuy, Paris, Cerf, 1962, p. 551.

3. Cf. Irénée, *Contre les hérésies*, I, 10, 2 ; Origène, *Commentaire sur le Cantique* 125, 2-6 ; et le dossier rassemblé par J. Daniélou, « MIA EKKΛH-ΣIA chez les Pères grecs des premiers siècles », dans *L'Église et les Églises*, Éd. Chevetogne, 1954, t. 1, p. 129-139.

4. Cf. K. Rahner, *L'Épiscopat et l'Église universelle*, p. 550 : « Personne n'aura l'idée d'appeler Allemagne l'arrondissement de Staufen. »

de son universalité : chaque Église particulière est l'Église catholique.

2. *Ce mystère d'identité et d'unité qui subsiste malgré la non-identité immédiate des Églises particulières est corrélatif du mystère de l'Eucharistie qui demeure une et identique à travers la multiplicité des célébrations locales.*

Le rapport d'identité est le même entre telle Église particulière et l'Église universelle et entre telle Eucharistie et l'Eucharistie unique et totale dont vit l'Église. Dans un cas comme dans l'autre l'effectivité concrète est locale : il n'y a pas plus de figure visible de l'Église universelle que de célébration eucharistique universelle. Et si l'on tient, avec K. Rahner, que

l'Église ne devient pleinement événement que dans la célébration locale de l'eucharistie, [alors] l'Église, même universelle, n'existe et ne se maintient que parce qu'elle s'accomplit toujours à nouveau dans l'Événement unique et total, l'Eucharistie [5].

3. *Ce mystère d'identité et d'unité est également corrélatif de l'institution du ministère épiscopal présent in solidum (Cyprien) en chacun des membres d'un unique collège.*

L'évêque est la figure de l'unité de son peuple rassemblé par le Seigneur : il est « vicaire et délégué du Christ » (*L.G.* 27) selon Vatican II reprenant la visée d'Ignace d'Antioche. Mais aussi il porte en lui le rapport à tout le corps épiscopal : « La dignité épiscopale est une ; et chaque évêque en possède une parcelle sans division du tout *(in solidum)* », écrit Cyprien [6]. Évêque de telle Église, il est évêque de l'Église universelle.

Il y a donc une correspondance profondément cohérente dans l'identité mystique de l'universel et du particulier entre l'Église et l'épiscopat :

Une seule Église est née du Christ, dit encore Cyprien, mais elle comporte un grand nombre de membres dispersés sur toute la surface

---

5. *Ibid.*, p. 554.
6. CYPRIEN, *De l'unité de l'Église catholique*, n° 5, trad. fr. P. de Labriolle, Paris, Cerf, 1942, p. 11.

de la terre : de même l'épiscopat est unique, répandu dans la multitude des nombreux évêques unis entre eux [7].

4. *L'Église étant Communion (Ekklèsia — Koinônia), cette identité mystique se traduit nécessairement dans la vie concrète des Églises particulières par des relations de communion fraternelle : communion dans la foi, communion dans la célébration des mêmes sacrements (un seul baptême, une seule eucharistie), communion de vie dans un même corps organique. Le service de cette communion visible rend nécessaire l'existence d'organes institutionnels et l'exercice d'une autorité. Il n'y a pas d'Église particulière en dehors de la communion.*

Sous peine de n'être pas, l'identité mystique entre l'Église universelle et les Églises particulières doit avoir une expression *visible*. Des liens de communion doivent manifester que la multiplicité des communautés ne constitue qu'une seule communauté et que l'unité de toute l'Église est immanente à chaque Église. Chaque Église est en elle-même une communion : la communion de ces communions est une unique communion, celle de l'Église universelle.

Le peuple de Dieu constitue ainsi une « communion de vie, de charité et de vérité » (*L.G.* 9) qui s'exprime dans la triple dimension de la foi, des sacrements et des ministères. Y. Congar décrit ainsi la communion dans l'Église ancienne :

La communion avait, dans l'Église ancienne, ses organes et ses moyens. Humbles moyens, très humains. C'était les visites et l'hospitalité, c'était, à cette occasion, la célébration ensemble, ou l'invitation faite par un prêtre à un autre prêtre, par un évêque à un autre évêque, de célébrer à sa place sur son autel ; c'était les lettres recommandant un frère ou un ministre à une autre communauté; c'était la solidarité à tenir pour condamné ce qu'une autre Église, et singulièrement l'Église romaine, avait condamné ; c'était l'envoi des professions de foi aux autres Églises lorsqu'on assumait une charge, c'était l'envoi des lettres, surtout à l'occasion d'un événement, d'une épreuve, de difficultés ; c'était enfin l'entr'aide, l'envoi de

---

7. CYPRIEN, *Lettre*, 55, 24, 2 ; texte cité dans J.A. MÖHLER, *L'Unité dans l'Église ou le principe du catholicisme d'après l'esprit des Pères des trois premiers siècles*, Paris, Cerf, 1938, p. 205.

secours, les témoignages vivants de compassion spirituelle et corporelle [8].

Par hypothèse, une rupture *complète* de toute communion ferait perdre à la communauté qui s'isole ainsi radicalement son caractère ecclésial. Réciproquement l'ecclésialité d'une communauté chrétienne est proportionnelle au degré de communion qui l'unit à l'Église universelle.

5. *De même que chaque Église particulière trouve la figure de son unité dans son évêque, de même l'Église universelle, et en elle le collège épiscopal, trouvent la figure de leur unité dans l'évêque de Rome.*

C'est en tant qu'évêque d'une Église particulière, celle de Rome dont la potentior principalitas *(Irénée [9]) lui vient de sa fondation sur les apôtres Pierre et Paul, que le pape est le symbole visible de l'unité de l'Église universelle et est constitué ministre de la communion entre toutes les Églises.*

L'évêque de Rome est le symbole de l'unité de toute l'Église, c'est-à-dire de ce que tous les évêques ne sont qu'un seul épiscopat, de ce que toutes les eucharisties ne sont qu'une seule eucharistie et de ce que toutes les Églises ne sont qu'une seule Église. Il exprime symboliquement l'identité entre les Églises particulières et l'Église universelle.

L'évêque de Rome préside à l'Église universelle parce qu'il préside à l'Église particulière de Rome, *ecclesia principalis* du fait de sa « fondation » sur les apôtres Pierre et Paul, celle dont la vocation originelle et traditionnelle est de présider à la charité [10]. « Pierre porte en lui la figure de toute l'Église » : en lui le caractère qui fait de chaque évêque un *ecclesiae catholicae episcopus* se réalise sous le mode particulier de la présidence.

---

8. Y. CONGAR, *Sainte Église*, Paris, Cerf, 1963, p. 128.
9. IRÉNÉE, *Contres les hérésies*, III, 3, 2.
10. Cf. C. VOGEL, *L'Épiscopat et l'Église universelle, op. cit.*, p. 624.

II. INTERPRÉTATION DE LA DIVISION DES CHRÉTIENS À LA LUMIÈRE DE L'ECCLÉSIOLOGIE DE COMMUNION

L'ecclésiologie de communion permet d'interpréter avec justesse la situation séculaire de division entre les chrétiens. Cette division est une atteinte grave à l'être et au témoignage de l'Église : en ce sens elle constitue une contradiction vivante ; mais elle n'est pas non plus une rupture complète de communion ecclésiale.

Il n'est pas nécessaire d'épiloguer sur la contradiction ecclésiologique que constitue la division. Ce qui vient d'être dit le montre suffisamment. La structure de l'Église en reçoit une blessure : blessure qui porte atteinte — inégalement sans doute — à l'ecclésialité de toutes les Églises particulières et qui diminue dans son être et sa mission l'Église universelle.

Mais il serait gravement erroné de comprendre la division historique des chrétiens comme une perte complète de toute communion. L'histoire en fait foi : même aux époques les plus sombres et quand la rupture était vécue aux plus graves préjudices de la charité, chaque Église continuait à reconnaître des éléments d'ecclésialité dans les autres et considérait leurs membres comme chrétiens. S'il n'en avait pas été ainsi, le mouvement œcuménique lui-même n'eût pas été possible. De nos jours, grâce au don de l'Esprit, ces éléments de la communion demeurée constituent le fondement de la recherche de l'unité. Ils sont toujours davantage mis en lumière et grandissent à travers les progrès des relations œcuméniques.

Il est donc légitime d'interpréter ainsi le rapport entre l'unique Église de Jésus-Christ et la pluralité des confessions ecclésiales : entre celles-ci il n'y a pas séparation complète, il y a unité blessée. Nous vivons dans une situation de tension entre une division réelle et une communion réelle. Cela est manifeste entre les grandes Églises d'Orient, particulièrement l'Orthodoxie chalcédonienne, et l'Église catholique en Occident. Le vocabulaire catholique officiel parle même à leur sujet d'« Églises sœurs ». La reconnaissance mutuelle de l'ecclésialité est grandissante (sous certaines réserves dans lesquelles il n'y a pas lieu d'entrer ici). Le contentieux doctrinal est très limité. Les relations de la charité se développent continuellement.

Depuis la séparation du XVIᵉ siècle les Églises d'Occident sont déchirées. Elles n'ont pas pourtant perdu toute unité. De nombreux signes ecclésiaux le montrent : l'héritage commun du nom de chrétien, de la sainte Écriture, de la foi exprimée par les Symboles et les conciles anciens, du baptême qui est un, et d'autres sacrements, enfin les fruits de l'Esprit manifestés dans la vie chrétienne [11] : cette énumération ne prétend pas être limitative.

Cette interprétation s'appuie légitimement sur le vocabulaire de Vatican II. Le décret sur l'œcuménisme exhorte ceux « qui se proposent de travailler à l'établissement de la *pleine communion* souhaitée entre les Églises orientales et l'Église catholique » (*U.R.*, 14). Il désigne les confessions issues de la Réforme par l'expression suivante : « Les Églises et communautés ecclésiales séparées en Occident » (*U.R.*, 19). Ce langage n'est évidemment pas une formule de politesse ; il a une portée théologique voulue, comme l'analyse des textes et des actes du concile l'a montré [12]. Le même décret, parlant en général, s'adresse à ceux « qui croient au Christ et qui ont reçu validement le baptême » comme à des chrétiens qui « se trouvent *dans une certaine communion, bien qu'imparfaite*, avec l'Église catholique » (*U.R.*, 3). Plusieurs fois le pape Paul VI s'est adressé « à ceux avec lesquels ne nous unit pas encore une communion parfaite ».

Je propose donc la thèse suivante : 6. *Les relations actuelles entre les Églises particulières catholiques et les autres Églises ou communautés ecclésiales chrétiennes peuvent se comprendre comme des relations de communion partielle entre Églises particulières qui cheminent, par la voie de la conversion et de la réconciliation, vers la pleine reconnaissance mutuelle et la pleine communion.*

Autrement dit, la distinction entre Église universelle, Corps visible du Christ, et Églises confessionnelles séparées est une forme de réalisation incomplète et anormale, à l'intérieur d'une situation objectivement pécheresse, de la distinction fondamentale

---

11. Cf. *U.R.* 20-23.
12. *Infra* le chap. 10 « L'Accord eucharistique des Dombes » p. 210-212.

en ecclésiologie entre Église universelle et Églises locales ou particulières.

III. RETOUR À L'UNITÉ,
RETOUR À LA COMMUNION PLÉNIÈRE

La thèse précédente l'esquisse déjà : la voie de l'unité est celle du retour, inévitablement temporel et progressif, à la communion plénière. Cette conception rejoint un modèle d'unité auquel le Conseil œcuménique des Églises porte de plus en plus d'attention, celui de la « communauté conciliaire ». Telle cette affirmation de la Vᵉ Assemblée du COE à Nairobi en 1975 :

L'Église une doit être envisagée comme une communauté conciliaire d'Églises locales, elles-mêmes authentiquement unies. Dans cette communauté conciliaire, chaque Église locale possède, en communion avec les autres, la plénitude de la catholicité et rend témoignage de la même foi apostolique ; elle reconnaît donc que les autres Églises font partie de la même Église du Christ et que leur inspiration émane du même Esprit [...] Elles sont liées entre elles par un même baptême et une même eucharistie ; elles reconnaissent mutuellement leurs membres et leurs ministères [13].

Cette « unité complète et organique » n'est évidemment pas « monolithique » [14] : elle entretient et protège les dons particuliers de chaque Église. Unité organique ne signifie pas organisation unique. Pour revêtir une visibilité concrète, cette « unité organique » posera inévitablement la question d'un ministère qui à la fois l'exprime et la rend effective.

Les recherches et propositions actuelles, du côté de l'Église catholique, rejoignent de près ce modèle de la « communauté conciliaire », comportant une « unité organique », le tout étant conçu de manière sans doute plus exigeante que du côté du

---

13. Rapport de la section II de la Vᵉ Assemblée du COE, Nairobi, 1975, n° 3 ; *Doc. cath.*, 1962 (1976), p. 167.
14. *Ibid.*, n° 4.

COE. Cette perspective est le fruit d'une conversion, puisque l'on y passe d'une ecclésiologie de type pyramidal à une ecclésiologie de communion, à la remise en valeur de l'ecclésiologie de l'Église particulière, et que l'on renonce à la vieille idée du « retour au bercail » pur et simple.

Quelles que soient donc les obscurités qui demeurent encore sur les exigences propres à une communauté conciliaire authentique — l'unité sera en toute hypothèse un don gratuit de Dieu — la voie du mouvement œcuménique est toute tracée. Elle consiste à réduire la déchirure de la division sur la base de l'unité conservée. Elle consiste donc à renouer progressivement entre les Églises particulières tous les liens nécessaires à la pleine communion. Cela ne peut s'accomplir que dans le temps d'une transition, dans laquelle nous sommes d'ailleurs déjà entrés. Ces liens sont évidemment ceux de la foi, des sacrements et des ministères. La recomposition du tissu commun de la foi est indispensable à la recomposition de la tunique sans couture que doit être l'Église. La pleine communion dans la célébration des sacrements demandera très vraisemblablement en Occident des actes ecclésiaux de réconciliation à portée sacramentelle, grâce auxquels leurs ministres seront mutuellement reconnus comme établis, par le don de l'Esprit de Dieu, dans la succession apostolique [15]. Enfin la pleine communion entre les ministres demandera le fonctionnement d'instances collégiales et la reconnaissance d'un signe et d'un ministère de l'« unité organique » de toute l'Église.

Je résume ces réflexions dans la thèse suivante : 7. *La communauté conciliaire des Églises particulières formant l'Église organiquement une, dans une communion plénière, est la tâche du mouvement œcuménique. Cette tâche, qui est déjà engagée, doit s'accomplir plus encore par la réduction des divisions sur la base de l'unité déjà donnée. De par sa nature propre elle incombe à toutes les Églises particulières qui ont à restaurer la pleine communion avec d'autres Églises particulières. Les Églises particulières catholiques ne peuvent s'avancer sur cette voie qu'en communion entre elles et donc avec l'Église de Rome.*

---

15. Pour donner un exemple, l'hypothèse d'une réconciliation des ministères est proposée dans le document du GROUPE DES DOMBES, *Pour une réconciliation des ministères*, Presses de Taizé, 1973, n° 38-47. Cf. *infra*, chap. 15, p. 301-310.

IV. PROPOSITIONS POUR L'AMÉNAGEMENT DES RELATIONS ENTRE L'ÉGLISE UNIVERSELLE ET LES ÉGLISES PARTICULIÈRES DU CÔTÉ CATHOLIQUE

L'ecclésiologie qui vient d'être esquissée met en grand relief le rôle et la responsabilité des Églises particulières dans la marche vers l'unité. Corrélativement elle met en relief le rôle des évêques qui sont placés à un point charnière dans la vie de l'Église : l'évêque préside en effet à l'unité de l'Église particulière et, en elle, il préside le collège de son presbyterium; mais il appartient aussi au collège universel des évêques et est à ce titre en charge de l'Église universelle. Responsable de l'unité de son Église, il l'est également de la communion de celle-ci avec l'Église universelle. A ce titre et fort du lien structurel qui l'unit à son Église, il a une responsabilité et une vocation à l'initiative dans le mouvement de retour à la communion. A mon sens le chemin vers l'unité passe par un exercice plénier de la fonction épiscopale et par sa reconnaissance par toutes les Églises [16].

Cette donnée ecclésiologique correspond à la réalité concrète des choses. Si l'expression visible de l'Église est nécessairement locale, c'est bien d'abord au plan local que les relations entre chrétiens séparés peuvent évoluer vers la réconciliation. La réconciliation au sommet ne peut que sanctionner une œuvre patiemment accomplie à la base. Les efforts avortés d'union aux conciles de Lyon et de Florence demeurent comme des avertissements. Aujourd'hui les situations locales sont infiniment variées. Il est illusoire de penser que tous les chrétiens sur la surface de la terre peuvent vivre la démarche de réconciliation de manière parfaitement synchronique. Tout n'est pas possible en même temps partout. Cette donnée évidente

---

16. Il est remarquable que plusieurs Églises non épiscopaliennes issues de la Réforme redécouvrent aujourd'hui le rôle primordial de la fonction épiscopale dans la vie de l'Église. Cette réalité s'est traduite dans la réélaboration du document de *Foi et Constitution* sur la doctrine des ministères qui a abouti au *Document de Lima* (BEM). Cf. aussi GROUPE DES DOMBES, *Le Ministère épiscopal*, Presses du Taizé, 1976, voir *infra* ch. 16, p. 313-335.

ne doit pas nous enfermer dans le faux dilemme du tout ou rien : puisque tout n'est pas d'emblée possible, alors ne faisons rien ! Des initiatives sont ici possibles qui ne le sont pas encore là. C'est pourquoi les initiatives les plus décisives et les plus prometteuses ne peuvent être que locales. Le temps que nous vivons est l'équivalent inverse de cette transition négative du XVIᵉ siècle par exemple, où pendant quelques décennies des Églises ont pris entre elles de plus en plus de distance jusqu'à aboutir à la rupture en des échéances diverses.

Mais il nous faut tenir compte de toutes les données du problème. Il ne servirait à rien de déchirer ici pour recoudre là. Des initiatives pour un élargissement de la communion ne peuvent se faire au détriment de la communion existante. L'activité des Églises particulières en la matière ne peut s'exercer qu'*in medio Ecclesiae,* dans un dialogue avec le collège des évêques et en acceptant la régulation nécessaire du siège de Pierre. Il y a là un point délicat de tension entre le particulier et l'universel qui habite toute la vie de l'Église. La solution est à chercher dans un fonctionnement aussi équilibré que possible entre tous les organes qui appartiennent également à la structure de l'Église.

Un tel fonctionnement engage un certain renouvellement des relations entre le siège de Rome et les Églises particulières. On ne peut donc traiter du second terme sans évoquer aussi le premier. Elle engage un renouvellement analogue des relations entre l'évêque et son peuple dans chaque Église. Je vais donc évoquer successivement le rôle de l'autorité de Rome, celui des évêques dans leurs Églises et celui des fidèles.

A. *Pour un renouvellement de l'exercice de l'autorité de Rome*

Ministère d'unité et patriarcat d'Occident

La recherche ecclésiologique récente a souligné la distinction entre deux fonctions très différentes dans leur origine et leur nature au regard du mystère de l'Église et qui sont aujourd'hui matériellement confondues par le fait d'une évolution historique contingente. Cette confusion a largement contribué à donner au ministère du pape sa figure actuelle.

Ces deux fonctions sont d'une part la présidence de la charité, c'est-à-dire le ministère de communion et d'unité de toute l'Église, le ministère de confirmation dans la sainteté de la foi apostolique qui revient à l'évêque de Rome en tant que successeur de Pierre ; et, d'autre part, le ministère du patriarche d'Occident qui exerce sur l'Église latine une autorité particulière qui est de l'ordre de l'organisation et de l'administration. La rupture de 1054 a contribué à masquer la réalité de cette distinction, puisque les patriarcats d'Orient étaient désormais séparés du patriarcat d'Occident [17]. Pendant ce temps le patriarcat d'Occident dont les dimensions coïncidaient avec l'Église catholique, s'étendait au reste du monde à travers l'expansion missionnaire et la découverte de nouveaux continents. L. Bouyer a bien décrit les conséquences néfastes de cette rupture, tant en Orient qu'en Occident :

L'effritement des anciens patriarcats en Orient, un développement anormal du patriarcat romain en Occident, qui y a en retour compromis (aussi bien qu'aux yeux de l'Orient) la papauté, en amenant à la confondre avec une enflure monstrueuse de ce qui n'est même pas elle, ont été des suites également néfastes du même processus. Le patriarcat de Constantinople, en particulier, s'est vu démanteler par les « autocéphalies » qui ont revendiqué pour leurs propres nationalités, leurs propres cultures christianisées, sinon l'empire universel rêvé par le byzantinisme, au moins une indépendance, une souveraineté locale égales aux siennes et souvent (comme avec « Moscou Troisième Rome ») bien davantage. Et la papauté, substituant en fait, trop souvent, l'activité de sa curie à celle des épiscopats locaux, ou bien a réduit ceux-ci à l'insignifiance, paralysant du coup le développement propre de leurs Églises, ou bien a provoqué, dans les diverses formes du gallicanisme, une incompréhension croissante de sa mission fondamentale, ou, dans le protestantisme, son rejet passionné [18].

L'heure ne serait-elle pas venue de songer à remettre en œuvre de manière concrète cette distinction ? Quitte à rêver quelque peu, je pense que la création de nouveaux patriarcats, c'est-à-dire la division de l'actuel patriarcat d'Occident, par exemple, en un patriarcat d'Europe, un d'Amérique du Nord,

---

17. Compte tenu du fait que les Églises uniates qui se sont reconstituées sont restées très minoritaires et ont fait figure, dans la vie globale de l'Église, d'exceptions qui confirment la règle.

18. L. BOUYER, *L'Église de Dieu, Corps du Christ et temple de l'Esprit*, Paris, Cerf, 1970, p. 555.

un d'Amérique latine, un d'Afrique et un d'Asie, pourrait
être une initiative de très grand retentissement pour la vie de
l'Église en général et la tâche œcuménique en particulier [19].
J'évoque à dessein, mais sans entrer dans le détail, l'hypothèse
de patriarcats continentaux, afin d'éviter les dangers d'auto-
céphalie et de nationalisme religieux. Une telle redistribution
devrait se faire en dialogue œcuménique avec les Églises de
l'Orthodoxie et dans le respect total des patriarcats orientaux.
De son côté l'évêque de Rome, traditionnellement patriarche
d'Occident, resterait par exemple patriarche d'Europe. Mais
il pourrait avoir un vicaire pour ce patriarcat, de même qu'il
en a un pour le gouvernement de l'Église de Rome. Aux

---

19. Cette proposition, qui suit son chemin, a déjà été faite par le théologien
J. RATZINGER dans *Le Nouveau Peuple de Dieu* (Paris, Aubier, 1971) :
« Le tragique de l'ensemble consiste en ce que Rome n'est pas parvenue
à détacher la charge apostolique de l'idée patriarcale essentiellement administrative, de sorte qu'elle présentait à l'Orient une revendication qui, sous
cette forme, ne pouvait ni ne devait être admise par lui. En son premier
stade, le problème "primauté-épiscopat" se pose donc comme problème
"primauté-patriarcat", et concrètement comme un problème "Rome-Constan-
tinople". Il se présente comme un problème de choix entre deux conceptions :
administration centrale, ou responsabilité suprême pour l'unité et la pureté
de la foi, sans exercice direct de l'administration » (p. 56-57).
Un peu plus loin il poursuit : « L'image d'un État centralisé, que l'Église
catholique offrit jusqu'au concile, ne découle pas tout simplement de la charge
de Pierre, mais bien de l'amalgame qu'on en fit avec la tâche patriarcale qui
fut dévolue à l'évêque de Rome pour toute la chrétienté latine, et qui ne
fit que croître tout au long de l'histoire. Le droit ecclésial unitaire, la liturgie
unitaire, l'attribution unitaire, faite par le centre de Rome, des sièges
épiscopaux — tout cela sont des choses qui ne font pas nécessairement partie
de la primauté en tant que telle ; elles résultent de la concentration de deux
fonctions. Par suite, la tâche à envisager serait de distinguer à nouveau, plus
nettement, entre la fonction proprement dite du successeur de Pierre et la
fonction patriarcale ; en cas de besoin, de créer de nouveaux patriarcats
détachés de l'Église latine. Accepter de s'unir au pape ne signifierait plus
qu'on s'incorpore à une administration centralisée, mais seulement qu'on
s'insère dans l'unité de la foi et de la communion ; on reconnaîtrait alors au
pape le pouvoir d'interpréter de manière obligatoire la révélation apportée
par le Christ, et, par suite, on devrait se soumettre à cette interprétation
lorsqu'elle est faite sous une forme définitive. Cela veut dire que l'unification
avec la chrétienté orientale ne changerait rien, même dans la vie ecclésiale
concrète de celle-ci. [...] Corrélativement, on pourrait, sans aucun doute,
envisager un jour une forme spéciale de la chrétienté réformée dans l'unité
de l'unique Église. Finalement, on pourra peut-être, dans un avenir pas trop
éloigné, se demander si les Églises d'Asie et d'Afrique, comme celles d'Orient,
ne pourraient pas présenter leurs formes propres en tant que "patriarcats"
ou "grandes Églises", ou quel que soit le nom que, dans le futur, porteront
ces Églises partielles dans l'Église totale » (p. 68-69).
Même idée reprise par le groupe des Dombes, *Le Ministère de communion
dans l'Église universelle*, Centurion, 1986, n. 142-145.

« patriarches » des continents seraient donc confiées les responsabilités traditionnelles des patriarcats dans l'administration courante de l'Église. Il s'ensuivrait une décentralisation considérable de la vie ecclésiale, sans que soient courus les risques inhérents aux particularismes des innombrables Églises particulières, ou même des conférences épiscopales nationales. N'est-ce pas quelque chose de tel dont le besoin se fait sentir à travers l'émergence d'assemblées continentales d'évêques en diverses parties du monde ? Que l'on pense au Conseil épiscopal latino-américain (CELAM), au Symposium des Conférences épiscopales d'Afrique et de Madagascar (SECAM), à la Federation of Asian Bishops'conferences (FABC) et au Conseil des Conférences épiscopales européennes (CCEE). La convocation d'un Synode africain va dans le même sens.

Ces patriarcats devraient avoir la faculté de réunir d'authentiques synodes. Du même coup la relation des Églises particulières avec l'Église de Rome serait radicalement modifiée et le rôle propre du ministère d'unité de toute l'Église serait mieux mis en valeur. Un tel renouvellement de la figure du ministère de Pierre, mettant en œuvre une distinction ecclésiologique fondamentale, aiderait nos frères de l'Orthodoxie et ceux des Églises issues de la Réforme à mieux comprendre le sens et la nécessité du ministère de l'unité de toute l'Église. Il s'agirait d'une initiative œcuménique capitale : la conversion de la figure du ministère de Pierre serait un appel à la conversion au ministère de Pierre. Elle serait un acte de présidence de la charité et une invitation à la charité.

Je cite ici un texte qui m'est cher de J.A. Möhler ; il exprime bien l'équilibre à trouver dans la vie de l'Église :

Deux extrêmes sont possibles dans la vie de l'Église. Tous les deux s'appellent égoïsme. C'est quand *chacun* veut être tout, ou quand *un seul* veut l'être. Dans ce second cas les liens d'unité deviennent si étroits et l'amour si ardent que l'on risque d'étouffer. Dans le premier tout est si disloqué et si refroidi qu'on risque de geler. L'un de ces égoïsmes engendre d'ailleurs l'autre. Aussi ni un seul, ni chacun, ne doivent vouloir être le tout. Tous ensemble peuvent seuls être le tout, car seule l'unité de tous peut former un tout organique. C'est là l'idée de l'Église catholique [20].

---

20. J.A. MÖHLER, *op. cit.*, p. 225.

Les initiatives œcuméniques du ministère de l'unité

Si le ministère de Pierre est avant tout un ministère d'unité, il ne peut pas ne pas être un lieu d'initiative œcuménique. L'évêque de Rome ne peut prendre son parti du statu quo sans renier sa mission : s'il est ministre de l'unité entre les Églises particulières catholiques, unité à maintenir et à faire progresser, il est aussi le ministre de l'unité à retrouver avec tous les frères chrétiens. Dans cette tâche essentielle on peut distinguer deux ordres d'initiatives : les initiatives directes et celles qui passent par les relations avec les Églises particulières.

La responsabilité mondiale du siège de Rome met celui-ci en relation directe avec les grandes Églises ou les fédérations d'Églises qui ont un statut international, de même qu'avec le Conseil œcuménique des Églises. A ce niveau des rencontres sont à vivre, des paroles sont à dire et des gestes sont à poser qui ont avant tout une valeur prophétique et invitent la conscience des communautés chrétiennes divisées à avancer sur la voie de la conversion et de la réconciliation. Que l'on songe à la valeur prophétique de la rencontre de Paul VI et d'Athénagoras à Jérusalem, pour ne mentionner qu'une initiative parmi bien d'autres. Il est aussi un autre domaine d'initiative qui incombe au ministère de l'unité, en tant que serviteur de l'authenticité de la foi chrétienne, c'est le travail doctrinal et la prospection la plus courageuse qui soit pour réduire le contentieux entre Églises. Le Secrétariat romain, aujourd'hui Conseil pontifical, pour l'unité des chrétiens s'est montré ainsi très actif dans la série des dialogues bilatéraux qu'il a entrepris avec les grandes confessions chrétiennes et qui ont déjà abouti à de sérieux résultats. Ce travail doctrinal doit être poursuivi de plus en plus activement, en lien d'ailleurs avec le travail analogue entrepris par les conférences épiscopales ou les Églises particulières.

D'autres initiatives passent normalement par les relations du siège de Rome avec les Églises particulières. Elles comportent un mouvement d'aller et retour, dont les deux sens sont aussi importants l'un que l'autre. Mouvement d'animation, d'incitation, de communication d'informations utiles d'une part ; mouvement de réception, d'écoute, d'interprétation et de discernement des dialogues, des expériences, des avancées qui ont lieu dans les diverses régions du monde. C'est dans la chair et le sang des Églises répandues sur toute la terre que la marche vers la communion progresse. C'est donc là qu'il faut discerner ce que l'Esprit dit aux Églises. S'il était privé ou s'il restait oublieux de cette substance, le travail de l'Église de Rome se réduirait à des échanges formels finalement stériles. C'est à la mesure même de son attention à tout ce qui se vit dans les Églises que le siège de Rome peut exercer le rôle délicat de *régulateur* des avancées œcuméniques inévitablement inégales ici ou là. Cette régulation, si elle doit évidemment s'opposer à toute décision inconsidérée ou dangereuse, parce qu'inacceptable pour d'autres Églises, et veiller toujours à la communion du tout, doit aussi éviter le danger d'une prudence trop humaine, d'un attentisme timoré, ou d'un souci exagéré de certaines formes juridiques. La grande tradition de l'Église de Rome a toujours reconnu la valeur des faits chrétiens authentiques, même si ceux-ci étaient déconcertants, eu égard aux usages reçus, aux prescriptions canoniques et à certaines positions théologiques nullement indispensables à la doctrine de la foi.

B. Pour un plein exercice de la responsabilité épiscopale

Ce que je vais dire de l'évêque s'entend de l'évêque en lien vivant avec son Église. Il s'agit donc de la responsabilité de l'Église particulière, en tant que celle-ci est présidée par son évêque et trouve en lui le signe de son unité.

Ministre de l'unité de son Église, l'évêque ne peut pas ne pas être ministre de l'unité de tous les chrétiens qui sont sur son territoire. Ministre inséré dans le collège universel des évêques, il est aussi en charge de l'Église universelle. Il est donc aussi, à sa manière, en responsabilité de l'unité de toute l'Église. Les évêques sont des « serviteurs de la catholicité de toute l'Église » [21]. De même donc que le ministère de Pierre est un lieu d'initiative normale et nécessaire, de même le ministère de chaque évêque est un lieu normal et nécessaire d'initiative au service de l'unité. L'identité mystique dont j'ai parlé en commençant, entre Église universelle et Église par-

---

21. Groupe des Dombes, *Le Ministère épiscopal*, p. 38.

ticulière, fonde cette double localisation de l'initiative. Ces deux lieux d'initiative sont complémentaires et doivent être concertés entre eux.

Comment caractériser l'initiative épiscopale ? Dans une situation géographique et historique donnée, au contact avec des Églises séparées elles-mêmes bien particulières, l'évêque a pour tâche de développer des relations fraternelles dans tous les domaines. Il a à conduire son peuple dans la voie de la conversion à l'unité, mais aussi à procéder, avec courage et humilité, à des interpellations des autres Églises. Son rôle est de prospecter toutes les voies possibles, doctrinales, pastorales, institutionnelles, sacramentelles, au service d'avancées œcuméniques concrètes. Son but, c'est d'élargir le domaine de la communion déjà existante et de se rapprocher de la communion plénière. Dans cette marche beaucoup de choses dépendent de lui qui peuvent devenir des « faits d'Église » à l'expérience. Mais il se heurtera également à des seuils qu'ils ne pourra franchir qu'en concertation avec les évêques de sa région et de son pays (et ici les conférences épiscopales peuvent jouer un rôle considérable) et finalement avec l'évêque de Rome. Nous retrouvons le rôle de régulation évoqué ci-dessus. On pourrait en formuler ainsi le principe : ce qui est proposé comme possible ici, sans pour autant l'être ailleurs, doit pouvoir être accepté et reconnu par tous comme s'inscrivant dans la dynamique de l'authentique communion à retrouver, même si dans une situation évolutive des distorsions se produisent entre des degrés inégaux de communion. Les points de vue normalement différents de ceux qui voient les difficultés et les conséquences au plan universel et de ceux qui sont sensibles à l'urgence des situations locales doivent pouvoir s'équilibrer dans une commune docilité à l'Esprit-Saint. Cet équilibre est évidemment difficile, il est encore à inventer, mais il est possible dans la foi, à la condition que chacun joue son rôle jusqu'au bout.

... Que chacun joue son rôle jusqu'au bout. A mon sens l'aggiornamento ecclésiologique réalisé à Vatican II et le sens reconnu au ministère de l'évêque rendent tout ce que j'ai évoqué dès à présent possible. La base doctrinale apparaît singulièrement ouverte. Par contre, quinze ans après la fin de Vatican II, il faut reconnaître que beaucoup d'évêques n'ont pas encore fait passer dans les faits de la vie ecclésiale *tout* l'exercice de leur responsabilité [22].

Sans doute a-t-on enregistré depuis Vatican II des étapes décisives avec la mise en place des conférences épiscopales, authentique expression d'une collégialité locale, et celle du Synode des évêques. Cependant les conférences épiscopales n'ont pas retrouvé l'autorité des anciens synodes locaux ou régionaux ; et le Synode des évêques est resté jusqu'ici un organe surtout consultatif : s'il a bien été le lieu d'exercice d'une vraie liberté de parole, il a quelque peu déçu quant à ses suites. A tort ou à raison le peuple chrétien en a retiré l'impression que le jeu de la collégialité n'était pas joué jusqu'au bout. Toutes ces données ont leur incidence propre sur les relations œcuméniques.

Une fois encore, l'équilibre ici préconisé dans la circulation de la vie ecclésiale entre le centre et les Églises particulières est infiniment plus difficile à vivre que l'orientation centralisatrice qui a prévalu dans les temps modernes et qui, à tout prendre, est d'abord une solution de facilité. Cette complémentarité des responsabilités et des initiatives suppose un esprit de profonde communion dans l'Esprit, une « conspiration » au sens étymologique du mot. Mais l'Église ne se doit-elle pas de faire confiance à l'Esprit ?

C. *Pour une meilleure participation des fidèles*

Ce qui vaut pour l'esprit qui doit présider aux relations entre l'Église de Rome et les autres Églises particulières vaut aussi radicalement, *mutatis mutandis*, pour les relations à l'intérieur de l'Église particulière. Nous avons vu que l'exercice de la responsabilité de l'évêque s'entendait dans le cadre de son lien constitutif avec son peuple. Or il peut se faire que l'évêque le plus collégial au regard de l'Église universelle le soit très peu dans la vie de sa propre Église et oublie d'écouter son peuple et de le faire participer.

Il importe donc que dans les Églises particulières les instances collégiales existantes fonctionnent à plein comme une authen-

---

22. Ce que j'écrivais il y a quelques années à ce sujet demeure encore largement vrai, cf. *infra* chap. 14 sur « Les Ministères dans l'Église », p. 276-279.

tique expression de la communion. Quitte à les susciter là où elles ne seraient pas encore mises en place. Ces instances comportent normalement la participation différenciée et complémentaire des ministres et des fidèles. Voici, à titre d'exemple, comment le document des Dombes sur *Le Ministère épiscopal* envisage cette concertation :

64. Les affaires de l'Église diocésaine concernant l'ensemble du peuple de Dieu, il importe que les baptisés contribuent effectivement à préparer et à orienter les décisions qui devront être prises. C'est la tâche des conseils pastoraux, des commissions diocésaines, des équipes liturgiques, des groupes de travail théologique et catéchétique et des divers mouvements de participer avec toute l'imagination requise à l'animation de l'Église et à son service dans le monde.
66. Par exemple, nous souhaitons que soit tentée plus souvent l'expérience des synodes diocésains, malgré les difficultés qu'elle comporte. Une telle pratique pourrait permettre de poser des problèmes concrets, voire de préparer des solutions, et favoriser les rencontres œcuméniques.
67. Autre exemple : le conseil épiscopal devant assumer les préoccupations fondamentales du diocèse, il est bon qu'il soit composé de représentants (clercs ou laïcs) des responsables des « champs pastoraux » essentiels [23].

C'est dans ce contexte global de la vie de l'Église que la tâche œcuménique doit être entreprise et poursuivie. La marche vers l'unité ne saurait être un secteur séparé ou l'affaire de spécialistes : elle est une dimension de toute la vie chrétienne.

Mais nous touchons sans doute ici au frein actuel le plus puissant à l'avancée œcuménique du côté catholique : il se situe dans l'indifférence encore trop générale vis-à-vis de ce problème dans la conscience du peuple de Dieu. Les milieux engagés dans la démarche vers l'unité restent numériquement limités. L'expérience qu'ils vivent, pensons par exemple à celle des foyers mixtes, garde encore un caractère marginal par rapport à l'ensemble des communautés. Je n'hésite pas à dire pour ma part que certaines avancées doctrinalement possibles, éventuellement acceptables par les autorités responsables, demeurent aujourd'hui impossibles parce qu'elles ne seraient ni reçues ni comprises par le peuple chrétien. Cette donnée

---

23. GROUPE DES DOMBES, *Le Ministère épiscopal, op. cit.*, n. 64, 66, 67.

vaut sans doute également de nos frères séparés : mais parlons
ici de ce qui concerne l'Église catholique.

Une conversion radicale reste encore à venir. Elle est
particulièrement difficile parce qu'elle met en cause des faits
de mentalité très enracinés. Aujourd'hui les tendances aux
particularismes de toutes sortes se manifestent en beaucoup
d'endroits : de plus en plus des hommes déracinés recherchent
leur identité dans leur passé. Le domaine si complexe de
l'affectivité religieuse est ici concerné avec les vieux ostracismes
qui l'habitent. Cette dimension sociologique du problème a
été trop ignorée jusqu'à présent. La bonne volonté œcuménique
de beaucoup reste verbale et formelle. Dès que l'on réalise
que l'unité recherchée risque d'exiger un changement en soi-
même et dans l'Église, aussitôt des réactions se manifestent.
A mon sens la perception des sacrifices nécessaires à l'unité
est loin d'être une chose accomplie.

Il y a donc là une tâche pastorale de sensibilisation, d'invitation à la conversion, qui n'est qu'un aspect de la prédication,
c'est-à-dire de l'annonce de l'Évangile. Je n'hésite pas à dire
qu'elle est aujourd'hui un lieu d'initiative prioritaire. Nous
avons tous à nous y engager.

Les nécessités du discours m'ont amené à traiter successivement de l'Église de Rome, des Églises particulières et de
la participation des fidèles. Ce serait un grave contresens d'en
faire une lecture pyramidale. En fait tous ces aspects sont
solidaires, puisqu'il s'agit de relations de communion. L'Église
particulière est en communion avec son évêque et elle est en
communion avec l'Église universelle avec laquelle elle ne fait
qu'un. La logique de cette réflexion souligne ces solidarités
et la réciprocité des divers mouvements de la vie ecclésiale.

Enfin tout ce propos est au service d'une ecclésiologie de
communion. Il n'y a pas de communion entre hommes sans
une constante réconciliation : celle-ci est le propre du don de
Dieu à son Église. Mais il n'y a pas non plus de réconciliation
sans conversion. Toute la tâche œcuménique est incluse là.
Sans doute la conversion œcuménique ne saurait être unilatérale, mais en une telle matière on ne peut inviter les autres
qu'à l'humble lumière de son propre effort.

CHAPITRE 9

Y A-T-IL UNE DIFFÉRENCE SÉPARATRICE ENTRE LES ECCLÉSIOLOGIES CATHOLIQUE ET PROTESTANTE ? *

Une conjoncture nouvelle : le retour au constat de la différence

Le dialogue œcuménique doctrinal se trouve confronté aujourd'hui à une conjoncture nouvelle. Dans les dernières décennies on a assisté à la publication de nombreux documents exprimant des *convergences* et même des *accords substantiels* sur divers points du contentieux entre Églises divisées. Actuellement on se demande de plus en plus de divers côtés si ces contentieux ne sont pas sous-tendus par un clivage plus profond, que l'on appelle souvent « différence fondamentale ». On voit ainsi émerger une problématique nouvelle sur une question fort ancienne.

Cette évolution n'est pas sans surprendre et sans inviter à se poser tout de suite la question : est-ce un recul ou un progrès ? Cela peut-être un recul, si la recherche ainsi engagée reste habitée par le souci prioritaire de garder tous les aspects de sa propre identité et de les justifier coûte que coûte. L'analyse de la différence fondamentale peut devenir le culte

---

* Ce texte a pour origine une conférence donnée au cours de l'assemblée générale des délégués français à l'œcuménisme, le 7 avril 1986, à Chantilly. Le texte donné ici a été repris et corrigé à la lumière de remarques reçues et allégé de considérations pratiques sur la conjoncture œcuménique qui constitue le contexte de cette réflexion.

de celle-ci et fonctionner comme une sécurité et un blocage. Mais cela peut aussi être un progrès et il dépend de nous qu'il en soit ainsi. Car cette question nous invite à passer à un second niveau de dialogue doctrinal, non plus celui qui porte sur les difficultés déjà bien repérées dans l'ordre de la foi et de l'institution ecclésiale, mais celui qui cherche « en amont », par une réflexion proprement théologique, la ou les options qui nous habitent en profondeur dans nos interprétations respectives du mystère chrétien. C'est un domaine où le dialogue est d'emblée plus ouvert, car ces orientations ne sont pas tranchées de manière aussi rigoureuse que les éléments classiques du contentieux. C'est aussi un domaine où une ligne de convergence peut éventuellement être inventée sur la base même du constat de divergence. Par ce biais et ce détour un déblocage fécond des questions les plus irritantes risque donc d'intervenir.

Différence et/ou divergence

L'expression la plus employée aujourd'hui, celle de *différence fondamentale,* me semble quelque peu ambiguë. Le signe en est donné par l'interprétation, soit péjorative, soit positive, d'une telle différence. Je préfère donc parler de « différence séparatrice » ou de « divergence ». Car on peut légitimement penser qu'une différence fondamentale n'est pas forcément séparatrice. C'est le cas, à mon sens, de la différence entre l'ecclésiologie orthodoxe et l'ecclésiologie catholique.

Je m'inspire volontiers sur ce point de Johann-Adam Möhler, le théologien célèbre de Tübingen au début du XIXᵉ siècle. Prenant l'exemple d'un chœur à plusieurs voix il distingue la différence *(Gegensatz),* nécessaire pour qu'il y ait polyphonie, de l'opposition *(Widerspruch)* qui viendrait d'une voix fausse :

Celui qui chante la basse, par exemple, ne doit pas s'imaginer que plus il chantera bas, mieux ce sera, mais il doit essayer de mettre la profondeur et la force de sa voix en harmonie avec la suavité et la douceur des autres. Si, incapable de remarquer lui-même les dissonances de sa voix, il ne voulait tenir aucun compte des avis du chef d'orchestre responsable de la réalisation du tout, ou, qui plus est, s'il s'imaginait réaliser à lui seul l'harmonie, il devrait être exclu du tout comme incapable de se former et empêchant la formation harmonieuse de l'œuvre commune. Il ne représente plus une différence *(Gegensatz)*, puisque les véritables différences ne peuvent exister que dans l'unité, mais il crée une véritable opposition *(Widerspruch)* [1].

Möhler tient que l'unité de l'Église non seulement admet les différences, mais les requiert, car il n'y a d'unité qu'à partir d'éléments divers. Mais l'unité ne peut admettre les oppositions.

Une appréciation divergente de la divergence

Quand on cherche à diagnostiquer la divergence séparatrice entre ecclésiologies catholique et protestante, on rencontre aussitôt une difficulté. Car nous n'évaluons pas de la même manière ce qui est séparateur. Les uns voient une différence au sens de Möhler, portée « par l'affirmation d'un consensus plus fondamental encore », là ou les autres discernent une divergence encore irréconciliée, blessant le consensus fondamental et donc séparatrice. L'estimation de ce qui nous sépare n'a pas la même motivation et ne porte pas sur la même réalité. C'est ce qu'on appelle parfois notre « dissymétrie ecclésiologique ». Ce fait doit être accepté comme tel. Il suffit qu'un partenaire estime qu'une donnée est séparatrice pour que celle-ci doive être reconnue comme un problème mutuel et commun, à partir duquel les uns et les autres doivent cheminer vers la réconciliation.

Je voudrais risquer un diagnostic de nos divergences et essayer d'en comprendre la source, en les ramenant si possible à un point unique. Une telle recherche n'est pas nouvelle : elle a été entreprise dès le XIXe siècle, chez les protestants comme chez les catholiques ; un excellent article de Wolfgang Beinert en donne un panorama [2]. Elle s'est continuée à l'époque contemporaine ; un document de travail de Harding Meyer

---

1. J.A. MÖHLER. *L'unité dans l'Église,* trad. fr. A. De Lilienfeld, Paris, Cerf, 1938, p. 144.

2. W. BEINERT. « Konfessionnelle Grunddifferenz », dans *Catholica* 34 (1980) 36-61.

retrace à son tour une série de prises de position récentes sur l'interprétation de la divergence fondamentale [3].

L'immense variété des diagnostics peut surprendre ou même décevoir à première lecture, car tout y passe. Extrêmement mobile, insaisissable, fuyante, frustrante, réapparaissant là où on ne l'attendait plus, la nature profonde de la divergence est irritante. Cependant, à y réfléchir davantage, on découvre un fil conducteur et des correspondances profondes entre les diverses formes que prend cette divergence.

Un circuit triangulaire

Il me semble que le circuit mouvant de la divergence parcourt dans les deux sens l'itinéraire d'un triangle constitué par les trois pôles que sont *l'ecclésiologie*, la *sotériologie* (christologie) et *l'anthropologie* théologique, c'est-à-dire la conception du rapport de Dieu à l'homme. On peut analyser cette circularité au choix à partir de l'un de ses pôles. Je commencerai par le pôle ecclésiologique, parce que c'est là que la divergence se manifeste le plus dans ses implications « séparantes ». De là je remonterai vers la sotériologie tout d'abord et ensuite à l'anthropologie, parcourant ainsi à rebours le contenu des trois articles du Symbole de foi : de l'Église, qui appartient à l'article sur le Saint-Esprit, je passerai au salut dans le Christ qui constitue le second article, puis au Dieu créateur de toutes choses et de l'homme, cœur du premier article. Toute ma réflexion voudrait ainsi gloser la confession de foi. Peut-être en tirerons-nous lumière devant la question qui nous demeure toujours posée : comment se fait-il que la même confession de foi fondamentale aboutisse à des compréhensions si différentes du mystère de l'Église ?

---

3. H. MEYER, Document de travail de l'Institut œcuménique de Stasbourg, dactylographié, *Grundverschiedenheit — Grundkonsens*.

I. L'ECCLÉSIOLOGIE

Il est superflu de reprendre ici l'inventaire bien connu des points qui nous [4] séparent dans le domaine de l'ecclésiologie. Mais, avant d'entreprendre une réflexion théologique en amont de ceux-ci, il n'est pas inutile d'évoquer rapidement quelques aspects de la situation actuelle de l'ecclésiologie considérée comme discipline dogmatique. Il existe une large convergence pour considérer que le lieu théologique principal de celle-ci est le troisième article du Symbole de Nicée-Constantinople (dont la construction est plus signifiante que celle du même article du Symbole dit des Apôtres). Dire cela, c'est situer d'abord l'ecclésiologie dans un contexte pneumatologique et non pas en premier lieu dans un contexte christologique. Ce déplacement est récent chez les théologiens catholiques : pour l'essentiel il est postérieur à *Lumen gentium*. Une autre conviction est assez commune : nous n'avons pas encore à notre disposition, en aucune tradition ecclésiale, des catégories vraiment satisfaisantes pour penser la relation de l'*Una Sancta* aux Églises historiques. Cette difficulté se ressentira donc dans l'exposé qui suit. Enfin on ne peut pas oublier la relecture critique effectuée en chaque confession par les théologiens sur leur propre tradition, qui opère un certain déplacement des fronts et rend le terrain de cet exposé particulièrement mouvant. La pertinence de ces réflexions ne peut donc être que « statistique » et celles-ci se réfèrent principalement à un contexte européen et occidental.

A. *Divergence exprimée à partir de quelques catégories catholiques.*

Le christianisme comme Église

Disons tout d'abord que nous n'avons pas la même idée du « christianisme comme Église », pour reprendre une expression

---

4. Les partenaires évoqués dans ce propos sont principalement les Églises luthériennes et réformées.

de Karl Rahner [5]. Autrement dit, si « la doctrine concernant l'Église n'est pas l'énoncé central du christianisme » [6], il reste que dans la perspective catholique le fait Église, le fait d'être Église, appartient au mystère du salut en tant que tel, comme un de ses élément intrinsèques. On ne peut comprendre jusqu'au bout le mystère de mort et de résurrection du Christ, achevé par le don de l'Esprit, sans y voir la communication irréversible que Dieu fait de lui-même aux hommes en son Fils, devenu l'unique Médiateur (1 Tm 2, 5), c'est-à-dire sans le comprendre comme le fondement de la communauté des sauvés, rassemblés par le don de l'Esprit en un seul corps, qui est le corps du Christ et le peuple de Dieu. La justification par la grâce, moyennant la foi, atteint d'abord l'Église, la grande baptisée, que le Christ a aimée en se livrant pour elle, qu'il a rendue sainte en la purifiant avec l'eau et la Parole, qu'il s'est présentée à lui-même comme une épouse sans tache ni ride (cf. Ep 5, 25-27). Le mystère pascal est ainsi le fondement de l'Église : en lui l'Église naît comme un événement de salut destiné à porter visiblement dans le monde, selon la loi même de l'incarnation, ce don irréversible de Dieu aux hommes. Elle est événement de salut, parce qu'elle appartient à l'événement du salut : en elle l'événement se fait institution et l'institution demeure par grâce le lieu qui « garantit » la présence de l'événement. Cette foi en la sainteté *sanctifiante* de l'Église indéfectible, qui a reçu les promesses de la vie éternelle, demeure malgré toutes les manifestations du péché en elle, c'est-à-dire malgré la distance, parfois scandaleuse il est vrai, entre cette *sainteté sanctifiante,* don de Dieu qui l'habite, et sa *sainteté sanctifiée* [7], effet retardé de la première par la résistance pécheresse des hommes. Le *simul peccator et justus* vaut certainement de l'Église, mais en ce sens.

C'est pourquoi l'on peut dire que l'Église est *sacrement* de l'événement fondateur, c'est-à-dire signe effectif et efficace du don de Dieu aux hommes. Aussi l'apostolicité lui est-elle essentielle, avec les diverses formes de continuité dans l'histoire qui lui appartiennent, car elle est le signe de son rapport à

---

5. K. RAHNER, *Traité fondamental de la foi. Introduction au concept du christianisme,* trad. fr. Gw. Jarczyk, Paris, Centurion, 1983, p. 361 s.

6. *Ibid,* p. 363.

7. J'emprunte cette distinction à M. Sales dans G. GILSON et B. SESBOÜÉ, *Parole de foi, paroles d'Église,* Limoges, Droguet et Ardant, 1980, p. 269.

l'événement fondateur. C'est ainsi que s'exprime concrètement et visiblement la dépendance de l'Église par rapport au don de grâce qui la donne à elle-même et fera toujours d'elle un don reçu d'un Autre.

L'Église sacrement

Je viens d'employer le terme de sacrement, chargé de conflit autrefois en raison des conceptions différentes de la nature, de l'efficacité et du nombre des sacrements. Ce terme revient d'actualité, *en un sens analogique,* à propos de l'Église comme telle et fait l'objet d'un dialogue œcuméniquement critique. La théologie catholique d'avant le concile l'a utilisé pour dire la nature de l'Église comme *mystère,* avec Otto Semmelroth et Karl Rahner en Allemagne, Yves Congar et Henri de Lubac en France. Le concile l'a repris à son compte dans *Lumen gentium,* en un sens un peu différent. Il n'appelle pas l'Église sacrement de Dieu ou du Christ, mais il dit qu'elle est « comme un sacrement ou un signe et un instrument de l'union intime avec Dieu et de l'unité de tout le genre humain » (1) ; ou encore qu'elle est « le sacrement visible de cette unité salutaire » (9) ; ou enfin qu'elle est « un sacrement universel de salut » (48). Cet usage du terme sacrement est l'objet d'une grande réticence de la part des théologiens protestants. Dans un article fort intéressant, Eberhard Jüngel [8], qui rapproche le mot de sacrement du sens que la Bible attache au terme de « mystère », souligne que pour Luther l'unique et grand sacrement de Dieu, c'est le Christ. L'Église ne peut donc être dite sacrement au même sens, sous peine de tomber dans l'identification typiquement catholique de l'Église avec son Seigneur. Jüngel a pleinement raison sur ce point. Le Christ est l'unique *sacrement fondateur,* c'est-à-dire la puissance active et originelle, manifestée en notre monde, de toute l'économie sacramentelle (*Ur-sakrament,* en allemand) ; l'Église est un *sacrement fondé* (Jüngel propose *Grund-sakrament*), c'est-à-dire que son activité et sa puissance sacramentelle sont le fruit d'un don d'abord passivement reçu, d'un don qui lui demeure radicalement transcendant, mais qui cependant lui est confié

---

8. E. JÜNGEL, « Die Kirche als Sakrament », dans *ZTK* 80 (1982) 432-457.

comme la source de sa vie et de son agir. On pourrait dire également avec Jüngel que l'Église est un sacrement « analogué » qui renvoie au sacrement « analoguant » Jésus-Christ. Car l'Église est originellement celle qui écoute et elle ne devient celle qui parle que dans la mesure où elle écoute [9].

Ces distinctions sont capitales et il faut remercier E. Jüngel de nous les rappeler. Elles peuvent contribuer à dégager une voie de convergence, dans laquelle Jüngel entre lui-même déjà, en analysant avec bienveillance le vocabulaire tridentin qui voit dans l'Église une « représentation du Christ », c'est-à-dire « comme un être représentant la réalisation définitive de la volonté salvifique de Dieu en Jésus-Christ » et donc comme un fait sacramentel [10]. Elles peuvent aussi lever les malentendus existant encore sur la manière dont l'Église peut participer à l'œuvre du salut. Expression d'une divergence réelle, en relation évidente avec le contentieux sacramentel classique, cette expression peut donc s'avérer féconde sur la voie d'une réconciliation en vérité.

Il est vrai également que l'expression d'Église-sacrement n'est pas universellement reçue chez les théologiens catholiques. On reproche à cet usage *analogique* d'un terme technique dont la visée est précise un certain manque de rigueur, risquant de sacraliser indûment toutes les institutions ecclésiales comme les comportements des chrétiens. Il est clair que tout n'est pas sacrement dans l'Église. On dit aussi qu'il n'est pas vraiment dogmatique et que Vatican II ne l'emploie que de manière marginale, ce qui est incontestable. Revenir cependant au terme de *mystère,* que celui du *sacrement* essaie d'expliciter, serait peu opératoire. Tout en reconnaissant la valeur de ces objections, je pense que, vu le rôle pratique que cette expression a joué dans la réflexion théologique des trente dernières années, celle-ci est difficilement contournable en l'état actuel des choses, en particulier dans le dialogue œcuménique où

---

9. *Ibid.*, 449 et 450.
10. *Ibid.*, 442.

elle contribue à d'importantes clarifications. Souhaitons que ce dernier fasse émerger un terme meilleur [11].

L'instrumentalité de l'Église

Comme le concile le dit fort simplement, le terme de sacrement contient à la fois l'idée de signe et d'instrument. C'est sans doute sur l'idée d'instrumentalité de l'Église que se concentre la difficulté. On le sent nettement chez Jüngel, et André Birmelé a traité longuement de ce point dans sa thèse de Strasbourg [12]. Je suis parfaitement d'accord avec ce dernier sur la priorité à reconnaître à la passivité de l'Église sur son activité. Tout ce qu'elle donne, l'Église le reçoit d'abord. Les formules popularisées par le P. de Lubac : « L'Église fait l'Eucharistie ; l'Eucharistie *fait l'Église* » [13] doivent être comprises comme un paradoxe qui nous conduit du visible à l'invisible. C'est à l'Église qu'il a été confié de célébrer l'Eucharistie et tous les sacrements ; en ce sens elle les fait. Cependant, ce faisant, elle est faite par eux en un sens beaucoup plus profond et radical ; elle est donnée à elle-même. Le paradoxe consiste en ce qu'il lui est donné de faire et de célébrer elle-même, par mandat du Christ, ce qui la fait. Cette passivité fonde une activité, qui n'est pas extérieure au mystère et au don, parce qu'elle exerce par rapport au don une causalité subordonnée et *seconde*. Il ne s'agit pas simplement de la nécessité externe que la Parole soit annoncée et les sacrements administrés, mais d'un lien intrinsèque qui fait des gestes de l'Église les actes mêmes du Christ en raison de sa parole : « Faites ceci en mémoire de moi [...] Allez, enseignez toutes les nations et baptisez-les [...] Ce que vous

---

11. Voir l'interprétation nuancée donnée de « l'Église comme sacrement du Christ » dans le document de la Commission théologique internationale, *L'Unique Église du Christ,* Paris, Centurion, 1985, p. 53-57 ; voir également Av. DULLES, *The Catholicity of the Church,* Oxford, Clarendon, Press, 1965, chap. 6 : « The Structures of Catholicity : Sacramental and Hierarchical », p. 106-126.

12. A. BIRMELÉ, *Le Salut en Jésus-Christ dans les dialogues œcuméniques,* thèse présentée devant la Faculté de théologie protestante de Strasbourg en février 1986, Paris, Cerf ; Genève, Labor et Fides, 1986.

13. H. DE LUBAC, *Méditation sur l'Église,* Paris, Aubier, 1954, p. 113 et 129.

lierez dans le ciel sera lié sur la terre [...] Ceux à qui vous pardonnerez les péchés, ils leur seront pardonnés... » Le Christ a confié ses dons à des hommes et a fondé un ministère actif, c'est-à-dire un ministère qui n'est pas de pure annonce ou attestation de ses promesses, mais un ministère qui pose des actes concrets de salut.

La divergence qui nous sépare encore concerne certainement la manière de comprendre cette causalité seconde de l'Église par rapport à la priorité de l'agir unique de Dieu dans le Christ. Saint Thomas disait des sacrements qu'ils sont des « instruments séparés », par opposition avec l'« instrument conjoint » que constitue l'humanité du Christ. L'image est donc celle du corps humain et des outils dont il se sert pour agir. Par exemple, quand j'écris, ma main tient un stylo. La première causalité de cet agir vient de ma réflexion, de ma pensée qui en train d'articuler un discours ; mais il y a aussi la causalité exercée par ma main, entièrement gouvernée par la pensée qui m'habite ; il y a enfin la causalité du stylo : je ne peux pas écrire sans stylo. Il est clair qu'il y a une analogie entre ces trois causalités qui ne se situent pas sur le même plan. Mais il y a aussi une continuité ; et de même que ma main est informée par l'intention de mon esprit, de même le stylo est entièrement gouverné par ma main. Il est informé par moi au point d'écrire des mots et des lignes qui forment sens, ce qu'il serait incapable de faire selon sa matérialité inerte, et au point que la page écrite porte la marque de ma personnalité, à travers mon écriture qui suffit à faire reconnaître son auteur. Dans cette chaîne dynamique des causalités l'outil joue le rôle d'instrument, au sens où l'on parle de « cause instrumentale ». Car l'outil, dans la mesure même où il est bien gouverné, a un agir propre. Aucune confusion n'est donc possible entre ce que fait l'esprit, ce que fait la main et ce que fait l'outil. Cependant l'outil est nécessaire pour accomplir ce que l'homme et la main ne peuvent faire seuls.

Telle est l'analogie qui permet de comprendre que l'Église et les sacrements, et donc aussi l'Église-sacrement entendue au sens précisé ici, sont là pour accomplir à travers l'histoire et le monde ce que l'humanité temporelle du Christ ne pouvait accomplir par elle-même. Mais nous ne devons pas oublier non plus le lien entre le signe et l'instrument, puisque la

causalité de l'Église et des sacrements est précisément celle
du signe. C'est le vieil adage : ils sont cause en tant que signe
(significando causant). Une différence importante avec l'analogie évoquée vient aussi du fait que la causalité de l'Église
est *libre,* elle est celle de l'épouse. A ce titre l'Église devient
sujet de l'agir sauveur de Dieu dans le Christ, non pas au
sens où elle ajouterait une causalité du même type que celle
de Dieu, ni au sens où elle interviendrait à côté de l'action
divine, mais en tant qu'elle exerce une causalité instrumentale,
informée par la causalité principale, c'est-à-dire en tant qu'elle
agit *sous la grâce.* C'est, à mon sens, ce que vise Jean-Marie
Tillard dans les articles critiqués par André Birmelé dans sa
thèse [14], à travers des expressions sans doute extrêmes et que
je n'emploierais pas en raison même de leur ambiguïté possible.
Je ne dirais pas pour ma part que l'Église « se donne les
sacrements » ou que le salut nous arrive « par Dieu et par
l'Église », parce que ces formules sont trop rapides et peuvent
donner à penser que la causalité de l'Église s'exerce sur le
même plan que celle de Dieu. Mais le contexte de son discours
montre bien comment il les entend. Et puis l'Écriture elle-
même présente de ces raccourcis hardis : « L'Esprit-Saint et
nous-mêmes, nous avons en effet décidé... » (Ac 15, 28) ;
« L'Esprit et l'Épouse disent : Viens ! » (Ap 22, 17). De telles
manières de parler mettent en relief la liberté responsable de
l'Église.

Une importante question reste donc à clarifier entre nous,
non pas celle de la « hiérarchie des vérités », mais celle de
la « hiérarchie des causes », ou de l'échelle de la causalité.
Elle nous demande de renoncer à une alternative trop simple
entre Dieu et l'homme, comme si ce que ferait l'un devait
être enlevé à l'autre. Mais ce point ne nous renvoie-t-il pas
à la manière de comprendre la justification par la grâce ? et
au rapport entre grâce et liberté graciée ? D'autre part la
cause se dit de plusieurs manières : j'ai employé le terme
d'analogie; ne voyons-nous pas ressurgir sous nos pieds le
spectre de la fameuse question de l'analogie de l'être ?

---

14. J.M. TILLARD, « Vers une nouvelle problématique de la "justification" »,
dans *Irenikon* 55 (1982) 185-198 ; « Église et salut. Sur la sacramentalité de
l'Église », dans *NRT* 106 (1984) 658-685.

Telle est également la raison pour laquelle, me semble-t-il, la perspective de l'Église sacrement et instrument du salut fait aussitôt difficulté à une sensibilité protestante. Dans beaucoup de réunions œcuméniques j'entends dire : « le Christ n'est pas lié par les sacrements. » Si l'on entend par là qu'il n'est pas limité, enfermé ou forcé d'agir quand les conditions spirituelles ne sont pas remplies, nous sommes tout à fait d'accord. Mais si l'on veut dire que le Christ, par son mystère pascal et par l'institution des sacrements, ne s'est pas engagé et donc positivement lié lui-même à agir en eux à travers la célébration ecclésiale, étant évidemment entendu que cette célébration est accomplie dans la foi, alors le catholique lit dans ce malaise une mise en cause et un énervement de l'économie sacramentelle, la célébration visible n'étant plus celle de l'acte du Christ, mais une occasion de confesser la foi, occasion lors de laquelle le don de Dieu est reçu. Une seconde objection tient à l'agir de l'Église, auquel il est reconnu une efficacité de grâce (au sens précisé plus haut), ce qui contredit la pure passivité de la justification par la foi et prête au soupçon de réintroduire une religion des œuvres humaines. E. Jüngel, par exemple, veut exorciser « le malentendu qui ferait croire que c'est l'action de l'Église qui *de quelque manière que ce soit opère* notre salut » [15]. Mais la réponse ne réside-t-elle pas dans une juste compréhension de cette « manière »

L'Église ministre de la médiation

Le débat sur l'instrumentalité nous conduit inévitablement à la question de la *médiation*. Comment devons-nous comprendre la « médiation » de l'Église dans son rapport à l'unique médiation du Christ (cf. 1 Tm 2, 5) ? L'événement salvifique, entendu comme l'unique événement de l'unique médiation du Christ, est destiné à atteindre tous les hommes de tous les temps. Cet événement, accompli visiblement, se doit, selon son économie propre, de se rendre visible dans toute l'histoire. Qui dit médiation incarnée dit en effet médiation visible. L'Église est ainsi à la fois le lieu institué où est

---

15. E. Jüngel, *art. cit.*, n° 8, p. 449. C'est moi qui souligne *de quelque manière que ce soit* et c'est Jüngel qui souligne *opère*.

reçue la réalité du don de Dieu dans le Christ et le lieu institué où se vit et s'exerce l'unique médiation du Christ. L'Église, fruit premier de la grâce du salut, devient sur ce fondement ministre de la médiation du Christ. Le ministère ordonné est en elle le ministère de cette médiation, ministère « théologal » du don de Dieu. Tel est bien le sens des expressions pauliniennes « coopérateurs de Dieu » (1 Co 3, 9), « intendants des mystères de Dieu » (1 Co 4, 1), « ministres de l'Alliance nouvelle » (2 Co 3, 6), « ministres de la réconciliation » (2 Co 5, 18), « ministres du Christ » (Col 1, 7), pour ne rien dire ici du vocabulaire d'apôtre, d'ambassadeur, de pasteur, de président, de guide. Toutes ces expressions disent bien l'altérité et la transcendance de ce qui est l'objet de ce ministère. Mais elles expriment aussi une association active et libre à la médiation du Christ. A travers le ministère, l'Église est le sacrement de la médiation du Christ.

Dans une telle perspective on comprend alors que les éléments structurels de la réalité Église soient eux-mêmes d'« institution divine ». Tel est bien le sens de l'affirmation doctrinale selon laquelle l'Église a été fondée par le Christ (n'entrons pas ici dans la lecture exégétique de cette institution). L'Église ne peut « inventer » de sacrements : elle les reçoit, puisque ceux-ci la constituent. Cette donnée est la garantie que l'Église ne naît pas simplement du rassemblement des croyants, qu'elle ne dispose pas d'elle-même, parce qu'elle a sa source et sa vie en un Autre. Elle s'est reçue elle-même une fois pour toutes de l'événement du Christ et du don de l'Esprit qui l'ont « convoquée » à travers la prédication apostolique et la célébration des sacrements. Mais elle a aussi à se recevoir sans cesse au cours des temps du même événement par la puissance de l'Esprit du Ressuscité, agissant dans une communauté rassemblée, visible et identifiable à travers l'histoire. Cela est inscrit dans son annonce de la Parole et son appropriation de l'enseignement de Jésus ; l'une et l'autre sont soumises à l'Écriture qui est garantie par l'autorité divine et interprétée authentiquement dans et par l'Église, radicalement indéfectible du fait de l'assistance de l'Esprit-Saint. Cela est inscrit dans sa vie sacramentelle dont elle reçoit la structure pour en vivre quotidiennement en baptisant, en célébrant l'Eucharistie, et chacun des sacrements, comme un « mémorial » de l'événement pascal et dans l'invocation de l'Esprit. Cela est inscrit enfin, à l'intérieur de cet organisme sacramentel, dans le fait que le ministère de la Parole, des sacrements et de la conduite pastorale de la communauté est lui aussi un sacrement donné par ordination, signe de « non-pouvoir » comme disait justement Joseph Moingt [16], signe visible que le ministère est exercé sur le fondement d'une grâce reçue. Le ministère ordonné n'est que — mais il est vraiment — le ministère d'une médiation absolument transcendante. Telle est la raison de l'insistance catholique sur la question des ministères.

Le double rapport de l'Église au Christ et à l'Esprit [17]

L'Église sacrement, c'est-à-dire signe et instrument visible de l'unique médiation du Christ, suppose un double rapport de l'Église au Christ et à l'Esprit dans son accès auprès du Père. Tout unilatéralisme ne respecterait pas le mouvement et l'unité du mystère trinitaire. L'analogie entre le mystère du Christ et celui de l'Église demeure valable, comme *Lumen gentium,* 8, l'a rappelé avec nuance et discrétion. L'économie de l'incarnation engage dans le mystère de l'Église l'articulation du visible et de l'invisible, ou du « sacrement » et de la « réalité » en langage augustinien, dans une unité réelle. C'est pourquoi les signes visibles de l'apostolicité et de la continuité de l'Église sont si importants. Mais nous ne devons pas dire pour autant que l'incarnation « se continue » dans l'Église (ni même dire avec Bossuet, dans une expression plus pastoralement suggestive que théologiquement exacte, que « l'Église, c'est Jésus-Christ répandu et communiqué » [18]). Car le don de l'Esprit appartient à cette économie et l'Église appartient pour sa part à l'article du Symbole sur l'Esprit. Selon une théologie qui remonte à Irénée et qui a été reprise de nos jours par Heribert Mühlen [19], l'Église est la bénéficiaire de

---

16. J. MOINGT, « L'Avenir des ministères dans l'Église catholique », dans *Études* 339 (1973) 450.

17. Ce thème est traité de manière plus développée *infra* au chap. 14 sur « les Ministères dans l'Église », p. 257-267.

18. J.B. BOSSUET, *Correspondance*, I, édit. Ch. URBAIN-E. LEVESQUE, Lettre 17, « A une Demoiselle de Metz », p. 69 (XXVIII).

19. Cf. H. MÜHLEN, *L'Esprit dans l'Église,* Paris, Cerf, 1969.

l'onction de l'Esprit sur Jésus, de l'Esprit descendu sur l'humanité de Jésus à cause d'elle et pour elle. Jésus a reçu à son baptême l'Esprit pour nous, ce qui devient manifeste quand, après sa résurrection, il souffle cet Esprit sur ses disciples (Jn 20, 22-23) et quand, à la Pentecôte, il envoie de la part du Père l'Esprit sur la communauté rassemblée (Ac 2, 33), Pentecôte qui se reproduit sur les païens (Ac 10, 44). Tout ce mouvement comporte une réciprocité : il va à la fois du Fils à l'Esprit et de l'Esprit au Fils. L'Esprit qui a joué un rôle décisif dans l'incarnation et la mission de Jésus, avant d'être donné par lui, a aussi dans l'Église une action sanctifiante originale pour nous conduire au Christ. Karl Rahner parle même de l'Esprit « cause efficiente » et du Christ « cause finale » [20].

Pas plus qu'on ne peut opposer l'Esprit au Christ, on ne peut opposer le don de l'Esprit, sans cesse invoqué et reçu au cours de la vie de l'Église, à l'événement fondateur du Christ, origine de ce don. Ne rencontrons-nous pas là un nouvel aspect de notre divergence ecclésiologique ? Si l'Église catholique est naturellement tentée de majorer le lien de son unité avec le Christ (monophysisme ecclésial), les Églises de la Réforme ne le sont-elles pas de maintenir une distance de l'Église avec son événement fondateur, au nom d'un lien immédiat et purement « spirituel » revendiqué avec le Saint-Esprit ? La voie de la convergence nous demande aux uns et aux autres de tenir ensemble les deux images bibliques, celle de l'Église corps du Christ (côté de l'unité) et celle de l'Église épouse du Christ (côté de la distinction).

Le rapport entre la Révélation et l'Église

Le même type de divergence peut aussi être diagnostiqué dans la compréhension du rapport entre Révélation et Église. J'emploie à dessein ces deux termes, car tel est bien le couple qui est la source de la divergence se manifestant encore autour du problème de l'Écriture et de la tradition. Il est clair pour nous tous que la Révélation, en tant qu'elle est Révélation du Christ et qu'à la limite elle s'identifie avec lui, est au-

---

20. K. RAHNER, *op. cit.*, note 5, p. 355.

dessus de l'Église, qu'elle la dépasse et qu'elle la juge. L'Église n'a donc aucune autorité sur la Révélation : elle la reçoit dans l'obéissance de la foi. Mais le propre de la Révélation chrétienne est d'être une Parole de Dieu prenant corps dans des paroles humaines : cela se vérifie, en sa réalité la plus haute, dans la personne du Christ, le Fils devenu homme qui nous a révélé le Père avec des mots d'homme. La Révélation est une dimension majeure de la médiation accomplie par le Verbe incarné. Ce processus de médiation de la Révélation divine se poursuit, selon la même logique bien qu'à un niveau second, dans le processus qui a fait des Apôtres les porteurs humains de la Parole de Dieu, rendant témoignage à la puissance de l'Évangile en donnant à celui-ci le corps nouveau de leurs paroles humaines. Ces Apôtres étaient eux-mêmes en communion avec un peuple, accueillant leur parole dans la foi et devenant ainsi à son niveau propre le porteur de la Parole. Ce processus, nous le savons, a abouti à la rédaction des livres inspirés reconnus comme Écriture. L'Écriture, en particulier celle du Nouveau Testament qui nous intéresse ici, est une attestation authentique de la Parole de Dieu (Évangile) dans des paroles humaines. Elle a Dieu pour auteur, mais elle est aussi, dans sa réalisation concrète, une création de l'Église apostolique, qui apporte une coopération active — mais seconde — à la formulation d'une Parole que tout d'abord elle reçoit. La constitution du corps des Écritures néo-testamentaires, en lien avec l'événement fondateur, est une conséquence immédiate de la médiation accomplie par le Christ. Elle entre dans le mouvement de cette unique médiation, elle est un ministère de cette médiation au service de laquelle elle se met, pour la rendre effective au regard de tout lecteur de l'Écriture.

Cette donnée fondamentale est aujourd'hui reconnue dans sa portée *exégétique* : l'Évangile s'est fait d'abord prédication et transmission vivante, portées par les Apôtres au sein d'un peuple, avant de prendre la forme d'une attestation écrite. Elle ne l'est pas encore dans sa portée *théologique* et ecclésiologique. Or c'est elle qui fonde le rapport entre Écriture et Église dans l'époque post-apostolique. C'est l'Église du IIe siècle, habitée par l'Esprit, qui a discerné ce qui appartient à l'Écriture — et donc s'impose à son obéissance comme expression normative de l'Évangile — et ce qui ne lui appartient pas. C'est elle qui a établi le « canon » des Écritures, dans un acte qui est à la fois « acte de réception » obéissante et « acte d'autorité ». On pourrait reprendre ici l'adage : l'Église fait l'Écriture, mais l'Écriture fait l'Église. Cet acte, reconnu par tous, est le fondement d'une autorité, seconde sans doute, mais paradoxale, de l'Église *au sujet de* l'Écriture, puisque son seul but est de maintenir l'Église dans l'obéissance de foi à l'Écriture. Toute interprétation normative de l'Écriture par l'Église au cours des temps peut être assimilée, dans sa réalité profonde, à cet acte initial. Il ne s'agit pas d'une autorité capable de changer le texte ou le sens du texte voulu par Dieu ; c'est une autorité mise au service de l'authenticité de l'interprétation de ce sens. Car il appartient à tout texte qui doit demeurer vivant de donner lieu à une lecture et à une interprétation toujours recommencées au service de son « actualisation ». Ce rôle de l'Église ne peut être compris et accepté que dans la mesure où l'on croit que celle-ci est assistée par l'Esprit de Dieu de manière indéfectible dans sa manière de comprendre et de recevoir le contenu de la révélation et de la foi. L'Écriture, qui appartient, au sens où on l'a dit, à la médiation accomplie par l'événement du Christ, donne ainsi lieu à un ministère de cette médiation.

On comprend dès lors le malaise de tout catholique devant les formules protestantes de ce genre : les décisions normatives de l'Église en matière de foi ont autorité dans la mesure où elles sont conformes à l'Évangile ; mais elles n'en ont aucune dans le cas contraire. De telles formules supposent toujours une troisième instance capable de juger entre l'Évangile et l'Église. Qui sera donc cette instance ? Et d'où lui vient son autorité ? Une expérience séculaire montre que de la lettre de l'Écriture on peut tirer n'importe quoi (c'est le « nez de cire » de l'Écriture dont parlait Luther lui-même), dès lors que l'on sort de la confession ecclésiale de la foi. La conviction catholique est que cette instance de discernement de l'authenticité de l'Évangile ne peut être que l'Église elle-même, dans sa réalité sacramentelle globale et dans son service de la médiation du Christ. Ce n'est pas ici le lieu d'entrer dans les modalités de fonctionnement de cette instance : disons seulement, en accord avec Vatican II [21], que l'infaillibilité est d'abord le fait de l'Église elle-même et que le magistère s'exerce en lien avec le *sensus fidei* de l'Église universelle. La position protestante nous semble maintenir ici un certain dualisme entre l'Évangile, mis tout entier du côté de Dieu, et l'Église, considérée comme une réalité toute humaine, exclusivement capable de décisions et de traditions humaines, au détriment de son service « sacramentel » de la médiation du Christ. Sans doute cette autorité est-elle seconde et ne fait-elle jamais nombre avec l'autorité et la liberté de l'Évangile ; et l'Église catholique doit s'en souvenir. Mais comme il y a une « hiérarchie des causes » il y a aussi une « hiérarchie de l'autorité ».

B. Divergence exprimée à partir de quelques catégories protestantes

Église visible et Église invisible

Si j'essaie maintenant de caractériser la manière dont un catholique perçoit l'ecclésiologie protestante selon ses propres catégories, je dirai que l'Église lui semble demeurer une réalité en quelque sorte extérieure au mystère lui-même, ou, plus exactement, que la distinction soulignée entre Église invisible et Église visible semble maintenir la réalité de grâce du côté de l'invisible connu de Dieu seul, tandis que l'Église visible resterait une organisation tout humaine. On pourrait parler d'un « occasionnalisme » ecclésial. Calvin écrit par exemple que l'on doit « croire l'Église invisible et connue de Dieu seul [...] et avoir cette Église visible en honneur » [22]. La différence entre les deux expressions est considérable. L'ensemble des confessions réformées accuse nettement cette distance entre les deux aspects de l'Église. Dans cette conception dualiste la donnée « sacramentelle » de l'Église semble cassée entre ses deux composantes : la réalité *(res)* d'une part et la visibilité ou le signe de l'autre (*sacramentum tantum,* selon le langage

---

21. *Lumen gentium,* 12 et 25.
22. J. CALVIN, *Institution de la religion chrétienne,* IV, 1, 7 ; Labor et Fides, p. 20.

augustinien). Mais l'unité médiatrice des deux, c'est-à-dire la réalité symbolisée visiblement, ou la réalité donnée sous la forme du symbole (*res et sacramentum,* toujours selon le langage de la tradition augustinienne) se trouve alors éclatée. C'est ainsi par exemple que H.M. Müller, théologien protestant de Tübingen, qui estime que la différence majeure entre catholiques et protestants se trouve dans la doctrine sur l'Église, dira que « l'organisation de l'Église, selon la compréhension luthérienne, a sa place du côté des "cérémonies" » [23]. Sans doute reconnaît-on que l'Église est voulue par le Christ et nécessaire à l'annonce de l'Évangile. Mais par son annonce de la Parole et sa célébration des sacrements, l'Église atteste comme « d'en bas » une réalité qui demeure « d'en haut », comme si la transcendance devait être compromise à partir du moment où elle s'engagerait à être concrètement présente et active dans le réseau des signes qui passe par le ministère des hommes. Que des réalisations humaines, confiées à des hommes, puissent être vraiment porteuses du mystère divin, du don sanctifiant ; que les sacrements soient effectivement les gestes du Christ célébrés dans la puissance de l'Esprit, voilà ce sur quoi nous réagissons d'emblée différemment.

C'est bien la réalité médiatrice de l'Église — dans son ordre de service et de ministère — qui est mise en cause. C'est pourquoi, très logiquement, le protestantisme ne s'offusque pas devant l'idée que l'Église puisse historiquement défaillir et à la limite presque disparaître comme Église, si les marques de la véritable Église (annonce de la Parole et administration des sacrements) n'y sont plus suffisamment visibles, quitte à renaître ensuite de ses propres cendres par un mouvement de réveil ou de réforme. Le langage de Calvin allait déjà en ce sens, atténué il est vrai dans la dernière édition de *l'Institution chrétienne* [24] ; tel est resté celui de K. Barth. La réalité humaine de l'Église est jugée selon des critères de foi, sans aucun doute ; mais un tel jugement, qui se veut décisif, est porté, de l'extérieur et suppose un dualisme entre Église mystère de

---

23. H.M. Müller, cité par H. Meyer, *doc. cit.*, n° 3, p. 7.
24. J. Calvin, *op. cit.*, IV, 2, 11 ; p. 51. A. Ganoczy, le grand spécialiste catholique de Calvin, met beaucoup de nuances à ce sujet. Pour le réformateur, l'Église serait plutôt « ensevelie » voire réduite à des « vestiges » que morte ou anéantie et devant repartir à zéro : cf. « Calvin avait-il conscience de réformer l'Église ? » dans *RThPh* 118 (1986) 169-170.

grâce et Église société visible. Du côté catholique au contraire la promesse de Jésus d'être tous les jours avec ses disciples jusqu'à la fin du monde et la promesse que la puissance de la mort n'aura pas de force contre son Église ne peuvent pas permettre un naufrage de l'Église dans sa continuité historique. Mais du point de vue réformé l'Église n'est pas définie en termes de continuité historique, mais en termes de marques ou de signes. Ces visées s'enracinent dans une manière différente de concevoir le rapport de l'Esprit à l'Église : « La pensée catholique repose avant tout sur la confiance en la présence permanente de l'Esprit-Saint, tandis que l'Église réformée fait l'expérience de la présence de l'Esprit comme d'un don accordé toujours à nouveau par le Seigneur glorifié [25]. » De même pour les réformés « la seule chose qui, à proprement parler, est infaillible, c'est la fidélité de Dieu à son alliance » [26]. Pour certains réformés aux positions plus extrêmes (je cite ce texte pour caractériser plus nettement une certaine « tendance ») « la fidélité de Dieu se manifeste principalement en ce qu'elle surmonte l'infidélité de l'Église : la tradition est alors considérée autant comme une trahison que comme une transmission » [27]. Ainsi certaines orientations contemporaines, plus ou moins héritières du libéralisme du XIXe siècle, apparaissent, sensiblement en deçà des positions des réformateurs. Le langage polémique de ceux-ci contre l'Église romaine a occulté dans la tradition des Églises de la Réforme ce qu'ils avaient encore retenu de la donnée de la médiation ecclésiale.

Tel est aussi l'enracinement de notre divergence à propos des ministères. Un catholique entend souvent les protestants dire que le Christ est la seule Tête de son Église : il en est lui-même bien persuadé. Mais il a l'impression que cette affirmation fonctionne pour légitimer une grande relativité des ministères visibles dans l'Église. Or pour le catholique la question restera toujours : comment cette souveraineté du Christ et la puissance de son Esprit s'exercent-elles concrètement dans la réalité visible de l'Église ? Comment s'y

25. Commission mixte entre l'Alliance réformée mondiale et le secrétariat pour l'unité des chrétiens de l'E.C.R., « La Présence du Christ dans l'Église et dans le monde » dans *Doc. cath.* 75 (1978) 206-223, n° 28.

26. *Ibid.*, n° 42.

27. *Ibid.*, n° 104.

trouvent-elles « médiatisées » selon la logique même d'une incarnation visible ? Il y va de la dépendance effective de l'Église au Christ. C'est pourquoi il apparaît nécessaire que des signes de l'origine « divine » de l'investiture au ministère soient donnés : tel est le sens de l'ordination qui agrège par invocation de l'Esprit le nouveau ministre dans la succession apostolique.

L'Église créature du Verbe

L'expression classique de la théologie luthérienne et réformée, l'Église *creatura Verbi,* est elle aussi significative de la même donnée. L'Église est créée par la prédication de la Parole et elle renaît chaque fois que la Parole est justement annoncée et les sacrements correctement administrés. Cette expression me semble insuffisante : elle ne devient complètement vraie que si l'on dit *creatura Verbi incarnati,* l'Église est la créature du Verbe incarné, mort et ressuscité. C'est par l'événement fondateur de ce Verbe incarné que l'Église a été créée, à travers la prédication des témoins, à travers le baptême et l'eucharistie, et qu'elle vit dans l'histoire avec les promesses de la vie éternelle. La tradition protestante qui insiste tant sur le « une fois pour toutes » ne devrait-elle pas l'appliquer aussi à l'Église « fondée une fois pour toutes » comme un corps à la fois visible et invisible, un corps qui demeure toujours vivant, par le don de Dieu, malgré les blessures qu'il peut connaître dans l'histoire ?

Pour conclure ces développements, je situe donc le cœur de notre divergence ecclésiologique autour de l'expression : *l'Église sacrement de la médiation du Verbe incarné dans la puissance de l'Esprit.* Mais cette divergence est en lien avec une autre, qui concerne la sotériologie elle-même et la compréhension de la justification par la foi.

II. LA SOTÉRIOLOGIE

Sotériologie et christologie

J'ai été très frappé, en lisant le livre IV de *l'Institution chrétienne* de Calvin, du parallèle constamment évoqué entre le peuple d'Israël et l'Église, de même qu'entre les sacrements de l'Ancienne Loi et ceux de la Nouvelle. Ce qui se produit dans l'Église de son temps est pour lui la reproduction des infidélités du peuple d'Israël, première Église, de ses prêtres et de ses rois vigoureusement admonestés par les prophètes. Ce peuple connaît ainsi l'exil et nombre d'épreuves : c'est ainsi que l'interruption de la succession apostolique est comparée à l'extinction de la dynastie de Juda. De même Calvin soutient avec force que les sacrements de la Nouvelle Loi ne sont en rien supérieurs à ceux de l'Ancienne : la circoncision avait la même efficacité que le baptême. Calvin se sent d'ailleurs obligé de donner de sa thèse une justification scripturaire laborieuse et gênée, car trop de textes pauliniens vont là contre. On a l'impression que l'incarnation du Verbe, la venue du Christ et son mystère pascal n'ont pas changé radicalement les choses entre Dieu et les hommes. Je me demande si notre divergence ecclésiale ne se fonde pas dans une certaine manière de comprendre la christologie, en tant qu'événement salvifique de médiation créant un lien absolument nouveau entre Dieu et l'homme.

Ce disant, je ne prétends nullement accuser Calvin d'hérésie christologique. Il confessait sincèrement la christologie chalcédonienne. Mais sa logique théologique retenait dans Chalcédoine le moment de la distinction entre divinité et humanité, beaucoup plus que le moment de l'unité personnelle du Verbe incarné. Telle est la tendance qui me paraît dominer encore aujourd'hui les lectures protestantes de Chalcédoine. Le critère de Chalcédoine est invoqué pour souligner la distinction de l'humain et du divin dans l'Église et pour refuser toute confusion entre eux. Il ne l'est pas pour rappeler l'unité inséparable des deux.

Le cas de Luther se présente très différemment : sa lecture des conciles christologiques met en grand relief l'affirmation d'Éphèse sur l'unité du Christ et combat (chez Zwingli en particulier) tout ce qui lui paraît avoir un relent de nestorianisme. Mais l'insistance sur la divinité du Christ maintient-elle chez lui toute la portée du rôle de son humanité dans l'accomplissement de notre salut ? Naguère le P. Congar avait cru discerner une saveur « monophysite » de la christologie de Luther, dans la mesure où celui-ci attribue l'acte de la rédemption à l'« activité exclusive de Dieu *(Alleinwirksamkeit Gottes)* »[28]. Cette interprétation a été contestée par Marc Lienhard dans son beau livre, *Luther témoin de Jésus-Christ* (Cerf, 1973). L'auteur souligne la complexité de la christologie de Luther. Bien des formules de celui-ci s'inscrivent dans la droite ligne de la théologie de Cyrille d'Alexandrie. On y sent également une influence augustinienne. Dans une étude plus récente le P. Congar a nuancé son jugement : « Luther fait place à une activité du Christ en son humanité [...] Mais [...] il ne distingue pas un apport de l'homme-Jésus dans l'œuvre salutaire[29]. » Ce serait donc une forme de « mono-énergisme », au moins dans le domaine du salut. D'autre part Luther semble ne pas connaître le concile de Constantinople III et son œuvre ne fait nulle part « mention d'un acte libre de la volonté humaine du Christ »[30].

Tenant compte de ce débat, je souligne cependant deux ambiguïtés à portée sotériologique. Luther compare, sans distinction suffisante, la situation de la création, que l'on peut attribuer à Jésus, mais « sans que l'humanité y coopérât d'aucune manière » à celle de notre rédemption[31]. L'autre ambiguïté, peut-être plus grave, vient de l'analogie suggérée par Luther entre la christologie et la justification par la foi. Les commentateurs estiment d'ailleurs que ce n'est pas une option christologique qui fonderait chez Luther sa conception de la justification par la foi, mais qu'au contraire cette dernière

---

28. Y. Congar, « Regards et réflexions sur la christologie de Luther », dans *Chrétiens en dialogue,* Paris, Cerf. 1984, p. 453-489 (le texte original date de 1950).

29. Id., *Martin Luther, sa foi, sa réforme.* Études de théologie historique, Paris, Cerf, 1983, p. 130.

30. *Ibid.,* p. 128.

31. Cf. M. Lienhard. *Luther témoin de Jésus-Christ,* Paris, Cerf, 1973, p. 307.

a reflué sur la christologie, quitte à projeter sur elle son propre unilatéralisme. Quoi qu'il en soit, il est important de voir comment fonctionne l'analogie du rapport :

$$\frac{\text{action de Dieu-foi}}{\text{œuvres bonnes}} = \frac{\text{divinité dans le Christ}}{\text{action de son humanité}}\ [32].$$

Ainsi les actes humains du Christ sont-ils comparés à nos œuvres. Mais les deux cas sont-ils assimilables ? S'il est vrai que l'homme pécheur ne peut en rien coopérer à sa propre justification, s'il est vrai aussi que l'humanité du Christ, sans son lien à la divinité, eût été incapable d'accomplir notre salut, ne reste-t-il pas que l'humanité sainte du Christ a *coopéré* activement et librement, par son obéissance libre et aimante, à notre salut, cette capacité de coopérer lui venant de sa participation à la divinité même du Fils ?

Ainsi chez Luther comme chez Calvin, malgré la grande distance de leurs points de départ respectifs, n'est-ce pas un certain équilibre dans la compréhension théologique du rapport entre le divin et l'humain dans l'unique personne du Christ qui est en cause ? Et à travers cela n'est-ce pas le lieu originel de la médiation entre Dieu et les hommes, la personne du Verbe incarné, qui tend à être scindée entre ses deux « composantes » (si l'on peut dire !) ou ramenée à sa seule « composante » divine ? Selon cette dernière logique il est remarquable que Luther, dans son *Grand Catéchisme,* parle de l'institution du baptême en la rapportant simplement à Dieu [33]. Faut-il voir dans ce déséquilibre un des facteurs qui conduiront R. Bultmann, théologien profondément luthérien, aux positions extrêmes qui ramènent l'incarnation à un événement de Parole ?

Justification par la foi et divinisation

Nous devons suivre encore la piste intéressante sur laquelle nous met Luther par son analogie entre christologie et jus-

---

32. Y. CONGAR, *op. cit.*, note 28, p. 125.
33. M. LUTHER, *Le Grand Catéchisme*, IV, « Du baptême », t. VII, Labor et Fides, p. 123-124.

tification par la foi. Nous sommes ici au cœur de la sotériologie chrétienne. Il est significatif que le dialogue œcuménique revienne aujourd'hui sur ce sujet. La justification par la grâce seule de Dieu, moyennant la foi, est une thèse paulinienne, donc aussi une doctrine catholique. D'autre part la clarification semble faite désormais sur le fait que la dogmatique catholique embrasse sous le seul mot de justification ce que la dogmatique protestante distingue entre justification et sanctification.

Cela dit, qui reste capital, je demeure persuadé que l'élaboration théologique de la justification par la foi reste encore très éloignée de part et d'autre et suffisamment divergente pour engendrer de grosses difficultés ecclésiologiques. Tout d'abord elle ne joue pas le même rôle dans l'ensemble de la systématique : elle est centrale et quasi exclusive du côté protestant au nom de son *status confessionis* ; elle est vraiment « l'article qui fait tenir ou tomber l'Église ». Du côté catholique elle demeure toujours relative à la médiation christologique qui la fonde et n'a donc pas la même valeur de référence. Ensuite elle valorise du côté protestant la religion personnelle du croyant au détriment de la dimension ecclésiale du salut : les articles de la *Confession d'Augsbourg* la font intervenir immédiatement après la confession de foi trinitaire, avant la mention de l'Église, et l'institution du ministère de la prédication lui est immédiatement rapportée comme un moyen. Enfin et surtout l'affirmation de la souveraineté de Dieu qui justifie semble être au détriment de l'homme justifié en vérité, et devenu de ce fait capable, dans la grâce et sous la grâce, d'accomplir des actes salutaires et agréables à Dieu. N'était-ce pas pour la même raison que Luther ne pouvait reconnaître à l'humanité du Christ une participation active à notre salut ? Cette hantise que quelque chose soit attribué à l'homme rejoint le refus d'un agir salvifique de l'Église à travers la Parole et les sacrements. Dans les trois cas c'est le même refus de situer la juste place de la causalité humaine dans l'échelle des causes. On passe de la Toute-Puissance de Dieu *(Allwirksamkeit Gottes)* à l'activité exclusive de Dieu *(Alleinwirksamkeit Gottes)* [34]. La perspective d'une justification par la foi qui identifie le statut de l'homme justifié à celui de l'homme

---

34. E. PRZYWARA, cité par W. BEINERT, *art. cit.*, note 2, p. 43.

pécheur, et ne reconnaît rien de plus au second qu'au premier, a déteint en amont sur la christologie et en aval sur le mystère de l'Église. Le schéma suivant, qui exprime la perspective catholique, est refusé, car il est soupçonné d'engendrer la confusion entre ses deux niveaux :

La souveraineté absolue de la grâce,
don de l'Esprit du Christ

suscite une liberté justifiée, ←——————→ devenue partenaire de la grâce.

Ce que la dogmatique catholique affirme analogiquement et de l'homme justifié en « état de grâce » (c'est-à-dire en situation fondamentale d'amitié avec Dieu, qui en fait son Temple trinitaire malgré sa fragilité toujours pécheresse) et de l'Église (sacrement fondé du salut) est toujours à entendre d'un partenaire suscité par la grâce et rendu capable d'agir dans la grâce comme partenaire de la grâce. Le *simul peccator et justus* luthérien est de même appliqué à chaque chrétien et à l'Église selon l'oscillation constante qui affecte chez lui tout l'acte de la justification.

Je pense spontanément à la question posée naguère à Karl Barth par Hans Küng dans son livre sur *La Justification* :

Dans cette dogmatique n'est-il pas trop peu attribué à Dieu, parce qu'il est trop peu attribué à l'homme ? L'honneur de Dieu n'est-il pas diminué, parce que l'honneur de la créature est diminué ?
[...] L'acte divin de la grâce n'est-il pas faible et peu convaincant du fait que l'homme n'est pas véritablement gracié ? [...] Tout cela bien considéré, *l'homme et donc l'incarnation de Jésus-Christ ne seraient-ils donc pas pris totalement au sérieux ?* En définitive, la créature n'échoue-t-elle pas en tant que partenaire de Dieu [35] ?

On pourrait dire la même chose avec le terme de *divinisation*, cher à l'Orthodoxie. Rahner parlait de « l'autocommmunication » libre et pardonnante de Dieu à l'homme comme de ce qui constitue le cœur du christianisme. Ce langage est fondé dans le thème paulinien de la filiation adoptive (Rm 3, 15.23 ;

---

35. H. KÜNG, *La Justification. La doctrine de K. Barth*. Réflexion catholique, Paris, DDB, 1965, p. 568.

Ga 4,5 ; Ep 1,5 ; ...), dans l'affirmation johannique que nous sommes appelés enfants de Dieu, et que nous le sommes (1 Jn 3, 1; cf. Jn 1, 12-13) et dans le texte pétrinien qui parle de notre communion à la nature divine (2 P 1, 4). Les Pères le reprendront avec prédilection pour évoquer l'admirable échange entre Dieu et l'homme. Car l'incarnation est une décision irréversible par laquelle Dieu s'est engagé vis-à-vis des hommes de telle sorte qu'elle ait à la fois une efficacité historique et eschatologique.

Sur cette question de la justification par la foi la récente déclaration du groupe mixte de dialogue luthérien-catholique des États-Unis [36] autorise de grands espoirs : elle reprend tout le dossier au plan historique, dogmatique et théologique ; elle dégage sept domaines d'investigation encore à poursuivre à partir des données bibliques ; elle fait le point des convergences croissantes, prenant en compte la distance qui demeure entre les deux mentalités théologiques. Les résultats de la deuxième phase du dialogue de l'ARCIC [37] et ceux du Groupe œcuménique de travail des théologiens évangéliques et catholiques en Allemagne confirment ce point de vue [38]. Sur la base des résultats déjà acquis nous devons nous, catholiques, recevoir la question que nous posent les Églises issues de la Réforme : quelles conséquences ecclésiologiques tirez-vous de notre accord de fond sur la justification [39] ? Mais cette question nous devons, nous aussi, la poser à nos partenaires. Et nous avons ensemble à creuser la logique profonde qui va de la justification par la foi au mystère de l'Église. C'est sans doute là que réside la vraie chance de réconciliation de nos divergences séparatrices.

---

36. Commission luthérienne-catholique de dialogue des États-Unis, « La justification par la foi », dans *Doc. cath.* 82 (1985) 126-162.

37. Seconde Commission internationale anglicane-catholique romaine (= ARCIC II), « Le salut et l'Église », dans *Doc. cath.*, 1936 (1987), p. 321-327.

38. Groupe de dialogue fondé lors de la visite de Jean-Paul II en Allemagne fédérale en 1980, qui a publié le résultat de ses travaux sous le titre *Les Anathèmes du* XVIe *siècle sont-ils encore actuels ?*, sous la direction de K. LEHMANN et W. PANNENBERG, Paris, Cerf, 1989.

39. Question posée en particulier par le théologien protestant H.G. Pohlmann ; cf. A. BIRMELÉ, thèse citée p. 59.

III. L'ANTHROPOLOGIE

En évoquant la justification par la foi et la sotériologie, je suis en fait déjà remonté à la question de l'anthropologie. J'entends sous ce mot l'anthropologie théologique, c'est-à-dire celle qui traite du rapport entre Dieu et l'homme. Ce domaine, évidemment solidaire du précédent, est vaste : je dois donc me contenter de mentionner, de manière ponctuelle, quelques données majeures.

Le statut de l'homme pécheur

Nous avons une conception différente du statut de l'homme pécheur dès l'origine. Selon la dogmatique protestante l'homme est radicalement corrompu par le péché, au point qu'en lui l'image de Dieu est détruite. L'homme est tellement écrasé par le péché qu'il semble être devenu incapable d'être intrinsèquement justifié. Dans les commentaires de l'Épître aux Romains le chapitre 7 est privilégié par rapport au chapitre 8 : l'un décrit l'état de l'homme tombé, l'autre celui d'un homme libéré par l'Esprit et devenu création nouvelle [40]. La dogmatique catholique, à l'aide de la distinction entre nature et grâce, maintient en l'homme les capacités radicales de sa nature créée, même si celle-ci est profondément blessée.

Souveraineté de Dieu et écrasement de l'homme ?

La même ligne de pensée amène le protestantisme à exalter la souveraineté absolue de Dieu (c'est le *soli Deo gloria* de Calvin). Mais cette affirmation semble se faire aux dépens de l'homme, comme si Dieu pouvait être d'autant plus grand que l'homme est plus bas, comme si toute élévation de l'homme devait porter atteinte à la gloire divine. N'y a-t-il pas ici un

---

40. Cf. L. Bouyer, *Du protestantisme à l'Église*, Paris, Cerf, 1954, p. 152-153.

certain dualisme, secrètement habité par un schéma de rivalité ? On retrouve cet accent dans la grandeur, quelque peu inquiétante, de la première théologie de Barth. Mais nous sommes loin du beau mot d'Irénée : « La gloire de Dieu c'est l'homme vivant, et la vie de l'homme c'est la vision de Dieu [41]. » On comprend dès lors qu'une visée aussi unilatérale soit perçue comme insupportable et engendre historiquement son contraire, c'est-à-dire la revendication d'une autonomie de l'homme, qui exile Dieu.

Le sens de la personne

Heribert Mühlen voit dans le sens de la personne « la racine de la différence » entre protestants et catholiques [42]. Il reproche à la notion protestante de personne de négliger « la corporalité essentielle de la personne humaine », ce qui maintient un accent spiritualisant et dualiste jusque dans la plus récente théologie protestante.

Ce sens aigu et tout intérieur de la personne est en lien avec ce que l'on a appelé l'individualisme protestant : la personne est d'abord une monade, son insertion sociale est seconde. Cette conception correspond à la priorité de la justification par la foi, entendue en son sens intérieur, sur les célébrations sacramentelles de l'Église. Il en va de même dans le domaine de *l'éthique :* la Parole évangélique est fortement annoncée, puis chaque homme est renvoyé à sa décision fondamentale, mais les soutiens qu'il a besoin de trouver dans la société pour se conduire en homme sont jugés secondaires. Cette conception de « l'homme protestant » a certainement eu des conséquences sur l'avènement de la démocratie et du libéralisme économique dans les temps modernes. Elle était en accord avec la mutation de la figure de la conscience qui s'est produite à partir du XVIe siècle et a lentement amené ce qu'on appelle la « modernité ». Mais elle demande des corrections, si la démocratie veut devenir « réelle » et « sociale » et si l'économie veut éviter de sombrer dans la loi du plus fort et se mettre au service de la justice pour tous.

---

41. IRÉNÉE DE LYON, *Contre les hérésies,* IV, 20, 7, Paris, Cerf, trad. fr. A. Rousseau, 1984, p. 474.

42. Cf. H. MEYER, *doc. cit.*, note 3, p. 3-4.

Ce même sens de la personne engage également la conception de l'acte de foi. Celui-ci est tellement personnalisé qu'à la limite sa forme et son contenu coïncident. La foi a pour objet l'acte de foi lui-même. Et l'on peut se demander si finalement la foi-confiance ne devient pas un *opus humanum* [43]. Du côté catholique l'acte personnel de foi est une entrée dans la foi commune de l'Église, dernier sujet croyant ; c'est un acte de foi ecclésiale, dont le contenu est médiatisé par le langage officiel de l'Église.

L'analogie entre le Créateur et sa créature

Ma réflexion a déjà touché au thème de l'analogie : celle-ci est au cœur du rapport entre Dieu et l'homme. Pour Karl Barth la création est un « simple apprêt » pour la grâce, et l'homme en tant qu'homme créé est radicalement incapable de toute connaissance de Dieu par la raison. Tout effort naturel qu'il peut faire en ce sens est radicalement pécheur. C'est une « œuvre » qui ne peut chercher qu'à domestiquer son rapport à Dieu. Tel est le sens du refus de toute démarche de connaissance fondée sur une analogie entre Dieu et l'homme, comme de l'opposition entre religion et foi. L'analogie mise en œuvre dans la théologie catholique est soupçonnée de se mettre au service d'une univocité blasphématoire entre Dieu et l'homme. Tel n'est pas du tout son objet, si l'on en croit la déclaration très officielle du concile de Latran IV : « Entre le créateur et la créature on ne peut remarquer une si grande similitude qu'on ne doive remarquer entre eux une plus grande différence [44]. » L'analogie fait simplement sa place à l'homme dans le plein respect du mystère de Dieu. Elle met à l'abri de toute équivocité dualiste, mais aussi de tout risque de confusion. Récemment dans une réponse à J. Moltmann, W. Kasper, son collège catholique de Tübingen, critiquait, à propos de l'ouvrage *Le Dieu crucifié* (Cerf, 1974), une insuffisante distinction entre Dieu et le monde, entre la nature et

---

43. Cf. l'article de Barbara HALLENSLEBEN, « Das heisst eine neue Kirche bauen. Kardinal Cajetans Antwort auf die reformatorische Lehre von der Rechtfertigungsgewissheit », dans *Catholica* 39 (1985) 217-239. L'auteur pense que ce reproche de Cajetan est fondé.
44. Dz-Sch 906.

la grâce. « Qu'une certaine structure réponde à ces distinctions fondamentales, c'est ce que voulait maintenir le principe classique de l'analogie. » Et Kasper ajoutait qu'il voulait bien voir là le seul motif sérieux qui l'empêche d'être protestant [45].

Mais cette question est elle aussi en train d'évoluer dans le champ de la théologie protestante. K. Barth et E. Przywara, puis K. Barth et H.U. von Balthasar avaient mené sur le thème de *l'analogia entis* une controverse clarifiante et féconde, P. Tillich avait fait remarquer que « le terme de symbole, défini comme ce qui participe à la réalité de ce qu'il représente, est synonyme *d'analogia entis* », réflexion reprise par H. Bouillard [46]. Aujourd'hui W. Kasper constate une reprise de la préoccupation de la théologie naturelle chez W. Pannenberg, G. Ebeling et E. Jüngel [47]. Ce dernier, fidèle interprète de Barth, conserve le terme d'analogie, mais en en modifiant le sens, et en cherchant à mettre en relief la proximité et la ressemblance entre Dieu et l'homme [48].

Une différence herméneutique

Il n'est pas étonnant que ces différences anthropologiques expliquent des attitudes herméneutiques profondément différentes chez les protestants et les catholiques. Beaucoup d'auteurs, des deux côtés, s'accordent à reconnaître que la manière d'interpréter et de comprendre le mystère chrétien et la manière de considérer le langage de la foi sont très éloignées. Une différence profonde et sérieuse sur le langage ne peut pas ne pas atteindre le référent du langage. Du côté catholique, c'était déjà le constat du concile Vatican II : « Il y a des différences considérables [...] dans l'interprétation de la vérité révélée » (UR, 19). Plus récemment Jean-Paul II a émis un jugement analogue, à propos de l'année Luther. Dans le débat qui a entraîné la rupture, dit-il, « des questions fondamentales étaient

45. Cf. R. MARLÉ, « Bulletin de théologie protestante », dans *RSR* 62 (1974) 359.
46. H. BOUILLARD, « Le langage de la théologie », dans *Recherches et débats* n° 67 (1969) 88.
47. W. KASPER, *Le Dieu des chrétiens,* Paris, Cerf, 1985, p. 123 ; cf. p. 151-153 sur K. BARTH et l'analogie.
48. E. JÜNGEL, *Dieu mystère du monde,* t. II, Paris, Cerf, 1983, p. 62 s. et 92 s.

en jeu, sur la droite interprétation et la réception de la foi chrétienne, questions dont les effets divisant l'Église ne peuvent être surmontés par une compréhension purement historique » [49]. Du côté protestant, G. Ebeling a attiré l'attention sur le « phénomène des différences herméneutiques fondamentales », c'est-à-dire sur « une ultime différence de langage, différence dans la conscience de la vérité et dans l'expérience de la réalité » [50]. Cette différence mériterait d'être analysée avec rigueur, afin de vérifier si la médiation du langage nous renvoie une fois encore à la question de la médiation entre Dieu et l'homme.

La divergence ecclésiologique nous avait conduits à la difficulté de la médiation. Nous avons retrouvé cette même difficulté en analysant la sotériologie et l'anthropologie. L'ensemble fait un tout dont les interactions sont mutuelles. Je ne serais pas éloigné de penser, avec K. Barth, que le symbole théologique où se concentrent tous ces aspects est la Vierge Marie. La difficulté œcuménique en mariologie ne vient pas d'abord des « privilèges » mariaux définis par l'Église catholique, mais plus profondément de l'idée qu'une créature puisse « coopérer » dans la grâce et sous la grâce, à l'œuvre de l'unique Médiateur. Marie comme figure de la vocation de l'homme, comme figure de l'humanité graciée, comme type de l'Église, recevant tout de Dieu, mais aussi recevant réellement la capacité de répondre par sa liberté à l'œuvre de grâce afin de pouvoir participer, à ce titre et à ce niveau, au salut du monde, Marie est sans doute le symbole de tout ce qui nous sépare encore. C'est pourquoi il ne faut pas penser que le dialogue œcuménique sur la Vierge Marie sera périphérique. Quand nous l'entreprendrons, il nous ramènera à ces questions fondamentales [51].

---

49. JEAN-PAUL II, « Message au cardinal Willebrands », dans *Doc. cath.* 80 (1983) 1071.
50. G. EBELING, cité par H. MEYER, *doc. cit.*, note 3, p. 3.
51. Cf. *infra* les chapitres 18 et 19 concernant la Vierge Marie.

QUATRIÈME SECTION

L'EUCHARISTIE

CHAPITRE 10

L'ACCORD EUCHARISTIQUE DES DOMBES

Réflexions théologiques

Il n'est pas nécessaire de présenter ici le Groupe des Dombes, ni de situer l'accord doctrinal sur l'eucharistie réalisé lors de sa rencontre de septembre 1971 [1] dans ce qui est devenu un « concert » de déclarations communes sur le mystère eucharistique, publiées ces derniers temps de part et d'autre de l'Atlantique. Cette convergence spontanée des différents dialogues œcuméniques est le signe d'une maturation incontestable du *consensus* dans la foi. Quelles que soient leurs imperfections et leurs limites, ces résultats d'efforts théologiques patiemment menés peuvent légitimement nourrir une grande espérance.

Mon propos est seulement de donner un commentaire théologique — inévitablement partiel — du document des Dombes, d'un point de vue catholique. Je retracerai tout d'abord le

---

1. Groupe des Dombes, *Vers une même foi eucharistique ? Accord entre catholiques et protestants,* Presses de Taizé, 1972. La brochure présente le texte de l'accord doctrinal suivi de la liste des signataires et un second texte intitulé : « Accord pastoral : la signification de l'eucharistie », puis un commentaire de ces deux documents. L'accord doctrinal seul a été publié dans *La Documentation catholique* du 2 avril 1972, n° 1 606, p. 334-337, avec un commentaire du Frère Max Thurian. C'est le premier texte (reproduit dans *Pour la communion des Églises. L'apport du groupe des Dombes,* Paris, Centurion, 1988, p. 37-46) qui nous occupera dans cet article. Le second, rédigé dans des conditions un peu différentes, représente un effort d'expression moins technique et plus accessible, d'un ton plus « moderne ». Dans la pensée du groupe, il est inséparable du premier à la lumière duquel il doit toujours être interprété.

mouvement général du texte, puis m'arrêterai sur quatre points principaux : le caractère sacrificiel de l'eucharistie, la présence sacramentelle, le ministère et le rapport entre eucharistie et Église. Sans prétendre réduire l'apport du texte à ces quelques points, qui appartiennent au vieux contentieux entre catholiques et protestants, j'espère néanmoins rendre compte, à travers ces différents thèmes, de ses aspects œcuméniques les plus intéressants.

1. Le mouvement du texte

Il est permis de le résumer ainsi : un point de départ, le repas institué par le Seigneur ; deux parties organisées chacune en trilogie : la trilogie trinitaire du don de Dieu et la trilogie ecclésiale du passé, du présent et de l'avenir, la réalité du « mémorial » faisant charnière entre les deux ; une considération finale sur le ministère de présidence de l'eucharistie.

Au point de départ (chap. I), l'eucharistie est présentée comme « le nouveau repas pascal du peuple de Dieu, que le Christ, ayant aimé ses disciples jusqu'à la fin, leur a donné avant sa mort pour qu'ils le célèbrent dans la lumière de la résurrection jusqu'à ce qu'il vienne » (§ 4). Cette première définition fait donc clairement référence à la Cène du Seigneur, située à l'intérieur du mystère pascal.

La première partie (chap. II-IV) développe l'exposé du mystère selon un point de vue *trinitaire*. L'eucharistie est successivement située par rapport à chaque personne divine, en fonction de son intervention propre dans l'histoire de notre salut. Puisque tout vient du Père et tout retourne au Père, « l'eucharistie est la grande action de grâces au Père pour tout ce qu'il a accompli dans la création et la rédemption, pour tout ce qu'il accomplit maintenant dans l'Église et dans le monde en dépit du péché des hommes, pour tout ce qu'il veut accomplir par la venue de son royaume » (§ 7). Mais cette action de grâces ne peut être adressée au Père qu'en union avec celle qu'a accomplie le Christ dans son mystère pascal. C'est pourquoi celui-ci « a institué l'eucharistie comme le mémorial (anamnèse) de toute sa vie, et surtout de sa croix et de sa résurrection » (§ 9). Le mémorial dont il est question n'est pas un simple souvenir autour duquel se rassemblerait la communauté ; il est la réalité agissante du Christ, rendue présente dans la célébration et anticipant la venue du Royaume : « le mémorial, dans lequel le Christ agit à travers la célébration joyeuse de son Église, implique cette re-présentation de cette anticipation » (§ 9). Don du Christ en son mémorial, l'eucharistie est aussi don de l'Esprit, sans l'invocation duquel elle ne peut être célébrée : « c'est l'Esprit qui, invoqué sur l'assemblée, sur le pain et sur le vin, nous rend le Christ réellement présent, nous le donne et nous le fait discerner » (§ 14). L'anamnèse, c'est-à-dire le mémorial du mystère pascal, et l'épiclèse, c'est-à-dire la double invocation de l'Esprit sur le peuple rassemblé et sur les oblats, qui sont inséparables dans la constitution de l'eucharistie, sont ici fermement associées. On sait que la théologie et la liturgie catholiques ont longtemps laissé en veilleuse cet aspect de l'épiclèse, au grand scandale de nos frères orthodoxes. Les nouvelles prières eucharistiques le font mieux ressortir désormais. Il doit avoir toute sa place dans un exposé équilibré de la totalité du mystère.

Don de Dieu, l'eucharistie est célébrée dans l'Église dont elle est la vie : tel est le thème de la deuxième partie du document (chap. V-VIII). Ce point de vue ecclésial est traité dans la logique d'une autre trilogie, d'ailleurs profondément traditionnelle, du *passé,* du *présent* et de *l'avenir* [2]. Le rapport au passé revient sur la réalité du *mémorial* du Christ, en précisant en quel sens le Seigneur est rendu présent dans la célébration. « L'acte du Christ étant don de son corps et de son sang, c'est-à-dire de lui-même, la réalité donnée sous les signes du pain et du vin est son corps et son sang » (§ 19). Dans le *présent* l'eucharistie est le lieu de la construction de l'Église : « en se donnant aux communiants, le Christ les rassemble dans l'unité de son corps. C'est dans ce sens qu'on peut dire : si l'Église fait l'eucharistie, l'eucharistie fait l'Église » (§ 21). Réalisant l'unité des communiants avec le Christ et entre eux, elle leur donne de travailler à la communion de tous les hommes dans le souci du monde entier. Dans l'eucharistie l'Église se trouve donc « unie au Christ dans sa

---

2. Le lecteur catholique pourra penser à l'antienne du Saint Sacrement, bâtie sur la même trilogie : « O sacrum convivium in quo Christus sumitur : recolitur memoria passionis ejus ; mens impletur gratia ; et futurae gloriae nobis pignus datur. »

mission » (§ 25) et envoyée en mission. « Réconciliés dans l'eucharistie, les membres du corps du Christ deviennent les serviteurs de la réconciliation parmi les hommes et témoins de la joie de la résurrection » (§ 27). Le symbolisme sacramentel lui-même rappelle les conséquences les plus concrètes de cette mission d'espérance : « la célébration de l'eucharistie, fraction d'un pain nécessaire à la vie, incite à ne pas consentir à la condition des hommes privés de pain, de justice et de paix » (§ 27). Ce présent des célébrations eucharistiques nous « oriente » enfin « vers l'avènement du Seigneur », c'est-à-dire vers *l'avenir* eschatologique de l'humanité, « et nous le rend proche. Elle est une joyeuse anticipation du banquet céleste » (§ 29).

Le document consacre alors un dernier chapitre (IX) à la présidence de l'eucharistie, sur laquelle j'aurai à revenir.

Restent une conclusion et une recommandation : dans la conclusion le groupe rend grâces « de ce que les difficultés fondamentales concernant la foi eucharistique ont été levées » (§ 36). Il reconnaît aussi que sur certains points « des clarifications restent nécessaires » et rappelle utilement que le cheminement vers une participation commune à l'eucharistie peut exiger, « de part et d'autre, l'abandon de tout ce qui est marqué par la polémique au sein des positions confessionnelles » (§ 37).

La recommandation finale apporte un élément de clarification dans la question disputée des différents cas d'hospitalité eucharistique. Sans prétendre régler l'ensemble des problèmes qui y sont engagés, le groupe affirme simplement que l'un d'entre eux, et non des moindres, celui de l'unité « sur l'essentiel » dans la foi, est résolu pour les signataires. C'est pourquoi « l'accès à la communion ne devrait pas être refusé, *pour une raison de foi eucharistique,* à des chrétiens d'une autre confession qui font leur la foi professée ci-dessus » (§ 39) [3]. Cette foi eucharistique s'inscrit évidemment, comme tout le texte en témoigne, dans le cadre de la foi trinitaire et christologique exprimée dans les symboles les plus anciens.

Telle est donc, rapidement esquissée, la dynamique qui soustend cet exposé de foi. Il a cherché à réaliser un équilibre

---

3. C'est moi qui souligne.

ouvert des différents aspects du mystère, qui ne prennent leur vrai sens que dans leur relation mutuelle. Sa visée demeure très traditionnelle, le ton en est délibérément pré-scolastique. Il est également neuf par plusieurs de ses accents et par un réel effort de langage, même si ce dernier doit apparaître encore difficile à beaucoup.

2. L'eucharistie « mémorial sacrificiel »

Le protestantisme a vu longtemps dans l'affirmation du caractère sacrificiel de l'eucharistie une injure à l'unicité irréitérable du sacrifice de la croix. Il faut reconnaître que certaines expressions de la théologie catholique classique pouvaient entretenir des ambiguïtés à ce sujet, même si l'affirmation dogmatique fondamentale n'en a jamais comporté. A dessein, l'accord des Dombes a évité de traiter cette question dans un développement à part. Mais il affirme sans aucune réticence la dimension sacrificielle de l'eucharistie, dans sa référence au sacrifice unique de la croix. Ce lien est celui du signe sacramentel et du mémorial où l'événement pascal est « re-présenté » (§ 9 et 10), c'est-à-dire rendu présent, ou actualisé, ici et maintenant, dans sa réalité unique, afin que le peuple ecclésial, rassemblé autour de ce mémorial, puisse s'associer au sacrifice que le Christ a offert une fois pour toutes à son Père et pour les hommes. Le repas eucharistique est donc sacrifice, parce qu'il est le « signe efficace du don que le Christ fait de lui-même comme pain de vie à travers le *sacrifice* de sa vie et de sa mort et par sa résurrection » (§ 5) [4].

L'eucharistie est aussi le sacrifice de l'Église rassemblée autour de son Seigneur, « le grand sacrifice de louange dans lequel l'Église parle au nom de la création tout entière » (§ 8). Ce second aspect découle du premier, car c'est en « accomplissant le *mémorial* de la passion, de la résurrection et de l'ascension du Christ, notre grand prêtre et notre *intercesseur,* [que] l'Église présente au Père le *sacrifice unique* et parfait de son Fils et lui demande d'attribuer à chaque homme le bénéfice du grand œuvre de la rédemption qu'elle proclame » (§ 10). De même, c'est parce que nous sommes « unis à notre

---

4. C'est moi qui souligne.

Seigneur qui s'offre à son Père [que] nous nous offrons nous-mêmes en un sacrifice vivant et saint qui doit s'exprimer dans toute notre vie quotidienne » (§ 11). La réminiscence de Rm 12, 1 dans ce dernier texte exclut toute ambiguïté sur la qualité du sacrifice spirituel auquel l'eucharistie nous invite. Dans l'eucharistie enfin, l'Église « unie au Christ rédempteur et intercesseur [...] prie pour le monde » (§ 26).

Ce vocabulaire d'offrande et de sacrifice a un retentissement profond dans les mentalités et sensibilités religieuses marquées par les querelles anciennes. Un catholique pourra trouver ces expressions trop enveloppées et diffuses. Un protestant au contraire sera facilement gêné par des notations sacrificielles qu'il jugera trop insistantes et répétées. Il trouvera encore plus à redire à la manière dont je viens de les relever et de les souligner. Mon intention n'était évidemment pas de les « grossir », mais d'en faire le point avec méthode.

Il semble néanmoins que le document présente à ce sujet un équilibre assez heureux, et qu'il fait droit, fondamentalement, à ce qu'il y a de plus juste et dans l'affirmation catholique et dans la réticence protestante. En effet, la question du sacrifice eucharistique n'est jamais traitée comme un en soi, mais toujours de manière *relative*. Non seulement elle n'est pas une tête de chapitre ou de développement — ce qui a son importance pour l'équilibre de la doctrine —, mais encore elle intervient toujours comme un rapport de la célébration ecclésiale au sacrifice unique et parfait du Christ. Celle-là est une actualisation sacramentelle de celui-ci. L'eucharistie n'est sacrifice qu'en tant qu'elle est mémorial de la vie, de la mort et de la résurrection du Christ. Ces événements sont uniques, Dieu ne les refait pas. S'ils ne peuvent être répétés, ils peuvent cependant être « re-présentés », c'est-à-dire rendus présents, par la toute-puissance du Christ actuellement glorieux qui en fait don à son Église. L'expression de « mémorial sacrificiel », qui résume assez exactement l'ensemble des notations du texte, traduit bien cette relation fondamentale, l'idée de sacrifice servant d'épithète à celle de mémorial. Le terme de « mémorial » rappelle en même temps que le mode de présence du sacrifice unique du Christ est ici sacramentel, c'est-à-dire que sa réalité est exprimée dans le signe d'un repas sacrificiel. Grâce à la consistance du mémorial re-présentatif, l'Église peut être associée et s'associer en vérité au grand acte du mystère pascal qu'elle présente, humblement mais joyeusement, au Père, et s'offrir elle-même en sacrifice spirituel en priant pour le monde. Mais peut-être est-ce l'idée même de sacrifice qui demande encore quelques clarifications entre nous ; elle exige en tout cas un gros effort de réexpression pour les hommes de notre temps.

3. La présence sacramentelle : le contenu de l'accord

C'est sans doute sur ce point que le document des Dombes atteste l'avancée la plus considérable dans la réconciliation doctrinale. Il importe donc de l'examiner très attentivement. Sur la foi des paroles mêmes du Seigneur qui, dans les récits de l'institution, déclare nous *donner* son corps à manger et son sang à boire, le groupe affirme clairement : « Nous confessons donc unanimement la présence réelle, vivante et agissante du Christ dans ce sacrement » (§ 17). Le Christ ne se donnerait pas en personne dans l'eucharistie, s'il ne se rendait effectivement présent dans le sacrement. C'est pourquoi, si le discernement du corps et du sang du Christ ne peut se faire que dans la foi, « cependant, la présence du Christ à son Église dans l'eucharistie ne dépend pas de la foi de chacun, car c'est le Christ qui se lie lui-même, par ses paroles et dans l'Esprit, à l'événement sacramentel, signe de sa présence donnée » (§ 18). Affirmation capitale : la présence ne dépend pas de la subjectivité du croyant ; elle est « objective » en ce sens qu'elle résulte d'un acte du Christ qui se lie aux signes de sa présence.

La compréhension de cette « objectivité » est particulièrement délicate. Des précisions sur ce point sont donc indispensables :

C'est en vertu de la parole créatrice du Christ et par la puissance du Saint-Esprit que le pain et le vin *sont faits* sacrement et donc « communication du corps et du sang » du Christ (1 Co 10, 16). Ils sont désormais, *dans leur vérité dernière,* sous le signe extérieur, la *réalité donnée* [c'est-à-dire le corps et le sang du Christ], et le demeurent en vue de leur consommation (§ 19) [5].

---

5. C'est moi qui souligne.

Autrement dit, du fait de l'intervention souveraine du Christ et de l'Esprit, le pain et le vin sont réellement *changés*, au regard de la causalité première qui les fait exister dans un but déterminé. En effet, l'être dernier d'une chose, sa réalité en fin de compte, c'est bien ce que Dieu veut qu'elle soit en la faisant être *en elle-même* et *pour nous,* ces deux aspects étant indissociables. Ce que le Christ *nous* donne comme son corps et son sang dans la relation d'amour qu'il veut établir *avec nous,* est bien *pour lui* son corps et son sang. L'étant *pour lui* et *pour nous,* ce don l'est bien alors *en lui-même.* Toute sa consistance et sa réalité viennent de là [6].

Une note utile du texte rappelle, avec référence à saint Thomas à l'appui, que la présence réelle « ne signifie ni localisation du Christ dans le pain et le vin, ni changement physico-chimique de ces choses ». Au plan empirique il est clair que le pain reste du pain et le vin reste du vin, et qu'il ne faut s'attendre là à aucun miracle « technique ». Ce n'est pas au niveau de l'analyse physico-chimique qu'il faut chercher la « substance » réelle des oblats, telle qu'elle vient d'être dite. Pour reprendre le langage traditionnel catholique, on aura toujours affaire à ce plan « aux apparences » et aux « espèces » du pain et du vin, et cela en vertu même de la définition du sacrement. Le « miracle » de l'eucharistie — le mot est à la fois légitime et traditionnel à propos de ce mystère — est d'un tout autre ordre. La présence du Christ y est *sacramentelle,* c'est-à-dire elle est présence *sous un signe :* elle ne fait donc pas intervenir l'ordre des causes secondes. Elle se situe au niveau de la cause première, autrement dit, elle est le fruit de l'intervention du Christ Créateur, en qui tout subsiste, du Christ Re-Créateur qui, en vertu de la puissance seigneuriale de sa résurrection, s'est soumis tout l'univers et a libéré son propre corps de toute finitude [7], et qui exerce cette toute-puissance par le don de son Esprit.

S'il en est ainsi, la présence sacramentelle du Christ dans l'eucharistie ne peut pas ne pas engager la permanence de cette présence jusqu'à la consommation complète des oblats ;

---

6. De telles affirmations ont été préparées par nombre de travaux théologiques de ces dernières années, en particulier du côté protestant. Cf. *infra,* le chap. 13 « Eucharistie : deux générations de travaux », p. 247-249.

7. Cf. *infra,* le chap. 11 « Réflexions sur la présence réelle du Christ dans l'eucharistie » p. 221-224.

et le sérieux de la foi en la présence réelle ne peut pas ne pas engager la foi en sa permanence. Le texte ajoute donc : « Ce qui est donné comme corps et sang du Christ reste donné comme corps et sang du Christ et demande à être traité comme tel » (§ 19). Cette affirmation, fruit de laborieux débats, signifie tout simplement que le don du Christ est irréversible, et que le pain et le vin de notre nourriture terrestre ont été introduits, par l'événement sacramentel de l'eucharistie, dans l'histoire de notre salut. Rien ni personne ne peut les arracher à la réalité de cette histoire que Dieu écrit pour nous par son Christ. Tant qu'ils n'ont pas été consommés [8], ils demeurent le signe de la présence d'amour du Christ qui se donne pour notre nourriture.

Cette affirmation veut seulement répondre à l'exigence de foi manifestée par la plus ancienne tradition. Au milieu du IIe siècle, Justin atteste que l'on portait l'eucharistie, après la célébration, aux malades et aux absents [9]. Au début du IIIe siècle Tertullien nous apprend que les chrétiens pouvaient emporter l'eucharistie chez eux, après la célébration dominicale, afin de se communier pendant les jours de la semaine [10]. La coutume s'est largement répandue par la suite de garder une réserve eucharistique destinée à la communion des malades et des absents.

Sur cette question de la présence, il existe une convergence de visée assez remarquable entre le document des Dombes et la déclaration de Windsor, à peu près contemporains mais qui furent élaborés indépendamment l'un de l'autre. On y retrouve les mêmes affirmations, avec la même insistance sur la présence donnée :

Les paroles du Seigneur à la dernière Cène : « Prenez et mangez, ceci est mon Corps », ne nous permettent pas de dissocier le don de la présence de l'acte du repas sacramentel. Les éléments ne sont pas simples signes : le corps et le sang du Christ deviennent réellement présents et sont réellement donnés. Cependant, ils sont réellement

---

8. Et, bien entendu, tant qu'ils ne sont pas avariés ou décomposés, c'est-à-dire tant qu'ils présentent les signes du pain et du vin.
9. JUSTIN, *Première Apologie*, LXV, 4, Textes et Documents (Hemmer-Lejay), Picard, 1904, p. 140.
10. TERTULLIEN, *A sa femme*, L. II, 5, 2-3; *S.C.* 273, p. 139.

présents et donnés pour qu'en les recevant les fidèles soient unis dans la communion au Christ Notre-Seigneur [11].

Même insistance aussi sur la causalité première de ce don :

> Par l'action transformante de l'Esprit de Dieu, le pain et le vin de la terre deviennent la manne céleste et le nouveau vin, le banquet eschatologique pour l'homme nouveau : des éléments de la première création deviennent le gage et les prémices de la nouvelle terre et des cieux nouveaux [12].

La finalité eschatologique de la nourriture eucharistique y est exprimée en des termes particulièrement heureux.

4. La présence sacramentelle : une vérification de la visée catholique

Le lecteur catholique aura tout de suite remarqué l'absence du terme de « transsubstantiation » dans tous ces développements sur la présence sacramentelle. Cette absence n'est évidemment pas fortuite, et il importe d'en rendre compte théologiquement. Pour le faire, nous pouvons nous référer au document catholique le plus important sur la question, c'est-à-dire à la 13e session du concile de Trente, consacrée au sacrement de l'eucharistie. Ce recours permettra de situer le texte des Dombes par rapport aux affirmations les plus officielles de l'Église, et même d'exercer à son égard une certaine vérification.

L'analyse de la *doctrina* du concile de Trente manifeste trois niveaux d'affirmation bien distincts [13], qui donnent des points de repère commodes pour situer les correspondances.

Le premier niveau d'affirmation est celui de l'expression la plus traditionnelle de la foi : il rapporte la présence réelle du

---

11. Commission internationale anglicane-catholique romaine. Déclaration commune sur la doctrine eucharistique, § 9, *Doc. cath.* 1 601, 16 janvier 1972, p. 87 ; *Rapport final,* Paris, Cerf, 1982, p. 24.

12. *Ibid.,* § 11.

13. Je m'inspire dans ce développement des analyses de E. SCHILLEBEECKX qui a nettement dégagé ces trois niveaux d'affirmation, *La Présence du Christ dans l'eucharistie,* Paris, Cerf, 1970, p. 37 s. ; cf. *infra,* p. 247-248.

Christ dans l'eucharistie à l'institution de la Cène et au geste du don que le Seigneur y fit de son corps et de son sang : « Parce que le Christ, notre Rédempteur, [...] a dit que ce qu'il *offrait* sous l'espèce du pain *était vraiment son corps*, ... » [14]. Ce premier membre de phrase du chapitre IV — central pour notre sujet — reprend et résume les données des chapitres précédents où le rapport de la présence au *don* d'une part, et l'insistance sur le don d'une *nourriture* d'autre part, sont clairement formulés. « Notre Rédempteur a institué ce sacrement si admirable à la dernière Cène, lorsque, après avoir béni le pain et le vin, il attesta en termes clairs et précis qu'il leur donnait son propre corps et son propre sang [15]. » De même le chapitre II, qui glose l'antienne liturgique sur le saint sacrement, met en relief le caractère de mémorial de l'eucharistie, et déclare : « [Notre sauveur] a voulu que ce sacrement fût reçu comme l'aliment spirituel des âmes qui nourrisse et fortifie ceux qui vivent de la vie de celui qui a dit : "Qui me mange vivra aussi par moi" (Jn 6, 58) » [16]. On a vu plus haut comment la même affirmation fondamentale se trouve exprimée dans le texte des Dombes (au § 17) et comment elle commande, dans une démarche éminemment traditionnelle, tout l'exposé sur la présence sacramentelle.

Le deuxième niveau d'affirmation concerne l'objectivité du *changement* qui s'accomplit dans les espèces eucharistiques. La structure grammaticale le relie immédiatement au précédent comme à sa cause. C'est en effet le membre de phrase cité plus haut qui se poursuit ainsi : « ... on a toujours eu dans l'Église de Dieu cette conviction, que déclare de nouveau le saint concile : par la consécration du pain et du vin s'opère le changement *(conversio)* de toute la substance du pain en la substance du corps du Christ notre Seigneur et de toute la substance du vin en la substance de son sang » [17]. Trente reprend ici à son compte la vieille argumentation de la foi qui, prenant au sérieux les paroles d'institution, en a conclu que le pain et le vin étaient l'objet d'une mystérieuse *metabolè,*

---

14. Concile de Trente, Session XIII sur l'eucharistie, chap. IV (DZ-SCH. 1642/877 ; Dumeige, *La Foi catholique*, Paris, Orante, 1969, n° 739). C'est moi qui souligne.
15. *Ibid.*, chap. I (DZ-SCH. 1637/874 ; Dumeige, n° 736).
16. *Ibid.*, chap. II (DZ-SCH. 1638/875 ; Dumeige, n° 737).
17. *Ibid.*, chap. IV (DZ-SCH. 1642/877 ; Dumeige, n° 739).

ou *metapoièsis*, ou *metastoikheiôsis*, qui affecte les éléments en eux-mêmes. Il la développe seulement dans le vocabulaire thomiste de la substance. Si la réalité dernière du pain et du vin n'est pas devenue effectivement, par « conversion », le corps et le sang du Christ, alors il n'y a plus de présence réelle sacramentelle du Seigneur dans l'eucharistie avec la spécificité que l'Église lui a toujours reconnue. Le document des Dombes ne présente aucune ambiguïté sur la réalité de ce changement, même si le terme n'est pas employé. Les expressions que j'ai citées en rendant compte du texte sur cette question le montrent suffisamment. Rappelons les principales : la présence du Christ ne dépend pas de la foi de chacun ; il y a un « événement sacramentel » (§ 18) auquel le Christ se lie lui-même ; la « réalité donnée sous les signes du pain et du vin est son corps et son sang » ; « le pain et le vin sont faits sacrement [...] Ils sont désormais, dans leur vérité dernière [...] la réalité donnée, et le demeurent... » (§ 19). Avec ces deux niveaux d'affirmation on peut reconnaître que la foi ecclésiale au mystère de la présence sacramentelle est adéquatement exprimée.

C'est alors que le concile de Trente introduit un troisième niveau d'affirmation, bien distinct des deux premiers, car il vise formellement un langage et non plus la réalité du mystère en elle-même : « Ce changement, l'Église catholique l'a justement et exactement appelé transsubstantiation [18]. » Le canon correspondant parle d'une appellation « très appropriée » [19].

---

18. *Ibid.*, chap. IV, « convenienter et proprie... transsubstantiatio est apellata ».

19. *Ibid.*, can. 2, « quam quidem conversionem catholica Ecclesia *aptissime* transsubstantiationem appellat ». (DZ.-SCH. 1652/884 ; DUMEIGE, n° 746). C'est moi qui souligne. J'ai du mal à comprendre qu'un homme aussi averti que le cardinal JOURNET de la nature et de la signification du langage conciliaire dans l'Église puisse dire que la présentation donnée de la présence réelle à des catholiques dans ce texte semblerait « calculée tout exprès pour leur faire oublier le dogme de la transsubstantiation » (« Commentaire de l'accord du "Groupe des Dombes" sur la doctrine eucharistique » dans *Doc. cath.*, 1612, 2 juillet 1972, p. 626-627). Le terme de transsubstantiation n'est pas un dogme à lui tout seul : ce qui est dogme, c'est la présence réelle donnée par le Christ dans l'eucharistie. Ce que l'Église a toujours dit, c'est que le terme de transsubstantiation est très apte à exprimer cette présence. Mais elle n'a jamais dit qu'il était impossible de l'exprimer authentiquement dans un autre vocabulaire. Au contraire, l'intention du document a été vraiment comprise par le P. Louis BOUYER quand il a écrit : « Je pense que le mérite principal de ce texte est d'exprimer très fermement le contenu dogmatique précis de la définition de Trente, bien que le mot "transsubstantiation" lui-même n'y figure pas » (*La France catholique*, 9 juin 1972, p. 13).

Le concile dit son attachement à un langage privilégié, mais il prend bien garde de bloquer l'emploi de ce mot sur l'affirmation de la présence réelle, comme si celle-ci était inséparable de celui-là. Les actes de Trente sont d'ailleurs fort éloquents en la matière : les deux premiers niveaux d'affirmation n'ont donné lieu à aucune discussion, tant les Pères avaient conscience de réexprimer la foi traditionnelle de l'Église. La « canonisation » du terme technique de « transsubstantiation » au contraire a fait l'objet de discussions répétées, presque jusqu'au dernier jour, car certains soulignèrent qu'il s'agissait d'un terme relativement récent et qu'il ne faisait pas l'unanimité des écoles scolastiques. Il a finalement été retenu comme le terme qui résumait le mieux, dans le contexte culturel et les controverses de l'époque, la doctrine de la présence réelle, et qui pouvait servir de « signe de ralliement » [20] et de « gardien de la foi » dans des temps particulièrement troublés. Mais tant les actes du concile que sa rédaction finale attestent que celui-ci n'a pas voulu l'imposer comme Nicée a imposé le « consubstantiel ».

Depuis Trente, il est vrai, le terme de transsubstantiation a dominé la catéchèse catholique sur l'eucharistie. Il ne s'agit pas d'en récuser la valeur, à condition qu'il soit bien compris et bien commenté. Mais il faut aussi reconnaître sa limite, tant ecclésiale que culturelle. Du côté orthodoxe le terme est demeuré controversé. Fortement attaqué, par certains théologiens, il est utilisé par d'autres et apparaît même dans les conciles de Jérusalem de 1672 et de Constantinople de 1691 et 1727. *Metousiôsis,* synonyme de *metastoikheiôsis,* exprime seulement le fait du changement et est employé à l'exclusion de toute théorie scolastique tendant à expliquer le mode de la transsubstantiation.

La mentalité protestante de son côté est gênée par un terme qui lui a longtemps semblé véhiculer une conception magique ou trop matérialiste du changement. Mais il y a plus : le terme de *substance* a considérablement changé de sens depuis son emploi par la scolastique ; s'il fait difficulté aux intelligences de notre temps, c'est parce qu'il évoque dans notre monde culturel des représentations toutes différentes. Employé à

---

20. Cf. E. SCHILLEBEECKX, *op. cit.,* p. 35, « le terme "transsubstantiation" est devenu pour le concile de Trente l'étendard de l'orthodoxie ».

propos de l'eucharistie, il nécessite aussitôt de longues et laborieuses explications.

Telles sont les raisons pour lesquelles les catholiques du groupe des Dombes n'ont éprouvé aucune gêne de l'absence du terme de transsubstantiation dans un exposé de la présence réelle. Ils ont exercé ici un discernement, à la fois œcuménique et catéchétique : l'accord sur la foi ne vise-t-il pas le sens à travers les mots ? Les mots ne sont-ils pas toujours perfectibles, loi que la praxis ecclésiale a le plus souvent respectée ? Fallait-il donc se river à un terme qui vieillit inexorablement, au lieu de chercher à exprimer une foi retrouvée commune dans des termes aussi compréhensibles que possible à nos contemporains ? Certains estimeront de leur côté que cet effort est encore timide et insuffisant. Tel quel, ne sera-t-il pas profitable aux catholiques eux-mêmes dans leur réflexion sur l'eucharistie ? L'essentiel n'est-il pas que l'on puisse dire en vérité, comme le fait le commentateur de *Réforme* [21] : « Non, le mot n'y est pas, mais la réalité s'y trouve » ?

Remarquons enfin que le document de Windsor adopte la même attitude. Le terme de transsubstantiation est absent de son texte ; il est seulement évoqué dans une note significative :

> Le terme de *transsubstantiation* est pris communément dans l'Église catholique romaine pour indiquer que Dieu, agissant dans l'eucharistie, effectue un changement dans la réalité interne des éléments. Ce terme doit être considéré comme affirmant le *fait* de la présence du Christ et du changement mystérieux et radical qui s'accomplit. Dans la théologie romaine contemporaine, ce terme n'est pas compris comme indiquant le *comment* de ce changement [22].

Autrement dit, ce terme ne comporte rien de plus que l'affirmation technique du changement effectué dans la réalité des éléments, ce qui est le second niveau d'affirmation de Trente. Même si autrefois il a pu donner lieu à des spéculations plus ou moins heureuses sur le *comment* de ce changement (souvent au scandale de nos frères orthodoxes), ce n'est plus le cas aujourd'hui.

---

21. Cl. ASMUSSEN, « Eucharistie : le long cheminement » dans *Réforme*, 11 mars 1972, p. 3.
22. *Doc. cath.*, 1601, 16 janvier 1972, p. 87, n° 2 ; *Rapport final*, p. 23.

5. La présence réelle : les points de « conversion ecclésiale »

Sur la question de la présence réelle et surtout de sa permanence, le commentaire donné dans la brochure de présentation du texte des Dombes avoue : « Ce que nous avons pu dire non sans difficultés (alinéa 19 du § V) pourra apparaître sans doute excessif à beaucoup de protestants et insuffisant à beaucoup de catholiques, en dépit des références à saint Thomas et à Calvin citées en note ! » [23]. Il importe donc de voir en quoi catholiques et protestants sont invités à « une conversion ecclésiale » que le groupe reconnaît nécessaire.

D'une part, le document demande que « du côté catholique, on rappelle notamment dans la catéchèse et la prédication, que l'intention première de la réserve eucharistique est la distribution aux malades et aux absents » (§ 20) [24]. Il doit être clair, en effet, dans la conscience catholique moyenne, que telle fut bien dans l'histoire et telle est bien dans l'ordre de valeur la raison première de la réserve eucharistique. C'est dans ces conditions que se sont développés le respect, l'adoration et le culte de la présence. On n'a pas d'abord conservé pour adorer, on a adoré parce qu'on conservait. Cet épanouissement du culte eucharistique est parfaitement légitime, même s'il n'a pas été universel dans l'Église, ce dont un catholique d'aujourd'hui doit être conscient. Par exemple, les Églises orthodoxes dans leur ensemble pratiquent la réserve eucharistique [25], mais sans la proposer à d'adoration des fidèles, sauf lors de la procession des présanctifiés le vendredi saint. Néanmoins, ce culte doit être bien compris : le Christ demeure présent dans l'eucharistie sous forme de nourriture et y est adoré en tant que nourriture à consommer. L'adoration du saint sacrement s'inscrit donc toujours comme un moment dans le dynamisme du mystère où le Christ se donne à nous en nourriture. Ce moment est celui qui existe en toute célébration entre la prière eucharistique et la communion. C'est ce même moment qui se dilate entre la célébration et d'autres communions à venir. Comme le dit un document

---

23. *Op. cit.*, p. 48.
24. Il s'inspire ici de l'instruction *Eucharisticum mysterium*, du 25 mai 1967, n° 49. (Cf. *Doc. cath.*, 1496, 18 juin 1967, co. 1116).
25. Pas toutes cependant, comme le rappelle une note du texte (§ 20, n. 2).

romain récent [26], les fidèles doivent se souvenir « lorsqu'ils vénèrent le Christ présent dans le sacrement [que] cette présence dérive du sacrifice et tend à la communion tout à la fois sacramentelle et spirituelle ». La pratique liturgique respecte rigoureusement cette exigence, puisque les hosties consacrées sont toujours consommées en communion. En comprenant mieux ces données nous aiderons nos frères protestants à saisir justement ce que nous entendons par culte eucharistique et nos communautés pourront dépouiller leurs façons de faire de tout ce que ceux-ci risqueraient de comprendre comme une idolâtrie des espèces.

Réciproquement, le Groupe des Dombes demande que « du côté protestant, soit mise en œuvre la meilleure façon de témoigner le respect dû aux éléments qui ont servi à la célébration eucharistique, c'est-à-dire leur consommation ultérieure, sans exclure leur usage pour la communion des malades » (§ 20). Ce texte apparaîtra sans doute à certains protestants à la limite du supportable. Cette perspective est trop neuve par rapport à leur tradition pour qu'elle puisse être acceptée sans un certain cheminement. Précisons cependant la nature et les limites de cette invitation. Il s'agit effectivement de reconnaître la permanence de la présence comme une donnée de la foi antique de l'Église et d'en tirer les conséquences pratiques. Il ne s'agit pas de se convertir au culte de la présence tel qu'il est pratiqué dans l'Église catholique romaine. Celui-ci relève d'un légitime pluralisme. Comment dès lors faire droit à la reconnaissance que le don du Christ dans l'événement eucharistique est irréversible et que ce qui est donné pour être mangé demeure donné jusqu'à ce qu'il soit effectivement mangé ? La manière la plus simple est évidemment de consommer respectueusement les éléments après la célébration. Toute autre manière de les faire disparaître ne semble pas compatible avec ce qu'ils sont devenus, c'est-à-dire la nourriture de notre immortalité. Telle est aussi la manière qui sera reçue comme la moins choquante au regard d'une tradition spirituelle dont l'« affectivité eucharistique » est sensiblement différente de celle du catholicisme. Ce qui n'exclut pas, poursuit le texte, que ces éléments pourront être gardés pour la communion des malades.

---

26. *Eucharisticum mysterium*, n° 50.

6. Ministère et présidence de l'eucharistie

La question des ministères est cruciale dans le dialogue œcuménique. Il ne pouvait être question de la traiter dans son ensemble à l'intérieur de ce document. Mais il n'était pas possible non plus de passer sous silence la présidence de l'eucharistie. Son sens fondamental et son origine sont donc clairement exprimés. C'est le Christ qui préside le repas auquel il invite et où il se donne. Il faut donc que cette présidence soit signifiée par « celle d'un ministre qu'il a appelé et envoyé » (§ 33). Ce ministre manifeste « que l'assemblée n'est pas propriétaire du geste qu'elle est en train d'accomplir, qu'elle n'est pas maîtresse de l'eucharistie : elle la reçoit d'un Autre, le Christ vivant dans son Église » (§ 34).

Si le ministre doit être « envoyé », quels seront les signes distinctifs de sa mission ? Le texte répond : « La mission des ministres a pour origine et pour norme celle des apôtres ; elle est transmise dans l'Église par l'imposition des mains avec l'invocation du Saint-Esprit. Cette transmission implique la continuité de la charge ministérielle, la fidélité à l'enseignement apostolique et la conformité de la vie à l'Évangile » (§ 33). Cette phrase rapide est riche de contenu et, sur le plan doctrinal, elle constitue déjà un accord essentiel. Le point de vue catholique de la « succession apostolique » du ministère s'y trouve justement équilibré et complété par le point de vue protestant de la continuité de la succession dans la foi apostolique et du nécessaire témoignage de la charité évangélique, ce qui rejoint la doctrine d'Irénée [27]. La clarification que ce texte postule encore concerne principalement la compréhension, qui demeure différente de part et d'autre, de la *figure* précise qu'a pu prendre dans l'histoire la succession apostolique du ministère. Un progrès dans la confrontation est encore nécessaire sur ce point, afin que puissent être discernées, au regard du mystère de l'Église, les exigences à respecter pour une authentique réconciliation des ministères.

---

27. Irénée de Lyon, *Contre les Hérésies*, L. IV, 26, 2 ; 26, 4 ; 26, 9 ; 33, 8.

7. Eucharistie et Église

Le lien de l'eucharistie à Église est particulièrement intime : c'est dans l'eucharistie que l'Église devient pleinement « événement », c'est là qu'elle se réalise et se manisfeste au plus haut point ; dans le même esprit on a pu dire que « l'Église est coextensive à l'eucharistie » [28]. Dès lors, la communion ecclésiale et la communion eucharistique ne sont-elles pas si solidaires que l'on est en droit de se demander comment des chrétiens ont pu signer ensemble une confession de foi complète sur l'eucharistie en maintenant leur appartenance à des confessions séparées ? La difficulté se redouble, si l'on songe qu'un des buts explicites du texte est de contribuer à lever les obstacles qui s'opposent encore à l'hospitalité eucharistique (du moins ceux qui regardent la foi), et de créer, si possible, une situation nouvelle dans le rapprochement œcuménique. Or, communier à une eucharistie, n'est-ce pas fondamentalement communier à une Église ? Nul doute que ce point délicat est de ceux qui demandent encore des clarifications. Le document des Dombes comporte néanmoins déjà un certain nombre de notations qu'il est possible d'analyser, et à partir desquelles on est en droit de dégager des éléments implicites d'une interprétation ecclésiologique de la division.

L'Église est présente presque à tous les instants du texte : on a dit plus haut que toute la seconde partie traitait de l'eucharistie comme de la célébration de l'Église. Au plan du mystère le lien entre eucharistie et Église est non seulement respecté, mais exprimé et développé de manière heureuse. Citons seulement les phrases les plus significatives :

En se donnant aux communiants, le Christ les rassemble dans l'unité de son corps. C'est dans ce sens qu'on peut dire : *si l'Église fait l'eucharistie, l'eucharistie fait l'Église.* Le partage du même pain et de la même coupe dans un lieu donné fait l'unité des communiants avec le Christ tout entier, entre eux et avec tous les autres communiants en tout temps et en tout lieu. En partageant le même pain, *ils*

---

28. B. BAZATOLE, « L'évêque et la vie chrétienne au sein de l'Église locale », dans *L'Épiscopat et l'Église universelle,* Paris, Cerf, 1962, p. 358.

rendent manifeste leur appartenance à l'Église dans sa catholicité...
(§ 21) [29].

On aura reconnu au passage les formules diffusées par le
P. de Lubac avec tant de succès qu'elles sont maintenant une
donnée de l'ecclésiologie contemporaine [30].

Mais de quelle Église s'agit-il ? dira-t-on. L'analyse du terme
à travers tout le texte peut nous renseigner : sur trente emplois
du mot « Église », vingt-sept sont au singulier et visent sans
équivoque l'unique Église du Christ, qui est son corps, le
peuple de Dieu, l'Église « universelle » (§ 11, 34), l'Église
« dans sa catholicité » (§ 21). Église qui n'est pas pour autant
considérée dans son essence invisible : il s'agit de celle qui
rassemble à travers le temps et l'espace les baptisés unis dans
la même foi autour de l'eucharistie. Trois autres emplois, par
contre, sont au pluriel (§ 20, 39, 40) et désignent les confessions
ecclésiales telles qu'elles existent aujourd'hui dans leurs
séparations [31]. Ces emplois se rencontrent dans les paragraphes
où il s'agit de tirer les conséquences pratiques de l'accord
doctrinal ou de s'adresser aux autorités respectives des
« Églises ».

Quel est alors le rapport sous-entendu entre l'unique Église
de Jésus-Christ et la pluralité divisée des confessions ecclésiales ? Il est légitime de l'expliciter ainsi, en rappelant que
cet accord entre catholiques et protestants se réfère avant tout
à la situation créée dans l'Occident latin depuis la Réforme :
entre les grandes confessions chrétiennes, il n'y pas séparation
complète, il y a unité blessée. [32].

Si cette interprétation ecclésiologique de la division peut
paraître ambiguë, c'est avant tout parce qu'elle reflète la
situation *anormale,* et par bien des aspects contradictoire, dans
laquelle se trouvent les chrétiens qui ont signé ce texte. Le
mouvement œcuménique vit en déséquilibre constant sur cette
base inconfortable. De plus, à l'intérieur de cette visée globale
sur la situation ecclésiale actuelle, tous ne comprennent pas
encore de la même façon le rapport particulier des diverses

---

29. C'est moi qui souligne.
30. H. DE LUBAC. *Méditation sur l'Église,* Paris, Aubier, 1953, p. 110-123.
31. Même sens du terme trois fois aussi dans les notes.
32. Cf. *supra,* le chap. 8 « Ecclésiologie de communion et voies vers l'unité »
p. 142-144.

confessions à l'unique Église de Jésus-Christ, c'est-à-dire n'évaluent pas également leur « consistance » ecclésiale. Le progrès sur cette question sera strictement corrélatif de toute avancée vers la réconciliation des ministères.

Dans cette perspective ecclésiologique le propre du mouvement œcuménique est de travailler, sur la base de l'unité conservée, à réduire la déchirure. C'est dans cette hypothèse que le texte a été écrit. Il était de première importance d'opérer une vérification commune de la *foi* à l'eucharistie, même si les uns et les autres n'ont pas encore une estimation commune de la *consistance* eucharistique des célébrations des diverses confessions. (Autre aspect du même problème : consistance ecclésiale et consistance eucharistique vont de pair. Mais dans un cas comme dans l'autre la réponse ne peut s'enfermer dans le dilemme du tout ou rien.) Ce résultat obtenu, la plateforme d'unanimité s'élargissait et la voie était ouverte pour d'autres réconciliations. La recomposition du tissu de la foi d'un côté prépare et de l'autre réalise la recomposition du tissu de l'Église. Dès à présent, là où les uns et les autres reconnaissent la pleine réalité de l'eucharistie, l'accès à la table eucharistique de baptisés de confessions différentes peut être envisagé avec l'accord des autorités, les autres conditions d'authenticité et de signifiance étant remplies ; là où ce n'est pas le cas, la question peut du moins être étudiée sur une base neuve, puisque la vérification imprescriptible de la foi est accomplie. La part d'unité ecclésiale n'est-elle pas désormais suffisante pour se signifier — au moins à titre exceptionnel — dans une participation à une eucharistie commune ? D'autre part, puisque l'eucharistie fait l'Église, ne peut-elle pas contribuer aussi à faire l'Église une ?

8. *Eucharistie et Église : essai de vérification catholique*

Telle est l'ecclésiologie « œcuménique » qui se dégage du document des Dombes. Le lecteur est en droit de se demander si elle est recevable du côté catholique. Essayons donc, sur ce point encore, d'en vérifier la légitimité sur la base des recherches récentes et des textes officiels de l'Église catholique.

1. La distinction entre Église universelle, Corps visible du Christ, et Églises confessionnelles séparées est une application *partielle*, selon la thèse exprimée ci-dessus [33], dans une situation *anormale*, d'une distinction tout à fait légitime en ecclésiologie, entre Église universelle et Églises particulières. Le rapport de l'Église à l'espace et au temps a engendré, dès le vocabulaire néo-testamentaire, une tension entre le singulier de l'Église universelle et le pluriel des Églises qui sont à Corinthe, à Antioche et à Rome. L'Église ne peut être complètement visible que dans la particularité d'une communauté concrète qui habite ici et maintenant. Certes, cette Église n'est pleinement Église et manifestation authentique de toute l'Église que dans la mesure où elle est en communion avec les autres Églises. Tous ces points ont fait ces derniers temps l'objet de nombreuses études [34]. On ne dira pas pour autant que l'Église universelle est invisible ou plane au-dessus de ces Églises particulières.

Dans la mesure où la communion n'est pas complètement rompue ne peut-on pas dire que quelque chose de cette situation se retrouve entre les Églises confessionnellement séparées ? Sans doute la part de division affecte la réalité ecclésiale de beaucoup d'entre elles. C'est pourquoi chaque pas fait dans la voie de la réconciliation est un pas qui restaure leur réalité ecclésiale. Cette visée ne dégage-t-elle pas une voie de recomposition de l'unité du corps déchiré des chrétiens ? Il s'agit de passer de la situation *anormale,* et donc contradictoire et injustifiable, qui est celle d'aujourd'hui, à la situation d'Églises particulières ayant renoué dans une communion complète.

2. D'autre part, l'interprétation ecclésiologique donnée de la séparation en Occident est-elle acceptable d'un point de vue catholique ? Il semble que plusieurs textes de Vatican II lui donnent un fondement sérieux. Le jugement porté par le concile, tant sur l'Église catholique que sur les confessions

---

33. *Ibid.,* p. 143.

34. Cf. par exemple plusieurs contributions de l'ouvrage collectif cité (n. 28), *L'Épiscopat et l'Église universelle* (B.D. DUPUY, Y. CONGAR, B. BAZATOLE, K. RAHNER, C. VOGEL...) ; H. DE LUBAC, *Les Églises particulières dans l'Église universelle,* Paris, Aubier, 1971.

issues de la Réforme, dégage un espace ecclésiologique dont la signification n'a pas échappé à beaucoup de commentateurs.

On sait que pour la première fois dans le langage catholique le concile a désigné ces confessions par l'expression « Églises ou communautés ecclésiales ». Celle-ci intervient tout d'abord dans un texte de *Lumen gentium* (§ 16) où sont exprimés les liens de l'Église avec les chrétiens non catholiques. La perspective reste encore centrée sur l'ensemble des baptisés, qui sont directement visés en tant que tels. Mais la dynamique du texte fait intervenir l'expression, au moment où sont énumérés les éléments de vie chrétienne que ces baptisés ont conservés. Cette mention, ajoutée intentionnellement dans le dernier projet de 1964, est ainsi justifiée par la *relatio* de la commission : « Les éléments qui sont énumérés ne regardent pas seulement les individus, mais aussi les communautés [35]. » Un seuil est ainsi discrètement franchi, qui va de la considération individuelle des chrétiens non catholiques à celle de leurs communautés qui reçoivent une appellation à la fois nuancée — « communautés ecclésiales » disant un peu moins qu'« Églises » — et forte.

Le décret sur l'œcuménisme reprend la même affirmation avec une charge doctrinale plus grande. Toute la section du décret qui concerne les confessions issues de la Réforme est ainsi intitulée : « Les Églises et communautés ecclésiales séparées en Occident ». Le premier schéma comportait seulement : « Les communautés suscitées depuis le XVIᵉ siècle ». Mais après plusieurs discussions l'expression a été introduite ici pour commander la rédaction de tout le développement [36].

On connaît aussi l'affirmation de *Lumen gentium* selon laquelle « l'unique Église du Christ, que nous confessons dans le Symbole, une, sainte, catholique et apostolique [...] *subsiste* dans l'Église catholique » (§ 8). Ce terme « moins clair » [37] a remplacé dans la rédaction le verbe tout à fait clair « est ».

---

35. Cité par K. Mc Donnell, « The concept of "Church", in the documents of Vatican II as applied to protestant denominations », dans *Lutherans and Catholics in Dialogue, IV, Eucharist and Ministry,* published jointly by Representatives of the U.S.A. National Committee of the Lutheran World Federation and the Bishops' Committee for Ecumenical and Interreligious Affairs, 1970, p. 308.

36. Cité par K. Mc Donnell, *op. cit.,* p. 318.

37. Cf. l'étude approfondie de cette expression par K. Mc Donnell, à partir des schémas et des actes du concile, *ibid.,* p. 310-316.

Ainsi, juste au moment où le concile vient d'insister sur le fait que dans le mystère de l'Église « l'assemblée visible » et « la communauté spirituelle » ne sont pas deux réalités, mais une réalité complexe, il refuse d'identifier purement et simplement l'une et l'autre avec l'Église catholique romaine. En dehors d'elle, en effet, « et de son organisation visible, se trouvent bien des éléments de sanctification et de vérité qui, étant *les dons propres de l'Église du Christ,* poussent à l'unité catholique » *(ibid)*. Tout en affirmant la plénitude unique du rapport de l'Église catholique à l'Église du Christ, le concile reconnaît que cela ne doit pas être entendu au sens où les autres confessions qui se disent chrétiennes ne participeraient pas au mystère de l'Église. En effet, dira plus tard le décret sur l'œcuménisme, « ces Églises et communautés séparées, bien que nous les croyions souffrir de déficiences, ne sont nullement dépourvues de signification et de valeur dans le mystère du salut » *(Unit. Red.* § 3). La consistance ecclésiale des autres confessions dépend évidemment de la richesse des éléments de vie chrétienne conservés. Ceux-ci sont énumérés à deux reprises dans ces documents.

Mais là où *Lumen gentium* parlait seulement d'union (« *conjunctio* » § 15), le décret sur l'œcuménisme emploie le terme plus fort de communion *(« communio »)* : « En effet, ceux qui croient au Christ et qui ont reçu validement le baptême se trouvent dans une certaine communion, bien qu'imparfaite, avec l'Église catholique » (§ 3). Cette « communion imparfaite » que le décret oppose à la « communion parfaite » vers laquelle tous les chrétiens doivent tendre, répond assez précisément à ce que j'ai voulu exprimer [38].

L'ensemble de ces affirmations est évidemment nouveau en catholicisme. On avait néanmoins toujours reconnu dans les

---

38. Ce point a déjà été étudié par B.C. BUTLER, O.S.B., « Les chrétiens non catholiques et l'Église », dans *L'Église de Vatican II, Études autour de la constitution conciliaire sur l'Église,* ouvrage publié sous la direction de G. BARAUNA, O.F.M., Paris, Cerf, 1966, t. II, p. 658-664, sous le titre *Communion et communion parfaite.* La même distinction est sous-jacente à une expression de Paul VI : « Nous voyons nos frères chrétiens, aux groupements si divers, auxquels ne nous unit pas encore une parfaite communion » (Message pascal du 2 avril 1972, *Doc. cath.,* 16 avril 1972, n° 1 607, p. 352).

confessions réformées des « vestiges de l'Église » [39]. Cette appréciation s'est élargie de manière décisive au point de devenir la reconnaissance d'une consistance ecclésiale telle que l'emploi du terme d'Église pour ces communautés se trouve justifié en vérité. Ce qui ne veut pas dire pour autant que, du point de vue catholique, la plénitude du mystère de l'Église est en elles réalisé et signifié. C'est en consonance avec cette visée doctrinale que le groupe des Dombes s'exprime, quand il pense le rapport entre Eucharistie et Église et quand il essaie de fonder la possibilité de certaines hospitalités eucharistiques en tenant le plus grand compte de ce rapport.

Tel quel, le document des Dombes est proposé par ses auteurs à l'attention et à l'examen des Églises, en deux directions également importantes. La première est celle des autorités ecclésiales. Il est intéressant de savoir dans quelle mesure ces autorités peuvent reconnaître la foi de leur Église dans cette recherche, toujours perfectible, et si elles considèrent effectivement qu'une « situation nouvelle » a été créée par cet accord eucharistique » (§ 40). Un acte de « réception », même accompagné de remarques et de desiderata, augmenterait précieusement la crédibilité du texte [40].

L'autre destinataire de ce texte est « l'ensemble du peuple chrétien » [41]. On a souvent reproché à l'œcuménisme doctrinal

---

39. Dans son beau livre *L'Église de Dieu Corps du Christ et Temple de l'Esprit,* Paris, Cerf, 1970, le P. Louis BOUYER paraît rester très en deçà du langage reconnu par Vatican II. Il parle volontiers de « la subsistance séparée des vestiges d'Églises ou des ébauches d'Églises » (p. 639), mais il affirme clairement : « En rigueur de termes, on ne peut [...] dire que les Églises protestantes sont *des Églises de l'unique Église* » (p. 635). Peut-être cette réticence vient-elle de la rigueur voulue d'un vocabulaire pour lequel « l'Église ne peut être dite présente manifestement que là où tous les éléments inséparables qui la constituent dans son existence indivisible sont présents » ; d'où « il ne suit pas qu'elle soit totalement absente de communautés, [...] où quelque chose, cependant, de ces éléments demeure, ou a été recouvré » (p. 635).

40. On peut mentionner à ce sujet la déclaration positive du synode de l'Église luthériennne en France de 1973 et la note du Comité épiscopal français pour l'unité des chrétiens concernant le document du Groupe des Dombes « Vers une même foi eucharistique ? », *Doc. cath.* 1669 (1975), p. 126-129.

41. « Vers une même foi eucharistique ? », *op. cit.,* p. 44.

son ésotérisme. De ces débats entre doctes le peuple chrétien se sent exclu, ou bien il ne voit pas en quoi cela le concerne. D'où la déception des uns, les tentations des autres, et le retard dans la compréhension du mouvement œcuménique chez de trop nombreux chrétiens, soit catholiques soit protestants, dont la mentalité sincère, mais mal informée, constitue une réelle force d'inertie sur la voie du progrès. De ce fait, certaines choses qui seraient doctrinalement possibles dans le rapprochement ne le sont pas concrètement de par le poids des mentalités. C'est donc à tous que ce texte et son annexe « pastorale » s'adressent, « aussi bien les fidèles de nos communautés paroissiales que les groupes ou les équipes diverses engagées dans l'étude ou l'action œcuménique » [42].

Pour cette double raison la signification du document est donc encore en sursis. Ce dernier aura la valeur que les communautés ecclésiales, avec leurs responsables, lui donneront. Mais, dès aujourd'hui, la parution simultanée et non concertée, en divers pays, de plusieurs accords eucharistiques est un signe d'espérance dans la vie des Églises. Elle fait émerger une lente gestation que vivent non seulement les responsables mais aussi bien d'autres membres du peuple chrétien. Significatif aussi est le fait que ces accords prennent souvent la forme d'une confession de foi. Partie par partie, laborieusement et patiemment, se réalise ainsi, dans le respect des légitimes pluralismes d'expression, la recomposition de l'unanimité dans la foi, nécessaire à la recomposition dans l'unité du corps déchiré de tous les chrétiens.

---

42. *Ibid.*

CHAPITRE 11

RÉFLEXIONS SUR LA PRÉSENCE RÉELLE DU CHRIST DANS L'EUCHARISTIE

Voici seulement quatre réflexions, à partir de la notion de *présence*, de celle de *substance,* de la présence du *ressuscité,* et enfin de la présence dans un *signe.*

1. La notion de présence

La présence ne se dit vraiment que des personnes : une personne est présente ou absente ; une table n'est pas présente, elle est là (être-là). La présence suppose en effet un sujet entrant en relation avec d'autres sujets. La présence est relation de personne à personne.

Donc toute analyse de la présence eucharistique qui se concentre sur les éléments du pain et du vin, considérés comme des objets, et se demande comment ils deviennent les nouveaux « objets » que l'on appelle corps et sang du Christ, comporte une faille radicale. Car le corps et le sang du Christ expriment la présence personnelle du Christ à son Église et à chaque membre de son Église.

Cela dit, il ne faut pas oublier pour autant que la présence personnelle entre les hommes se fait par la médiation des corps. Mon corps est le lieu et la médiation de ma présence aux autres, comme de ma présence à moi-même. Or, le corps appartient au monde matériel et participe à leur être-là. A ce niveau, *je suis là* comme une table est là. Et c'est parce que je suis là que je suis présent. Ou bien, si je suis absent de corps et loin de ceux auprès desquels je désire être présent, j'enverrai un message, un cadeau, qui sont des prolongements de mon corps, signes extérieurs de ma présence personnelle.

En conclusion de cette première réflexion, la présence eucharistique doit être pensée comme une présence personnelle et relationnelle, passant par la médiation d'un être-là sensible et corporel. Elle est la synthèse de la présence spirituelle et de l'être-là sensible. (A une telle réflexion la phénoménologie existentielle et la philosophie de la relation peuvent apporter une contribution importante, en tant qu'elles ont une portée ontologique.)

2. La notion de substance

La notion de substance est la source d'une confusion inextricable aujourd'hui, car son sens dans la mentalité scientifique moderne est tout autre que celui que lui donnait la philosophie ancienne (et que lui reconnaît encore, dans un autre langage, la philosophie moderne).

Sens du terme dans la mentalité courante (appelons-le le sens vulgaire) : la substance est la réalité empirique considérée comme le matériau ou le substrat de toute chose, présentant une certaine homogénéité de structure. Elle est de l'ordre des phénomènes. *Exemples :* la substance de mon manteau, c'est de la laine ; la substance du pain, c'est du blé, ou de l'orge ou du seigle.

Sens « philosophique » du terme : j'en propose deux définitions : « C'est l'être [...] doué d'une unité et d'une consistance et envisagé au plan où l'intelligence le saisit et affirme sa réalité » (J. de Baciocchi [1]). Où encore : c'est le principe actif organisateur d'un certain nombre d'éléments en un tout, c'est l'unité totalisatrice et concrète d'un ensemble de phénomènes qui fait d'eux un être doué de sens (d'après E. Pousset [2]).

Exemples : en ce sens la substance de mon manteau, c'est d'être un certain type de vêtement destiné à me protéger du

---

1. J. DE BACIOCCHI, « Présence eucharistique et transsubstantiation », *Irénikon* 32, 1959, p. 155.
2. E. POUSSET, « L'eucharistie, présence réelle et transsubstantiation », *R.S.R.* 54, 1966, p. 193-196.

froid de l'hiver et à m'habiller (au sens où le vêtement est parure). La substance du pain c'est d'être une nourriture. Il n'est plus du blé : il a été nié comme blé, comme être de la nature et a été changé par une série de transformations dues au travail de l'homme (il a été moulu en farine, pétri en pâte, cuit au four), transformations dont l'unité et le sens consistent à en faire une nourriture pour l'homme. Il n'y a eu aucune « transmutation, » du blé, au sens « alchimiste » de ce terme. Il y a eu, en un sens déjà réel même s'il est analogique avec le cas de l'eucharistie, « transsubstantiation » du blé en pain. La substance du pain apparaît comme l'unité immanente d'un ensemble de causalités et de finalités. Ce cas est tout différent de celui du dessous de bouteille dont je me sers comme cendrier (exemple proposé par J. de Baciocchi [3]) : j'ai changé sa finalité, mais l'objet est demeuré le même et il peut redevenir un dessous de bouteille. Le pain ne peut pas redevenir du blé.

Cette clarification des définitions révèle tout de suite la difficulté qui habite les langages courants (et confessionnellement situés). Tout le monde reconnaît la permanence *empirique* du pain et du vin dans la célébration eucharistique. Mais *en langage catholique,* on dira : ce pain et ce vin, considérés comme nourriture et boisson des hommes, ne sont plus la réalité dernière ou la substance de ces choses. Ils ne sont plus que des signes, des « espèces », des apparences ou des « accidents », c'est-à-dire des données secondaires, bien que nécessaires puisqu'ils doivent fonctionner comme signes. En réalité, leur substance est désormais le corps et le sang du Christ, parce que le pain et le vin ont été « niés » par le travail du Christ exercé sur son propre corps au cours de sa passion et de sa résurrection et par sa volonté toute-puissante de Seigneur de la création d'en faire un nouvel être-là de sa présence à son Église.

Ce que ce pain et ce vin sont devenus *en soi,* c'est ce qu'ils sont devenus *pour le Christ* et *pour nous.* Il sont entrés dans un nouveau système de relations qui s'appelle l'histoire du salut et qui fait désormais leur unité et constitue leur être, car il les affecte intrinsèquement et non de l'extérieur. On

---

3. J. DE BACIOCCHI, *art. cit.*, p. 155.

est en droit de faire intervenir ici l'idée d'un « ontologie de la foi ». Aux yeux du croyant en effet,

le fin mot des êtres n'est pas scientifique ou philosophique, c'est la valeur que le Christ donne aux êtres, la fonction essentielle qu'ils reçoivent dans la mission du Fils de Dieu. Si la christologie de l'épître aux Colossiens est vraie, si le Christ est réellement la clé de voûte de l'univers, le seul point de vue définitif sur les êtres est celui d'où les voit et les juge le Christ. Les choses sont purement et simplement ce qu'elles sont pour le Christ [4].

En langage protestant par contre, on disait (et on dit encore parfois) le pain et le vin sont toujours là, donc leur substance n'est pas changée. Ils doivent d'ailleurs demeurer pain et vin pour être des signes. On en veut pour preuve que l'Écriture les appelle encore pain et vin dans le cadre de l'eucharistie (Calvin). D'où la tendance à substituer au jugement d'identité reçu de la tradition un jugement de relation : ce pain et ce vin deviennent signes de la présence du Christ. On peut donc dire qu'une part du contentieux confessionnel en la matière repose sur des présupposés de langage opposés.

Cela dit, le jugement d'identité (« Ceci *est* mon corps ») posé au niveau de l'être est fondamental. Il ne s'agit pas d'échappatoire ou de jeu de mots. Car au niveau de l'être il faut choisir : « Le pain reste du pain *ou* il devient le corps du Christ [5]. » C'est pourquoi les mots de *transfinalisation* ou de *transsignification,* justes en eux-mêmes, sont insuffisants dans la mesure où ils pourraient ne viser qu'un changement extrinsèque. Car la substance suppose un rapport unifié de causalité et de finalité : il y a un travail du Christ sur ce pain et ce vin, irreprésentable pour nous, mais dont le fondement et la contrepartie sont le travail exercé par Jésus dans sa passion sur son propre corps.

Les choses étant ce qu'elles sont dans notre monde de culture, et sans rien enlever à ce qui vient d'être dit, on comprend pourquoi les documents d'accord eucharistique évitent le terme piégé de *transsubstantiation.* Le document des Dombes, par exemple, insiste clairement sur l'acte du Christ « qui se lie lui-même, par ses paroles et dans l'Esprit, à

4. *Ibid.,* p. 151.
5. *Ibid.,* p. 157.

l'événement sacramentel, signe de sa présence donnée » [6]. Au lieu de substance il parle de « réalité donnée sous les signes du pain et du vin » et de « vérité dernière ». Le jugement d'identité est sans équivoque : « Ils [le pain et le vin] sont désormais, dans leur vérité dernière, sous le signe extérieur, la réalité donnée » c'est-à-dire son corps et son sang [7]. Une note précise utilement que « cela ne signifie ni localisation du Christ dans le pain et le vin, ni changement physico-chimique de ces choses ».

3. Présence du corps ressuscité du Seigneur

La considération classique de l'eucharistie a longtemps oublié un des principes d'intelligibilité fondamentaux de ce mystère : la Pâque du Christ ressuscité et l'actualité (le « déjà-là ») de sa Parousie [8]. Il faut souligner en effet l'insuffisance commune à tout système d'interprétation qui se référerait uniquement à la réalité humaine du repas. Il est vrai, par exemple, que le père de famille qui distribue le soir le pain de ses enfants leur donne en un sens sa propre vie, puisqu'il leur donne le fruit de son travail et de son amour, le fruit du labeur de son corps. Mais ceci n'est encore qu'une métaphore suggestive, par rapport à l'eucharistie. Car le pouvoir du Christ de se rendre présent sous les signes du pain et du vin lui vient de sa Pâque, de son passage à Dieu dans sa mort et sa résurrection et de son acte de franchir toute limite et de parvenir à la fin des temps.

Il faut souligner également l'insuffisance (et parfois l'erreur formelle) des problématiques qui essaient de comprendre de manière immédiate l'identité du corps naturel du Jésus historique et de son corps eucharistique ou qui attribuent une localisation au corps glorieux du Christ (cf. l'« ubiquité » de Luther) ; et des problématiques qui situent la conversion « substantielle » dans l'eucharistie à un niveau intra-cosmique

6. GROUPE DES DOMBES, Vers une même foi eucharistique ?, Presses de Taizé, 1972, n. 18.

7. Ibid., n. 19.

8. Ces aspects ont été remis en lumière par les ouvrages de F.X. DURRWELL, L'eucharistie présence du Christ, Ed. Ouvrières, 1971, et de G. MARTELET, Résurrection, eucharistie et genèse de l'homme, Paris, DDB, 1972.

et intra-historique, en oubliant qu'elle est solidaire d'un passage à la résurrection et à la fin des temps.

Mais nous pouvons dire que la toute-puissance de la Parole du Christ Créateur, Ressuscité et Seigneur, est capable de donner à son corps, qui a franchi toute limite et qui est désormais dans une relation pour nous irreprésentable avec le cosmos, un nouvel être-là sensible, être-là réel bien qu'il s'exprime dans un signe, être-là de sa présence spirituelle de Ressuscité revenant vers nous de la fin des temps. Le mystère est ici total sur le comment : la foi l'affirme au même titre que la création, l'incarnation et la résurrection. Elle dégage seulement la crédibilité qui jaillit du lien des mystères entre eux.

Considérons simplement l'unité du travail de la Passion et de la puissance de la Résurrection :

— Jésus, parfaitement présent à son corps dans l'acte de donner sa vie pour les siens afin d'entrer en communion avec eux, s'est rendu aussi parfaitement présent au pain et au vin de la Cène, au nom du désir intense (« j'ai désiré d'un grand désir ») de manger avec eux la Pâque qu'il faisait nouvelle, la Nouvelle Alliance en son sang. Ceci suppose l'identité concrète entre l'événement vécu de sa mort et l'événement célébré de la Cène, instituée pour en être le mémorial. Cette identité est symbolisée dans la correspondance entre le corps *rompu* sur la croix, le corps *livré* et la vie *donnée*, d'une part, et le pain *rompu, donné* et *partagé*, d'autre part ; par la correspondance entre le sang *versé* et le vin *versé* dans la coupe. Corps et sang représentent la personne totale et concrète du Christ donné en sacrifice ; pain et vin représentent la nourriture élémentaire et la boisson festive des hommes, qui se rassemblent pour vivre la communion du repas. Dans l'eucharistie, Jésus, dans l'acte du don absolu de sa vie, fait passer sa présence à son corps livré et à son sang versé à une présence signifiée dans le pain donné et le sang versé, afin d'exprimer jusqu'au bout sa communion à son Église, donnant sa vie pour lui donner la vie, voulant vivre en elle pour qu'elle vive en lui.

— Mais cela ne peut être séparé de l'aboutissement ultime de ce don du Christ dans la résurrection, aboutissement qui change déjà tout avant de tout changer définitivement à la fin des temps, et le cosmos lui-même. Cet aboutissement change le mode d'être-là du ressuscité, son mode d'être présent aux siens. On le voit déjà dans les apparitions du ressuscité, qui ont valeur d'anticipation de la Parousie. On le voit encore dans le mode eucharistique de sa présence, signifiée et réalisée par celui qui

fait sien l'univers entier des choses et des hommes comme ce qui est déjà pour lui son propre corps mystique [...] Libéré par rapport à tout et souverain Seigneur de toutes choses, il peut rejoindre les hommes là où ils sont, et par des voies empruntées au monde même sur lequel désormais il règne en souverain au lieu d'y être assujetti, comme le mortel qu'il a été [9].

4. *Présence sacramentelle, présence dans un signe*

Le signe, c'est le pain et le vin, donc la nourriture et la boisson, mais aussi le manger et le boire, le repas lieu de communion entre les personnes par la médiation vitale de la nourriture. Tout le symbolisme du repas est assumé au niveau du Christ qui se donne. La nourriture partagée en commun est aussi le propre de l'époux et de l'épouse et l'expression de leur communauté de vie. Symbolisme qui a sa correspondance dans l'eucharistie où l'époux se fait la nourriture de son épouse pour habiter en elle et la faire habiter en lui et réaliser avec elle la communion de vie.

Qui dit présence dans un signe dit aussi présence *médiatrice*. Elle se réalise ici au sens fort où, d'une part le signe est la réalité signifiée — il n'est pas seulement efficace du don, mais il est le don (cf. jugement d'identité) ; et où, d'autre part, il renvoie à un pas-encore-manifesté, car la présence est cachée dans le signe et discernée par la foi seule. Cette présence médiatrice n'est donc ni de l'ordre de la présence historique et naturelle de Jésus, ni non plus du même ordre que sa présence glorieuse au monde des ressuscités. Car elle passe par le réseau des significations et des réalités du cosmos dans

9. E. Pousset, *art. cit.,* p. 203.

lequel nous vivons encore, dont nous avons besoin pour être présents les uns aux autres et dont le Christ veut se servir pour se rendre présent à nous. La présence eucharistique, ordonnée au temps de l'Église, passe par un être-là sensible original pour mettre en rapport concret l'au-delà eschatologique de la vie du Ressuscité et notre en-deçà toujours immergé dans le fil continu de l'histoire.

CHAPITRE 12

LA CONSISTANCE
EUCHARISTIQUE
DE LA CÈNE PROTESTANTE

Quelle est la valeur sacramentelle de la Sainte Cène protestante, c'est-à-dire celle qui est célébrée par les luthériens et les réformés ? Est-elle « valide », comme on dit souvent ? A une telle question, la tentation serait de répondre par un tout ou rien, un tout porté par une générosité mal éclairée et finalement stérile pour la dynamique œcuménique, ou un rien d'une injustice criante, en désaccord formel avec les orientations récentes de l'Église.

C'est à cette question que je voudrais répondre, en analysant le point de vue catholique actuel sur la réalité sacramentelle présente dans la Cène protestante. Je dis tout de suite que ma réponse sera nuancée et sort de la problématique trop simple, sous-jacente à l'antinomie « valide-invalide ». Elle est le fruit d'une réflexion et invite aussi à réfléchir. Elle est aussi, en un sens, provisoire, car des événements de la vie œcuménique — je pense en particulier à des actes de réconciliation ecclésiale à portée sacramentelle — pourraient la rendre dépassée. Elle est évidement conditionnée par la réalité du dialogue œcuménique actuel.

Le jugement de Vatican II

Le jugement le plus récent de l'Église catholique sur ce problème se trouve dans le décret de Vatican II sur l'œcuménisme. Il nous faut lire attentivement ce texte de référence :

> Bien qu'elles n'aient pas avec nous la pleine unité dont le baptême est la source et bien que nous croyions que, en raison surtout de l'absence du sacrement de l'ordre, elles n'ont pas conservé la substance propre et intégrale du mystère eucharistique, cependant les communautés ecclésiales séparées de nous, lorsqu'elles célèbrent à la Sainte Cène le mémorial de la mort et de la résurrection du Seigneur, professent que la vie consiste dans la communion au Christ et attendent son retour glorieux (*Unit. Red.* 22).

Ce texte, fort équilibré, contient à la fois un *jugement négatif* exprimé dans la proposition concessive du début de la phrase, et un *jugement positif* qui forme le contenu de la proposition principale.

— Le *jugement négatif* souligne chez nos frères des Églises issues de la Réforme l'absence du sacrement de l'ordre qui habilite dans l'Église un chrétien à présider l'eucharistie. Par l'ordination, en effet, celui-ci est agrégé au ministère apostolique qui a son origine et sa norme dans la mission des apôtres. Or, en raison de la rupture de la succession apostolique, qui s'est accomplie aux premiers temps de la Réforme, les pasteurs de ces Églises sont privés de cette habilitation qui leur permettrait d'être le signe pleinement efficace de la présidence du Christ au repas auquel il nous invite. On sait que la question du ministère ordonné demeure aujourd'hui le point crucial du dialogue œcuménique.

— Le *jugement positif* est pourtant porteur de la « pointe » du texte et en fait la nouveauté. Il comporte une triple affirmation qui se réfère au *passé :* le mémorial de la mort et de la résurrection du Seigneur ; au *présent :* la communion au Christ ; et à *l'avenir :* l'attente du retour du Seigneur. Or cette trilogie du passé, du présent et de l'avenir est le schème traditionnel selon lequel on a toujours exprimé la réalité du mystère eucharistique dans son lien à la vie itinérante de l'Église. Elle a son origine dans le texte bien connu de saint Paul : « Chaque fois que vous mangez ce pain et buvez à cette coupe [présent de la communion], vous annoncez la mort du Seigneur [le mémorial du passé], jusqu'à ce qu'il vienne [futur de la parousie] » (1 Co 11, 26). La même trilogie organise l'antienne liturgique du Saint-Sacrement, qui est l'œuvre de saint Thomas :

O sacrum convivium in quo Christus sumitur !   (présent)
Recolitur memoria passionis ejus   (passé)
Et futurae gloriae nobis pignus datur.   (futur)

O banquet sacré au cours duquel le Christ est reçu !
On y fait mémoire de sa passion
Et le gage de la gloire future nous est donné.

Comme on peut certainement faire confiance à la culture théologique des rédacteurs du texte de Vatican II, on voit que les expressions choisies par eux pour exprimer le contenu de la Cène protestante ont une très grande portée. L'affirmation la plus forte est que « les communautés ecclésiales séparées de nous [...] célèbrent à la Sainte Cène le mémorial de la mort et de la résurrection du Seigneur ». Elle reconnaît donc une « consistance » eucharistique réelle à cette célébration.

Consistance eucharistique et consistance ecclésiale

Cette consistance eucharistique de la Cène est solidaire de la consistance ecclésiale des communautés réformées, elle aussi formellement reconnue par le même décret de Vatican II. La « consistance ecclésiale » veut dire que ces communautés appartiennent au mystère de l'Église, malgré un certain nombre de déficiences au regard de réalités et de signes qui font partie intégrante de ce mystère. Déjà, la constitution dogmatique sur l'Église avait refusé d'identifier purement et simplement l'unique Église du Christ et l'Église catholique romaine. La première *subsiste dans* (et non pas *est*) la seconde (*Lum. Gent.*, 8). En dehors de cette dernière, en effet, « et de son organisation visible, se trouvent bien des éléments de sanctification et de vérité qui, étant les dons propres de l'Église du Christ, poussent à l'unité catholique » *(ibid.).* Le décret sur l'œcuménisme ajoute : « Ces Églises et communautés séparées, bien que nous les croyions souffrir de déficiences, ne sont nullement dépourvues de signification et de valeur dans le mystère du salut » (*Unit. Red.* 3). On peut penser que dans un texte conciliaire l'appellation d'« Églises » ou de « Communautés ecclésiales » prend toute sa valeur dogmatique.

Cette consistance ecclésiale s'appuie sur toute la richesse des éléments de vie chrétienne conservés. Ceux-ci sont ainsi énumérés : vie chrétienne nourrie de la foi au Christ, grâce du baptême et de la prédication de la parole de Dieu, prière privée, méditation de la Bible, vie de la famille chrétienne, culte de la communauté rassemblée pour la louange de Dieu, fruits de l'Esprit se manifestant en particulier par un sens de la justice, une charité sincère et des œuvres nombreuses au service du prochain (cf. *Unit. Red.*, 23).

Tout cela est parfaitement cohérent : consistance ecclésiale et consistance eucharistique vont de pair. Dans un cas comme dans l'autre il faut refuser le dilemme du tout ou rien. Si l'on admet l'adage du P. de Lubac, devenu aujourd'hui célèbre : « Si l'Église fait l'eucharistie, l'eucharistie fait l'Église », on ne doit pas s'en étonner. Disons même que cette corrélation s'étend aussi au ministère. Le ministère de la parole et des sacrements institué dans les Églises de la Réforme a lui aussi une consistance malgré la déficience relevée plus haut. Sa valeur est en particulier attestée par ses fruits.

Analyse théologique de la consistance eucharistique de la Cène

Ne peut-on être plus précis sur cette « consistance » ? Sans aucun doute. Le schème classique en théologie latine (et d'origine augustinienne) des trois degrés de l'eucharistie nous fournit une grille parfaitement adaptée :

— Le degré du *sacramentum tantum*, c'est-à-dire, en langue moderne, celui du signe sacramentel posé dans la célébration. Dans la liturgie protestante, ce signe est posé dans la foi et le désir d'obéir à l'ordre du Seigneur. A ce plan, la trilogie reconnue par Vatican II se trouve parfaitement vérifiée.

— Le degré de la *res et sacramentum*, c'est-à-dire de la pleine effectivité du mémorial et de la présence sacramentelle du Seigneur. Ici, la foi catholique discerne l'absence de « la substance propre et intégrale du mystère », conséquence de la déficience de l'ordination.

Ce « manque » ne nous permet pas pour autant de dire qu'il n'y a *aucune* présence du mémorial, ni *aucune* présence du Christ dans cette célébration. Car la présence du Christ est toujours accomplie par le don de l'Esprit, qui est ici invoqué par un ministre ecclésialement institué. (C'est pourquoi il n'est nullement indifférent à un catholique que la Sainte Cène soit présidée par un pasteur institué et consacré.) En définitive, la réalité de cette présence est le secret de Dieu et nous n'avons pas à prétendre la peser au trébuchet. Pour ma part, je ne me sens pas le droit de considérer le pain et le vin qui ont servi à la célébration protestante comme du pain et du vin ordinaire : ils sont entrés, à leur manière, dans l'histoire du salut.

Ce jugement, qui se veut absolument respectueux de la liberté de l'action de Dieu, ne doit pas donner à penser que tout est résolu. Il rappelle, au contraire, la nécessité et l'urgence de la réconciliation des Églises dans une unique eucharistie. Leur devoir commun, dans le dialogue œcuménique, est de tout faire pour que les signes sacramentels soient posés dans de telles conditions que leur réalité spirituelle ne donne prise à aucun doute et pour personne.

— Le degré de la *res tantum,* c'est-à-dire de la réalité de grâce vécue et reçue, qui fait des chrétiens rassemblés un seul corps du Christ dans l'Esprit. Cette réalité est reçue d'une manière que Dieu seul connaît, dans les eucharisties catholiques comme dans les cènes protestantes. Ses signes sont donnés dans l'existence ecclésiale de la communauté et le témoignage qu'elle rend au Seigneur. Car il faut maintenir, conformément à la théologie sacramentelle la plus traditionnelle, qu'il n'y a pas de proportionnalité stricte entre le degré de la *res et sacramentum* (validité proprement dite du sacrement) et celui de la *res tantum* (fruit de grâce). Ce point ne porte pas atteinte à l'économie voulue par le Seigneur qui ordonne la première à la seconde.

Prenons un exemple simple : un catholique sans grand désir spirituel peut retirer moins de fruit de charité d'une participation à une eucharistie pleinement valide, qu'un protestant fervent d'une participation à une célébration sacramentellement déficiente. Car Dieu qui se lie librement à l'événement sacramentel n'est pas lié de manière exclusive par sa validité.

Eucharistie effective et désir de l'eucharistie

Toute eucharistie authentique est aussi un désir de l'eucharistie, puisque nous savons que nos eucharisties pérégrinantes se situent toujours dans une tension entre un déjà-là et un pas-encore. Les limites de notre charité, nos péchés et nos divisions font que ce que nous recevons du mystère est toujours en deçà du don qui nous y est proposé. Il y a en effet d'autres déficiences que la déficience proprement sacramentelle. C'est pourquoi toute eucharistie doit s'accompagner d'un désir de coïncider de notre mieux au don du Seigneur et de convertir dans notre existence tout ce qui contredit son mémorial. Ce vœu a toujours à s'exercer au degré de la réalité dernière de l'eucharistie ; il peut aussi concerner le degré de la *res et sacramentum*. N'est-ce pas le sens de ce qu'on appelle la « communion spirituelle » ?

Dans cet esprit, la Cène protestante est et doit être un désir de l'eucharistie. Il y a en elle un vœu qui, à la mesure même de son authenticité, lui fait rejoindre la réalité du mystère, par-delà le « manque » dont j'ai parlé. Autrement dit, ce qui manque à la consistance de la Cène est, *pour une part,* comblé par la vérité du vœu qui l'accompagne. Il est clair que l'authenticité de ce vœu dépend d'une interrogation sérieuse sur la manière de vivre l'eucharistie, et sur les appels que l'Esprit nous fait à tous de parvenir à une célébration aussi plénière que possible. Je pense, en particulier, à l'exigence de réconciliation des ministères (capables de lever, par un acte créant une situation nouvelle, tout soupçon de « manque ») et à celle de tout faire pour parvenir à une eucharistie unique. La portée ecclésiale de la Cène dépend en effet de l'intention de réconciliation qui anime ceux qui la célèbrent.

Mais il faut dire aussitôt la contrepartie : les catholiques sont également renvoyés à l'exigence du vœu qui doit animer leurs célébrations (même si les points d'application sont différents) et confrontés à l'« infirmité » actuelle de célébrations eucharistiques qui ne peuvent rassembler la totalité des baptisés.

Dynamique d'avenir

Cette réflexion nous laisse sur un porte-à-faux, car elle nous invite à avancer sur la voie de l'unité. Elle peut éclairer théologiquement (même si elle n'entre pas dans les questions de discipline) le problème de l'hospitalité eucharistique (à inscrire, toujours à un titre exceptionnel, dans une dynamique d'anticipation et de grâce à demander). En aucun cas, elle ne saurait autoriser des solutions de facilité. Puisse-t-elle inviter les catholiques à une conversion d'attitude et à un grand respect vis-à-vis de la Cène protestante ! Puisse-t-elle aussi inviter nos frères protestants à une attention bienveillante face à l'interprétation que constitue ce nouveau langage des catholiques quant à leur eucharistie et à la question qu'ils ne cessent de leur poser sur le ministère !

CHAPITRE 13

EUCHARISTIE :
DEUX GÉNÉRATIONS
DE TRAVAUX

L'approche du Congrès eucharistique de Lourdes en 1981 (42e Congrès eucharistique international et centenaire du premier congrès de Lille) a ramené l'attention des chrétiens sur un mystère central dans notre foi. Outre les documentations préparatoires à cette assemblée [1], beaucoup de revues catholiques ont proposé un numéro spécial consacré à ce thème [2]. Ces publications répandent au profit d'un public plus large les résultats de nombreuses années de recherches autour de l'eucharistie. Les importants travaux de ces deux dernières décennies ont été souvent éclipsés dans la conscience chrétienne commune par les préoccupations ecclésiologiques qui ont précédé et suivi Vatican II, et, plus récemment, par la radicalité des problèmes christologiques. D'autre part, ce serait une naïveté de croire que tout a commencé avec les années 60. Dans la première moitié du siècle, les renouveaux biblique, patristique, liturgique, le travail théologique proprement dit et une première forme, très discrète, de dialogue œcuménique

---

1. *Jésus-Christ pain rompu pour un monde nouveau. Document de réflexion théologique et spirituelle pour le Congrès eucharistique international. Lourdes 1981,* Centurion, 1980. Présentation imagée, sous le même titre, des idées du document dans *Fêtes et saisons* 342, février 1980. R. LAURENTIN, *Jésus-Christ présent, pour préparer le Congrès eucharistique,* DDB, 1980.
2. P. ex. le dossier de *Communio, L'eucharistie pain nouveau pour un monde rompu,* L. Bouyer, A. Chapelle, G. Colombo, etc., Fayard, 1981. Prêtres diocésains, « L'Eucharistie, Jésus offert, Jésus vivant », numéro spécial 1980. *Christus,* « Pas de foi sans culte », 110, avril 1981. Un peu plus ancien, *Catéchèse,* « L'eucharistie », 71, avril 1978.

avaient déjà porté des fruits et ouvert des voies largement empruntées maintenant.

Mon but, dans ces quelques pages, est de proposer une sorte de bilan de ces recherches, les unes un peu plus anciennes, les autres tout à fait récentes, sous la forme de notes bibliographiques raisonnées. Dans le sujet qui nous intéresse, la littérature est immense : je m'en tiendrai aux productions accessibles en langue française, et de manière très sélective.

1. Avant 1960

L'eucharistie n'est pas seulement une donnée doctrinale proposée à la foi. Elle est un acte cultuel de l'Église rassemblée ; elle appartient à l'ordre du *faire*. En d'autres termes, elle est sacrement, célébré dans une liturgie qui s'adresse à tout l'homme, selon la spécificité qui est sienne. Cela avait été quelque peu oublié dans les temps modernes, au nom d'une préoccupation trop immédiate sur les points clés de la doctrine que sont le sacrifice et la présence réelle. Ce n'est donc pas un hasard si la recherche liturgique a donné une impulsion décisive au renouveau contemporain. Le grand nom à citer ici est celui de Odon Casel, bénédictin allemand de Maria Laach, mort en 1948, qui défendit toute sa vie la conception « mystérique » du culte chrétien. Mettant en avant l'adoration du mystère de Dieu révélé seulement à la foi, Casel tient que le mystère de notre salut, accompli dans l'événement de vie, de mort et de résurrection du Christ, reçoit une actuation dans les mystères du culte, accomplis sous le voile du symbole. Car ceux-ci contiennent ce qu'ils symbolisent, c'est-à-dire l'événement du Christ, présent parmi nous dans sa réalité propre. Du même coup Casel donne une consistance nouvelle à la notion biblique de mémorial. Ses idées seront souvent discutées et devront être nuancées et corrigées, mais on ne saurait méconnaître leur fécondité. Le Centre français de Pastorale liturgique les a diffusées en France après la dernière guerre dans les cahiers de *La Maison-Dieu* et la collection « Lex orandi » [3]. L'autre très grand nom de la recherche liturgique est celui de Joseph-André Jungmann, dont l'histoire monumentale de la messe romaine, écrite pendant la dernière guerre et traduite en français dans les années 50 [4], demeure un classique et fait toujours autorité.

Dans le même temps la théologie ne restait pas inactive [5]. Commençons par le Père, aujourd'hui cardinal de Lubac, dont l'enseignement a exercé une influence déterminante jusqu'aujourd'hui. En 1938 il rappelait dans *Catholicisme* [6] la grande visée biblique, patristique et très particulièrement augustinienne, de l'eucharistie sacrement de l'unité de toute l'Église : « Ô signe d'unité ! Ô lien de la charité ! » Il nous paraît aller de soi aujourd'hui que l'eucharistie et la communion à celle-ci ne peuvent être une affaire individuelle entre le Seigneur et chaque croyant : ce ne fut pas toujours le cas. A la même époque le P. de Lubac proposait les résultats, qui parurent surprenants à certains, d'une analyse de l'évolution sémantique de l'expression « corps mystique » [7] : à l'orée du Moyen Age la formule désignait l'eucharistie, à la fin elle en vient à signifier l'Église. Ce déplacement est une illustration vivante du lien entre le sacrement de l'eucharistie et l'Église corps du Christ, réalité dernière de ce sacrement. Plus tard, en 1952, le P. de Lubac lançait [8] deux expressions qui firent fortune au point qu'on les vit citer, ici ou là, comme des formules patristiques, tellement elles en ont la facture :

3. Odon CASEL, *Le Mémorial du Seigneur dans la liturgie de l'Antiquité chrétienne*, Cerf, coll. « Lex Orandi » 2, 1945 ; *Faites ceci en mémoire de moi*, Cerf, coll. « Lex Orandi » 34, 1962 ; *Le Mystère du culte dans le christianisme*, suivi de *Richesse du mystère du Christ*, Cerf, coll. « Lex Orandi » 38, 1964.

4. Joseph-André JUNGMANN, *Missarum solemnia. Explication génétique de la Messe romaine*, t. 1, 2 et 3, Aubier, 1951, 1952, 1954 (« Théologie » 19, 20, 21) ; ID., *La Grande Prière eucharistique*, Cerf, 1955.

5. Les grands ouvrages sur l'eucharistie de la période de l'entre-deux-guerres sont : M. DE LA TAILLE, *Mysterium fidei*, Beauchesne, 1921, et *Esquisse du mystère de la foi*, Beauchesne, 1924 ; A. VONIER, *La Clef de la doctrine eucharistique*, édition anglaise 1925, trad. fr. R. Roguet, Lyon, éd. de l'Abeille 1942 ; M. LEPIN, *L'Idée du sacrifice de la messe*, Beauchesne, 1926 ; E. MASURE, *Le Sacrifice du chef*, Beauchesne, 1932.

6. H. DE LUBAC, *Catholicisme. Les aspects sociaux du dogme*, 5e éd. revue et augmentée, Cerf, coll. « Unam sanctam » 3, 1952, cf. p. 71.

7. ID., *Corpus Mysticum, L'eucharistie et l'Église au Moyen Age, Étude historique*, 2e éd. revue et augmentée, Aubier, « Théologie » 3, 1949.

8. ID., *Méditation sur l'Église*, 2e éd. revue et augmentée, Aubier, « Théologie » 27, 1953, p. 113-129.

« L'Église fait l'Eucharistie [...] L'Eucharistie fait l'Église. »
Il touchait là les deux mystères dans le cœur même qui les
unit.

Un autre précurseur, le P. Yves de Montcheuil, fusillé à
l'heure de sa pleine maturité, en 1944, en raison de son
soutien spirituel aux maquis du Vercors, apportait lui aussi
une contribution capitale sur le point le plus lacunaire des
traités classiques de l'eucharistie. Ceux-ci avaient en effet pris
leur parti de traiter séparément du sacrifice et du sacrement,
sans doute parce que le concile de Trente avait réparti ces
sujets en deux sessions distinctes. Mais une telle dichotomie
était doctrinalement néfaste pour les deux aspects de l'unique
eucharistie, car on ne voyait plus en quoi le sacrifice de la
messe était sacramentel et, réciproquement, en quoi le sacrement de l'eucharistie est sacrificiel, c'est-à-dire sacrement du
sacrifice de la croix. C'est pourquoi le P. de Montcheuil,
enraciné dans la grande tradition, selon une dominante augustinienne, abordait le thème de « l'unité du sacrifice et du
sacrement dans l'eucharistie » [9]. Son idée majeure était que
le sacrifice de la croix est déjà le « sacrement » du sacrifice
de toute l'humanité, c'est-à-dire le signe et la cause du retour
de l'humanité vers Dieu. La célébration de l'eucharistie est
l'actualisation sacramentelle, liturgique et cultuelle de ce
« sacrement » primordial dans l'histoire des hommes. Sans
employer le mot de mémorial, l'auteur en retrouvait le contenu
essentiel par un accès original.

Les années 1945-1950 furent également marquées par les
premiers débats entre catholiques sur la compréhension de la
présence réelle du Christ dans l'eucharistie. C'est alors que
furent lancés les termes de « transsignification » et de « transfinalisation » : ils partaient d'une intuition juste, mais demeu-
raient insuffisants pour rendre compte de la réalité du « changement » opéré dans la célébration eucharistique et exprimé
par le terme technique, souvent mal compris aujourd'hui, de
« transsubstantiation ». On sait que Pie XII voyait dans ce
nouveau vocabulaire le danger de réduire la présence du Christ

---

9. Yves DE MONTCHEUIL, *Mélanges théologiques*, 2ᵉ éd., Aubier, coll.
« Théologie » 9, 1951 : « L'unité du sacrifice et du sacrement dans l'eucha-
ristie », p. 49-70 ; dans le même recueil : « L'eucharistie dans le Nouveau
Testament », p. 23-48.

dans l'eucharistie « à une sorte de symbolisme » [10], entendu dans un sens faible.

2. Les années 1960-1980

Cette césure doit être entendue avec une marge d'approximation. Elle veut simplement cerner l'élan qui a précédé, accompagné et suivi le concile de Vatican II. Pour la commodité de l'exposé, il nous faut passer en revue un certain nombre de domaines qui se recoupent : les documents officiels de l'Église, les recherches bibliques, les études liturgiques et patristiques, la théologie et les efforts œcuméniques.

Les documents officiels de l'Église

Dans la constitution sur la liturgie, le concile de Vatican II a consacré un chapitre à l'eucharistie [11]. Ce texte bref a commandé toutes les transformations liturgiques actuelles : pour que la présence des fidèles ne soit pas une simple « assistance », mais une « participation active », une révision des rites fut décidée avec une nouvelle répartition, beaucoup plus riche, des lectures bibliques, une importance plus grande donnée à l'homélie, la remise en honneur de la prière des fidèles, l'utilisation des langues modernes, l'ouverture à la communion sous les deux espèces, la concélébration. Cet ensemble de données, de même que les nombreuses références et allusions à l'eucharistie dans les autres documents conciliaires, sont riches d'implications proprement théologiques dont l'étude systématique n'a pas encore, à ma connaissance, été faite [12].

En 1965, avant même la fin du concile, Paul VI publiait son encyclique *Mysterium fidei* [13]. Après avoir insisté sur la valeur des formules dogmatiques, il articulait ainsi le rapport de la croix et de l'eucharistie : « Par le mystère eucharistique,

---

10. PIE XII, *Humani generis*, Dz.-Sch. 2318/3891.

11. Vatican II, Constitution *Sacrosanctum Concilium* sur la sainte liturgie, n° 47-58.

12. Regarder cependant *Parole et Pain*, n° 21, 1967, « L'eucharistie selon Vatican II ».

13. PAUL VI, *Mysterium fidei*. Doctrine et culte de l'eucharistie, 3 septembre 1965, Centurion, 1965.

le sacrifice de la croix, consommé une fois pour toutes sur le Calvaire, est rendu présent [repraesentari] de façon merveilleuse ; il est toujours rappelé [in memoriam revocari] [14]. » Ces expressions méritent attention : Paul VI s'y montre très attentif à rendre compte du caractère sacrificiel de la messe sans porter atteinte à l'unicité du sacrifice de la croix. Le second rend sacramentellement présent le premier dont il fait la mémoire, c'est-à-dire dont il est le mémorial. Nous verrons bientôt la grande fécondité théologique et œcuménique de cette notion biblique. D'autre part, Paul VI situe la présence réelle du Christ dans l'eucharistie comme une présence substantielle, dans l'ensemble des diverses présences réelles du Christ à son Église : par la prière de celle-ci, par la prédication de l'Évangile, par l'autorité des pasteurs, par la célébration des sacrements. Commentant le terme de « transsubstantiation », il précise que les espèces eucharistiques reçoivent une nouvelle signification et une nouvelle finalité du fait même qu'elles contiennent une réalité nouvelle d'ordre ontologique. Puisque l'Église a toujours cru que par les paroles de l'institution de la dernière Cène Jésus nous donnait vraiment son corps et son sang, elle en a tiré la conséquence que ce pain et ce vin avaient été l'objet d'un « changement » bien réel (c'était le mot des Pères de l'Église), même s'il est accessible à la seule foi [15].

Par la suite, le pape Jean-Paul II a envoyé aux évêques une lettre sur le mystère et le culte de la sainte eucharistie [16]. Son but est de souligner le lien entre l'eucharistie et le ministère sacerdotal des prêtres, le rapport entre eucharistie et Église (les formules du P. de Lubac sont citées) et la dimension « sacrée », entendue en un sens spécifiquement chrétien, du sacrifice. Citant une formule de la tradition grecque sur

---

14. *Ibid.*, n. 27.

15. En 1967, la Congrégation des rites proposait l'instruction « Eucharisticum Mysterium » sur le culte du mystère eucharistique, in *Doc. cath.* 1496 (1967), p. 1091-1122. Le document rappelle en particulier que « la fin première et primordiale de la conservation » des espèces est « l'administration du Viatique; les fins secondaires sont la distribution de la communion en dehors de la messe et l'adoration de N.S.J.C. » (n° 49). Car l'adoration est la conséquence de la conservation des espèces pour la communion des malades. De même les fidèles doivent se rappeler que « cette présence dérive du sacrifice et tend à la communion tout à la fois sacramentelle et spirituelle » (n° 50).

16. JEAN-PAUL II, « Lettre à tous les évêques de l'Église sur le mystère et le culte de la sainte Eucharistie », in *Doc. cath.* 1783 (1980), p. 301-312.

l'identité et l'unicité concrète du sacrifice d'aujourd'hui et du sacrifice de la croix, le texte redit à son tour que l'eucharistie rend « présent cet unique sacrifice de notre salut » [17].

Les recherches bibliques

Parmi les recherches bibliques, les unes sont plus théologiques et les autres plus historiques. Parmi les premières je range l'ouvrage de Max Thurian [18], qui est devenu une sorte de classique. Car ce livre de « théologie liturgique » est aussi un « effort de théologie biblique », organisé autour de la catégorie de mémorial qui joue aujourd'hui un rôle central, on vient de s'en rendre compte, dans l'exposé doctrinal de l'eucharistie. L'Exode parle déjà de mémorial à propos de l'institution liturgique de la première Pâque, c'est-à-dire la célébration annuelle de la libération du pays d'Égypte : « Ce jour-là, vous en ferez mémorial [zikkaron] et vous le fêterez comme une fête pour Yahvé, c'est un décret perpétuel » (12, 14). Une autre tradition de l'Exode souligne le caractère sacrificiel de ce mémorial, car il est mémorial d'un sacrifice. Le rite de l'agneau pascal « est le sacrifice de la Pâque pour Yahvé qui a passé au-delà des maisons des Israélites en Égypte » (12, 27). Or Jésus dit à son tour, lors de l'institution de l'eucharistie inscrite dans un climat de célébration pascale : « Faites cela en mémoire [mémorial, *anamnèsis*] de moi » (Lc 22, 19). Le terme français de mémoire risque d'être ici insuffisant, car il évoque le plus souvent un rapport subjectif au passé, une « commémoration ». Or le mémorial a une réalité objective : en vertu de l'ordre de Jésus, qui est en même temps une promesse, l'événement est rendu présent à travers la célébration liturgique. Il s'agit de l'événement de Jésus, sa vie, sa mort et sa résurrection, c'est-à-dire du mystère de son passage (Pâque) au Père. Mémorial d'un sacrifice, et donc mémorial sacrificiel, l'eucharistie est réellement sacrifice, car « le sacrifice de la croix est sacramentellement présent dans l'eucharistie

---

17. *Ibid.*, n° 9, p. 305.
18. Max Thurian, *L'Eucharistie. Mémorial du Seigneur, Sacrifice d'action de grâce et d'intercession*, 2ᵉ éd. revue et augmentée, Delachaux et Niestlé, 1963 ; ID., *Une seule eucharistie. Le pain unique*, Presses de Taizé, 1973.

par la puissance du Saint-Esprit et de la Parole » [19] ; en d'autres termes, l'eucharistie est « le sacrement du sacrifice ». Et parce que le mémorial est la présence du sacrifice, il comprend aussi la présence personnelle de Jésus (son corps et son sang) dans l'acte même où celui-ci se donne. Comme on le voit, la catégorie de mémorial refait l'unité de la doctrine eucharistique et constitue un élément capital de réconciliation œcuménique entre la tradition catholique qui a toujours tenu à la réalité sacrificielle de l'eucharistie et la tradition protestante attachée à l'unicité du sacrifice de la croix.

Une autre recherche a essayé de situer la parenté de la liturgie de l'eucharistie chrétienne avec la tradition liturgique juive, en particulier celle des bénédictions qui accompagnent les repas et prennent une grande importance dans le cas des repas de fête. En 1958, un article important de Jean-Paul Audet, repris peu après par un autre de B. Fraigneau-Julien [20], soulignait la continuité de structure entre la bénédiction juive et la prière eucharistique. La première comporte trois temps : 1. Bénédiction proprement dite, sorte d'invitatoire ou d'appel enthousiaste à la louange ; 2. L'exposé des motifs de la bénédiction, c'est-à-dire la *mémoire* des bienfaits de Dieu dans la création et dans l'histoire du salut ; ce rappel ouvre volontiers à la supplication pour le maintien des bénédictions du Seigneur en faveur de son peuple ; 3. Retour à la bénédiction initiale, sous forme de doxologie (gloire rendue à Dieu). On reconnaît ici la structure essentielle de la prière eucharistique qui commence par une invitation à la louange et à l'action de grâces (préface), fait ensuite mémoire du bienfait essentiel de l'histoire du salut, le mystère pascal de Jésus mort et ressuscité rendu présent grâce à l'institution de la Cène, et s'ouvre à la supplication avant d'en revenir à la doxologie finale : « Par lui, avec lui et en lui... » Ce rapprochement de structure se nourrit du fait que les récits de l'institution de la Cène mettent en parallèle la *bénédiction* sur le pain (*eulogèsas*, eulogie,

---

19. *Ibid.*, p. 226.
20. Jean-Paul AUDET, « Esquisse historique du genre littéraire de la "bénédiction" juive et de "l'eucharistie" chrétienne », *Revue biblique* 65 (1958), p. 371-399 ; B. FRAIGNEAU-JULIEN, « Éléments de la structure fondamentale de l'eucharistie : I. Bénédiction, anamnèse et action de grâces », *Rev. des Sc. Rel.* 34 (1960), p. 35-61.

Mt 26, 6 ; Mc 14, 22) et l'*action de grâces* sur la coupe (*eucharistèsas*, eucharistie, Mt 26, 27, Mc 14, 23).

Plus récemment, Th.-J. Talley [21] a apporté une nuance importante aux conclusions d'Audet. Une différence demeure entre la bénédiction proprement dite et l'action de grâces. En tout cas, l'eucharistie (action de grâces) chrétienne est une transposition lucide de la prière juive de bénédiction, et elle constitue un passage au vocabulaire sacrificiel, si l'on tient compte de l'équivalence dans les traductions grecques de l'Ancien Testament entre « sacrifice de louange » et « eucharistie ». Telle est sans doute la raison pour laquelle nous parlons aujourd'hui d'*eucharistie* (action de grâces) et non d'*eulogie* (bénédiction), comme le font certains textes patristiques anciens. Quoi qu'il en soit du détail, ces perspectives nous rappellent une dimension essentielle de l'eucharistie, celle-là même qui habite le nom que nous lui donnons et qui reste trop souvent étrangère à la conscience chrétienne : c'est la référence à Dieu le Père, auquel le Christ a tout rapporté dans un mouvement de don de lui-même en un authentique sacrifice de louange; c'est l'action de grâces primordiale à laquelle l'Église apprend à s'unir en célébrant la liturgie eucharistique.

La recherche exégétique s'est également attachée à rejoindre au plus près les aspects historiques de l'institution de l'eucharistie. Le problème est de pouvoir faire le départ entre les gestes et les paroles authentiques de Jésus et les données liturgiques de l'Église primitive déjà incorporées à certains récits d'institution. Les études les plus intéressantes, dans leurs divergences mêmes, sont celles de H. Schürmann, J. Jeremias et X. Léon-Dufour [22]. Je ne retiens ici que quelques points majeurs. Une question reste disputée : Jésus a-t-il célébré à la Cène la manducation rituelle juive de l'agneau pascal ? On

---

21. Th.-J. TALLEY, « De la *bérakah* à l'Eucharistie. Une question à réexaminer », *La Maison-Dieu* 125 (1976), p. 11-39.
22. H. SCHÜRMANN, *Le Récit de la dernière Cène*, Mappus, 1966 ; *Comment Jésus a-t-il vécu sa mort ?*, Cerf, 1977 (L.D. 96) ; J. JEREMIAS, *La Dernière Cène. Les paroles de Jésus*, Cerf, 1972 (L.D. 75); X. LÉON-DUFOUR, « Jésus devant sa mort à la lumière des textes de l'institution eucharistique et des discours d'adieu », dans J. DUPONT, *Jésus aux origines de la christologie*, Duculot, Gembloux, 1976, p. 141-168 ; *Face à la mort, Jésus et Paul*, Seuil, 1979 (« Parole de Dieu », 18) ; *Le partage du pain eucharistique selon le Nouveau Testament*, Seuil, 1982 (« Parole de Dieu »).

sait que les données des Synoptiques ne se recoupent pas à ce sujet avec celles de Jean. Annie Jaubert avait proposé naguère l'hypothèse d'une célébration de la Pâque et de la Cène le mardi saint, car Jésus aurait suivi un autre calendrier [23] : cette possibilité n'a pas été retenue. Plus récemment, Jeremias s'est fait le partisan convaincu de la célébration de la Pâque juive par Jésus, privilégiant ainsi les données des Synoptiques [24]. Ses arguments de poids n'ont pas réussi à emporter une adhésion unanime. On s'est aussi interrogé sur les paroles réellement prononcées par Jésus sur le pain et le vin. Tout le monde reconnaît que « Jésus a procédé à quelques actions sur le pain et sur la coupe » [25] et que le geste du don et du partage est bien son geste propre. Mais la teneur exacte des paroles est plus incertaine, dans la mesure où elles nous sont parvenues à travers une expression déjà liturgique. Le scrupule méthodologique de cette interrogation ne veut pas dire que ces paroles ont été inventées par la communauté primitive. Car celles-ci contiennent des traits caractéristiques du langage de Jésus et l'on sait la prédilection de celui-ci pour les actions paraboliques [26]. L'expression liturgique dont nous disposons renvoie donc aux éléments de sens de ce que Jésus a dit : c'est lui qui a posé le rapport entre ce pain et son corps [27]. Enfin, l'accord est assez général pour reconnaître que l'institution de la dernière Cène nous fait rejoindre l'attitude de Jésus devant sa propre mort [28]. On la résume généralement dans l'expression d'« existence-pour » son Père et ses frères, ou de « pro-existence ». De même que Jésus a voulu vivre dans une attitude de service (Mc 10, 45), il a accepté la mort, que lui imposaient ses adversaires, « pour nous », c'est-à-dire d'abord en notre faveur, et en esprit d'amour et d'obéissance à son Père qui lui demandait d'accomplir jusqu'au bout sa mission. Jésus a vécu sa mort dans une attitude fondamentale de confiance en Dieu, comme l'indique sa parole sur la coupe

---

23. A. JAUBERT, *La Date de la Cène. Calendrier biblique et liturgie chrétienne*, Gabalda, 1957.
24. J. JEREMIAS, *op. cit.*, p. 11-94.
25. X. LÉON-DUFOUR, *Face à la mort...*, p. 103-104.
26. Cf. J. JEREMIAS, *op. cit.*, p. 238-240.
27. Cf. X. LÉON-DUFOUR, *op. cit.*, p. 104.
28. Cf. H. SCHÜRMANN, *Comment Jésus...*, p. 73 ; X. LÉON-DUFOUR, « La mort rédemptrice du Christ selon le Nouveau Testament », dans *Mort pour nos péchés*, Bruxelles, Facultés univ. St-Louis 1976, p. 29.

à boire dans le Royaume de son Père (Mt 26, 29). Tout son comportement est donc celui d'un sacrifice réel, celui de sa propre existence, ce qui est tout autre chose qu'une référence à un sacrifice rituel [29].

Les études liturgiques et patristiques

Le maître livre dans le domaine de l'histoire de la liturgie eucharistique est celui de Louis Bouyer [30]. On y trouvera l'étude approfondie des bénédictions juives et de leur influence sur l'eucharistie chrétienne, puis la présentation et le commentaire théologique des grandes prières eucharistiques depuis la tradition la plus ancienne jusqu'à nos jours : la prière d'Hippolyte, aujourd'hui substantiellement reprise dans la prière eucharistique II, celle d'Addaï et Mari, puis les grandes traditions alexandrine, romaine, syrienne, byzantine (Basile de Césarée et Jean Chrysostome), gallicane et mozarabe. On lit dans toute cette histoire le développement de l'invocation de l'Esprit de Dieu sur les oblats, ou *épiclèse*. L'ouvrage parcourt ensuite les liturgies médiévales et celles des temps modernes, en faisant une large place aux liturgies luthériennes, réformées et anglicanes des origines de la Réforme jusqu'à nos jours.

D'autres ouvrages abordent également l'histoire et la théologie de la liturgie eucharistique [31]. On consultera aussi avec profit nombre de numéros-dossiers de la revue *La Maison-Dieu*, dont le propos est à la fois scientifique et pastoral. On y trouvera en particulier analyses et commentaires des documents de Vatican II, de même que des études sur le sacrifice eucharistique et le compte rendu des travaux du colloque sur

---

29. X. LÉON-DUFOUR, *Face à la mort...*, p. 109-112. On trouvera un autre aspect de la recherche biblique dans J.M. VAN CANGH, *La Multiplication des pains et l'eucharistie*, Cerf, 1975 (L.D. 86).
30. L. BOUYER, *Eucharistie. Théologie et spiritualité de la prière eucharistique*, DDB, 1966, Plus ancien, *Le Mystère pascal*, Cerf, 1945 (L.O. 4), de L. Bouyer, a également exercé une grande influence.
31. P. ex. *Eucharisties d'Orient et d'Occident*. Semaine liturgique de l'institut St-Serge, t. 1 et 2, Cerf, 1970 (L.O. 46-47).

l'eucharistie organisé par l'Institut catholique de Paris en 1979 [32].

La recherche liturgique reste largement solidaire de la recherche patristique, même si elle la déborde dans le temps. Notre époque est de plus en plus attentive aux émouvants témoignages de nos plus anciens pères dans la foi, comme en témoigne par exemple le petit livre collectif, *L'Eucharistie des premiers chrétiens* [33], ou l'intéressante étude du théologien protestant Jean de Watteville [34]. Il nous manque malheureusement un florilège français vraiment complet des grands textes patristiques sur l'eucharistie. Celui de A. Hamman [35] rendra service avec de beaux passages d'Irénée, de Cyprien, d'Hilaire et d'Augustin, mais il mériterait d'être repris et enrichi. Heureusement bien des documents sont aujourd'hui accessibles dans leur entier grâce à la collection « Sources chrétiennes » [36]. Je ne peux m'empêcher de privilégier ici les *Catéchèses mystatogiques* de Cyrille de Jérusalem [37]. Dans son remarquable commentaire de la célébration eucharistique au milieu du IVe siècle, ce dernier est un témoin de la tradition de la communion dans la main :

Quand donc tu t'approches, ne t'avance pas les paumes des mains étendues, ni les doigts disjoints ; mais fais de ta main gauche un trône pour ta main droite, puisque celle-ci doit recevoir le Roi, et,

---

32. *La Maison-Dieu* : 84 (1965) et 85 (1966), sur la messe paroissiale ; 87 (1966), le canon de la messe ; 91 (1967), l'instruction « Eucharisticum mysterium » ; 92 (1967), le canon de la messe en français ; 94 (1968), les nouvelles prières eucharistiques; 100 (1969), la nouvelle liturgie de la messe ; 103 (1970), le nouveau missel romain ; 123 (1975), Eucharistie : repas du Seigneur ou sacrifice ; 125 (1976), enjeux de la prière eucharistique ; 137 (1979), sur l'eucharistie (colloque de l'I.C.P. de janvier 1979), en particulier l'article de P.-M. GY (p. 81-108).

33. *L'Eucharistie des premiers chrétiens*, Beauchesne, 1976 (« Le point thique » 17).

34. J. DE WATTEVILLE, *Le Sacrifice dans les textes eucharistiques des premiers siècles*, Delachaux et Niestlé, 1966.

35. *L'Eucharistie dans l'antiquité chrétienne*. Textes choisis et présentés par A. Hamman, DDB, « Ichtus », 1981 (précédemment publiés chez Grasset, 1964, sous le titre *La Messe*). Cf. aussi L. DEISS, *Aux sources de la liturgie*, Fleurus, 1964.

36. Cf. Cl. MONDÉSERT, *Pour lire les Pères de l'Église*, dans la collection « Sources Chrétiennes », Cerf, 1979.

37. CYRILLE DE JÉRUSALEM, *Catéchèses mystatogiques,* éd. A. Piédagnel et P. Petit, Cerf, 1966 (S.C. 126). Les catéchèses IV et V sont consacrées à l'eucharistie.

dans le creux de la main, reçois le corps du Christ, disant : « Amen »
(V, 21).

Il témoigne également d'une belle conviction sur la présence
réelle et il attribue au Saint-Esprit la conversion des oblats :

Nous supplions le Dieu philanthrope d'envoyer l'Esprit-Saint sur
les dons ici déposés, pour faire le pain corps du Christ, et le vin
sang du Christ ; car, tout ce que touche l'Esprit-Saint, cela devient
sanctifié et transformé (V, 7).

Que l'acte de changement du pain et du vin au corps et
au sang du Christ soit attribué à la puissance de l'Esprit
invoqué par l'Église sur les oblats, c'est une donnée générale
de la tradition ancienne [38]. Elle est aujourd'hui l'objet d'une
redécouverte, dont la portée œcuménique est grande entre
Orient et Occident. L'Orthodoxie a vu avec joie la remise en
honneur de l'épiclèse dans les prières eucharistiques. Ce point
liturgique est aussi théologiquement important : il évite toute
confusion dans les sacrements entre ce qui est de l'ordre de
l'action toute-puissante de Dieu et ce qui est de l'ordre du
ministère de l'Église.

La théologie

La théologie spéculative n'est évidemment pas indépendante
des données de l'Écriture, de la liturgie et de la tradition.
Aussi bien les points les plus importants du renouveau doctrinal
ont-ils été évoqués et bien des ouvrages embrassent-ils plusieurs
champs. Sans oublier les exposés d'ensemble du mystère
eucharistique [39], nombre d'essais suggestifs [40] ou les recherches
interdisciplinaires [41], je voudrais seulement revenir sur trois

---

38. Cf. Y. M.-J. CONGAR, *Je crois en l'Esprit-Saint*, t. II, Cerf, 1980,
p. 294-319, « Sur l'épiclèse eucharistique ».

39. P. ex. L. DEISS, *La Cène du Seigneur, eucharistie des chrétiens*, Cen-
turion, 1975, et la bonne présentation pastorale de J. DE BACIOCCHI et
H. VERDIER, *L'Eucharistie. Sa signification. Difficultés. Célébrations actuelles*,
DDB, 1975.

40. P. ex. J. MOUROUX, *Faites ceci en mémoire de moi*, Aubier, 1970 ;
A. MANARANCHE, *Ceci est mon corps*, Seuil, 1975.

41. P. ex. *L'Eucharistie. Le sens des sacrements*, recherche pluridisciplinaire
sous la direction de R. DIDIER, Fac. de théologie de Lyon, Profac. 1971.

données significatives de la recherche actuelle : le lien entre l'*eucharistie* et la *résurrection*, la réflexion sur la *présence réelle* et la question de la *présidence*.

1. L'idée centrale des ouvrages de F.X. Durrwell, J.M. Tillard, G. Martelet et R. Johanny [42], compte tenu de leurs diversités, est que l'*eucharistie* ne peut être comprise que dans son rapport à tous les aspects du mystère pascal. Or, si le lien entre l'eucharistie et la croix a toujours été rappelé dans la théologie et la catéchèse, celui qui la rattache à la résurrection a été quelque peu laissé dans l'ombre. Si la Cène est une anticipation du don que Jésus fera de lui-même à la croix, elle est aussi une anticipation de sa résurrection. Aussi dans l'eucharistie célébrons-nous le mémorial de la totalité de l'événement du Christ, avec la dimension transhistorique du passage du ressuscité à la fin des temps. Paradoxalement, l'eucharistie est aussi le mémorial d'un avenir et sa dimension « eschatologique » était très présente aux communautés primitives, qui la célébraient joyeusement dans l'attente du retour du Seigneur.

Pour F.X. Durrwell, Pâques est déjà mystère de parousie et l'eucharistie est le sacrement de la parousie, c'est-à-dire la parousie sacramentellement anticipée. L'intelligibilité dernière de l'eucharistie vient de la fin. Cela a une conséquence sur l'explication de la présence réelle, qui ne doit pas être comprise comme un changement d'éléments situés dans la continuité de notre espace-temps, mais comme « une présence qui vient de loin, qui vient de la fin où le Christ a sa demeure permanente, d'où il rejoint l'Église terrestre » [43]. En effet, le pouvoir du Christ de se rendre présent par le don de l'Esprit sous les signes du pain et du vin lui vient de sa Pâque, c'est-à-dire de l'acte par lequel il s'est donné sans limite et a franchi toute limite. Il se trouve ainsi capable, au nom de son rapport nouveau au cosmos, d'exprimer sa présence personnelle de

---

42. F.X. DURRWELL, *L'Eucharistie présence du Christ*, Éd. Ouvrières, 1971 ; *L'Eucharistie, sacrement pascal*, Cerf, 1980 ; J.-M. R. TILLARD, *L'Eucharistie pâque de l'Église*, Cerf, 1964 (U.S. 44); G. MARTELET, *Résurrection, eucharistie et genèse de l'homme*, Desclée, 1972 ; R. JOHANNY, *L'Eucharistie chemin de résurrection*, Desclée, 1974.
43. F.X. DURRWELL, *L'Eucharistie sacrement pascal*, p. 40.

ressuscité dans l'être-là non ressuscité auquel nous appartenons encore.

G. Martelet remonte de l'eucharistie à la résurrection par le chemin du corps : « La *conversion* du pain et du vin au corps et au sang du Seigneur est tout aussi *originale* que le passage du corps mort de Jésus à son état de gloire [44]. » Or, ce rapprochement a été occulté par le passage, effectué au cours des siècles, du point de vue du corps ressuscité du Christ à celui de la substance. La raison en vient du fait que, depuis Augustin, on a attribué à tort une spacialité au corps du ressuscité. D'où une série de fausses questions qui ont traversé le Moyen Age et affecté la pensée de Luther et de Calvin : comment le Christ glorieux présent *dans* les cieux peut-il être aussi présent *dans* l'eucharistie ? En même temps se produisait le glissement sémantique du corps à la substance et la référence de la pensée n'était plus Augustin mais Aristote. Avec Durrwell l'auteur comprend l'eucharistie comme une parousie sacramentelle.

2. Le lien de l'eucharistie à la résurrection, de même d'ailleurs que la signification de l'épiclèse, ont fait déjà aborder la question de la *présence réelle*. En dogmatique catholique ce sujet est dominé par le concept de « transsubstantiation », canonisé par le concile de Trente et véhiculé dans la catéchèse traditionnelle, sans toujours recevoir des explications suffisamment pertinentes.

K. Rahner [45] et E. Schillebeeckx [46] ont repris, chacun pour sa part, l'analyse des documents officiels et des actes du concile de Trente, afin de mieux rendre compte de la nature et de l'intention de son enseignement. Les deux auteurs, qui écrivent avec un souci œcuménique, situent le terme technique de transsubstantiation dans le mouvement des affirmations conciliaires. Rahner y voit une explication logique des paroles de Jésus à la Cène : le mot ne dit rien de plus qu'elles, mais garantit qu'on les prenne effectivement au sérieux. L'auteur

---

44. G. MARTELET, *op. cit.*, p. 115.
45. K. RAHNER, « La présence du Christ dans le sacrement de l'eucharistie », dans *Écrits théologiques*, t. IX, Desclée, 1968, p. 95-124. Le même tome contient d'autres études sur l'eucharistie. ID., *L'Eucharistie et les hommes d'aujourd'hui,*, Mame, 1966, et ID., A. HAUSSLING, *Le Sacrifice unique et la fréquence des messes*, Desclée, 1973.
46. E. SCHILLEBEECKX, *La Présence du Christ dans l'eucharistie*, Cerf, 1970.

souligne toute la part qui reste ouverte à la discussion, tant au niveau de la compréhension de la substance qu'à celui du comment de la transsubstantiation. Schillebeeckx montre avec une grande pertinence les trois niveaux des affirmations dogmatiques de Trente : 1. Il y a présence réelle du corps et du sang du Christ dans l'eucharistie, parce que Jésus, dans le geste du don du pain et du vin, a dit : « Ceci est mon corps, ceci est mon sang. » ; 2. Prenant cette parole au sérieux, l'Église a toujours confessé un « changement » du pain et du vin au corps et au sang du Christ ; 3. Ce changement est appelé très convenablement « transsubstantiation ». Ainsi le troisième niveau apparaît-il comme l'expression rigoureuse et technique, reçue de la théologie médiévale, et la garantie dans l'ordre du langage des deux niveaux précédents. Dans la période de luttes doctrinales que fut le XVIᵉ siècle, le mot joua le rôle d'étendard regroupant tous ceux qui se voulaient fidèles à l'Église catholique.

Depuis lors ce terme a entretenu difficultés et incompréhensions, surtout en Occident, entre confessions chrétiennes divisées. Il a entretenu en particulier le soupçon d'un « chosisme » catholique dans la conception de la présence réelle. La représentation sous-jacente n'aurait-elle pas été dans beaucoup d'esprits celle d'une mutation physico-chimique des éléments ? Idée que rejetait expressément un saint Thomas [47]. Heureusement, le dialogue œcuménique a fait de grands progrès en la matière. Dès 1955, le théologien protestant F.J. Leenhardt [48] proposait une interprétation de la présence réelle très proche de ce qu'entend affirmer l'authentique tradition catholique dans un chapitre qu'il n'hésitait pas à intituler « la transsubstantiation ». Il écrivait ceci :

Le mot *transsubstantiation* exprime cette transformation sans prétendre à en fournir une explication [...] Il est utile parce qu'il retient deux affirmations essentielles pour la foi, dans lesquelles on peut tout résumer : 1. La substance des choses n'est pas dans leurs données empiriques, mais dans la volonté de Dieu qui les soutient ; 2. Jésus-

---

47. Cf. *Somme théologique*, III, q. 76, a. 3-5; q. 77, a. 5-8.
48. F.J. LEENHARDT, *Ceci est mon corps. Explication de ces paroles de Jésus-Christ*, Delachaux et Niestlé, 1955. Vont dans le même sens les « thèses sur la présence réelle » de M. THURIAN, *op. cit.*, p. 273-278. Je signale aussi l'ouvrage très positif par son ouverture œcuménique de J.J. VON ALLMEN, *Essai sur le repas du Seigneur*, Delachaux et Niestlé, 1966.

Christ affirme dans la chambre haute, d'une façon souveraine, la volonté que le pain soit son corps ; il transforme la substance de ce pain. Le mot transsubstantiation, on l'a bien compris, n'est pas relatif à un phénomène de l'ordre physique ; comme la substance des choses, cela relève de la connaissance de la foi. [...] Encore une fois, la substance, c'est la réalité dernière des choses telle que la foi la reconnaît dans la création de Dieu et dans son ordonnance à la créature [49].

Du côté catholique, J. de Baciocchi faisait écho, en 1959 [50], à cette même ontologie de la foi. Dans une perspective convergente, E. Pousset analysait, en 1966 [51], les trois éléments de la présence du Christ dans l'eucharistie : 1. Il est là ; 2. Sous un signe ; 3. Pour être notre nourriture. Ces trois éléments doivent être pris en compte dans la notion de substance sous-jacente à la transsubstantiation. Il ne s'agit pas là du substrat matériel, conception entretenue dans nos mentalités par la méthode scientifique. Il s'agit de l'unité totalisatrice d'un ensemble de phénomènes qui fait d'eux un être doué de sens [52].

Dans toutes ces recherches sur l'eucharistie, le symbolisme prend un sens nouveau, enrichi de la réflexion philosophique contemporaine. Dans l'usage classique et pour le sens commun, *symbole* est volontiers opposé à *réalité* : ce qui est symbolique, c'est ce qui n'existe pas. Le sens actuel insiste au contraire sur la réalité immanente au symbole, puisque celui-ci est fait du lien entre signifiant et signifié. « Il y a des symboles où la jonction ne se fait que par l'esprit humain qui les interprète. Il en est qu'on appelle symboles réels quand la réalité signifiée est contenue dans le signe. Celui-ci en est l'expression et l'intégration dans le monde [53]. » Ce dernier cas vaut des sacrements, et très particulièrement de l'eucharistie [54].

49. F.J. LEENHARDT, *op. cit.*, p. 33.
50. J. DE BACIOCCHI, « Présence du Christ et transsubstantiation », *Irénikon*, 32 (1959), p. 139-161. Cf. *supra*, p. 218-220.
51. E. POUSSET, « L'eucharistie, présence réelle et transsubstantiation », *R.S.R.* 54 (1966), p. 177-212. ID., « L'eucharistie : sacrement et existence », *N.R.Th.* 88 (1966), p. 943-965.
52. Cf. *supra*, le chap. 11 « Réflexions sur la présence réelle du Christ dans l'eucharistie », p. 218.
53. F.X. DURRWELL, *L'Eucharistie sacrement pascal*, p. 51, n. 42.
54. Cf. A. VERGOTE, A. DESCHAMPS, A. HOUSSIAU, *L'Eucharistie, symbole et réalité*, Gembloux, Duculot-Lethielleux, 1970.

3. La recherche théologique s'interroge enfin sur la nature et la signification du ministère de *présidence* de l'eucharistie. Le Nouveau Testament est pratiquement muet sur ce sujet : il nous dit seulement que Paul a présidé l'eucharistie à Troas (Ac 20, 7-11) et qu'il est très attentif au bon ordre de la célébration à Corinthe. Mais l'on sait que la présidence des repas dans le monde antique, en particulier dans la tradition juive des repas rituels, obéit à une hiérarchie familiale ou d'ancienneté [55] assez strictement réglée. D'autre part, la tradition patristique primitive atteste que cette présidence ministérielle est réservée aux ministres de l'Église, et très vite aux « épiscopes-presbytres », c'est-à-dire à ceux qui deviendront les évêques, ou à ceux qu'ils en chargent, plus tard et en lien avec eux, aux membres du presbyterium, c'est-à-dire aux « prêtres ». H. Legrand a montré de manière convaincante que dans l'Église primitive prêtres et évêques « présidaient à l'eucharistie parce qu'ils présidaient à la communauté chrétienne » [56]. L'eucharistie apparaît ainsi comme le sacrement de l'Église par excellence. Dans sa célébration se symbolise, à travers la relation entre ministre et communauté, la relation de l'Église au Christ qui la convoque, la rassemble et la nourrit.

3. *Les efforts œcuméniques*

Tout ce qui précède montre que la préoccupation de la réconciliation œcuménique est présente aux études eucharistiques depuis presque vingt-cinq ans [57]. Aussi n'est-il pas étonnant que ce domaine soit un de ceux où le dialogue doctrinal a fait les progrès les plus spectaculaires depuis le dernier concile. Dès les années 60, des commissions nationales,

---

55. Cf. N. AFANASSIEFF, *L'Église du Saint-Esprit*, Cerf, 1975 (« Cog. Fid. » 83), p. 249.
56. H.M. LEGRAND, « La présidence de l'eucharistie selon la Tradition ancienne », *Spiritus* 69 (1977), p. 409-431. (Les nᵒˢ 69 et 70 de *Spiritus* sont consacrés à la présidence de l'eucharistie.)
57. Voir R. MARLÉ, « L'Eucharistie dans la division des chrétiens », *Études*, avril 1963, p. 94-107.

par exemple en France et aux États-Unis [58], parvenaient à produire une parole commune déjà très élaborée sur le mystère eucharistique. A la même époque, la Commission *Foi et Constitution* du Conseil œcuménique des Églises publiait un « résumé du degré actuel de consensus œcuménique sur l'eucharistie », dit « texte de Bristol » [59], qui deviendra la matrice du document du groupe des Dombes en 1971 [60].

Les années 70 virent la publication d'importants documents internationaux qui sont le fruit du travail de commissions officielles. Contemporain du texte des Dombes et attestant une convergence nullement concertée avec lui, le document de Windsor [61], de la Commission anglicane-catholique romaine, insiste sur le mémorial sacrificiel et comprend la présence réelle à partir des paroles du Seigneur, en attribuant sa réalisation à « l'action transformante de l'Esprit de Dieu » [62]. En 1977, la commission internationale entre réformés et catholiques publiait un important rapport comportant un chapitre sur l'eucharistie [63]. D'inspiration très biblique, ce texte décrit la présence du Christ dans l'eucharistie comme sacramentelle et personnelle et met en relief le rapport entre eucharistie et Église. En 1978, c'était au tour de la commission entre luthériens et catholiques de proposer un document sur « le

---

58. Pour la France, cf. le dossier rassemblé dans *Lumière et Vie* 84 (1967) sous le titre « Eucharistie et unité ». La Commission luthéro-catholique des États-Unis a publié deux documents : sur l'Eucharistie comme sacrifice (« The Eucharist as Sacrifice. A Lutheran-Roman Catholic Statement », St-Louis, Missouri, 1967, dans *Modern eucharistic agreement*, Londres, SPCK, 1973) et sur l'Eucharistie et les ministères (« Eucharist and Ministry. A Lutheran-Roman Catholic Statement », St-Louis, Missouri, 1970, dans *Modern Ecumenical Documents on the Ministry*, Londres, SPCK, 1975).

59. Cf. *Verbum Caro*, XII, n° 87 (1968), p. 1-10.

60. GROUPE DES DOMBES, *Vers une même foi eucharistique ? Accord entre catholiques et protestants*, Presses de Taizé, 1972. Cf. *supra*, le chap. 10 « L'accord eucharistique des Dombes », p. 191-215.

61. Commission anglicane catholique romaine (ARCIC), « Déclaration commune sur la doctrine eucharistique », Windsor, 1971; *Doc. cath.* 1601 (1972), p. 86-89.

62. *Ibid.*, n° 11. La même commission a publié un autre document : « Doctrine eucharistique ; Ministère et Ordination : Élucidations », Salisbury, 1979 ; *Doc. cath.* 1769 (1979), p. 734-739 ; *Rapport final*, Paris, Cerf, 1982, p. 26-34.

63. Commission de dialogue entre l'Alliance réformée mondiale et le Secrétariat romain pour l'Unité des chrétiens, « La présence du Christ dans l'Église et dans le monde », 1977 ; *Doc. cath.* 1737 (1978), p. 206-223.

repas du Seigneur » [64], plus précis et plus riche que le précédent. La première partie, structurée selon la doxologie trinitaire de la prière eucharistique, constitue un « témoignage commun » qui reprend intentionnellement à son compte nombre de formulations des textes précédents. La deuxième partie, intitulée « Tâches communes », revient sur les points encore difficiles avec une rigueur et une loyauté presque scrupuleuses [65].

Entre-temps, la commission *Foi et Constitution* a présenté aux Églises du Conseil œcuménique, en 1974 à Accra, une version enrichie du document de Bristol [66]. Ce texte, encore provisoire, a été retravaillé pour le document dit de Lima [67].

Sur la base d'un accord dans la foi de plus en plus large, deux points doctrinaux et un point pratique font encore difficulté. C'est, d'une part, la question de la permanence de la présence eucharistique après la célébration et celle du ministère ordonné de présidence sur laquelle on ne peut que regretter un certain piétinement. C'est, d'autre part, le problème de l'hospitalité eucharistique qui demeure envisagée selon des perspectives incompatibles.

Comme on peut le voir, le bilan doctrinal et pastoral de ce long effort est très riche : en accord avec le mouvement liturgique et une sensibilité neuve du peuple chrétien, la réflexion théologique s'est rapprochée de ses sources bibliques ; elle a découvert l'intimité du rapport entre eucharistie et Église ; elle a refait autour de la catégorie de mémorial l'unité du sacrifice et du sacrement ; elle a repris conscience de la

---

64. Commission évangélique luthérienne (Fédération luthérienne mondiale) et catholique romaine, « Le repas du Seigneur », 1978 ; *Doc. cath.* 1755 (1979), p. 19-30 ; *Face à l'unité*, Paris, Cerf, 1986, p. 61-138.

65. Prenant occasion du texte luthéro-catholique, les luthériens et réformés de France ont publié un document commun sur « La Cène du Seigneur », *Doc. cath.* 1808 (1981), p. 512-513. Malgré ses qualités, celui-ci reste décevant sur la présidence de l'eucharistie et la question de l'hospitalité eucharistique, et ambigu dans sa présentation de la présence réelle.

66. Cf. Foi et Constitution — Conseil œcuménique, *La Réconciliation des Églises : baptême, eucharistie, ministère*, Presse de Taizé, 1974.

67. Foi et Constitution, *Baptême, Eucharistie, Ministère. Convergence de la foi*, Paris, Centurion, Presses de Taizé, 1982.

triple dimension de la prière eucharistique : action de grâces au Père, mémorial de l'événement du Fils, invocation de l'Esprit ; elle a progressé dans la compréhension de la présence réelle. Dans le même moment, elle s'est ouverte à un dialogue œcuménique approfondi dont les promesses restent immenses. Beaucoup de ces choses se retrouvent dans les documents préparatoires au congrès de Lourdes.

CINQUIÈME SECTION

LE ET LES MINISTÈRES

CHAPITRE 14

LES MINISTÈRES
DANS L'ÉGLISE

La réflexion théologique, image en cela de la vie de l'Église, est aujourd'hui en mouvement et en recherche sur la question des ministères. Mon exposé va tenir compte de cette conjoncture et, en particulier, des questions soulevées récemment dans le dialogue œcuménique. C'est pourquoi, si je commence par une réflexion de nature plus fondamentale en ecclésiologie, c'est parce que le point névralgique du dialogue actuel entre protestants et catholiques s'y trouve engagé. Sur ce terrain osons dire que des pas de conversion doivent encore être franchis pour que puissent être réconciliés dans une authentique complémentarité des points de vue ecclésiologiques encore affirmés sous le signe d'une compétition ambiguë.

C'est sur la base de cette visée ecclésiologique fondamentale que je pourrai risquer quelques réponses à des questions aujourd'hui posées sur la nature et les formes du ministère, et amorcer quelques réflexions prospectives sur le nécessaire renouvellement de la figure du ministère apostolique en notre temps.

I. LA RELATION AU CHRIST ET A L'ESPRIT
DE L'ÉGLISE ET DES MINISTÈRES

Sous-jacent aux débats ecclésiologiques actuels, nous trouvons le problème de la conciliation entre une juste référence de l'Église au Christ et sa juste référence à l'Esprit. Cette conciliation est particulièrement difficile quand on aborde le point crucial du ministère. « Dimension christologique » et « dimension pneumatologique » de l'Église, tels sont les deux aspects dont doit rendre compte toute réflexion théologique, en respectant non seulement leur équilibre mais aussi leur unité profonde [1].

A. *La double référence de l'Église au Christ et à l'Esprit*

Nous croyons tous que l'Église a jailli, selon le dessein de Dieu, de l'intervention, dans l'économie du salut, du Fils et de l'Esprit, c'est-à-dire de cette grande mission organique, à la fois double et une, de ceux qu'Irénée appelait « les deux mains de Dieu ». Mission *double*, car le Fils incarné et l'Esprit qui est le sien agissent chacun selon l'originalité qui est propre à leur personne. Le premier est le Révélateur visible du Père, celui qui vient humainement établir une relation nouvelle entre ce Père et l'humanité par l'accomplissement de son mystère pascal ; le second est le don invisible du Père et du Fils, répandu sur la communauté naissante des croyants pour faire d'elle le catalyseur de la réconciliation de toute l'humanité en Dieu.

Mais mission *une* aussi, car il n'y a qu'une seule économie du Fils et de l'Esprit, de même qu'il n'y a qu'un seul Dieu : le Fils incarné est celui sur qui repose l'Esprit de Dieu et qui est capable de le répandre comme son propre bien ; récipro-

---

1. Je rejoins volontiers sur ce point plusieurs interventions récentes de P. Congar, vis-à-vis desquelles je reconnais volontiers ma dette. Signalant par exemple l'orientation dominante du livre de Hans KÜNG, *L'Église,* Mame, 1968, le P. Congar fait cette remarque : « A plus d'un égard, [KÜNG] renouvelle ainsi, mais sur une base plus exégétique, une ecclésiologie du type pneumatologique du Möhler de *Die Einheit* (1825). Ainsi, en suivant la séquence (trinitaire) : Peuple de Dieu, création du Saint-Esprit, Corps du Christ. Ou encore par l'idée que l'Église collectivement prise hérite de la mission des apôtres, de sorte que les ministères, en elle, ne sont pas à proprement parler constitutifs [...] mais de simples services dans une communauté constituée par l'action de l'Esprit. *Le problème de fond ainsi posé est celui des rapports entre l'Église et le Verbe incarné, entre l'aspect pneumatologique et l'aspect christologique dans l'ecclésiologie* » (Y. CONGAR, « L'Église de Hans Küng », RSPT, 1969, p. 701. C'est moi qui souligne). Sur les problèmes soulevés par le livre de Küng, on lira également : P. GRELOT, « La structure ministérielle de l'Église d'après saint Paul. A propos de *L'Église* de H. Küng », *Istina*, 1970, p. 389-424.

quement, l'Esprit vient conduire les croyants vers la vérité tout entière que le Fils leur a révélée : il est cette présence agissante qui les rend capables de dire « Abba, Père ! » et de se conduire en fils de Dieu. Au terme de cette initiative divine, nous trouvons l'Église, qui est indissociablement le Peuple de Dieu, le Corps du Christ et le Temple de l'Esprit [2].

Ainsi l'Église doit-elle reproduire normalement dans son être l'unité différenciée des relations au Fils et à l'Esprit qui ont présidé à sa fondation, relation au Fils, rendu visible dans notre chair pour donner figure visible et historique à l'Église, relation à l'Esprit, répandu sur la communauté pour habiter en elle comme un foyer générateur, et sans cesse régénérateur, de vie divine. Les relations « économiques » qu'entretiennent entre eux le Fils et l'Esprit dans l'unique Église de Dieu correspondent analogiquement à leurs relations immanentes au sein de l'éternel échange trinitaire. C'est ainsi que l'Église se présente dans notre histoire comme un « grande parabole trinitaire [3] ».

A ce niveau fondamental, les difficultés confessionnelles ne se présentent pas encore. Mais nous savons très bien que nous sommes marqués, catholiques et protestants, par une référence plus accentuée au Christ ou à l'Esprit dans l'élaboration de notre ecclésiologie. Peut-être l'Orthodoxie présente-t-elle un meilleur équilibre à ce sujet. Il n'est donc pas inutile de faire le point de cette divergence.

Il est clair que l'ecclésiologie catholique est à prédominance christologique. L'Église y est avant tout située en fonction de son origine visible et institutionnelle : elle a été historiquement fondée par le Seigneur, rassembleur de la première communauté et auteur d'une longue chaîne d'envoyés, apôtres puis ministres. Nous connaissons la tentation spécifique de cette orientation :

---

2. *L'Église de Dieu, Corps du Christ et Temple de l'Esprit*, tel est le titre que le P. Louis BOUYER a donné à son important ouvrage sur l'Église (Cerf, 1970). On remarquera l'ordre de la séquence trinitaire, qui va du Christ à l'Esprit, respectant le mouvement de « l'économie » et permettant de rendre compte du poids de l'existence humaine du Christ dans la fondation de l'Église. Je renvoie plus particulièrement au début du chapitre V : « Ecclésiologie pneumatologique et ecclésiologie christologique », p. 373-382.
3. J'emprunte cette expression à une conférence de M. Jourjon.

on a pu l'appeler un « monophysisme ecclésiologique [4] ». Cette expression veut simplement matérialiser, par analogie avec l'hérésie christologique d'Eutychès, une certaine prétention de l'organisme visible de l'Église à se considérer comme l'expression immédiate de la présence et de l'action du Seigneur, au prix d'une méconnaissance de la souveraine liberté de l'Esprit à l'action dans les cœurs, comme de la réalité des libertés humaines, aussi bien du côté de la hiérarchie que du côté du peuple. Dans une telle perspective on oublie l'inévitable et nécessaire altérité de l'Église par rapport au Christ. Tout détail risque de devenir sacré et l'on peut en arriver, à la limite, à une sorte de magie du salut. L'Esprit semble alors strictement emprisonné dans les structures et domestiqué par la « mécanique » des sacrements. On discerne les conséquences de cet unilatéralisme, que je viens à dessein de caricaturer, dans ce qu'on a pu appeler le « système » catholique. Dans cette ligne théologique, l'Église est avant tout un *fait*.

Il est non moins clair que l'ecclésiologie protestante est à dominante pneumatologique. L'Église y est avant tout comprise comme la communion du peuple bénéficiaire du don de la Pentecôte. Elle est le Temple du Saint-Esprit qui la renouvelle sans cesse et la rajeunit par le déploiement des charismes qu'il dispense où et comme il veut. Cette orientation comporte elle aussi une tentation spécifique : on l'a nommée un « nestorianisme ecclésiologique ». Il s'agit, à l'opposé du monophysisme précédent, d'une distance trop facilement creusée entre le côté visible, institutionnel, historique et humain de l'Église, et son côté invisible, spirituel et divin. L'institution et sa continuité risquent alors d'être très relativisées et d'être affectées d'un lien assez lâche avec la véritable Église du Christ. Dans cette perspective — que j'esquisse de manière très simplifiée, sans prétendre réduire à cela l'ecclésiologie protestante —, l'Église sera avant tout un *devoir-être*. Elle doit perpétuellement rejaillir de ses propres retombées, même au prix de certaines ruptures. Le risque est alors grand de s'autoriser facilement de l'Esprit pour recréer l'Église.

Devant ces tendances traditionnelles de nos confessions, le dialogue œcuménique a déjà porté des fruits considérables.

---

4. Je m'inspire ici de Y. CONGAR, « Dogme christologique et Ecclésiologie. Vérité et limites d'un parallèle », paru dans *Das Konzil von Chalkedon*, Band III, Echter Verlag, Würzburg, 1954, p. 239-268.

L'Église catholique donne une attention de plus en plus grande, dans sa pensée et dans sa vie, à l'ecclésiologie de communion dans l'Esprit. Déjà au début du XIXe siècle, Möhler avait exposé dans son fameux livre *L'Unité dans l'Église* [5], et avec l'exagération que permet le génie, une ecclésiologie à dominante pneumatologique. Mais c'est surtout au moment de Vatican II et depuis lors qu'une attention plus grande au rôle de l'Esprit dans l'Église s'est manifestée. Aujourd'hui la conscience de l'Église catholique réalise davantage l'impérieuse exigence devant laquelle elle se trouve de se soumettre chaque jour à l'Esprit ; ce qui se traduit aussi bien dans la liturgie, avec la remise à l'honneur de l'épiclèse, que dans la vie inventive des communautés. Un mouvement réciproque est nettement sensible, me semble-t-il, du côté protestant. Reconsidération de l'aspect institutionnel de l'Église, revalorisation sacramentelle, réflexion sur la succession apostolique, telles sont les notes d'une perception nouvelle qui chemine chez les meilleurs représentants de la théologie protestante [6].

Et pourtant ce mouvement convergent n'est pas encore arrivé à son terme. Chaque confession reste encore sans doute trop prisonnière de son point de départ et de sa référence privilégiée. Un dernier pas — décisif et décisoire dans le domaine de l'œcuménisme — reste à franchir pour une réconciliation authentique de ces deux points de vue. Pour y parvenir, n'y a-t-il pas urgence à réfléchir sur *le lien de l'activité de l'Esprit à la visibilité de l'Incarnation* dans la fondation et la structure permanente de l'Église ? Car la Pentecôte s'est produite en un lieu et en un temps déterminés au terme de l'intervention historique du Fils de Dieu dans notre monde ; et le « kérygme » primitif, mis par les Actes dans la bouche de Pierre dès le jour de la Pentecôte, rapporte fondamenta-

---

5. *Die Einheit in der Kirche*, trad. A. de Lilienfeld, o.s.b. : *L'Unité dans l'Église ou le principe du catholicisme d'après l'esprit des Pères des trois premiers siècles de l'Église,* « Unam Sanctam » n° 2, Cerf, 1938. Möhler a corrigé plus tard son point de vue dans la *Symbolique*.

6. Je pense, par exemple, à deux livres récents dont la lecture est très éclairante pour un catholique : J.J. VON ALLMEN, *Le Saint Ministère selon la conviction et la volonté des réformés du* XVIe *siècle*, Delachaux et Niestlé, 1968 et Max THURIAN, *Sacerdoce et Ministère*, Presses de Taizé, 1970. Avec les nuances qui leur sont propres, ces deux ouvrages constituent des avancées considérables en ce qui regarde la théologie du ministère et l'appréciation de la succession apostolique.

lement l'événement du don de l'Esprit, que vient de vivre
cette communauté nouvelle, au mystère de la mort et de la
résurrection du Seigneur Jésus, dont les disciples présents ont
été les témoins. Comment dès lors, si nous ne voulons pas
opposer le Fils et l'Esprit dans notre manière de rendre compte
de la structure de l'Église, penser le rapport de cette communauté fondée par le Christ pour être, dans sa continuité
historique, le signe levé parmi les nations jusqu'à la fin des
temps, au don sanctifiant de l'Esprit qui lui a été fait sans
repentance, mais qui la transcende toujours ? Car il en va de
l'Esprit de vérité comme de la vérité; jamais l'Église ne le
possède comme un bien, mais toujours elle vit sous son exigence
et l'invoque dans la certitude qu'elle ne peut jamais être
abandonnée par lui. Jamais l'Esprit n'est prisonnier des institutions, mais l'Église instituée est toujours le lieu de la fidélité
de Dieu.

Nous reconnaissons tous que l'Église est toujours à réformer,
semper reformanda. Mais la question des conditions d'une
vraie réforme dans l'Église nous oblige à remonter à cette
donnée fondamentale de son mystère. Car si nous admettons
que jamais l'Esprit ne peut s'opposer à la fondation qui est
œuvre du Christ, si nous confessons qu'il est avant tout un
Esprit d'unité — puisqu'il scelle déjà l'unité de la Trinité —,
nous reconnaissons du même coup que jamais l'Esprit ne peut
conseiller de rompre l'unité. Aussi, quoi qu'il en soit du
jugement à porter sur le passé, une grave question se pose
à nous aujourd'hui et demain : quelles sont les exigences
inhérentes au mystère de l'Église, et donc inaliénables, auxquelles les confessions chrétiennes doivent se soumettre pour
recevoir le don de l'unité ?

B. La double référence des ministères au Christ et à l'Esprit

Un point d'application central de cette réflexion ecclésiologique globale est évidemment le problème des ministères.
Prolongeons donc l'analyse esquissée, en nous arrêtant successivement sur le côté christologique et le côté pneumatologique du ministère. Il est bien entendu que ces deux côtés
constituent une unité indéchirable, même si la violence actuelle

de la situation de séparation nous donne l'expérience de certaines déchirures.

Nous pouvons exprimer *la dimension christologique du ministère* en quelques phrases banales et rapides, qui traduisent néanmoins une donnée dont nul chrétien ne peut se défaire. Dans le dessein du Seigneur de fonder son Église, le ministère se greffe sur la mission visible du Verbe incarné. Le Père a envoyé son fils dans notre histoire en lui façonnant un corps (cf. He 10,5). A son tour le Christ dit à ses apôtres : « Comme le Père m'a envoyé, moi aussi je vous envoie » (Jn 20,21) [7]. Cet envoi, thématisé avec des accents variés mais convergents dans nombre de textes du Nouveau Testament, constitue une institution par le Christ et fonde la certitude des apôtres d'être *en ambassade* en son nom [8].

Les apôtres confient, eux aussi et à leur niveau, ce qui est transmissible de la charge reçue à d'autres hommes, disons d'abord à des auxiliaires puis à des successeurs. Dès le Nouveau Testament, nous rencontrons un geste privilégié pour attester et signifier cette transmission, c'est *l'imposition des mains* [9]. Peut-être ceci est-il trop vite dit : beaucoup d'études récentes ont manifesté la complexité des situations et insisté sur la diversité des types ecclésiologiques dont le Nouveau Testament donne le témoignage. Néanmoins, sans méconnaître les problèmes qu'une telle affirmation globale recouvre, nous devons la retenir avec toute sa valeur de donnée fondamentale. Car la nécessité qu'elle traduit dans les faits, c'est que l'authenticité apostolique du ministère soit signifiée visiblement et que le lien de chaque ministre à la mission reçue du Christ soit exprimé à l'intérieur de la communauté apostolique. Ce signe est indispensable pour manifester aux yeux du monde que la communauté rassemblée ici et maintenant, avec et autour de son ministre, est bien l'Église rassemblée par le Christ. Devant les forces centrifuges qui attaquent dès les IIe et IIIe siècles la

---

7. Ce texte est cité avec prédilection par Vatican II à propos de la mission des apôtres et des ministres appelés à leur succéder (LG 17-18 ; AM 5 ; MVP 2, CPE 1).

8. Cf. 2 Co 5, 20. Terme privilégié par Max THURIAN pour définir la nature et la fonction du ministère (cf. *op. cit.*, p. 11).

9. Cf. Ac. 6, 6 pour l'investiture des « sept » ; 13, 3 à propos de la mission de Paul et de Barnabé ; Ac. 14, 23 pour la constitution d'Anciens dans les communautés ; 1 Tm 4, 14 ; 2 Tm 1, 6 ; peut-être 1 Tm 5, 22 ;

cohésion de l'Église une, ce signe, inséparable de la réalité qu'il recouvre, est invoqué comme critère d'authenticité ecclésiale. Certes, il ne doit pas être isolé des autres signes de la réalité de l'Église, ce qui fut, sans doute, la faute d'une certaine théologie catholique ; car entre tous les signes ecclésiaux il existe une solidarité et une réciprocité qui permettent à chacun de prendre sa valeur et d'être perceptible dans sa vérité. Il ne s'agit donc pas de faire peser sur cet unique signe toute la consistance christologique de l'Église, mais de reconnaître qu'il est un élément inévacuable de cette consistance.

Ce signe est bel et bien une « tradition », la transmission de ce qui a été reçu. De même qu'il y a transmission visible et audible de la foi reçue de croyant à croyant (fides ex auditu), de même il y a, de ministre à ministre, transmission visible et audible de la charge (munus) reçue du Seigneur. Ce signe, avec la réalité qu'il engage, appartient donc à la sacramentalité globale de l'Église; c'est pourquoi la tradition l'a reconnu comme signe sacramentel. Il habilite « l'épiscope » à devenir le signe visible de « l'épiscope invisible » qu'est le Christ [10]. Il exprime l'initiative fondatrice du Christ sans cesse en train de rassembler son Église, c'est-à-dire, en dernière analyse, l'altérité radicale de la prévenance de Dieu se réconciliant tous les hommes en son Fils. Le ministre, ambassadeur et représentant du Christ, est ainsi constitué comme « l'autre symbolique de la communauté », ou comme son « vis-à-vis », dans lequel elle perçoit et reconnaît son identité et son unité. Mais qu'il soit dans son être ministériel l'autre de la communauté ne l'empêche nullement d'en être tout d'abord un membre, c'est-à-dire l'un de la communauté.

L'expression visible du ministère existant dans l'Église renvoie donc en définitive à la visibilité du Verbe incarné lui-même. Un mot pourrait résumer le bref appel que je viens de faire de la dimension christologique du ministère : anamnèse. L'Église est structurellement anamnèse de son Seigneur, de même qu'en célébrant l'Eucharistie elle fait mémoire, anamnèse, de la vie, de la mort, de la résurrection et de l'ascension du Christ manifesté dans la chair et toujours vivant en elle.

---

10. Cf. Max THURIAN, op. cit., p. 143 et 160, reprenant des expressions d'Ignace d'Antioche.

Tout cet exposé pourrait prêter à une grave distorsion du mystère ecclésial si cette référence christologique du ministère était isolée de sa *dimension pneumatologique*, ou « épiclétique ». Car l'envoi en mission des apôtres comprend le don de l'Esprit. Le Christ leur promet le Paraclet et le leur donne. L'Écriture nous présente deux versions de ce don de l'Esprit : en Jean, le Ressuscité souffle l'Esprit sur ses apôtres après leur avoir dit la parole d'envoi en mission (Jn 20, 22) ; en Luc, la mission reçue du Christ ne commence à s'exercer qu'à la Pentecôte, quand l'Esprit soufflant en tempête eut rempli les Douze de sa force pour faire d'eux d'autres hommes.

C'est qu'entre le Christ, Envoyé du Père, et ses apôtres, une différence radicale existe. Le Seigneur est celui qui possède l'Esprit comme son bien propre, ainsi que le répétait volontiers Cyrille d'Alexandrie : il pouvait donc le souffler de sa propre poitrine. Les apôtres le reçoivent comme le don d'un autre ; jamais il ne sera leur chose. Ils le portent en un vase d'argile et demeurent toujours soumis à son appel et à ses exigences. L'efficacité de leur ministère sera donc un don constamment renouvelé de l'Esprit. C'est pourquoi les ministres de l'Église, à l'exemple des apôtres, seront toujours dans la situation d'invoquer l'Esprit dans les actes décisifs de leur responsabilité. C'est ainsi qu'une prière à l'Esprit Saint, une « épiclèse », vient s'ajouter, lors de la célébration de l'Eucharistie, au mémorial, à l'anamnèse de son institution. Car la parole du prêtre sur les oblats n'a pas la même valeur que la parole du Christ en personne ; aussi le ministre n'ose-t-il la prononcer que dans l'invocation de l'Esprit. La théologie orientale a toujours été fidèle à cette visée que les nouvelles prières eucharistiques nous aident à redécouvrir. Une semblable « épiclèse » appartient à la liturgie d'ordination au ministère, car le geste d'imposition des mains signifie à la fois la transmission de la charge reçue et l'invocation de l'Esprit sur la personne de l'ordinand, ces deux aspects étant explicités par la prière consécratoire qui accompagne le geste. Mais ne peut-on pas dire que cette double dimension, d'anamnèse et d'épiclèse, traverse toute l'activité ministérielle et toute la réalité ecclésiale ?

Tradition *et* invocation, voilà, pourrait-on dire, le statut du ministère dans l'Église. Mission reçue dans l'histoire, mais aussi don que nul ne peut domestiquer, puisqu'il est le fait de la liberté transcendante et imprévisible de Dieu ; don sans cesse renouvelé dans l'actualité de la vie de l'Église, par l'Esprit qui suscite les vocations au ministère et distribue les charismes comme il veut ; don toujours humblement demandé dans un effort de discernement de ce que l'Esprit dit aux Églises ; don vécu dans un effort d'obéissance à l'exigence imprescriptible que le visage du ministère ne contredise pas le message évangélique qu'il annonce, c'est-à-dire dans une attitude de constante conversion. C'est ici en effet que l'infidélité des hommes peut intervenir pour dissocier ces deux aspects. L'héritage du ministère transmis peut être assez largement détourné de sa fin, perverti dans son exercice, domestiqué selon des vues humaines, rendu mondain, exercé dans un horizon de contre-témoignage évangélique [11]. Les ministres ont alors contristé l'Esprit, seul capable de régénérer leur ministère et de faire de lui une tradition vivante et féconde. L'histoire nous présente des exemples particulièrement douloureux de cette distorsion scandaleuse. Mais nous devons reconnaître qu'une telle tentation est constante, c'est pourquoi le ministère doit s'ouvrir à un renouvellement non moins constant de son être, en reconnaissant « la nécessité d'une fécondation permanente du signe et d'une réforme permanente de l'Église par l'Esprit [12] ».

Les réformateurs exerçaient, me semble-t-il, ce discernement authentiquement chrétien dans la mesure où leur intention profonde était d'œuvrer à la réforme pneumatique du ministère apostolique dont l'Église catholique de leur temps leur donnait trop souvent un visage contrefait. Mais une telle réforme peut-elle aboutir à son vrai but, si elle ne rejoint pas *ce* ministère lui-même à l'intérieur de sa détermination historique ? Nous

---

11. Et pourtant, l'Esprit ne peut abandonner si complètement l'Église du Christ que cette perversion aille à son terme, c'est-à-dire que l'on puisse dire l'Église éteinte dans sa continuité historique. Ce point appartient au mystère de l'Église. Le côté humain, trop humain, du ministère correspond à un risque consenti par le Christ qui a voulu s'en remettre à des libertés humaines. C'est pourquoi il trouve sa contrepartie dans la nécessité d'une conversion constante à l'appel de l'Esprit.

12. Conclusions de la rencontre des Dombes de 1967, § 6. Cf. *Pour la Communion des Églises, op. cit.,* p. 27.

vivons aujourd'hui une scission relative [13] de deux aspects du ministère dont l'unité appartient au mystère de l'Église. Quoi qu'il en soit du passé, notre tâche actuelle n'est-elle pas d'en opérer la réunification aussi complète que possible dans l'obéissance à la volonté du Seigneur ? C'est pourquoi l'appréciation doctrinale est ici grosse d'un enjeu décisif. Car elle commande la nature et la qualité des actes de réconciliation et d'unité que nous avons à poser. Retenons la parole évangélique : « Il fallait pratiquer ceci sans omettre cela » (Lc 11,42) : donc, non pas anamnèse ou épiclèse, ceci ou cela, mais anamnèse *et* épiclèse, ceci et cela.

II. LES DIFFÉRENTES FORMES DE MINISTÈRES DANS L'ÉGLISE D'AUJOURD'HUI

La visée sur le mystère de l'Église que je viens d'esquisser ne saurait évidemment répondre à elle seule à la multitude des questions actuelles. Elle jette néanmoins une lumière qui permet d'ordonner la réflexion. C'est donc toujours dans le même esprit que je voudrais risquer maintenant une suite de réflexions qui tiennent le plus grand compte de la situation présente de l'Église.

Dans un premier temps j'essaierai de clarifier la multitude des sens qui sont donnés aujourd'hui au terme de ministère. Puis j'aborderai les problèmes posés par la figure du ministère épiscopal, qui demeure, maintenant comme hier, au cœur de toute l'activité ministérielle de l'Église. Je terminerai enfin par quelques remarques sur le ministère presbytéral et diaconal.

A. *Quels ministères ?*

Aujourd'hui le terme de ministère est à la mode. Suivant les années, nous assistons ainsi à la valorisation affective d'un

---

13. Relative et incomplète, car je ne prétends évidemment pas que le ministère catholique soit dépourvu de fécondité « pneumatique », ni que le ministère protestant n'ait pas gardé un certain lien à la succession apostolique ; scission réelle néanmoins, puisque ces deux ministères, qui ont chacun leur référence privilégiée, ne sont pas réconciliés.

mot en fonction duquel tout doit être étiqueté. En ce moment, où l'idée de participation est omniprésente, toute activité dans l'Église doit être ministère. Il est vrai que le terme est en lui-même très compréhensif : son étymologie nous l'apprend immédiatement, puisque « ministère », qui vient du latin *ministerium*, traduit le grec *diakonia*, qui veut dire « service ». Aussitôt les questions se posent : toute l'existence chrétienne n'est-elle pas un service, une « diaconie » ? Tout service et tout charisme exercés dans l'Église pour le bien de tous ne sont-ils pas des ministères ? Comment situer, dès lors, la spécificité du ministère apostolique ? D'autre part, l'Église entière n'a-t-elle pas à exercer un ministère au service de l'humanité ?

1. *Ministère de l'Église et ministère dans l'Église*

L'Église, comme Peuple de Dieu, est une « race élue, un sacerdoce royal, une nation sainte, un peuple acquis » (1 P 2,9) ; elle est donc à ce titre prêtre dans la totalité de son corps [14]. Au nom de ce sacerdoce universel et au nom de la mission reçue par tout le corps ecclésial d'être le témoin du Christ, on peut légitimement parler d'un *ministère de l'Église,* c'est-à-dire d'une charge et d'une responsabilité à exercer dans le monde. Et comme tout ministère comporte un élément d'autorité, il existe une « autorité de service » et de témoignage du corps de l'Église dans le monde.

Il appartient à ce ministère global, mais fondamental, de faire de l'Église le catalyseur de la réconciliation de l'humanité avec elle-même et avec Dieu. Et il est non seulement normal, mais nécessaire que ce ministère s'exprime de manière multiforme à tous les niveaux de l'existence ecclésiale. C'est en ce sens que je comprends l'expression d'« *actes ministériels* » parfois employée : ces actes ministériels seraient des interventions signifiantes du corps ecclésial ou d'une partie de ce

---

14. Notons sur ce point le glissement opéré par Vatican II entre LG (10) et MVP (2). Dans le premier document tous les membres de l'Église sont considérés comme prêtres, chacun pris personnellement ; le second évite cette perspective individuelle : dans l'Esprit tous les chrétiens sont un unique sacerdoce saint et royal. La seconde perspective semble plus biblique et plus traditionnelle.

corps, actualisant son service de l'humanité et vivant sa responsabilité fondamentale de libération de l'homme dans la vérité et dans l'amour, c'est-à-dire dans le Christ Jésus. Ces actes signifiants ne seraient pas forcément un geste spécifique du ministère apostolique au sens précis du mot, mais ne seraient pas pour autant privés de toute relation à ce ministère. Car la globalité du Peuple de Dieu inclut évidemment la hiérarchie du ministère apostolique. Nous devons toujours nous garder de penser le peuple de Dieu selon l'image monstrueuse d'un corps sans tête.

Ce ministère de l'Église est-il apostolique ? Oui, puisqu'il puise son origine dans l'apostolicité de l'Église qui vit tout entière dans la succession des apôtres. Ceci peut être affirmé sans risque de confusion avec ce que l'on appelle, selon la terminologie courante, le ministère « apostolique », parce qu'il est fondé sur une succession particulièrement signifiée.

De ce ministère *de l'Église* nous pouvons distinguer les *ministères particuliers* existant *dans l'Église*. Car, à l'intérieur de la communauté chrétienne, est ministère tout ce qui contribue structurellement à sa vie (à son « *esse* ») et tout ce qui travaille à son service et pour son bien (son « *bene esse* »). Cet intérieur de la communauté demeure toujours ouvert et comprend à la fois le ministère de la communauté déjà rassemblée, et le ministère missionnaire de la communauté à rassembler.

Mais une analyse plus précise du ministère *dans* l'Église amène à une autre distinction.

2. Ministère apostolique et ministère baptismal

Le ministère intérieur à l'Église apparaît en effet structuré en deux pôles qui entretiennent entre eux des rapports complexes : le ministère « apostolique » et le ministère fondé sur le baptême et la confirmation. Car les différents membres du corps ont des fonctions qui leur sont propres.

Le *ministère apostolique,* au sens restreint de ce mot, est celui qui se fonde et s'origine dans l'institution des apôtres par le Seigneur qui les a établis comme fondements de l'Église. C'est à ce ministère qu'a été consacrée ma première réflexion.

Dès Ignace d'Antioche, le ministère apostolique apparaît structuré selon la trilogie connue : évêque, prêtre, diacre, qui s'est toujours maintenue dans l'Église. Mais remarquons que cette trilogie constitue une cristallisation et une détermination des fonctions qui dépasse le témoignage du Nouveau Testament. Dans sa totalité la trilogie des ministres recouvre le ministère apostolique fondé sur l'institution du Seigneur, et l'Église l'a toujours comprise ainsi. Mais on ne peut pas, du moins me semble-t-il, déduire cette trilogie organique de l'attestation scripturaire que nous avons de l'institution du Seigneur. Autrement dit, pour reprendre un vocabulaire classique, on ne peut pas prouver que la distinction évêque-prêtre est comme telle d'institution divine. Cette remarque ne s'oppose nullement à l'affirmation faite par Vatican II du caractère sacramentel de l'épiscopat, car le concile n'a pas prétendu trancher ce point. La distinction entre évêque et prêtre est en effet, historiquement et doctrinalement, fort complexe. Nous pouvons donc retenir que la triple détermination du ministère épiscopal, sacerdotal et diaconal, de caractère hautement traditionnel en elle-même, rend présent dans l'Église le ministère apostolique institué par le Seigneur.

Mais le *baptême et la confirmation* fondent également un ministère et habilitent à un apostolat dans l'Église. La confirmation est en particulier le sacrement qui fait entrer le baptisé dans la pleine responsabilité de la vie ecclésiale. Il est donc normal que, fondés sur le don de l'Esprit reçu dans ces sacrements, des services de la communauté surgissent et même se structurent et s'organisent, permettant d'exercer la diversité complémentaire des charismes de chacun ; et il est légitime d'appeler ces services « ministères » en un sens générique.

Il est vrai que ce vocabulaire est actuellement discuté entre théologiens : certains voudraient restreindre le terme de « ministère » au ministère apostolique proprement dit. Mais le vocabulaire de Vatican II est sur ce point plus compréhensif [15].

Ainsi, dans un échantillonnage de divers ministères, le concile met à côté des prêtres et des diacres les catéchistes et l'Action

---

15. AM n° 15. Cf. *infra*, le chap. 17 « Le déplacement des catégories du ministère apostolique à Vatican II », p. 342-344.

catholique ; il situe également dans la même sphère d'activité ecclésiale l'*office* des religieux et des religieuses. Il est donc légitime de considérer ces divers services de l'Église comme d'authentiques ministères.

L'existence de ces ministères, de type baptismal, pose évidemment le problème de leur lien au ministère hiérarchique. Dans un passé récent deux tendances se sont affrontées dans l'Église de France, en particulier à propos de l'Action catholique. Les uns comprenaient ces ministères et ces fonctions comme un prolongement du ministère hiérarchique et voyaient leur fondement principal dans une investiture ou un « mandat », reçu de l'épiscopat, et qui donnait souvent lieu à une célébration liturgique. Cette conception rejoignait l'évolution beaucoup plus ancienne qui avait entraîné l'institution des ordres mineurs. Ces ordres étaient des fonctions situées dans le prolongement du ministère hiérarchique et signifiées par un rite d'ordination inspiré du modèle de l'ordination épiscopale ou presbytérale, même s'il n'a jamais comporté l'imposition des mains. Une praxis ecclésiale de cette nature est parfaitement légitime, mais la théologie qu'elle recouvre est ambiguë dans la mesure où elle prétend ramener à une délégation du ministère hiérarchique ce qui repose avant tout sur l'exigence baptismale : et l'usage lui-même en serait dangereux, s'il prétendait confisquer de manière « cléricale » l'habilitation à ces types de ministères. C'est pourquoi certains théologiens ont vigoureusement rappelé à la même époque que le baptême et la confirmation fondaient une responsabilité propre dans l'apostolat de l'Église [16]. Les remous soulevés à cette époque sont bien apaisés aujourd'hui, mais il est significatif de voir la rapidité avec laquelle la perspective s'est renversée, surtout au plan des sensibilités.

Il reste en tout état de cause qu'un ministère ou un service de la communauté, fondé sur le baptême et la confirmation, demande à être vécu et exercé dans l'unité de l'Église, et que le régulateur et gardien de cette unité est l'évêque. Autant que l'activité en cause le demande, l'évêque a donc à exercer

---

16. Cf. K. RAHNER « L'Apostolat des laïcs », *NRTh.*, 1956, p. 3-32 ; Ch. BAUMGARTNER, « Formes diverses de l'apostolat des laïcs », *Christus*, 13, 1957, p. 9-33. Le P. Congar est revenu sur l'opportunité d'actes liturgiques consacrant ces ministères dans la communauté (*art. cit.*, *La Maison-Dieu*, n° 102, 1970, p. 18). Sa prise de position, qui note le risque de cléricalisation, est ouverte. Je me sépare cependant de lui sur un point : l'imposition des mains devrait toujours être réservée aux ordinations au ministère apostolique.

un discernement pour le bien de la communauté. Mais discerner, reconnaître, authentifier même ministères et charismes est autre chose que de donner mandat.

3. Peut-il y avoir une Église sans ministère apostolique ?

La question est aujourd'hui fréquemment posée. Pour lui donner une référence concrète, on prend le fameux exemple du Japon, où dans les siècles qui suivirent la mort de saint François Xavier, des communautés chrétiennes vécurent absolument privées du ministère apostolique. On se réfère aussi volontiers aux situations extrêmes : persécution, camp de concentration, catastrophe, par exemple communauté enfermée dans un sous-marin en perdition. Pourquoi, dans ce dernier cas, une communauté protestante privée de pasteur peut-elle chercher à célébrer la Sainte Cène, et pourquoi une communauté catholique dans le même cas ne le peut-elle pas ?

Je ne prétends pas apporter de réponse complète à ces questions difficiles. Mais les réflexions précédentes peuvent nous aider à situer les choses.

Un texte de Tertullien nous met sur la voie juste : « Là où trois sont ensemble, là est l'Église, même si ce sont des laïcs [17]. » Cette phrase est un écho de Mt 18, 20 : « Que deux ou trois, en effet, soient réunis en mon nom, je suis au milieu d'eux. » On peut y voir aussi une allusion trinitaire. C'est une affirmation très forte qui donne tout son poids à notre réflexion sur le ministère baptismal. Le mystère de l'Église est donc présent et vivant dans une communauté de laïcs. Si, par hypothèse, cette communauté est complètement isolée, elle possède les ministères indispensables à sa survie.

Toute une tradition montre en effet qu'une communauté de ce genre cherche à vivre au maximum son être ecclésial. Non seulement le baptême sera donné, la foi sera enseignée, on se réunira autour de la Parole de Dieu, mais aussi on cherchera à vivre au mieux la sacramentalité de l'Église en posant tout ce qui dans les gestes ecclésiaux ne dépend pas strictement du ministère apostolique. C'est ainsi qu'il faut comprendre la

---

17. « Ubi tres, ecclesia est, licet laïci » (TERTULLIEN, *Exhort. à la chasteté*, chap. VII, *S.C.* 319, p. 93).

tradition médiévale, attestée par saint Thomas, de la confession au laïc. Saint Ignace de Loyola fit, par exemple, pendant le siège de Pampelune, sa confession à l'un de ses compagnons d'armes. Il posait donc, autant qu'il était en lui, tous les actes du sacrement de pénitence. Un tel geste a une signification ecclésiale très profonde.

Il est vrai qu'on n'a jamais envisagé dans la tradition catholique de célébrer l'eucharistie dans ces situations. Tout récemment, néanmoins, le théologien allemand Walter Kasper en a émis l'hypothèse, afin de réfléchir sur la signification et la portée d'une telle célébration :

> ... une célébration eucharistique contre le ministère officiel serait en tout cas une absurdité, annulant l'effet le plus essentiel de l'eucharistie ; ce qui doit être le signe de l'unité deviendrait l'expression de la contestation. Il en va autrement sans aucun doute dans les situations extrêmes, où, pendant un très long délai, il n'est pas possible d'avoir un prêtre. Une éventuelle célébration de l'eucharistie par un laïc ne se ferait pas dans ce cas en rébellion contre le ministère officiel, mais dans la souffrance d'être séparé de tout ministre officiel. Si donc des chrétiens se réunissaient, dans une situation extrême de ce genre, pour célébrer un repas commun en mémoire de la volonté ultime de Jésus, le Christ serait certainement présent parmi eux ; il y aurait communion avec l'Église et avec son ministère officiel au moins *in voto*. S'agirait-il là d'une eucharistie au sens formel du terme ? C'est une question qui n'a pas été discutée jusqu'à présent, mais qui perdrait de sa force explosive si l'on réfléchissait qu'il y a divers « degrés de densité » dans la réalisation de l'eucharistie et différentes manières pour le Christ d'être présent [18].

Il s'agirait donc bien d'une situation extrême où l'impossibilité, durable ou définitive, d'avoir un prêtre est absolue. D'autre part les participants auraient conscience que leur célébration ne serait pas, au plan proprement sacramentel, la plénitude de l'eucharistie. Néanmoins l'infirmité du *signe* qu'ils vivraient ne les empêcherait pas de communier à la *réalité* de l'eucharistie, c'est-à-dire au don que le Seigneur fait de lui-même à son Église pour la réunir en son Corps. La piste ouverte par Kasper, quand il parle de « degrés de densité » possibles dans la réalisation du sacrement de l'eucharistie, a

---

18. « Accents nouveaux dans la compréhension dogmatique du service sacerdotal », *Concilium*, n° 43, p. 32.

le grand intérêt de nous faire sortir d'une problématique trop simple du tout ou rien dans l'économie sacramentelle.

Tous ces aspects du ministère baptismal sont loin d'être négligeables, et pourtant nous nous heurtons à une limite qui vient précisément du fait que nous envisageons un cas extrême, où l'économie de la visibilité sacramentelle de l'Église ne peut jouer complètement. La plénitude des signes sacramentels ne peut être posée, parce que par hypothèse cette communauté est privée de celui ou de ceux que le Seigneur a voulu établir comme signes de son initiative irréductible de rassembler son Église à la fois comme son Corps et comme son Épouse. Or la fidélité de Dieu ne peut laisser l'Église universelle dépourvue du signe du ministère apostolique. Cette communauté est donc bien l'Église, mais elle ne possède pas à elle seule tous les signes structurels de l'Église ; elle ne peut donc rendre compte de son être ecclésial que dans son rapport de communion à l'Église universelle où s'exerce le ministère apostolique. Toute la sacramentalité, en partie réelle, en partie de désir, qu'elle cherche à vivre n'est efficace, par le don de l'Esprit bien sûr, qu'en référence au signe du ministère posé par le Seigneur. Le vœu de ce ministère serait évidemment présent à toute l'attitude ecclésiale de cette communauté. Son infirmité structurelle ne l'empêcherait donc pas de vivre la plénitude du don de Dieu et du mystère de l'Église. Car sa consistance ecclésiale dépasse l'insuffisance des signes qu'elle détient, de par sa communion avec l'Église pleinement structurée qui vit dans le monde. Mais retenons qu'il s'agit d'une situation extrême qui, par la distance qu'elle maintient entre la plénitude des signes et le don de Dieu, fait violence à l'économie normale du mystère de l'Église. L'exception ne peut donc servir comme telle de référence normative, tout en ayant l'immense intérêt de faire ressortir des données trop facilement oubliées de ce même mystère.

B. Pour une mutation de la figure du ministère épiscopal

Autre chose est l'essence ou la définition ecclésiale d'un ministère, et autre chose la « figure » concrète, ou la forme historique variable qu'il peut prendre à travers les temps et les cultures. Le premier aspect représente la constante ou l'invariant de ce ministère en vertu du mystère de l'Église, et le second représente ses variables. L'absence d'une telle distinction a souvent faussé la réflexion [19].

Mais distinction ne veut pas dire séparation. Étant donné le caractère social et historique de l'homme, la réalité du ministère ne peut être vécue en dehors d'une figure dans laquelle il prend chair et visibilité. La perte d'une figure crée inévitablement le devoir de passer à une nouvelle, sous peine de mort. Il est donc normal que chaque époque ait pour tâche d'inventer et de réinventer sans cesse la figure qui lui correspond en vérité [20]. Car un ministère figé dans une figure du passé, ou refusant de revêtir une nouvelle figure, risquerait fort d'être un ministère évanoui, perdu dans la masse, parce que perdu tout court. Celui qui assume un ministère doit accepter en tout état de cause certaines lignes de différenciation de son existence. Cette différenciation qualitative ne veut pas dire inégalité, supériorité ou privilège ; elle cherche seulement à incarner de manière signifiante le témoignage qui appartient au ministère apostolique.

Une réflexion sur les figures du ministère ne présente donc pas un intérêt réduit ou secondaire. Karl Rahner nous montre que son espace est immense :

...il y a indubitablement, dans le sacerdoce ministériel, une réalité permanente qui légitime, aujourd'hui comme hier, la décision de l'homme assez courageux et confiant pour l'assumer et en faire le fond de son existence. Ensuite, [...] le dogme catholique touchant le sacerdoce est un *cadre suffisamment vaste pour offrir à l'Église une liberté de manœuvre quasi illimitée* dans la façon de concrétiser et désarticuler son ministère hiérarchique, compte tenu de sa mission et de la situation où nous sommes aujourd'hui [21].

---

19. On peut trouver un exemple de confusion entre ces deux aspects dans l'affirmation du cardinal Pizzardo, selon laquelle le travail ouvrier était incompatible avec la mission sacerdotale. Il apparaissait en fait incompatible avec une figure déterminée du ministère sacerdotal.

20. Je transpose ici la réflexion proposée par RAHNER sur la foi (« La Foi du prêtre aujourd'hui », dans *Évangéliser*, 1963, p. 463-491). Il y distinguait « la forme historique de la foi », qui correspond à la tâche et à la grâce de chaque époque, de l'acte théologal de foi considéré dans son essence invariante.

21. K. RAHNER, « Le premier point de départ théologique d'une recherche pour déterminer l'essence du sacerdoce ministériel », *Concilium*, n° 43, p. 82. (C'est moi qui souligne).

C'est une telle réflexion que nous allons tenter sur le ministère épiscopal, sachant qu'il n'a jamais été aussi difficile qu'aujourd'hui d'être évêque. Mais il n'est peut-être pas inutile de donner quelques traits de la « figure » idéale, même si cela comporte beaucoup de naïveté. D'ailleurs ces réflexions critiques, inévitablement simplificatrices, visent une situation institutionnelle globale dont nous savons qu'elle est déjà en pleine évolution.

L'épiscopat est situé à une charnière particulièrement importante de la vie de l'Église. L'évêque exerce en effet sa mission au lieu de l'articulation entre *l'Église universelle* et *l'Église particulière* dont il a la charge et dont il exprime symboliquement l'unité. Sa fonction comporte donc deux dimensions étroitement solidaires l'une de l'autre. Car il ne peut vivre le rapport à l'Église universelle s'il n'est pas effectivement le signe de l'unité de son troupeau demeurant en relation étroite avec lui. Réciproquement, il ne peut être le signe authentique de l'unité de l'Église locale sans maintenir et entretenir le lien visible avec la totalité de l'Église. C'est donc sur le collège épiscopal que repose *l'unité plurielle* de l'Église, expression qui traduit une tension, celle d'une unité qui n'est pas uniformité. Sur ces deux dimensions du ministère épiscopal — sur lesquelles je m'arrêterai successivement — le concile Vatican II a bien mis les accents, traçant ainsi un large programme dont la réalisation concrète s'avère difficile. Mais combien de choses ne dépendent-elles pas pour l'avenir de l'Église de la capacité du collège épiscopal à assumer une « mutation » de la figure de son ministère dans le même esprit ?

1. Le lien de l'évêque à l'Église universelle

Le concile de Vatican II a clairement affirmé la responsabilité des évêques vis-à-vis de l'Église universelle, et il a posé le principe de leur participation à la sollicitude de toutes les Églises. Il n'est pas étonnant que cette redécouverte doctrinale ait du mal à passer dans les faits. Car nous vivons encore pour une part sur la figure tenace du ministère de l'évêque dans les temps modernes, qui faisait de lui « un préfet violet » ou un « préfet d'empire » dans le contexte du Concordat de

1801 [22]. Cette image qui voit dans l'évêque avant tout un représentant du « pouvoir central » est encore assez répandue aujourd'hui dans la conscience du peuple chrétien : l'évêque est un administrateur qui exécute les grandes orientations reçues d'en haut ; il ne prend pas part aux décisions majeures de la vie de l'Église, par contre il est maître des décisions mineures qui concernent la bonne marche de son diocèse. Sur les points majeurs, l'évêque ne prend jamais position avant que le pape n'ait parlé, fût-ce à titre provisoire et à ses risques et périls. Il ne sort de ce rôle que dans le cadre du concile œcuménique : alors, du fait de la convocation conciliaire, l'épiscopat retrouve l'exercice d'une liberté de parole préalable. Au cours des travaux de préparation, dans les commissions et plus encore dans les séances plénières, chacun dit ce qu'il pense en conscience, et tous font l'expérience de la diversité des positions qui existent parmi eux dans un premier temps. Un long travail sera nécessaire pour construire un *consensus* conciliaire digne de ce nom. Mais une fois le concile terminé, le poids de la tradition courante porte le corps épiscopal au retour à la situation antérieure [23].

Certes, une évolution est en cours avec la création d'organismes de concertation et d'action entre Églises de pays divers et la participation, plus largement ouverte aux évêques, au travail des congrégations romaines. Mais le synode des évêques, qui doit être l'organe essentiel destiné à remédier à cet état de choses anormal, est long à trouver sa voie et n'a pas encore rempli sa vocation.

Dans une telle image du ministère épiscopal, une tension momentanée entre le pape et tel évêque, ou tel groupe d'évêques, apparaît comme insupportable et scandaleuse. L'accord spontané est toujours requis de manière immédiate. C'est pourquoi une grande part de l'opinion publique catholique demeure troublée par l'intervention périodique d'évêques de différents pays qui font remonter vers Rome, avec un recul convenable d'ailleurs, certaines questions pressantes posées par

---

22. Je renvoie aux analyses concernant la figure de l'évêque dans le XIXe siècle français. Analyses à nuancer car les personnalités entreprenantes et vigoureuses ont été assez nombreuses dans l'épiscopat de cette époque.

23. Je m'inspire ici de quelques réflexions de S. SPENCER, « Rôles futurs du pape et de l'évêque », *IDOC* n° 21, p. 43-64, sans partager toutes les conclusions de cet article.

leur peuple. Ne doit-on pas plutôt y voir quelque chose de sain et de courageux, une attitude à la fois loyale et concrète au service de l'Église ?

Ce qui n'est pas encore suffisamment reconnu, ni passé dans les mœurs, c'est que l'accord chrétien sur les grandes questions qui intéressent la vie de l'Église est quelque chose qui se fait et se refait sans cesse par la victoire de la volonté d'unité sur les particularités centrifuges. Un tel accord peut donc avoir à traverser une phase d'affrontements, ou du moins de confrontations courageuses et sincères des points de vue. La communion dans la foi ne met pas l'Église au-dessus de cette donnée de la condition humaine, dont la méconnaissance inhibe la capacité des évêques à prendre position, à exprimer leurs réflexions et à risquer des initiatives qui interviennent comme des éléments de confrontation globale avec l'ensemble du collège épiscopal uni au pape. L'évêque demeure encore trop exclusivement canal de transmission ; il devient insuffisamment source d'orientation et d'initiative, l'un ne s'opposant nullement à l'autre.

Je parle ainsi dans le respect le plus complet du primat papal. Car je n'évoque rien d'autre que ce qui se passe au concile. Or le concile n'est pas une parenthèse dans la vie ecclésiale, il en exprime au contraire un temps fort. Sans rappeler ici le souvenir de Trente et de Vatican I, Vatican II nous a donné l'exemple de confrontations ouvertes et même de moments d'affrontements difficiles ; par exemple lors du vote sur le schéma concernant la Vierge Marie, le concile s'est trouvé scindé en deux parties relativement égales à quarante voix près. La situation était alors très tendue. Mais un travail patient d'interpénétration des points de vue a progressivement restauré l'unanimité morale des Pères. De même, Paul VI a demandé à diverses reprises que les textes soient remis en chantier quand une minorité trop importante s'y opposait encore, afin que le vote final ne traduise pas seulement l'expression d'une majorité, mais si possible celle de cette unanimité morale. Un tel labeur est douloureux, parce qu'il est vrai. Il n'a rien de scandaleux, il traduit simplement le fait que l'Église a vraiment été confiée à des hommes.

Il serait donc souhaitable qu'un courant de relations analogue existe entre les membres du collège épiscopal, et entre eux et le pape, en tout temps de la vie de l'Église. Dans cet échange constant sur les grands problèmes, un effort de discernement sera toujours nécessaire pour distinguer ce qui doit comporter une réponse doctrinale ou même une attitude pastorale unique, et ce qui doit permettre une diversité légitime entre les Églises locales. La tâche est immense et l'ordre du jour des futurs synodes est déjà terriblement chargé.

Un tel fonctionnement de la vie ecclésiale suppose donc un changement réel de la relation encore usuelle entre le pape et les évêques. Or celle-ci est actuellement grevée par un exercice concret de l'autorité où, depuis au moins cent cinquante ans, la descente des instructions et des orientations ne donnait pratiquement pas lieu à la remontée correspondante. Ce phénomène de *retour,* qui est pourtant indispensable à une vraie circulation des énergies de la vie ecclésiale, a été trop souvent gelé ; et l'impact concret de la décision sur les communautés, de même que leurs aspirations et leurs prises de conscience, ne remontaient pas vraiment vers le sommet. Or la fluidité de l'échange à l'aller et au retour est indispensable si l'Église veut être une communauté, et si l'on désire que chaque chrétien puisse se reconnaître dans la parole de l'autorité. Dans ce mouvement de l'aller et du retour l'évêque est situé au carrefour des *relations* ecclésiales.

Le fonctionnement pratique de cette confrontation demanderait sans doute le rétablissement d'échelons intermédiaires entre l'Église universelle et l'Église particulière telle qu'elle est actuellement définie par le diocèse. Entre le pape et la multitude des diocèses, la nécessité d'un regroupement se fait sentir et se cherche aujourd'hui à travers l'organisation des conférences épiscopales. Un tel regroupement demanderait à prendre une consistance plus grande en redonnant sa place à l'évêque métropolitain d'une région. Cette organisation de l'épiscopat s'avérera plus nécessaire encore, si l'on prend conscience que l'Église de demain aura besoin d'un plus grand nombre d'évêques. N'allons-nous pas vers une Église qui comptera sans doute moins de prêtres qu'aujourd'hui, mais qui disposera en revanche de plus d'évêques ?

2. *Le lien de l'évêque à l'Église particulière*

Le problème de fond posé par le ministère épiscopal au niveau local est encore un problème de *relations*.

Quelle qu'ait été la qualité des hommes, la figure institutionnelle prise par la fonction épiscopale dans les temps modernes a largement contribué à faire de l'évêque un séparé. Pensons au poids du gouvernement et de l'administration (et l'administration est nécessaire, car elle est au service de l'homme ; il faut donc éviter à son sujet des réflexions simplistes) ; au temps inévitablement passé en fonctions représentatives et en cérémonies officielles, ecclésiastiques ou civiles ; aux réunions d'état-major local et national et à la multiplicité des commissions (devenues particulièrement importantes depuis l'organisation complexe des Conférences épiscopales) : tout cela suffit à occuper déjà largement le temps d'un homme actif et entre en concurrence avec la nécessité de nouer et d'entretenir, avec toute la patience que cela demande, des relations personnelles et suivies avec l'ensemble de ses prêtres et avec son peuple, pris globalement et à travers un nombre suffisant de ses représentants. Une remarque était encore récemment entendue : évêques et prêtres vivent dans deux univers tellement différents, tant par le rythme et la nature de leurs occupations que par les gens qu'ils rencontrent, que le dialogue entre eux a du mal à se nouer. D'autre part, la visite des paroisses et des diverses cellules de vie chrétienne (communautés religieuses, mouvements d'Action catholique, groupes de vie évangélique, communautés dites du « renouveau », communautés de base, œuvres diverses, ...) peut manquer de cette dimension concrètement humaine qui lui serait nécessaire et demeurer trop espacée dans le temps. Or la réduction de la distance entre l'évêque et son peuple est indispensable pour que celui-ci puisse ressentir assez profondément dans sa sensibilité ce qui fait les problèmes et les angoisses de l'existence des hommes et des chrétiens aujourd'hui, l'inquiétude de l'avenir, les soucis économiques, la nuit de la foi de tant de chrétiens qui furent des meilleurs, les questions éthiques, l'attitude de contestation, qu'elle soit de type « progressiste » ou de type « traditionaliste », qui a remplacé une fidélité trop inconditionnelle aux consignes. Car le rôle de l'évêque est d'être le signe visible de l'unité de son peuple et de le maintenir en communion à travers les tensions de plus en plus fortes qui le traversent [24].

L'approfondissement de la relation de l'évêque à son peuple risque de demeurer une belle utopie dans le cas de certains diocèses trop vastes pour le permettre, au moment où les responsabilités nationales des évêques grandissent. Ne devrait-on pas envisager des diocèses plus petits, ou du moins prévoir la présence d'un évêque dans une circonscription à échelle plus humaine, c'est-à-dire telle que son pasteur puisse la visiter régulièrement et créer un réseau de relations authentiques avec ses prêtres et avec son peuple ? Cette perspective est d'ailleurs entrée dans les faits avec bonheur en un certain nombre de cas.

Cette mutation de la figure de la relation entre l'évêque et son peuple est d'ailleurs un des grands fruits de la dynamique ecclésiale induite par Vatican II. L'image que le chrétien moyen se fait de lui, et à travers lui de l'Église, a substantiellement changé. Celui-ci a davantage d'occasions de bénéficier personnellement du ministère de son évêque. L'activité itinérante de l'évêque lui fait connaître concrètement ce qui se vit et se cherche, et aide à une circulation des énergies de la foi à tous les niveaux de la vie ecclésiale. Un signe plein d'espoir de ce changement est la multiplication des synodes diocésains qui font largement appel à la responsabilité des laïcs. Le degré croissant de communion entre le peuple et son évêque leste également d'un poids nouveau les réunions épiscopales, car les questions vécues peuvent remonter et devenir la matière d'un discernement de ce que l'Esprit dit aux Églises. Cette évolution heureuse demande encore à se poursuivre avec ténacité et à se généraliser. Un retour en arrière sur un tel point serait tragique pour l'avenir de l'Église [25].

---

24. Je rejoins ici sous un angle un peu différent des points relevés par le P. BOUYER dans son livre sur *L'Église de Dieu*, en particulier dans le paragraphe intitulé : « L'évêque, le ministère apostolique et les laïcs », p. 501-508. Il souligne en particulier que l'évêque devrait pouvoir célébrer et prêcher de manière habituelle dans sa cathédrale, faisant ainsi de celle-ci le « centre spirituel du diocèse » (p. 507).

25. J'ai adapté la rédaction primitive de cette dernière section afin de tenir compte de l'évolution de la situation depuis le début des années 70.

C. A propos des ministères presbytéral et diaconal

La fonction épiscopale comporte une double dimension : l'évêque est en charge des personnes et il est en charge des choses. Il est en charge de la communauté, à la charité de laquelle il préside et dont il symbolise l'unité ; il est en charge des choses de la communauté, des « biens » de l'Église, pas seulement des biens matériels, mais de tout ce dont il a reçu le « dépôt » traditionnel, les structures, les services, etc. Le prêtre et le diacre ne sont-ils pas là pour le seconder respectivement dans ces deux lignes ? Cette perspective est sans doute plus traditionnelle qu'il n'y paraît. La trilogie évêque-prêtre-diacre n'est pas à comprendre selon une ligne droite : car l'évêque est en rapport direct et spécifique avec le prêtre et avec le diacre. Le prêtre le seconde dans sa fonction de chef de la communauté, en assumant la charge d'une communauté locale plus restreinte et en y célébrant l'eucharistie qui fait l'Église. C'est pourquoi le corps des prêtres forme un unique *presbyterium* autour de l'évêque pour signifier la communion dans l'unité de toute la communauté. « Ayez donc soin, disait Ignace d'Antioche aux Philadelphiens, de ne participer qu'à une seule Eucharistie, car il n'y a qu'une seule chair de Notre Seigneur Jésus-Christ, et un seul calice pour nous unir en son sang, un seul autel, *comme un seul évêque avec le presbyterium* et les diacres, mes compagnons de service » [26].

Le diacre, de son côté, seconde l'évêque dans sa charge des choses. Les différents ministères caritatifs, de même que la gestion des biens matériels, appartiennent certainement à ces choses. Mais d'autres fonctions entrent aussi dans la sphère du ministère diaconal, par exemple des fonctions d'enseignement, car le diacre a aussi une responsabilité dans la prédication de la parole. Quoi qu'il en soit de l'inventaire de ces fonctions, il s'agit toujours d'un secteur déterminé, voire spécialisé, de la vie ecclésiale. Si cette visée est fondée, elle aura une incidence sur les essais actuels de restauration du diaconat. Il ne faudrait surtout pas donner comme premier objectif au diaconat permanent le rôle de « chef-vicaire » de communauté,

---

26. *Lettre aux Philadelphiens*, 4 ; trad. Sr. P. Th. Camelot, *S.C.* 10, p. 143-145.

palliant ici ou là l'absence du prêtre : sa fonction traditionnelle ne semble pas là. D'ailleurs, au moins dans nos pays occidentaux, la limite évidente de ce rôle lui confère peu d'attraits.

Le changement quantitatif du rapport entre le nombre de prêtres et l'importance des communautés chrétiennes, de même qu'entre les prêtres et la société globale, se transforme, quand il parvient à un certain seuil, en changement qualitatif de ce même rapport. Il remet en cause le mode d'exercice et la figure du ministère. La relation pastorale et la présence du prêtre à sa communauté sont donc inéluctablement provoquées à revêtir un nouveau visage.

Jusqu'à des temps très récents, la communauté paroissiale vivait sur le prêtre et vivait du prêtre. Elle se reposait pratiquement de tout sur lui. Sa figure de permanent ecclésial amenait toutes les responsabilités à se concentrer sur lui : pastorale, catéchismes, finances, œuvres, transformation de l'église, chorale, même Action catholique... Il confisquait dans sa personne tous les ordres, étant à la fois portier, lecteur, acolyte, exorciste, sous-diacre, diacre et prêtre. Ce qui traduisait une réalité évidente, car il ouvrait l'église, faisait toutes les lectures, quand il ne sonnait pas les cloches. Bref, tout le poids de l'initiative et de l'animation lui incombait. Cette situation comportait une bonne part de cléricalisme, et le principe de suppléance autorisait trop facilement son intervention directe. Mais la solution était généralement acceptée par la communauté, qui la trouvait fort commode et se déchargeait volontiers de ses responsabilités.

En conséquence, le visage de l'Église était pratiquement confondu avec celui du prêtre. Celui-ci portait le label ecclésial, et le jugement porté sur l'Église dépendait du jugement porté sur le curé. A la limite, il en venait à porter seul la charge du témoignage. Il devait être le modèle parfait du chrétien, il était finalement *le chrétien* tout court. Déplacement fort significatif du langage : la distinction antique entre l'Église et le monde (païen, non converti...) s'est subtilement transposée à l'intérieur de la communauté chrétienne entre les « clercs » (sociologiquement l'évêque, les prêtres, les religieux et les religieuses), qui sont « d'Église », et les laïcs qui restent dans le « monde ». De ce fait, le prêtre, qui devait incarner dans toutes les heures de sa vie l'idéal chrétien, se sentait toujours en représentation. Il avait à peine le droit d'être un homme. Ce poids, qui apparaît aujourd'hui à beaucoup insupportable, grève la relation pastorale. L'évolution actuelle nous invite donc à mieux discerner les exigences existentielles inhérentes au ministère sacerdotal et à ne pas les confondre avec une situation historique ambiguë.

Ce qui est donc désormais en cause, c'est que le prêtre soit l'unique ministre de la communauté, seul en face d'un groupe indifférencié de laïcs, la totalité de l'autorité étant, bon gré mal gré, confisquée entre ses mains. Désormais la communauté chrétienne ne pourra vivre que par le concours organique d'un certain nombre de chargés d'office se concertant activement entre eux. L'initiative du baptisé doit rejoindre la fonction régulatrice du pasteur chargé de l'unité de la communauté, profitant au besoin des services spécifiques du diacre. Il n'est d'ailleurs pas nécessaire d'étiqueter trop vite des fonctions qui doivent jaillir de la vie.

Nous retrouvons ici comme ailleurs la nécessité d'un renouvellement de la relation pastorale dans un cadre communautaire qui permette l'aller et le retour de l'échange. Le prêtre y sera perçu à la fois comme un homme, un croyant participant aux difficultés communes, et comme le ministre indispensable de Jésus-Christ. Cet échange n'aura de valeur ecclésiale — tout fidèle le sent bien — que si le prêtre est en lien de communion vécue avec l'ensemble du presbyterium et avec l'évêque. A cette condition les initiatives et les recherches sacerdotales les plus diversifiées deviennent possibles.

Ce renouvellement du style des relations pastorales et, corrélativement, de la figure du prêtre, lui permettra aussi de jouer dans la société globale, très au-delà des frontières confessionnelles, son rôle de témoin du sens de l'existence. Quand une relation humaine vraie a pu se nouer entre un prêtre et un homme de bonne volonté — en passant sans doute par un premier temps d'anonymat —, cet homme se sent porté à interroger celui qu'il sait ministre de l'Église sur le sens de l'existence humaine dont il est le porteur et le témoin. Dans un monde où les significations se délitent, où les buts du consensus social semblent s'évanouir, où les gestes les plus fondamentaux de l'existence deviennent opaques, le prêtre est d'abord interrogé en tant qu'« expert en humanité ».

Il a donc là un service à rendre fraternellement, s'il est vrai que, selon le mot de Ricœur, ce dont nous avons le plus besoin aujourd'hui « c'est de justice certes, d'amour sûrement, mais plus encore de signification » [27]. Peut-être au cœur de cette relation vécue loyalement lui sera-t-il donné d'annoncer Celui qui est tout le sens de son existence, Jésus-Christ.

---

27. Paul RICŒUR, « Prospective et utopie, prévision économique et choix éthique », *Esprit*, 1966, p. 189.

CHAPITRE 15

« POUR UNE RÉCONCILIATION DES MINISTÈRES »

Réflexions théologiques sur le document des Dombes [1]

La référence à la situation œcuménique actuelle, où l'on peut dire que la question des ministères constitue la vraie difficulté, invitait les membres du groupe des Dombes à garder une double visée dans leur travail. Les uns voyaient l'essentiel de celui-ci dans l'exposé d'une proposition concrète de réconciliation des ministères, qui serait de l'ordre de la praxis ecclésiale. Les autres se rendaient compte que la hardiesse même de la proposition n'avait de chance d'obtenir une crédibilité que si elle s'appuyait sur un chapitre doctrinal particulièrement sérieux et bien élaboré. L'accord se fit rapidement entre nous sur la nécessité de produire un « texte fort », associant la perspective doctrinale et la suggestion pratique. D'une part, l'exposé doctrinal vise à rendre crédible une proposition de réconciliation, en particulier au regard des autorités responsables d'une éventuelle décision de ce genre. D'autre part, l'ouverture concrète à une réconciliation ecclésiale des ministères, à laquelle beaucoup de chrétiens sont spontanément sensibles, invite à prendre au sérieux une réflexion

---

1. Presses de Taizé, 1973 ; *Doc. cath.* 1625 (1973), p. 132-137 ; *Pour la communion des Églises. L'apport du groupe des Dombes*, Paris, Centurion, 1988, p. 55-68.

doctrinale qui, loin de tourner stérilement sur elle-même, cherche à être opératoire.

Telle est la raison pour laquelle le document se présente en deux parties, à la fois indissociables et différentes. Le discours n'est pas le même de part et d'autre : à l'énoncé d'un fondement doctrinal fait suite un acte de proposition d'une voie de réconciliation des ministères, théologiquement élaborée et spirituellement exigeante, mais qui garde un « caractère exploratoire » et se sait « amendable et améliorable » [2].

On peut donc être d'accord sur la première partie et garder des réticences sur la seconde ; sans doute aussi, certains accepteront généreusement la seconde sans se sentir capables de prendre à leur compte la première. Le lecteur est en fait invité à prendre deux fois position. Je relève maintenant les points majeurs du document en parcourant successivement ses deux parties.

1. Éléments d'accord sur le ministère

Pourquoi éléments ? Par honnêteté, nous reconnaissons que nous n'avons pu ni tout dire ni tout faire. Notre texte présente « un accord fondamental sur la nature et la signification du ministère pastoral dans le mystère de l'Église » (§ 37). « Fondamental » est à entendre au sens où l'on parle aujourd'hui de recherche fondamentale. En revanche, des difficultés concrètes demeurent encore et nous en avons parfaitement conscience. La plus importante « réside dans une interprétation et un discernement différents des figures concrètes et historiques prises par la succession apostolique des ministères du fait de la séparation » *(ibid.)*. Mais, sur ce point, nous estimons que l'accord est à chercher non dans le passé, mais dans l'avenir. Il est vain, en effet, de peser au trébuchet la situation exacte de tels ou tels ministres par rapport à la succession apostolique, mais il est capital de discerner avec courage ce que les Églises ont à faire pour que le signe de cette succession soit clairement posé chez tous les ministres et au regard de tous les fidèles. Tel est un des buts de notre proposition finale.

---

2. GROUPE DES DOMBES, *Pour une réconciliation...*, éléments d'accord entre catholiques et protestants, *op. cit.*, Préambule, p. 5 et 9.

Une autre difficulté « concerne la diversité d'organisation et de répartition des ministères tels qu'ils existent de part et d'autre » *(ibid.).* On sait que la distinction de l'épiscopat et du presbytérat n'a pas été maintenue dans la plupart des Églises issues de la Réforme : le dialogue, déjà engagé (cf. § 44), doit encore être poursuivi sur cette importante question. De même, nous n'avons pas parlé « du ministère de l'unité de l'Église universelle » (§ 47), c'est-à-dire, en langage catholique courant, du ministère du pape, mais nous avons l'intention d'aborder prochainement ce sujet : audace naïve s'il en est, qui est un signe du progrès accompli par le dialogue œcuménique [3].

Le mouvement du texte

L'introduction brosse rapidement l'initiative de Dieu en Jésus-Christ : *envoyé* par le Père en pleine histoire des hommes, celui-ci suscite l'Église par la puissance de sa résurrection et l'*envoie* à son tour en mission. Telle étant la disposition de Dieu, le « critère fondamental » de tout ministère ecclésial « doit être l'*apostolicité* comme enracinement et comme envoi » (§ 4). Un terme clé est lâché, qui va commander toute la suite. L'idée d'apostolicité fait spontanément remonter notre esprit à la personne des apôtres, « envoyés » par le Seigneur ressuscité et témoins de son événement pascal. Mais, ici, c'est à l'envoi même du Christ, premier et, en un sens, unique « apôtre » de Dieu, que, selon la tradition ancienne [4], l'exposé veut remonter. L'apostolicité, c'est en effet le lien concret de l'Église à l'événement de Jésus, l'Envoyé du Père. La logique de cet ancrage nécessaire de la doctrine des ministères dans la personne de Jésus imposait donc d'évoquer, au cours d'un premier chapitre, « le Christ Seigneur et Serviteur, ministre unique de son Église ». Car c'est dans le ministère du Christ

---

3. Ces deux derniers points ont été traités dans les documents ultérieurs, *Le Ministère épiscopal* (cf. *infra*, chap. 16, p. 313-335) et *Le Ministère de communion dans l'Église universelle*, cf. *Pour la communion des Églises, op. cit.*, p. 81-105 et 157-222.

4. « Les apôtres ont reçu pour nous la bonne nouvelle par le Seigneur Jésus-Christ ; Jésus, le Christ, a été envoyé par Dieu. Donc, le Christ vient de Dieu, les apôtres viennent du Christ », (CLÉMENT DE ROME, *Épître aux Corinthiens*, 42, 1-2, *S.C.* 167, p. 169).

que l'Église « trouve la source, le modèle et la norme de son propre ministère » [5].

Le chapitre II est une charnière du document : on y rencontre le principe de construction de tout l'exposé. L'apostolicité de l'Église s'y trouve en effet précisée et exprimée en ses deux composantes fondamentales. L'étymologie du terme « Église » (en grec *ekklèsia*) nous rappelle que celle-ci est à la fois une assemblée convoquée et un acte de convocation. « L'Église entière, convoquée par le Christ, est envoyée pour convoquer tous les hommes à l'assemblée eschatologique du salut » (§ 9). Cette mission de convocation fonde donc un ministère de toute l'Église. Mais celle-ci demeure aussi, tout au long de son existence, convoquée par un Autre, le Christ, de qui elle dépend de manière absolue ; c'est pourquoi son Seigneur « lui a donné, en la personne des apôtres, le signe ministériel que c'est lui qui convoque » *(ibid.)*. Autrement dit, l'apostolicité de l'Église comporte « *deux aspects indissociables* » et irréductibles l'un à l'autre : d'une part, on doit parler d'une « *succession apostolique de toute l'Église* » (§ 10) ; d'autre part, on doit retenir une « *succession apostolique dans le ministère institué par le Seigneur* » (§ 11). De même, au sein du ministère de toute l'Église se détache le ministère qui tire son origine de celui des apôtres et « se poursuit toujours dans l'Église sur le fondement qu'ils constituent » *(ibid.)* ; c'est pourquoi on l'appelle aussi « ministère apostolique ».

Ces deux aspects de l'apostolicité commandent donc deux ordres de ministères qui se répartiront les chapitres suivants : le chapitre III traite du ministère de toute l'Église et des divers ministères dans l'Église ; les chapitres IV, V, VI développent le point de vue propre au ministère institué par le Seigneur, ministère apostolique ou ministère « pastoral ». La progression du thème est simple : sont successivement exposés le *sens* de ce ministère : « le propre du ministère pastoral est d'assurer et de signifier la dépendance de l'Église envers le Christ » (§ 20) ; puis ses principales *tâches*, « annonce de la Parole, célébration des sacrements et rassemblement de la communauté » (§ 25); enfin, la portée de l'*ordination* au ministère. Le souci majeur du document est donc de situer le et les

---

5. GROUPE DES DOMBES, *op. cit.*, Commentaire, p. 39.

ministères dans la totalité du mystère de l'Église et de son apostolicité.

Le ministère et la « structure » de l'Église

La première chose à souligner est l'enjeu ecclésiologique sous-jacent à la volonté d'équilibre de ce texte. Cet équilibre n'est pas celui d'une pâle médiocrité, mais le résultat d'une réconciliation doctrinale des complémentarités catholiques et protestantes. On sait que la pente trop facile de l'ecclésiologie catholique était de tout ramener à la fonction du ministère « hiérarchique », portant sa justification dans la succession ininterrompue de l'ordination par imposition des mains. Dans cette perspective, l'apostolicité de l'Église dépend quasi exclusivement de la succession apostolique des ministères. C'est pourquoi, dans l'intention de mettre dans un égal relief les deux aspects de l'apostolicité ecclésiale, nous avons employé une expression qui n'est pas traditionnelle — un théologien catholique me l'a déjà fait remarquer — en parlant de « succession apostolique de toute l'Église », alors que la tradition parle seulement de « l'Église apostolique ». Nous avons voulu mettre ainsi en corrélation étroite la succession de toute l'Église à l'Église des apôtres et celle du ministère « apostolique » : la seconde est au service de la première, qu'elle garantit pour une part irremplaçable. Mais elle n'aurait aucun sens si elle n'était pas portée et vécue dans la succession de toute l'Église. Il est bien clair que l'authenticité des ordinations est tributaire de leur lien au corps officiel de l'Église.

Réciproquement, on sait que la pente de certaines ecclésiologies protestantes est de sous-estimer la valeur propre d'un ministère qui remonte à l'institution du Seigneur et d'opposer la succession apostolique de toute l'Église dans la foi à celle du ministère. C'est pourquoi nous avons affirmé qu'« au sein de cette succession apostolique », le Christ, en envoyant les apôtres « comme ses ambassadeurs, grâce au don de l'Esprit » (§ 11), a posé le signe et la réalité d'un ministère qui appartient à l'être même de l'Église. En aucun cas le ministère apostolique ne saurait être conçu comme une simple délégation de la communauté à quelques-uns de ses membres. Il est un don prévenant du Seigneur, un don fait dans l'Esprit et visiblement relié à ceux que, les premiers, le Seigneur ressuscité a donnés à son Église. C'est ce que dit une petite phrase, austère de formulation, mais lourde de sens : « Ce ministère, don de Dieu pour le service de toute l'Église, appartient à la *structure* de celle-ci » (§ 11) [6].

Le terme de structure apparaîtra sans doute technique et abstrait : nous visons par là, en référence aux recherches récentes dans les sciences de l'homme, une réalité fondamentale capable de revêtir, sans perdre son identité, des figures diverses, selon une possibilité limitée de variation de ses éléments. On pourrait prendre l'image d'un avion à géométrie variable : à travers les modifications de la forme de son empennage, la « structure » de la machine demeure la même, celle d'un « instrument de navigation aérienne » porté sur des ailes. La structure de l'hélicoptère est toute différente. Notre affirmation sur la dimension structurelle du ministère apostolique dans l'Église se situe donc à un niveau fondamental et laisse ouvertes les formes concrètes que ce ministère peut prendre. Elle rappelle simplement ceci : ce qui appartient à la structure de l'Église est un élément de ce qui la constitue selon la volonté du Seigneur ; celle-ci le reçoit, mais elle n'en est pas maître.

Un tel vocabulaire est employé par un théologien protestant comme Jean-Jacques von Allmen, qui disait dans une conférence récente :

> Le premier élément [d'une doctrine réformée du ministère pastoral], c'est la conviction très fermement attestée par les écrits du XVIᵉ siècle que le Nouveau Testament fournit le *schéma fondamental* de la structure de l'Église et que, par conséquent, une lecture attentive du Nouveau Testament permet d'apprendre comment le Christ a voulu que l'Église soit structurée [...] Le premier élément qui constitue la doctrine réformée du ministère pastoral, c'est que ce ministère *fait partie de la révélation*. Il n'est pas une invention humaine, il est une obéissance de l'Église. Ce ministère, cette structure de l'Église, fait partie de l'ecclésiologie à proprement parler, de sorte que — et c'est ici un point sur lequel les réformés se distinguent des luthériens — il est possible d'être hérétique en ecclésiologie ; il est possible d'avoir une structure ecclésiale hérétique, et pas simplement abusive

---

6. C'est moi qui souligne. Même affirmation au § 31 : « A l'intérieur du sacerdoce des baptisés, le Christ structure son Église par le ministère pastoral. »

et maladroite, car le schéma de cette structure, c'est l'apostolat institué par le Christ [7].

Ce texte de Jean-Jacques von Allmen est un excellent commentaire de ce que le document des Dombes a voulu dire [8].

Le ministère de toute l'Église et les ministères des baptisés

Le ministère de toute l'Église et la diversité des ministères dans l'Église ne constituent pas un point œcuménique délicat. Mais la question est au centre des recherches actuelles, dans la mesure où l'Église veut donner le visage d'une communauté solidairement responsable et non celui d'un groupe passif qui consent trop facilement à ce que la totalité des services repose sur l'initiative des prêtres ou des pasteurs. Car le risque semble être le même en milieu protestant et en milieu catholique : démission et facilité d'un côté, autoritarisme et cléricalisme de l'autre, avec les retours de bâton de la contestation agressive, d'une part, et de la perte d'identité, de l'autre. Il n'était donc pas inutile de dire pourquoi la « ministérialité » est le fait de toute l'Église et en elle la responsabilité de chaque baptisé. Le témoignage à rendre au Christ au milieu de ses frères est en effet la tâche imprescriptible de tout chrétien. Elle appartient à l'exercice du sacerdoce royal de l'Église qui reste, « malgré sa misère » (§ 16), toujours et partout une nation sainte.

Mais on peut dire plus : telle étant la responsabilité commune des chrétiens, l'esprit suscite parmi eux d'authentiques « ministères divers et complémentaires » (§ 18) au bénéfice de l'évangélisation, pour le service du monde et pour l'édification de la communauté. Que faut-il entendre par là ? Sans prétendre aucunement donner une liste complète, on peut nommer les catéchistes, les visiteurs de malades et de prisonniers, certains éducateurs, ceux qui se mettent au service multiforme des pauvres, les laïcs missionnaires, les permanents ou animateurs

---

7. « La doctrine réformée du ministère pastoral », Faculté de théologie de Lyon, s.d. p. 1.

8. Le document décrit aussi les éléments de la plénitude de la succession apostolique de toute l'Église et dans le ministère. Cette conception est le lieu d'une réconciliation doctrinale.

des mouvements d'Action catholique... Jusqu'ici les théologiens hésitaient à donner le nom de « ministères » aux activités organisées et suffisamment stables assumées par des hommes et des femmes qui n'avaient pas reçu d'ordination spéciale. Le langage de Vatican II a amorcé une ouverture à ce sujet [9], maintenant largement reprise. Même si cette extension d'un terme aujourd'hui riche de résonances affectives risque de créer ici ou là des confusions, il est finalement préférable de souligner par l'identité du vocabulaire que le « ministère » dans l'Église n'est absolument pas « le monopole de quelques-uns » (§ 19), mais que le ministère pastoral s'inscrit dans le contexte global de « la co-responsabilité de tous les chrétiens » (*ibid.*). La nature et la qualité des ministères exercés dans l'Église par des baptisés méritent cette reconnaissance. Tel est bien d'ailleurs le témoignage donné par les communautés du Nouveau Testament. Les ministères s'y exercent à l'intérieur d'une relation où tous apparaissent, d'une certaine manière, au service de tous, à travers d'inévitables spécialisations liées aux besoins aussi bien qu'aux charismes.

Le propre du ministère pastoral

Dans le cadre de cette reconnaissance de la diversité d'authentiques ministères dans l'Église, la spécificité du ministère institué par le Seigneur peut alors être justement située. Le document l'appellera désormais « ministère pastoral », en prenant l'expression au sens fort et par référence au thème du Pasteur, souvent employé par le Nouveau Testament.

Il ne faudrait pas en effet chercher la raison dernière du ministère ordonné dans l'Église auprès d'une donnée de bon sens général qui veut que toute société soit administrée et gouvernée. Quand la « société » en question est un peuple convoqué par Dieu lui-même en la personne du Christ, un élément tout à fait spécifique intervient. Car l'Église ne peut vivre que de son lien de dépendance au Christ, « source de sa mission et fondement de son unité » (§ 20). Il faut donc que cette dépendance radicale soit concrètement vécue et signifiée dans son corps. Tel est le propre du ministère pastoral :

---

9. Cf. *infra*, chap. 17, p. 342-344.

« assurer et signifier la dépendance de l'Église envers le Christ »
(ibid.). Assurément, une telle définition n'était pas courante
dans la catéchèse catholique, qui avait le tort de considérer
trop vite les tâches du ministère, au lieu de s'interroger sur
son sens et sur le mystère dont il est porteur. Mais elle est
le fruit des intuitions de Vatican II, et cette formulation se
répand à partir des recherches de l'exégèse et de la théologie.

« Membre de la communauté chrétienne, le (ou les) ministre
est aussi auprès d'elle un "envoyé" qu'elle reçoit du Christ »
(§ 21). *Envoyé* et non pas délégué, même s'il est issu de la
communauté locale ou choisi par elle. Il est avant tout en
ambassade au nom du Christ (cf. 2 Co 5, 20), le chargé
d'office d'un Autre, qu'il représente dans son acte de convoquer
l'assemblée chrétienne. C'est pourquoi « ses fonctions marquent
dans l'existence ecclésiale la priorité de l'initiative et de
l'autorité divines, la continuité de la mission dans le monde,
le lien de communion établi par l'Esprit entre les diverses
communautés dans l'unité de l'Église » *(ibid.)*.

Mais cela doit être dit sans confisquer pour autant l'action
du Christ du côté de l'exercice du ministère pastoral.

[Aussi], nous avons exprimé cette nécessaire dépendance à l'égard
du Seigneur, non pas selon un schéma linéaire : Christ — ministère
— communauté, ou Christ — communauté — ministère, mais selon
un schéma triangulaire qui illustre une interdépendance entre ministère
et communauté dans l'unique dépendance du Christ. En effet, la
dépendance à l'égard du Seigneur se vit dans le fait que ministre et
communauté dépendent l'un de l'autre [10].

Ce schéma triangulaire est aujourd'hui souvent repris dans
la théologie des ministères [11] ; il est également « familier aux
commissions du Conseil œcuménique des Églises » [12]. Disons
d'ailleurs que sa cohérence représentative n'est pas parfaite,
puisqu'il demande une correction importante. En effet, les
ministres appartiennent toujours à la communauté dont ils
sont tirés ; et, comme tels, ils se trouvent, mais à des titres
différents, du côté de la communauté en tant que fidèles et
du côté du ministère au nom de la mission qu'ils ont reçue.

---

10. Commentaire, p. 45.
11. Cf. Y. CONGAR, *Ministères et communion ecclésiale*, Cerf, 1971, p. 19.
12. *Ibid.*, p. 38.

Il va de soi que cette interdépendance n'est pas rigoureusement symétrique : la communauté dépend des ministres en tant que ceux-ci sont les envoyés d'un Autre dont elle reçoit la Parole et les sacrements ; de leur côté, les ministres dépendent de la communauté au *service* de laquelle ils sont mis. Ils voient en elle non pas leur chose, mais le Corps du Christ habité par l'Esprit. Jamais ils ne peuvent en disposer comme des maîtres.

Ce schéma triangulaire, qui illustre la dépendance commune et immédiate des ministres *et* de la communauté à l'égard de l'unique Seigneur à travers leurs relations d'interdépendance, est lui aussi le fruit d'une réconciliation œcuménique. Sa visée est étroitement solidaire de la volonté de mettre en relief les deux aspects de la succession apostolique. Les deux schémas linéaires qu'il cherche à remplacer étaient marqués, l'un de l'unilatéralisme catholique, l'autre de l'unilatéralisme protestant. Celui-ci s'efforce de donner une vision équilibrée du mystère de l'Église, respectueuse de tous les pôles de sa structure. N'est-il pas celui qui se fraie actuellement un chemin difficile dans la vie des communautés ecclésiales ?

Les grandes tâches du ministère pastoral

Sur cet horizon de sens, il était désormais possible de décrire les tâches essentielles du ministère pastoral, « indissolublement liées entre elles » (§ 25). La première place est donnée au ministère de la Parole par lequel « le Christ nourrit l'Église de l'Évangile dont elle doit vivre » (§ 26). Ce ministère ne consiste pas en une simple répétition, car il est une « actualisation » constante de la Parole évangélique. « Il s'efforce aussi d'indiquer les points de rencontre et de tension entre le message de Jésus-Christ et les problèmes, les situations et la culture du monde contemporain » *(ibid.)*. Il aboutit normalement au ministère des sacrements où « le Christ communique le don de sa personne et de sa vie » (§ 27). Car le sacrement est le lieu où la parole évangélique prend son maximum d'efficacité, puisque l'accomplissement y répond à l'annonce. Dans cette perspective, nous cherchons à dépasser une fausse opposition confessionnelle entre la Parole (insistance protestante) et le sacrement (insistance catholique). Lors de la célébration des sacrements, la présidence du ministre symbolise la présidence du Christ. Enfin, ce ministère rassemble la communauté en marche vers le Royaume ; il construit sans cesse l'Église dans l'unité. Dans cette triple tâche, le ministère pastoral « tient son autorité de ce qu'il est service du Christ, lui qui, Seigneur et Tête de son Corps, l'édifie en la puissance de l'Esprit » (§ 29). Mais cette relation d'autorité « reste incluse dans l'aide fraternelle et la responsabilité commune du peuple chrétien » (§ 30), c'est-à-dire dans l'*Agapè* (ou charité) mutuelle qui est la loi de toute communauté chrétienne.

Le lecteur catholique sera sans doute frappé par l'absence presque complète du vocabulaire sacerdotal : nous parlons toujours de ministres, jamais de prêtres, mais nous disons une fois en quoi le ministère pastoral est « sacerdotal ». La raison de cette discrétion n'est pas seulement œcuménique. Cette question délicate est grevée d'une difficulté supplémentaire dans nos langues modernes, du fait que nous ne disposons que d'un vocabulaire pour traduire deux langages anciens bien différents. Nous employons le substantif « prêtre » et l'adjectif « sacerdotal » dans le même sens, en oubliant que les deux termes ont une étymologie toute différente : « prêtre » vient du latin *presbyter* (et du grec *presbuteros*), qui désigne originellement la fonction de l'« Ancien » dans la communauté juive ; ce terme sera repris dans les premières communautés chrétiennes et, moyennant bien des évolutions, en viendra à désigner la fonction du prêtre. L'adjectif « sacerdotal » relève pour sa part du vocabulaire du culte sacré, en référence au *sacerdos* latin (et au *hiereus* grec), qui désigne la fonction de celui qui présentait les sacrifices de l'ancienne loi. Autrement dit, étymologiquement, le « presbytre » n'était pas un prêtre au sens moderne. Mais une évolution sémantique a amené le second sens à recouvrir le premier.

On sait que le Nouveau Testament évite généralement le vocabulaire sacerdotal pour désigner le ministère de la Nouvelle Alliance, puisque le Christ est le prêtre unique et définitif qui réconcilie l'homme à Dieu, et que le peuple chrétien tout entier constitue un corps sacerdotal, offrant le sacrifice spirituel de toute son existence (cf. Rm 12, 1). Quand la tradition primitive a attribué aux évêques et aux « presbytres » la qualité de « *sacerdoce* », elle l'a fait en un sens ministériel très précis que nous avons essayé de traduire en langage moderne de la façon suivante. A travers le ministère pastoral, « le Christ conduit ses disciples au sacrifice spirituel, au témoignage et au service, sur de multiples chemins dont l'eucharistie est comme le carrefour. *C'est en ce sens que le ministère est dit sacerdotal* » (§ 31) [13]. Les ministres peuvent donc être appelés prêtres, au sens courant de ce mot aujourd'hui, en tant que, par le ministère de la Parole et des sacrements, et, en particulier, par la célébration du mémorial du Seigneur, ils permettent à tout le peuple de Dieu d'exercer son sacerdoce royal « comme un don du Christ prêtre » [14], et de faire de son existence un sacrifice de louange au Père. Pour garder son juste relief à cette dimension du ministère pastoral, nous avons préféré dire qu'il était sacerdotal, plutôt que d'employer l'expression de « sacerdoce ministériel ».

L'ordination des ministres

L'ordination exprime que le ministère pastoral n'est pas une tâche purement humaine, mais un don de Dieu reçu dans l'Église apostolique. C'est pourquoi le geste d'investiture souligne le double rapport du ministère au Christ ressuscité qui a envoyé les premiers apôtres, et à l'Esprit qui vit dans l'Église. D'une part, elle est conférée « par l'intervention de ministres insérés dans la communion apostolique et signifiant l'action du Christ, qui ne cesse d'envoyer à son Église des serviteurs de l'Évangile » (§ 33) : ce lien exprime la continuité dans la transmission de la charge ministérielle (cf. § 13). D'autre part, elle comporte le geste significatif de l'imposition des mains, qui est une invocation à l'Esprit de Dieu, afin qu'il accorde les dons nécessaires à l'exercice du ministère. Mais ce geste est plus qu'une simple prière ; il est le signe « sacramentel » de l'exaucement de cette prière par le Seigneur.

Ici encore nous avons employé, sous la forme d'un adjectif, un terme sujet à discussion entre protestants et catholiques. On sait l'attachement de la doctrine catholique au septénaire sacramentel, auquel le sacrement de l'ordre appartient. On sait aussi que les protestants voient dans le baptême et

---

13. C'est moi qui souligne.
14. GROUPE DES DOMBES, *Vers une même foi eucharistique ?*, n° 35.

l'eucharistie les deux sacrements par excellence institués par le Seigneur, sans nier pour autant la valeur des autres signes. Aujourd'hui, des nuances doctrinales amorcent de part et d'autre une convergence. Du côté catholique, on reconnaît que le concept de sacrement est analogique et qu'il recouvre bien des différences : il est difficile de mettre sur un pied de comparaison univoque l'eucharistie et le mariage, par exemple. Il a d'ailleurs toujours été dit que l'eucharistie est un sommet dans l'ordre des sacrements. Du côté protestant, l'attention se fait plus grande sur le don de Dieu présent dans les autres signes. Pour l'ordination, ce point fait de moins en moins de difficulté. D'ailleurs, sa valeur sacramentelle peut se fonder sur des textes de la tradition protestante la plus pure, témoin celui de Calvin que nous avons cité :

> Quant à l'imposition des mains, qui se fait pour introduire les vrais prêtres et ministres de l'Église en leur état, je ne m'oppose point à ce qu'on la reçoive pour sacrement. Car, en premier lieu, c'est une cérémonie prise de l'Écriture ; et puis elle n'est point vaine, comme dit saint Paul, mais elle est un signe de la grâce spirituelle de Dieu (1 Tm 4, 14). Que je ne l'aie pas mise en compte avec les deux autres, c'est d'autant qu'il n'est pas ordinaire ni commun entre les fidèles, mais pour un office particulier [15].

On aura reconnu dans ce texte non seulement l'acceptation du mot, mais encore la définition même de la chose : un sacrement est signe de la grâce de Dieu.

L'ordination comporte enfin « l'accueil par toute l'Église d'un nouveau serviteur et son agrégation au collège des ministres » (§ 35), de même que l'engagement du ministre à la tâche qui lui est confiée. On peut seulement regretter dans cet exposé dense l'absence d'une présentation doctrinale de la vocation au ministère. Nos frères protestants y sont justement sensibles ; nous devrions l'être également.

Une objection

Une objection entendue met en cause la valeur œcuménique du document. Je l'ai entendue s'élever à la fois du côté

---

15. *Inst. Chrét.* IV, XIX, 28.

catholique et du côté protestant. « Votre accord, dit-on, emploie un vocabulaire tellement large et imprécis que chacun peut se l'appliquer en donnant du texte la lecture qui lui convient. Dès lors, quel contenu, ou plutôt quel compromis, recouvre-t-il au-delà de ses expressions habiles ? » Une telle contestation n'est nullement étonnante. Elle pose un problème délicat : n'est-ce pas le risque propre à tout exposé d'accord de donner lieu à des interprétations parallèles, réexprimées dans le langage confessionnel et la sensibilité de chacun ? Distinguons sur ce point le cas des rédacteurs et celui des lecteurs.

Je puis dire tout net que chez les rédacteurs, catholiques et protestants, il n'y a pas de « double lecture » du texte. La preuve en est que les points sur lesquels l'accord n'est pas encore fait sont nettement recensés. De même, le commentaire donné dans la brochure est unique. Il est le fruit d'une collaboration entre catholiques et protestants. Dans la rédaction, nous avons retenu les mots familiers de part et d'autre, chaque fois que cela nous paraissait possible et opportun (au risque de donner à penser au lecteur protestant qu'il y a trop de termes catholiques, la réciproque étant tout aussi vérifiée). Mais nous avons essayé aussi d'employer un vocabulaire nouveau, chaque fois que nous voulions dépasser un contentieux ancien dans une perspective d'authentique réconciliation. A ces termes non rodés, il est inévitable que l'on reproche leur ambiguïté et que chacun cherche à les ramener à son propre « patois ». Ils demandent à être encore élaborés, mais il n'y aura pas de progrès dans l'unité sans cet effort de réconciliation du langage.

Le lecteur qui vient d'un autre horizon spirituel et doctrinal peut dire qu'il ne se sent pas à l'unisson de l'accord ou qu'il n'y voit pas encore clair : c'est parfaitement son droit. Mais alors, il risque d'attribuer à l'ambiguïté du texte ce qui constitue sa propre divergence par rapport à lui. J'ai vérifié plusieurs fois la chose. De plus, l'expérience des premières sessions d'étude du document m'a convaincu qu'il était parfaitement compris pour ce qu'il disait, et qu'il avait abordé avec courage les points cruciaux. Les difficultés s'expriment sans hésitation aucune. Il est évident que cet accord d'un groupe n'est pas pour l'instant un accord entre Églises. Fruit d'un cheminement, il aura à faire aussi son cheminement : nous ne cherchons pas à en prévoir l'issue que nous abandonnons à la liberté de l'Esprit.

2. *Proposition pour une reconnaissance et une réconciliation des ministères*

Avec cette seconde partie, le discours change de nature. Je le reconnais : cette proposition, qui se voudrait opératoire, est le point délicat du texte, celui qui a déjà provoqué et provoquera encore le plus de réactions. Celles-ci viendront d'ailleurs des deux côtés, catholique et protestant.

Une attitude de conversion « confessionnelle »

Une attitude de conversion était déjà nécessaire pour entrer dans le sens de la partie doctrinale. Elle est plus indispensable encore pour percevoir la portée de cette proposition pratique.

Celui qui refuserait d'entrer dans cette perspective de réconciliation concrète, dit le commentaire, ne pourrait pas comprendre de quoi il s'agit ici ; ses objections, même théologiques, risqueraient de le juger, s'il ne cherche pas à s'engager dans une démarche de conversion de son cœur et de sa mentalité. Au contraire, toute objection manifestée à l'intérieur de cette attitude de « conversion » sera positive pour la recherche d'une solution, quitte à améliorer ou à dépasser celle que nous proposons [16].

Les membres du groupe n'ont osé faire une telle proposition qu'après un lent cheminement. Ils ont essayé de vivre une attitude de conversion mutuelle et de conversion commune à Jésus-Christ ; ils en ont expérimenté la fécondité. Mais ils ont aussi découvert que cette conversion ne pouvait être le seul fait de quelques personnes, mais qu'elle devait engager les confessions ecclésiales comme telles et se traduire par des actes concrets. Ils ont donc conscience que l'audace de leur proposition demande plus qu'une accommodation du regard pour accueillir avec bienveillance ce qui peut choquer au premier abord. Elle exige, de part et d'autre, une interrogation

---

16. Commentaire, p. 51.

crucifiante sur soi-même. Il nous suffirait donc que le lecteur non préparé, mais non prévenu, dise devant l'hypothèse que nous proposons : « C'est trop difficile à accepter ; le sacrifice à consentir est considérable ; est-il vraiment justifié ? Laissez-moi le temps d'y penser. Mais si jamais le chemin de l'unité devait passer par là, je ne m'y refuserais pas. »

Une théologie sous-jacente

Notre proposition repose sur quelques convictions que l'on peut légitimement appeler théologiques. La première est qu'une reconnaissance orale pure et simple du ministère de l'autre ne peut suffire. Outre le caractère intellectuel (ou juridique) d'une telle reconnaissance, il s'agirait d'un acte trop facile, où chacun trouverait sa propre justification, sans remettre en question certaines de ses certitudes et sans reconnaître ses manques. Le risque de ce type de solution est de justifier la séparation et de réduire le péché commun du schisme à un malentendu tragique.

La réconciliation des ministères est en effet une tâche de nature proprement et objectivement ecclésiale. Car la division des ministères atteint l'unité de l'Église en un point névralgique, si l'on admet que ceux-ci appartiennent à la réalité structurelle du peuple de Dieu. Elle a solidifié une séparation par laquelle nous avons emporté de part et d'autre des éléments de vie ecclésiale et des valeurs doctrinales et spirituelles, que nous risquons de déformer et de revendiquer comme des préro-gatives. Nous avons donc à recomposer le corps mutilé de l'Église en réconciliant les signes, les réalités et les valeurs, aujourd'hui dispersés, qui appartiennent à son mystère.

C'est pourquoi « désormais, l'effort de conversion des Églises doit aboutir à une parole de reconnaissance mutuelle et à des décisions vis-à-vis d'elles-mêmes, qui rendraient possible un acte de réconciliation à portée sacramentelle et ecclésiale » (§ 39). Chacune y reconnaîtrait son tort dans la scission intervenue, avouerait ce qui lui manque du fait de cette séparation et conviendrait des richesses ecclésiales dont l'autre est porteuse. Dans la mesure même du sacrifice consenti, il sera possible de dégager une voie capable de respecter ce qu'il y a d'imprescriptible dans les exigences de fidélité des uns et des autres.

Une autre conviction concerne à la fois la *distinction* et le *lien* entre le don de l'Esprit (la grâce) et le signe visible (sacramentel) qui l'atteste. La pratique sacramentaire catholique nous a habitués sans doute à la conception d'un rapport trop ponctuel entre l'un et l'autre. Pourtant, toute catéchèse, ancienne ou moderne, insiste bien sur la nécessité d'une préparation déjà informée par la grâce du sacrement, sur la valeur du désir des sacrements et sur la possibilité de recevoir le don de Dieu en dehors du geste sacramentel lui-même. En ceci elle est fidèle à la théologie de saint Thomas, qui enseigne que le cas normal du baptême et de la pénitence est celui où le catéchumène et le pénitent se présentent déjà « *justifiés* » au rite du sacrement.

Le Nouveau Testament donne aussi des exemples d'un relief analogue [17]. Paul a été converti et constitué apôtre par Jésus-Christ sur le chemin de Damas. Néanmoins, Ananie lui impose les mains et le baptise (Ac 9, 17-18). Au moment de son premier voyage missionnaire avec Barnabé, l'imposition des mains suit également une désignation manifeste par l'Esprit (Ac 13, 3). Il ne s'agit pas d'une « ordination » au sens actuel de ce mot. Cependant, un geste de reconnaissance ecclésiale intervient de manière spontanée. Au bout de quatorze ans, Paul monte à Jérusalem « de peur de courir ou d'avoir couru en vain » (Ga 2, 2), afin de faire reconnaître son ministère par les « colonnes » de l'Église : « Reconnaissant la grâce qui m'avait été départie, Jacques, Céphas et Jean, ces notables, ces colonnes, nous tendirent la main, à moi et à Barnabé, en signe de communion » (Ga 2, 9). Cette fois encore, un geste ecclésial de communion vient sceller la reconnaissance d'un don de Dieu pour le ministère [18].

Que retenir de ces données ? Le don de Dieu n'est pas enchaîné au signe de manière immédiate. Cependant, le signe ecclésial est normalement nécessaire pour que le don de Dieu soit pleinement vécu au plan visible de la communauté. S'il y a vraiment don de Dieu, la tâche de l'Église est de le

---

17. Cf. *supra*, p. 109.
18. Textes étudiés par Dom Marie LEBLANC, o.s.b., « Réflexions sur le ministère extraordinaire », dans *Parole et Pain*, 30, janvier 1969, p. 19-24.

reconnaître sacramentellement et de lui apporter la visibilité ecclésiale qui lui est indispensable.

N'est-ce pas un cas analogue qui se présente à nous aujourd'hui ? Si l'Église catholique discerne l'action authentique de l'Esprit de Dieu dans des ministères suscités dans les Églises de la Réforme, elle ne peut rien faire de mieux pour les reconnaître que de pratiquer « la greffe », sur le signe normal et ecclésial de la continuité du ministère apostolique, « d'une grâce d'apostolat donnée en dehors de cette continuité ». Ainsi sera manifesté « que la grâce demeure grâce » ; et la sacramentalité « qui est signification de la grâce » [19] serait respectée. De leur côté, les Églises de la Réforme ne peuvent donner de meilleur critère du don de l'Esprit qu'elles ont reçu qu'en manifestant le désir de rejoindre le signe ecclésial plénier de la succession apostolique. Car l'Esprit est un Esprit d'unité.

Une parole catholique de reconnaissance et d'aveu

Un geste de réconciliation ecclésiale des ministères devrait s'opérer sur la base d'un échange de paroles où chacun exprimerait la manière dont il peut reconnaître le ministère de l'autre et ferait l'aveu de sa propre limite. Au dialogue de controverse, où chacun disait son bon droit et reprochait à l'autre ses torts, succéderait un dialogue de pardon demandé et donné, où chacun avouerait son mauvais droit et conviendrait des richesses de l'autre.

A titre de proposition, les catholiques et les protestants du groupe ont esquissé, en ce qui les concerne respectivement, une parole de ce type. Voici celle des catholiques :

Nous proposons que soit reconnue la consistance réelle du ministère suscité dans les Églises issues de la Réforme : en raison des lacunes et des déviations survenues dans l'exercice des ministères traditionnels, et malgré le péché commun de la séparation, Dieu, toujours fidèle à son Église, a donné à ces communautés, qui continuaient à vivre d'une succession apostolique dans la foi, un ministère de la Parole et des sacrements dont la valeur est attestée par ses fruits. Ce ministère, surgi en dehors d'une succession épiscopale, peut dans un

---

19. *Ibid.*, p. 29.

certain nombre de cas s'appuyer du moins sur le signe d'une continuité presbytérale.

En conséquence, pour achever cette reconnaissance et habiliter ce ministère auprès de leurs fidèles, il reviendrait aux évêques de le joindre au signe normal de la succession épiscopale, indispensable en doctrine catholique à la plénitude parfaitement signifiée du ministère ; réalité et signe s'appellent mutuellement dans le mystère de l'Église. Ils affirmeraient par là même la nécessaire docilité de l'Église aux libres initiatives de l'Esprit (§ 40).

Tous les mots ont été pesés. Relevons d'abord les expressions de l'aveu. Au moment de la Réforme, l'exercice des ministères traditionnels dans l'Église catholique était obscurci par des lacunes et des déviations. Qu'on pense à ces trop nombreux évêques et prêtres dont la vie était un scandale et qui n'exerçaient jamais le ministère de la Parole. Que l'on songe aussi à certains abus devenus comme institutionnels dans la vie de l'Église. Le pape Adrien VI en avait fait l'aveu. Lors du dernier concile, Paul VI formula une demande de pardon qui fut très remarquée [20]. Dans le même esprit, nous avouons aussi que la séparation fut un péché commun : l'Église catholique y a donc eu sa part, en particulier en méconnaissant que bien des appels à la Réforme étaient le fruit d'une initiative de l'Esprit et visaient à redonner à l'Église un visage évangélique.

Pour exprimer notre reconnaissance des ministères réformés, nous nous sommes inspirés d'un texte de Vatican II [21] qui décrit la réalité de la vie chrétienne et ecclésiale des communautés séparées de nous. Mais nous en tirons des conclusions plus explicites concernant le ministère. La réalité d'une vie ecclésiale et sacramentelle suppose en effet un « réel » ministère, même si celui-ci ne répond pas à toutes les exigences catholiques. Sortons du tout ou rien : ne pas reconnaître « la plénitude parfaitement signifiée du ministère » n'équivaut pas à méconnaître « la consistance réelle » de ce ministère. Le terme imprécis de consistance a été choisi à dessein. Dieu a donc donné un ministère à des communautés que la rupture

---

20. Cf. *supra*, p. 30-31.
21. Décret sur l'œcuménisme, n°s 3 et 20-23.

avec l'Église catholique ne privait pas d'une succession apostolique dans la foi.

A quels critères discerner la consistance de ce ministère ? A celui des « fruits », critère évangélique s'il en est, critère invoqué par Paul dans son apostolat auprès des Corinthiens (2 Co 3, 2-3), critère repris à sa manière par Vatican II. Il est en effet incontestable que ces communautés donnent de nombreux signes de vie chrétienne fervente et fidèle. Un autre critère peut être aussi retenu, même s'il apparaît insuffisant ou ambigu, c'est un critère de succession. Il est remarquable que plusieurs théologiens réformés l'invoquent aujourd'hui [22]. Il consiste dans le fait qu'au début de la Réforme et dans un nombre assez considérable de cas des prêtres catholiques passés au protestantisme ont ordonné les premiers pasteurs par imposition des mains. Ce fait pose un problème délicat : un prêtre peut-il ordonner un prêtre ? Normalement non ; c'est le propre de l'évêque en qui réside la plénitude du ministère apostolique. Il existe cependant un dossier historique, restreint mais indiscutable, qui nous apprend que quelquefois, au cours du Moyen Age, un pape a permis à des abbés de monastère qui n'avaient pas reçu la consécration épiscopale d'ordonner des prêtres.

Ces faits, rarissimes sans doute, sont des faits d'Église [23]. On dira, à juste titre, que les prêtres passés à la Réforme ne disposaient pas d'une telle délégation. C'est pourquoi nous ne disons pas que le problème du signe normal de la succession apostolique soit résolu pour autant. Mais ici encore nous voulons sortir du tout ou rien : une telle donnée n'est pas sans valeur. Elle exprime chez les premiers réformateurs un souci réel de la succession dans le ministère, ce qui est de grande importance ; elle constitue aussi le signe objectif d'un lien ecclésial, même insuffisant et incomplet, avec le ministère traditionnel. C'est pourquoi nous avons tenu à en faire mention.

Comment donc passer de la « consistance réelle » à la « plénitude » ? Ce n'est pas en ergotant sur le passé et en pesant une consistance qui est le secret de Dieu. C'est en rétablissant une « jonction », une réunification, entre ce minis-

---

22. Cf. Jean-Jacques VON ALLMEN, *Le Saint Ministère*, Delachaux et Niestlé ; Max THURIAN, *Sacerdoce et ministère*, Presses de Taizé, p. 260-274.

23. Bulle *Sacrae religionis* de Boniface IX en 1400 : Bulle *Gerentes* de Martin V en 1427 ; textes analogues plus anciens cités par J. COLSON, *Les Fonctions ecclésiales*, DDB, 1956, p. 339.

tère suscité par l'Esprit et le signe normal de la succession
épiscopale, au nom du présupposé doctrinal développé plus
haut : « réalité et signe s'appellent mutuellement dans le
mystère de l'Église ». Un discernement ecclésial est donc
proposé aux évêques catholiques : peuvent-ils reconnaître le
ministère réformé en lui apportant le signe qui lui manque et
le constituerait dans une plénitude visible ? Le geste d'imposition des mains ferait alors coïncider reconnaissance et
réconciliation. Il serait en définitive un acte d'obéissance à
l'Esprit.

Certains ramèneront sans doute notre hypothèse aux schèmes
classiques et y verront une réordination. Des catholiques
pourront s'en réjouir secrètement ; des protestants s'en scan-
daliseront tout haut. Cette interprétation serait gravement
erronée. Une ordination au sens propre confère ce qui n'existait
nullement auparavant. Dans notre proposition, il s'agirait de
conférer un signe complémentaire à ceux en qui un don de
l'Esprit pour le ministère est déjà reconnu. Ces derniers
n'auraient donc nullement à renier le don de Dieu qu'ils ont
déjà reçu. Leur ministère serait établi en communion, à travers
le temps et l'espace, avec le ministère de toute l'Église. Il
parviendrait de ce fait à une « plénitude parfaitement signifiée ».

Une parole protestante de reconnaissance et d'aveu

La parole protestante n'est pas exactement symétrique de
la précédente, puisque la situation n'est pas la même de part
et d'autre ; mais elle lui est étroitement ajustée, puisqu'il s'agit
d'un dialogue et d'une écoute mutuelle. La voici :

Nous proposons que soit pleinement reconnue par tout le peuple
de nos Églises la réalité d'un ministère de la Parole et des sacrements
dans l'Église catholique. En conséquence, il reviendrait aux autorités
de nos Églises, sur la base de l'accord quant à la nature du ministère,
d'habiliter les ministres catholiques auprès de leurs fidèles.

En raison de la situation créée par la rupture du XVIᵉ siècle, nous
reconnaissons que nous sommes privés non de la succession apostolique, mais de la plénitude du signe de cette succession. Il en
résulte un émiettement, la constitution de diverses Églises nationales,
la perte du sens de l'unité universelle de l'Église dans le temps et

dans l'espace. En vue de l'unité de l'Église et de ses ministères, nous reconnaissons qu'il est nécessaire de rejoindre la plénitude du signe de la succession apostolique (§ 43).

La « réalité » d'un ministère dans l'Église catholique est reconnue de manière plus décisive que dans l'autre sens [24]. Ce n'est pas une formule facile. Elle est le fruit d'un long dialogue œcuménique. Elle est aussi due pour une part à l'évolution de la figure du ministère dans l'Église catholique depuis Vatican II. Nos frères protestants comprennent mieux la « réalité » qui était pour eux cachée sous un vocabulaire et des extérieurs difficilement accessibles. Ils ont reconnu également, à l'occasion du dernier concile, que l'Esprit agit dans notre Église.

La parole d'aveu est plus remarquable encore, par son courage et sa loyauté. Chaque fois qu'il m'est arrivé de la lire devant un auditoire, j'ai senti celui-ci spirituellement touché. Une telle parole doit être entendue dans un silence de respect et d'action de grâces. Elle provoque le catholique à se demander s'il vit la même qualité de conversion et s'il serait capable d'en dire autant sur lui-même.

L'aveu porte sur la privation « de la plénitude du signe de la succession apostolique », contredistingué de cette succession dans son ensemble. On sait que la théologie protestante a toujours refusé de réduire la succession apostolique au signe de l'ordination. Mais l'accord doctrinal qui précède a mis en lumière les différents aspects de la succession apostolique. Dès lors que ce signe est justement situé et qu'on ne prétend pas lui faire porter tout le poids de l'authenticité ecclésiale, il est alors possible d'exprimer à son sujet un aveu bien situé lui aussi. Les conséquences de cette privation sont décrites sans complaisance : émiettement ecclésial si marquant dans le protestantisme et perte du sens de l'unité de l'Église universelle. La conclusion est, elle aussi, tirée sans ambiguïté. Elle reprend le mot employé du côté catholique : « joindre » devient ici « rejoindre ». Un ministère était séparé de son signe, situation anormale qui fait violence au mystère de l'Église et contredit

---

24. Même reconnaissance exprimée par les Luthériens américains, *Lutherans and Catholics in Dialogue*, IV, Eucharist and Ministry, U.S., Cath. Conf., 1970, n° 35, p. 22.

son unité. Il importe donc de réunir ce qui était séparé dans un acte de communion et de réconciliation.

Une imposition mutuelle des mains

Nous proposons que la réconciliation des ministères soit célébrée sous la forme d'une imposition mutuelle des mains dans le cadre d'une liturgie à laquelle le peuple chrétien participerait. Pourquoi une *imposition* des mains ? Parce que c'est un geste bien attesté dans le Nouveau Testament et la tradition primitive de l'Église. Son symbolisme est facile à comprendre : il exprime l'invocation de l'Esprit sur l'acte officiel accompli dans l'Église, qu'il s'agisse de la confirmation, de la réconciliation dans la communion ecclésiale [25] ou de l'investiture au ministère. Il exprime que ce qui est fait n'est pas une simple affaire d'hommes, mais un acte où le Christ et l'Esprit sont partie prenante. Il aurait dans notre hypothèse le double sens d'une réconciliation et d'un envoi en mission : « il donnerait une investiture élargie et complétée au regard des Églises intéressées » (§ 46).

Pourquoi une imposition *mutuelle* des mains ? Une imposition unilatérale pourrait être comprise comme la manifestation d'une volonté de puissance et n'exprimerait pas le caractère mutuel de la réconciliation et de la pénitence. Il est vrai que cette imposition des mains n'aura pas la même portée dans un sens et dans l'autre. Chacun y reconnaîtra devant l'autre « ce qui lui manque ». Or, ces manques ne sont pas du même ordre, plus structurel du côté protestant, plus existentiel du côté catholique. Pour les uns, l'imposition des mains rétablira le lien avec la plénitude du signe de la succession apostolique ; pour les autres, il exprimera la reconnaissance de « la nécessité d'une fécondation permanente du signe et d'une réforme permanente de l'Église par l'Esprit » [26].

Concrètement, une réconciliation des ministères engagerait du côté catholique la présence d'un ou de plusieurs évêques. Elle ne pourrait intervenir dans un premier temps que de manière très locale, là où un cheminement œcuménique aura

---

25. Ce geste était utilisé par l'Église ancienne pour la réconciliation des pénitents.
26. Commentaire, p. 57.

permis de parvenir « à un degré suffisant de foi commune et de conversion spirituelle », là aussi où des problèmes pastoraux urgents se posent, par exemple du fait de l'existence de nombreux foyers mixtes. « Ainsi, de proche en proche, des lieux de réconciliation œcuménique avancée pourraient se multiplier et préparer l'unité générale future [27]. » Il ne peut évidemment être question d'une solution immédiate et universelle. Tel est le sens de la *question* finale posée aux autorités ecclésiales respectives avec une volontaire prudence.

Quelques cas de réconciliation des ministères pourraient être envisagés là où un travail œcuménique sérieux, au niveau des pasteurs et des communautés, aurait fait ressortir un accord fondamental dans la foi, rendant la chose possible sans équivoque. Cela pourrait se faire au nom de la légitime initiative et du discernement reconnus aux Églises locales (§ 48).

Telle est donc cette proposition que nous lançons un peu comme une bouteille à la mer. Son élaboration n'est sans doute pas complète et une mise en œuvre éventuelle exigera une analyse serrée de bien des questions théologiques et institutionnelles. Nous espérons pourtant avoir ouvert une voie sérieuse et exigeante. Quelles que soient les réactions, et même les contestations auxquelles nous nous attendons, nous voudrions avant tout qu'elle soit entendue comme un appel pathétique à la conversion confessionnelle et à la réconciliation ecclésiale. Sur ce terrain, l'accord devrait être facile : nos communautés locales et régionales sont renvoyées à une exigence évangélique fondamentale, et invitées à se demander ce qui dépend d'elles pour hâter le jour de l'unité retrouvée. Dans ce climat, notre proposition pourra alors être jugée, critiquée, améliorée ou dépassée selon les motions de l'Esprit qui habite les cœurs convertis. Si ce patronage n'était pas

---

27. *Ibid.*, p. 55.

prétentieux, j'invoquerais volontiers l'argument de Gamaliel, en sachant que dans ce modeste cas tous les dénouements sont possibles : si la chose vient des hommes, elle tombera d'elle-même ; si elle vient de Dieu, elle fera son chemin, malgré les contradictions.

CHAPITRE 16

« LE MINISTÈRE ÉPISCOPAL »

Réflexions théologiques sur le document des Dombes

Après presque quatre ans de silence, le groupe œcuménique des Dombes a publié un nouveau document traitant du ministère épiscopal [1]. Comme je l'ai déjà fait pour les textes précédents sur l'eucharistie et sur les ministères [2], je voudrais présenter cette étape nouvelle d'une démarche persévérante de dialogue doctrinal. Il s'agit bien, en effet, de « la suite » du même travail, réalisé dans le même esprit et les mêmes conditions, même si le lecteur attentif remarque que les sous-titres des brochures se font de plus en plus modestes, non plus « accord », ni même « éléments d'accord », mais simplement « réflexions et propositions » : cette qualification ne marque pas un recul, mais elle correspond mieux aux résultats de la recherche d'un groupe « privé ».

---

1. GROUPE DES DOMBES, « Le ministère épiscopal. Réflexions et propositions sur le ministère de vigilance et d'unité dans l'Église particulière », Presses de Taizé, 1976 ; *Doc. cath.*, 1711, 2 janvier 1977, p. 10-18 ; *Pour la communion des Églises. L'apport du groupe des Dombes*, Paris, Centurion, p. 81-105.
2. Cf. *supra*, p. 191-215 et 287-310.

1. Continuité doctrinale et urgence œcuménique

Un document « décevant » ?

J'ai déjà eu l'écho d'un certain type de réactions auxquelles le groupe des Dombes s'attendait. Pourquoi parler du ministère épiscopal et en traiter avec une certaine technique théologique, au lieu d'aborder l'une des questions cruciales de notre temps ? D'ailleurs, en France, une telle question peut sans doute intéresser des catholiques, mais elle apparaît absente du champ de préoccupation des Églises de la Réforme. Son choix n'est-il pas significatif d'une attitude trop catholicisante parfois prêtée au groupe dans ses options œcuméniques précédentes ?

Si le groupe des Dombes se compromet cependant dans cette voie, c'est pour deux raisons très simples : l'une est doctrinale et l'autre est le résultat d'une analyse de situation. D'une part, en effet, le ministère épiscopal, c'est-à-dire « le ministère de vigilance et d'unité dans l'Église particulière » est un élément essentiel du problème global des ministères, dont on sait qu'il constitue aujourd'hui le point de résistance, bloquant la progression des Églises vers leur unité visible. Plus précisément, « recherche sur l'épiscopat et quête de l'unité vont normalement de pair, puisque la fonction épiscopale est celle d'un lien d'unité » [3]. D'autre part, c'est un problème à l'ordre du jour, posé aussi bien aux Églises qui ont gardé un épiscopat qu'à celles qui en sont actuellement dépourvues, en raison des difficultés contemporaines à vivre les relations d'autorité et de coresponsabilité et à concilier les exigences des liens nécessaires à la communion dans la foi avec celles de la liberté chrétienne. Il est d'ailleurs remarquable que le document dit d'Accra (1974), de la commission *Foi et Constitution* du Conseil œcuménique des Églises sur les ministères comporte un texte sur l'épiscopat, dont la portée doctrinale et pratique est considérable :

---

3. « Commentaire » accompagnant le document dans son édition aux Presses de Taizé, p. 77.

Une compréhension nouvelle a permis aux Églises n'ayant pas conservé l'épiscopat historique de l'apprécier comme un signe de la continuité et de l'unité de l'Église. Des Églises de plus en plus nombreuses, y compris celles qui participent à des négociations d'union, se déclarent prêtes à voir dans l'épiscopat un signe prééminent de la succession apostolique de toute l'Église dans la foi, la vie et la doctrine ; de ce fait, elles le considèrent comme une réalité vers laquelle il faut tendre, au cas où elle serait absente. La seule chose qu'elles tiennent pour incompatible avec la recherche historique et théologique contemporaine est l'idée selon laquelle la succession épiscopale serait identique à l'apostolicité de l'Église tout entière, et la contiendrait [4]

C'est exactement dans le champ œcuménique ainsi ouvert que se situe la recherche des Dombes. La confirmation nous en a été donnée quand le projet du document a été communiqué pour consultation à des théologiens réformés étrangers, ainsi qu'à un membre éminent du C.O.E. Ces derniers ont manifesté un grand intérêt et nous ont encouragés à aboutir, estimant ce travail très utile à de futures conversations œcuméniques. En revanche, la même consultation faite auprès des protestants français a recueilli des réactions plus réticentes et critiques. Il est permis de regretter, et je le dis dans un esprit fraternel et constructif, qu'une part notable du protestantisme français contemporain se montre assez allergique à l'enjeu de la recherche œcuménique doctrinale, particulièrement dans le domaine compromettant de l'ecclésiologie, et accuse un net retard par rapport aux avancées des diverses alliances protestantes mondiales et des travaux de *Foi et Constitution* [5]. Il n'empêche que de bons observateurs de la situation des Églises de la Réforme en France considèrent que la question d'un ministère épiscopal, en tant que ministère de vigilance et d'unité, se trouve effectivement posée, tant en raison « des faiblesses dans le fonctionnement du système presbytérien-

---

4. *La Réconciliation des Églises, baptême, eucharistie, ministère*, Presses de Taizé, 1974, p. 68, n° 37. Cité au n° 6 du *Ministère épiscopal*. La déclaration de la Commission anglicane-catholique romaine, « L'autorité dans l'Église », (*Doc. cath.*, 1713, [1977], p. 118-124), traduit des préoccupations analogues à celles du groupe des Dombes.

5. Ces derniers ont utilisé, en particulier, les récents documents des Dombes, et parfois sur des points décisifs.

synodal » [6], que compte tenu de l'importance croissante de certains ministères personnels de présidence dans la vie de ces Églises.

Ministère épiscopal et structure de l'Église

Le point de départ du nouveau travail est pris dans les lacunes du précédent. Les « éléments d'accord » de 1973 reconnaissaient que des difficultés demeurent, l'une résidant « dans une interprétation et un discernement différents des figures concrètes et historiques prises par la succession apostolique des ministères », l'autre « concernant la diversité d'organisation et de répartition des ministères » de part et d'autre (n° 37). Sous ces formules enveloppées gisait, en particulier, toute la question de l'épiscopat. Cette lacune, dont nous étions conscients et que nous ne pouvions combler à l'époque, faute d'avoir pu réaliser les études nécessaires, contribuait à donner à ce texte sur le ministère pastoral un ton un peu abstrait. Certains y ont vu le signe d'une ambiguïté plus ou moins consentie. Il s'agissait, au contraire, de respecter une difficulté que le nouveau texte aborde maintenant pour elle-même. C'est dire qu'il est le complément du précédent, dont il utilise d'ailleurs largement les résultats, sans se croire obligé de les répéter dans tout leur détail [7].

La question du ministère épiscopal ne pouvait être éludée, dans la mesure où celui-ci appartient à la *structure* [8] fondamentale de l'Église, que l'unité à restaurer doit donc respecter, et dépasse le domaine de *l'organisation*, où les diversités demeurent légitimes et souvent nécessaires. Cette distinction peut paraître subtile, mais elle est capitale, tant au plan pratique que théologique. C'est pourquoi elle court à travers tout le texte. Par exemple, « être fidèle à l'intention du Christ consiste à respecter cette structure sans chercher à tirer du Nouveau Testament un modèle d'organisation unique et nor-

---

6. Régime qui « associe aux divers échelons de la vie de ces Églises l'autorité des *assemblées élues* (synodes) et celle des ministres (pasteurs et anciens) qui les composent. Ce régime se tient à mi-chemin entre le régime épiscopal et le régime congrégationaliste d'autonomie pratique des communautés » (n° 2, note 2).

7. Cf. n°s 1, 14 (et note 5), 34, 42.

8. J'ai déjà abordé la question de la structure, *supra*, p. 291-293.

matif » (n° 31). De même, les propositions du document ne signifient pas « la recherche de l'uniformité, mais la fidélité à une même structure essentielle » (n° 56). Le commentaire qui accompagne le texte revient sur cette distinction et donne une définition développée de la structure :

Nous entendons par « structure » de l'Église l'ensemble des éléments solidaires (c'est-à-dire en relation les uns avec les autres) qui la constituent, selon l'intention fondatrice du Christ, et qui donc appartiennent à son sens et lui permettent d'accomplir sa mission. La structure correspond à ce qu'en d'autres vocabulaires on a pu appeler l'« essence » (ou l'« esse ») de l'Église. Nous avons eu soin de toujours maintenir cette distinction méthodologique entre structure et institutions ou organisation. Si, en effet, la structure n'existe et ne fonctionne qu'à travers des modalités institutionnelles, elle ne s'y réduit pas. Car elle peut se traduire dans une certaine variété d'expressions simultanées ou successives [9].

« Épiscopè », « épiscope » et évêque

Pourquoi ce jargon compliqué autour de la même racine [10] ? Pour mettre en relief différentes significations et éviter toute confusion entre les données qui concernent la structure et les formes historiques de l'organisation. Les mots *épiscopè* et *épiscopos* ont été empruntés par le Nouveau Testament [11] au langage profane, afin d'exprimer un aspect du ministère de la Nouvelle Alliance, celui de la « surveillance » ou de la « vigilance » qui s'exerce sur les communautés. Le terme *épiscopos*, dont le sens s'est précisé et chargé sous la plume des premiers Pères de l'Église, a donné, à travers le latin *episcopus*, *évêque*, *bishop, Bischof*, selon l'évolution phonétique propre à chaque langue. Nous avons réservé ce terme d'évêque aux ministres qui portent actuellement ce nom dans l'Église catholique romaine, l'Orthodoxie et l'anglicanisme, et exercent ce ministère dans une figure facilement repérable. En revanche, nous

9. « Commentaire », p. 80.
10. La première page du document est flanquée d'une longue explication du vocabulaire qui prend l'allure d'un petit lexique.
11. Cf. Ac 1, 20 ; 1 Tm 3, 1 ; Ac 20, 28 ; Ph 1, 1 ; 1 Tm 3, 2 ; Tt 1, 7 ; 1 P 2, 25.

avons gardé la transcription du terme grec, *épiscope*, pour désigner au plan doctrinal le titulaire de ce ministère dont la fonction apparaît fortement constituée chez les premiers Pères. De l'*épiscope* à l'évêque, il y a donc la distance qui va du modèle doctrinal à ses diverses expressions historiques et actuelles. Le premier est décrit selon un profil idéal, auquel doivent se mesurer sans cesse, dans une attitude de vérification évangélique, ceux qui exercent la même charge. Ce qui est dit de lui ne prétend donc pas justifier purement et simplement un statu quo.

Pourquoi aussi avoir mis en relief la distinction entre l'*épiscopè*, entendue comme « l'ensemble de la charge de vigilance pastorale et d'unité », et l'*épiscope*, c'est-à-dire le « ministre à qui incombe en priorité cette charge » ? Pour une raison scripturaire et une raison œcuménique. On sait que le Nouveau Testament est beaucoup plus net dans son témoignage sur la fonction que dans ses affirmations sur le titulaire. Tout le monde reconnaît que le terme d'*épiscopos* n'y a pas la ferme signification qu'il revêtira dans les Lettres d'Ignace d'Antioche. On sait également que les Églises issues de la Réforme estiment disposer d'un ministère de l'*épiscopè*, même si elles n'ont pas gardé (pour le plus grand nombre d'entre elles) d'*épiscopes*. Mais, chez elles, l'*épiscopè* est exercée et personnalisée avant tout par des assemblées. C'est pourquoi « le cheminement de notre recherche va de l'*épiscopè*, fonction nécessaire que toute Église reconnaît, à sa personnalisation, qui fait encore problème aujourd'hui dans le dialogue œcuménique » (n° 10).

Les articulations du texte

L'introduction (n° 1-8) donne l'exposé des motifs doctrinaux et actuels de cette nouvelle étude. Ces données « mettent tous les disciples du Christ devant les mêmes exigences : rendre la manière d'être des Églises aussi transparente que possible à l'Évangile qu'elles annoncent » (n° 7). Le document se trouve alors construit en deux parties, l'une de « réflexion doctrinale », l'autre contenant des « propositions pour un dépassement des situations actuelles ». Le texte précédent comportait la même division, et pour les mêmes raisons. Car la perspective du travail du groupe est d'apporter une réflexion théologique œcuméniquement fondée au service d'une évolution pratique de la vie des Églises vers la pleine unité :

C'est pourquoi la question de *l'épiscopè* et de l'épiscopat ne peut pas, à notre sens, être étudiée seulement au plan de la doctrine. Dans la manière dont on les conçoit ou dont on réagit à leur sujet, la figure concrète de leur fonctionnement est toujours en cause. La marche vers une réconciliation demande donc, en plus des clarifications doctrinales nécessaires, une prise en compte de nos situations respectives, à partir desquelles nous aurons les uns et les autres à cheminer dans un esprit de conversion *(metanoia)* (n° 8).

La première partie, après avoir défini ce que l'on entend par Église particulière (n° 9-10), comporte à son tour deux sections : la première (n° 11-30) présente une « lecture des données du Nouveau Testament et de la Tradition primitive » en justifiant ce recours à un témoignage qui dépasse l'Écriture. Elle a son centre dans l'idée d'*épiscopè*. La seconde section (n° 31-55) est un « exposé théologique pour aujourd'hui ». Elle propose un certain profil de l'épiscope en le situant dans le réseau des relations qui constituent sa charge : relation fondatrice au Christ, elle-même inscrite dans la relation de toute l'Église à son Seigneur ; relation à l'Église particulière, à l'Église universelle et à la société [12].

La seconde partie, qui change évidemment de genre littéraire, évoque la « nécessaire transformation de la vie ecclésiale », afin de converger vers l'objectif de « l'unique Église de Jésus-Christ remembrée » (n° 56-59). Elle fait ensuite successivement des propositions qui concernent l'Église catholique (n° 60-68) et les Églises de la Réforme (n° 69-76). La conclusion, enfin (n° 77-80), risque une parole d'espérance sur « l'avènement d'une seule *épiscopè* dans l'Église une » dont dépend la pleine communion entre frères encore séparés.

---

12. Le « commentaire », p. 62, souligne les correspondances de construction entre ces deux sections.

2. Présentation théologique du ministère épiscopal

L'Église particulière

Le ministère « de la vigilance, de l'animation et de l'unité » s'exerce sur « un rassemblement ecclésial plus vaste que la paroisse » (n° 1). Mais ici commençait une difficulté de vocabulaire. Du côté catholique, l'Église « locale », c'est le diocèse présidé par l'évêque ; du côté protestant, c'est la paroisse. On risquait donc un malentendu perpétuel à ne pas définir avec exactitude de quoi nous entendions parler. C'est pourquoi le groupe a choisi l'expression d'« Église particulière », aujourd'hui jugée plus rigoureuse et moins ambiguë que celle d'« Église locale », et en donne une description précise. L'idée majeure est que l'Église particulière réalise complètement et visiblement la structure de l'Église : elle s'adresse à tous et toutes les fonctions ecclésiales s'y exercent ; elle est parfaitement « équipée » en matière de ministères ; c'est elle qui vit la relation visible de communion avec les autres Églises. De dimension variable, elle compte normalement un ensemble de paroisses ou de communautés voisines. C'est sur cet ensemble que s'exerce le ministère épiscopal, indispensable à la vie d'une Église de plein exercice.

Une lecture du Nouveau Testament

Le sujet est incontestablement difficile, car les données sont discrètes. Et l'on sait que la tentation catholique est de leur faire dire plus qu'elles ne disent, tandis que la tentation protestante est d'en sous-estimer la portée. Le Groupe des Dombes a essayé d'en faire une lecture *honnête*, c'est-à-dire un acte d'interprétation doctrinale tenant compte, en particulier, des résultats de l'exégèse contemporaine.

Que peut-on conclure de cette démarche ? D'abord, que Jésus-Christ est le premier et en un sens l'unique *épiscope* : « Il est à jamais le *rassembleur*, le pasteur et le gardien de son Église, celui qui la regroupe par son appel et la défend au prix de sa propre vie [...] ; il est aussi la Porte par laquelle doivent passer les brebis et les vrais bergers capables de conduire celles-ci vers la liberté » (n° 12). Il ne s'agit pas là d'une déclaration pieuse ou de pur principe. Elle a une portée ecclésiologique précise : elle rappelle que l'*épiscopè* est un aspect fondamental de l'action du Christ sur son Église et elle indique déjà que celle-ci est un pôle essentiel des ministères ecclésiaux.

Deuxième conclusion : il est possible de dégager un certain profil de l'*épiscopè* dans le Nouveau Testament. C'est ce ministère de vigilance qui assure aux diverses « fonctions du Corps du Christ leur cohérence et leur unité » (n° 15). Il « s'exerce à la suite du Christ, *épiscope de nos âmes* (1 P 2, 25), et à la suite des apôtres, en ce que leur charge a de transmissible. Il consiste à conduire le troupeau, à veiller sur lui, à l'avertir, à l'exhorter (Ac 20, 28-31), à censurer (1 Co 5, 3-5) et à animer la communauté en vue de sa mission universelle » (n° 16). C'est aussi un ministère de « transmission et garde de dépôt (Tt 2, 1, 7-8 ; 2 Tm 1, 14 et 2, 2), [de] présidence des communautés (Ac 15, 36) ; [de] discernement des charismes (1 P 4, 10) » (n° 17). C'est, en dernier lieu, un ministère exercé « par des personnes déterminées, que le Seigneur établit pour le service du peuple de la Nouvelle Alliance ». L'autorité de celles-ci est « de nature spirituelle » (n° 18). Elle ne doit donc pas s'exercer comme une domination (cf. Mc 10, 42), mais au contraire en esprit de service et comme une « autorité de communion ». Elle est pour ceux qui l'ont reçue « un appel à devenir les modèles du troupeau (1 P 5, 2-4) » (n° 19). Bref, le ministère de vigilance et d'unité rassemble tous les aspects de la charge du pasteur.

Troisième et très importante conclusion, enfin : l'*épiscopè* s'exerce de manière collégiale dans le Nouveau Testament, soit au sein d'une même Église, soit dans les relations entre les diverses Églises. Mais aussi « à cet exercice collégial de l'*épiscopè* le Nouveau Testament nous semble associer la présidence personnalisée aux divers niveaux de l'Église » (n° 22). Sont alors cités quatre exemples, pour s'en tenir aux données les moins discutables : le rôle de Jacques dans l'Église de Jérusalem (Ac 15, 13-21) ; celui de Paul vis-à-vis des Églises qu'il a fondées ; le témoignage des pastorales concernant Tite et Timothée ; enfin, « la personne de Pierre au milieu des Douze » qui demeure, « même après la disparition du collège initial, signe de ralliement et symbole du ministère de l'*épiscopè* » [13] *(ibid.)*. L'important est de recueillir conjointement ces deux dimensions, la collégialité et la présidence personnalisée. L'une ne doit jamais cacher l'autre. La dernière est affirmée avec les nuances qui s'imposent et sans vouloir projeter sur le Nouveau Testament une figure du ministère qui n'est pas la sienne, mais il ne s'agit pas d'une donnée marginale. Le lien des deux a valeur structurelle.

Nouveau Testament et Tradition primitive

Le profil de cette présidence apparaît cependant assez flou dans le Nouveau Testament ; il est au contraire très net dès les premiers témoignages de l'Église post-apostolique, de la fin du Ier siècle (Clément de Rome) à la deuxième moitié du IIe (Irénée de Lyon), sur le ministère de l'*épiscopè*. Et « l'épiscopat exercé par une personne se généralisera au cours du IIe siècle et deviendra bientôt une règle pour toutes les Églises » (n° 25). Un fait aussi décisif pour l'histoire chrétienne ne doit-il pas être considéré comme un aboutissement de linéaments proprement néo-testamentaires ? Mais on voit tout de suite l'objection : vous sortez du témoignage du Nouveau Testament et vous retombez dans le vieux contentieux entre Écriture et Tradition.

Heureusement, le dialogue œcuménique à largement déblayé ce contentieux. Tout le monde reconnaît maintenant qu'il n'y a d'Écriture que dans et pour une Église qui l'a constituée en son époque fondatrice, puis l'a reconnue et transmise de telle sorte qu'il n'y ait plus désormais d'Église sans Écriture. La Tradition n'est rien d'autre que cette transmission vivante, à l'intérieur d'une communauté de foi, de la Parole de Dieu attestée de manière normative dans l'Écriture. Or, un élément primordial de cette transmission est l'établissement du catalogue des livres acceptés comme étant le Nouveau Testament, c'est-à-dire du « canon » ; et c'est l'Église du IIe siècle qui a reconnu

---

13. Développement volontairement limité. La mention des Anges des Églises de l'Apocalypse (2-3) est faite en note (6), certains exégètes seulement estimant qu'ils désignent les présidents de ces Églises.

le canon des Écritures, celle-là même où se généralisait le ministère des épiscopes. Le lien historique entre les deux données est évident. Mais c'est aussi un lien théologique : « Il n'y a de canon des Écritures qu'en lien avec la Tradition et la succession », écrit W. Kasper [14]. Le document dit de Cantorbéry sur les ministères [15] le souligne également, mais selon un parallélisme qui nous a paru trop étroit. Aussi, au terme de longues discussions, le groupe est-il parvenu à un texte dont tous les mots ont été pesés et dont il est permis de penser qu'il est un des plus importants du document, car il applique à un point névralgique le consensus œcuménique actuel sur le rapport entre Écriture et Tradition :

Au moment où le Nouveau Testament esquisse le ministère de l'*épiscopè*, les écrits apostoliques ne sont pas plus définis comme *Écriture* que l'*épiscopè* ne l'est comme ministère. Cependant, ce sont des Églises présidées par des épiscopes qui ont peu à peu reçu le canon des Écritures. Dire cela, c'est reconnaître que les Églises qui se sont définitivement référées à l'Écriture estimaient bien que celle-ci fondait le ministère de leurs épiscopes. Les communautés chrétiennes des premiers siècles ont vécu de cette persuasion... (n° 23).

Autrement dit, la reconnaissance du Nouveau Testament comme Écriture et celle du ministère des épiscopes s'appuient sur le même témoignage des Églises post-apostoliques. Comme le dit à juste titre le commentaire du document :

Pourquoi les communautés qui ont été capables de discerner, dans l'Esprit Saint, les vrais écrits bibliques des faux n'auraient-elles pas été assistées du même Esprit pour discerner les éléments structurels des éléments contingents dans les données éparses du Nouveau Testament relatives à l'organisation des Églises et à leurs ministères ? Ou comment auraient-elles pu accueillir comme inspirés par l'Esprit du Christ des livres qui eussent contredit ce qu'elles tenaient pour la structure reçue par elles des apôtres du Christ ? Ou encore, comment auraient-elles pu garder cette structure si elles en avaient

---

14. *Diskussion über Hans Küngs « Christ sein »*, Mathias GRÜNEWALD Verlag, 1976, p. 25.

15. *Ministère et Ordination*. ARCIC, Cantorbéry, 1973, n° 6 : « De même que la fixation du canon du Nouveau Testament ne fut pas achevée avant la seconde moitié du IIᵉ siècle, de même aussi la pleine manifestation du ministère tripartite : évêque, presbytre et diacre, a nécessité une période de temps dépassant l'âge apostolique » (*Doc. cath.*, 1644, 16-12-1973, p. 1064).

lu la condamnation dans des livres où elles discernaient l'authentique Parole de Dieu [16] ?

Il est d'ailleurs remarquable que ce soit au moment même où l'autorité des épiscopes prend tout son relief que l'Église éprouve le besoin de se lier définitivement au témoignage des Écritures du Nouveau Testament. Ce fait inaugure le paradoxe qui veut que l'Église soit avant tout soumise à l'Écriture, tout en exerçant à son égard une autorité de reconnaissance, de conservation et d'interprétation.

Il fallait donc recueillir le témoignage de trois théologies qui « manifestent une convergence vers un ministère de l'*épiscopè* exercé par une personne et considéré comme un don de Dieu à son Église, mais qui n'a en rien détruit la collégialité attestée antérieurement » (n° 30). Il s'agit de la *théologie de la mission*, qui « estime que l'envoi du Christ par son Père est l'impérative référence de ceux ou de celui qui exercent ce ministère » (n° 27) ; de la *théologie typologique*, qui « voit dans les presbytres l'image des apôtres et dans l'épiscope l'image du Christ ou du Père » (n° 28) ; et de la *théologie de la succession*, qui déclare, avec Clément de Rome, « que les apôtres posèrent comme *règle* qu'après la mort des premiers chefs de communauté établis par eux, *d'autres hommes éprouvés leur succèderaient dans leur office* » [17] (n° 29). Irénée sera plus tard le grand témoin de cette théologie de la succession.

Épiscope et presbytres

« L'exposé théologique pour aujourd'hui » devait aborder la question difficile dans le dialogue œcuménique actuel de la distinction entre l'épiscope et les presbytres (devenus les prêtres dans les traditions catholique, orthodoxe et anglicane). Car, si du côté catholique la distinction hiérarchique entre ces ministères est fermement établie, du côté réformé on garde le principe de l'égalité des pasteurs (les presbytres ou anciens étant devenus de facto des conseillers laïcs de la paroisse). Vatican II a même renouvelé la raison doctrinale de cette

---

16. « Commentaire », p. 59-60.
17. *Aux Corinthiens* 44, 2 ; *S.C.* 167, p. 173.

divergence, en affirmant que la consécration épiscopale confère la plénitude du sacrement de l'ordre [18], point qui était jusqu'alors l'objet de libres positions théologiques. C'est pourquoi la formulation retenue par le groupe affirme l'unité d'un même ministère fondamental à l'intérieur duquel est décrite une distinction qui s'appuie sur des données historiques indiscutables :

> Au sein de l'Église, l'épiscope et les presbytres vivent la même réalité ministérielle et sacramentelle. La distinction des fonctions, qu'atteste une différence traditionnelle dans l'ordination, peut s'exprimer ainsi : le premier exerce le ministère pastoral de présidence et d'unité, avec la totalité de ses responsabilités au regard de l'Église particulière et de l'Église universelle ; les seconds exercent le même ministère dans le cadre des Églises particulières, en communion avec leur épiscope et dans la reconnaissance de son autorité (n° 33).

Cet énoncé dit l'essentiel sans ambiguïté et constitue une approche qui a paru valable à tous. En particulier, il est en accord avec l'affirmation par Vatican II « de l'unicité et de l'unité du ministère pastoral, auquel évêques et prêtres accèdent par leur ordination » [19]. Il reste que la portée proprement dogmatique de la distinction entre épiscope et presbytres mérite de recevoir encore des clarifications et que le débat sur ce point délicat n'est pas encore clos.

Relation au Christ

Intentionnellement, le ministère de l'épiscope est situé dans la réalité de la communauté ecclésiale, et c'est de cet ensemble qu'est analysée la relation au Christ, afin de ne pas donner à entendre que la fonction épiscopale pourrait constituer l'Église à elle seule. Sur ce point, le nouveau document reprend de manière synthétique les grandes idées du texte de 1973 [20]. Il en fait simplement une application privilégiée au ministère épiscopal : celui-ci « assure et signifie » la dépendance de l'Église envers le Christ ; les deux côtés de la succession

---

18. *Lumen gentium*, n° 21.
19. « Commentaire », p. 78.
20. Cf. Dombes, 1973, n° 9-11, 20-22, 30, 33-35. Cf. *supra*, p. 294-298.

apostolique, celle de toute l'Église et celle du ministère apostolique, sont mentionnés, mais on ajoute que c'est dans l'ensemble du collège épiscopal que « s'exprime la succession ministérielle du collège originel et symbolique des Douze » (n° 36) ; c'est pourquoi aussi l'épiscope est le sujet d'une ordination comportant invocation du Saint-Esprit et imposition des mains, car il « tient son ministère du Christ, souverain Pasteur » (n° 41).

Mais des précisions nouvelles et importantes sont aussi apportées. « L'épiscope exprime l'obéissance de l'Église au Christ, en premier lieu par sa propre soumission à l'Écriture » (n° 35). Il garde ainsi le dépôt de la foi et préside à son enseignement. Il vit le paradoxe d'une soumission à l'Écriture qui comporte l'exercice d'une « autorité régulatrice dans l'interprétation du message évangélique ». D'autre part, l'apostolicité du ministère épiscopal est mise en lien avec la « catholicité » de l'Église, cette note étant entendue non au sens confessionnel, mais au sens originel, qui ne veut pas dire « nécessairement universalité de fait, mais visée universelle de la mission et de l'amour : dès la Pentecôte, à Jérusalem, l'Église est catholique » [21]. Une telle catholicité est donc présente en chaque Église particulière. Il y a, en effet, une solidarité étroite entre la continuité de toute l'Église et les liens de communion universelle que tissent les diverses communautés. Les épiscopes sont donc à la fois « des signes prééminents du lien entre le passé (l'événement du salut accompli en Jésus-Christ) et l'avenir (la victoire définitive du Christ ressuscité et l'accomplissement de la création par le Saint-Esprit) » et « les témoins et les serviteurs de la catholicité de toute l'Église » (n° 38). Enfin, l'autorité ministérielle de l'épiscope, fondée sur les paroles du Christ, est une « autorité de service et de communion » (n° 39) ; elle est « d'ordre charismatique, c'est-à-dire don de l'Esprit pour la croissance de l'Église » (n° 40); elle n'est en rien un monopole.

Relation à l'Église particulière

L'affirmation de la structure est claire : « il n'y a pas d'épiscope sans communauté » et, réciproquement, « il n'y a

---

21. « Commentaire », p. 68.

pas non plus de communauté sans épiscope » (n° 42). L'un et l'autre existent solidairement pour constituer l'Église. Une solidarité s'exerce dans la dépendance mutuelle, ou l'interdépendance de relations différenciées [22]. D'une part, l'épiscope convoque la communauté à la célébration eucharistique et à l'accomplissement de sa mission ; d'autre part, la communauté accueille « son épiscope dans une libre obéissance, comme un envoyé du Seigneur et la figure de son unité ». Cette mention de l'eucharistie au cœur du ministère épiscopal et de la vie de la communauté est essentielle, même si elle est très rapidement exprimée [23].

Il est évident que cette relation de dépendance mutuelle et d'autorité va se vivre selon des figures différentes à travers l'histoire, en fonction de l'évolution des systèmes politiques dans la société. Et la tentation sera grande d'identifier la conception de l'autorité dans l'Église avec le système dominant du moment. Or, même si l'Église ne peut faire abstraction des modèles culturels ambiants, ce parallèle est trompeur, dès que l'on cherche à le radicaliser. L'Église est une société absolument originale et elle ne peut reproduire dans ses institutions « purement et simplement un système, quel qu'il soit, démocratique, monarchique ou oligarchique. Car ces formes de gouvernement ne sont que la traduction d'une souveraineté humaine » (n° 44). Or, dans l'Église, c'est de la souveraineté du Christ Serviteur et Seigneur qu'il s'agit. Et puisque tout modèle d'organisation sociale est un langage vécu qui traduit le sens des relations en cause, « il importe souverainement que, dans l'Église, ce langage des *institutions* dise la même chose que celui des *mots* par lesquels nous disons ce que nous croyons : la souveraineté du Christ ressuscité sur l'Église » [24]. Puisque « l'Église professe que l'autorité n'est pas entre ses mains, mais dans celles du Christ », elle se doit donc d'éviter les tentations qui la guettent, que ce soient « les abus du *parlementarisme* et de l'anonymat bureaucratique, tentation de tout collège, et ceux de l'exercice solitaire du

---

22. Cf. Dombes, 1973, n° 22.

23. Sans doute peut-on regretter que le document laisse un peu dans l'ombre l'aspect sacramentel des fonctions de l'épiscope. Il n'a pas cru devoir répéter à propos de l'épiscope ce que disait clairement le texte de 1973 aux n°s 25 et 27.

24. « Commentaire », p. 65.

pouvoir, tentation de toute présidence » (n° 45). Ces réflexions, davantage marquées au coin des difficultés actuelles, méritaient d'être faites, tant il est vrai que l'Église doit sans cesse convertir sa manière de vivre les relations d'autorité, afin qu'elles restent transparentes à leur sens.

Pour souligner le lien entre le langage de l'institution et celui de la doctrine, le groupe a jugé bon d'évoquer la *justification par la foi*, qui est au cœur de l'enseignement de Paul. Cette doctrine, particulièrement chère à nos frères luthériens, est un bien commun des Églises chrétiennes. En effet, il est absolument vrai de dire que « la structure ministérielle [...] traduit dans la vie de l'Église que l'homme est sauvé par la grâce du Christ, selon l'Évangile de la justification par la foi » (n° 45). Ainsi « la relation des chrétiens aux ministères rappelle à tous qu'ils ne *font* pas leur salut, mais le *reçoivent* par pure grâce, d'un Autre. Et cet Autre, à accueillir par la foi, n'est pas le ministre, mais Dieu agissant par le Christ et dans l'Esprit » [25]. Ce rapprochement est un élément de réconciliation doctrinale important et fécond, auquel les protestants seront certainement sensibles.

Relation à l'Église universelle

La relation de l'épiscope à l'Église universelle s'exerce dans la collégialité, « qui assure et signifie la communion entre les Églises particulières » (n° 46). En fait, le ministère de l'épiscope est collégial en deux sens analogiques : au sein de l'Église universelle, il appartient au collège des épiscopes. C'est ainsi que l'unité et la catholicité de l'Église deviennent « manifestes et effectives » (n° 47). Et la raison fondamentale des synodes et des conciles, moments privilégiés d'exercice de la vigilance épiscopale, est « la vérification mutuelle d'une unanimité dans la confession de la vraie foi », vérification répétée, indispensable à une fidélité vivante au témoignage apostolique. « En retour chaque épiscope a la responsabilité de dire dans son Église particulière la foi de toute l'Église » (n° 48). Ainsi placé à la charnière entre les Églises particulières et l'Église universelle,

---

25. *Ibid.*, p. 66.

l'épiscope apparaît avant tout comme l'homme du lien, l'homme de la communion et de la communication (n° 49).

Ce bref chapitre comporte une lacune évidente, à laquelle tout lecteur catholique sera sensible. Il ne parle pas de la présidence du collège épiscopal ni du ministère de l'unité de toute l'Église. Il est clair que, du point de vue catholique romain, la communion des Églises particulières « comporte la fonction propre de l'évêque de Rome : celle d'être, au sein du collège des évêques, le témoin et le serviteur de l'unité catholique de l'Église » [26]. La raison d'un tel silence est claire : ce problème capital demande à lui tout seul un traitement particulier. Chaque chose en son temps : la démarche œcuménique impose de mettre provisoirement entre parenthèses certains sujets, afin de rendre possible une exploration progressive du contentieux confessionnel. Elle est celle du groupe des Dombes, persuadé qu'une réflexion commune peut être valable tout en demeurant incomplète. Le groupe ne prétend d'ailleurs pas se débarrasser de ce problème crucial et il s'est engagé à le mettre dans l'avenir au programme de son travail [27].

Dès maintenant, il est possible de dire que le texte actuel pose et situe la question par le biais qui est, œcuméniquement parlant, le meilleur. Il articule, en effet, une théologie cohérente de l'Église particulière qui met en relief le ministère de présidence, de vigilance et d'unité de l'épiscope. La même logique pousse à aborder le problème de la présidence « épiscopale » du collège des épiscopes et, du même coup, du service et de la figure de l'unité de l'Église universelle. S'il est vrai que tous les autres résultats restent provisoires tant qu'on n'en sera pas venu là, selon des modalités qui restent d'ailleurs largement à inventer, il est non moins vrai que l'accord sur le sommet, comme l'accord au sommet, présuppose la restauration de bien des visées doctrinales communes et de nombreux liens d'unité. De même que le baiser de paix échangé entre Paul VI et Athénagoras n'a été possible que parce que, pendant plus d'un demi-siècle, d'autres baisers de paix, plus modestes

---

26. *Ibid.*, p. 66-67.
27. Cf. Dombes, 1973, n° 47. Projet réalisé avec la publication du texte sur *Le Ministère de communion dans l'Église universelle*, Paris, Centurion, 1986.

et moins commentés, avaient été échangés entre des chrétiens décidés à espérer l'impossible.

Relation à la société

Nulle ecclésiologie ne peut séparer ce que l'on appelle, selon une distinction trop facile, Église « *ad intra* » et Église « *ad extra* ». Car toute l'Église « est envoyée dans le monde au service de la communauté humaine » et, « constamment, elle est invitée à sortir de ses murs pour servir la libération des hommes » (n° 50). Cette responsabilité est particulièrement celle de l'épiscope, « en communion avec le peuple qui lui est confié ». Il a à porter le souci de la société dans laquelle il vit. « Il lui appartient d'y être, avec sa communauté, *veilleur* et *sentinelle* (cf. Ez 33). Il annonce la Bonne Nouvelle au sein du projet social et de ses conflits. Il rappelle les exigences de la justice. Il prend la défense des pauvres et de ceux que la société rejette » (n° 51). Il est d'ailleurs perçu par l'opinion et les pouvoirs publics comme un personnage représentatif qui personnifie son Église. C'est donc à lui de « prendre parti avec humilité et courage » (n° 52) au nom de l'Évangile. Interventions difficiles : car il s'agit de sortir du cadre de généralités peu compromettantes, sans pour autant entrer dans des domaines qui ne sont pas de sa compétence, au risque d'oublier la face technique des problèmes. Pour être à la hauteur de cette tâche de témoin de la conscience chrétienne, l'épiscope s'expose à la contradiction : « il marche en tête de ceux qui ont à porter la croix » [28].

Ainsi le ministère de l'épiscope a-t-il été décrit et défini à partir de ses relations. C'est dans leurs réseaux multiples qu'il contribue « au maintien de l'identité de l'Église entre la Pentecôte et la Parousie, ce qui fait de lui un élément constructif de la tradition de l'Église » (n° 55).

3. Propositions pratiques

La seconde partie du document change de ton. Elle fait des propositions en vue d'une « plus grande transparence »

---

28. « Commentaire », p. 70.

de l'Église « à sa conformité au dessein de Dieu pour le salut du monde » (n° 58). Elle devait éviter un double écueil : faire la leçon aux responsables d'Églises ou en rester à quelques vœux pieux. Certains diront sans doute : de quoi se mêlent-ils ? D'autres répondront peut-être : cela ne va pas bien loin. Il y a là néanmoins un ensemble d'orientations qui pourraient s'avérer décisives, si elles étaient prises au sérieux de part et d'autre.

Ces propositions — comme celles du précédent document — partent d'une conviction et supposent un esprit. La conviction est que le « remembrement » de l'unique Église de Jésus-Christ exige à la fois un progrès doctrinal et une transformation concrète de la vie des Églises. L'esprit qui les anime appelle, une fois encore, à la « conversion confessionnelle » [29], dans laquelle la conversion du cœur doit conduire à « un changement de mentalité aussi bien dans l'ensemble du peuple des croyants que chez ceux qui ont la responsabilité d'en être les *conducteurs spirituels* » (n° 58). Ces changements seront différents de part et d'autre, en raison de la dissymétrie des situations actuelles. En simplifiant les choses, il est demandé aux catholiques de mieux vivre la dimension *collégiale* du ministère épiscopal ; aux protestants, il est demandé de redécouvrir la dimension *personnelle* de ce même ministère.

Du côté catholique

Comme l'Église tout entière, le ministère épiscopal doit vivre une conversion permanente dans son exercice concret. Aujourd'hui, des « modalités nouvelles de l'exercice de l'épiscopat devraient témoigner d'un type d'autorité de caractère évangélique qui ne s'identifie à aucun modèle existant dans le monde » (n° 60), dans l'esprit de la parole de Jésus à ses apôtres : « Que celui qui commande prenne la place de celui qui sert » (Lc 22, 26). Un tel renouvellement est largement engagé, en fonction des orientations de Vatican II notamment. « En France et en divers autres pays, l'évêque n'a plus grand-chose de commun avec le seigneur féodal dont il avait pris

---

29. La métanoia de l'Évangile.

l'allure en Occident, au cours du Moyen Âge » [30]. Regrettons que beaucoup de protestants se fassent encore aujourd'hui une image complètement désuète de l'évêque.

Le document ne fait que proposer la poursuite de ce même renouvellement, en soulignant tout ce qui va dans le sens d'une solidarité pastorale entre l'évêque et son peuple. Il concerne avant tout l'annonce de la Bonne Nouvelle « par une parole accessible », « la proximité pastorale » et « le développement, au plan diocésain, d'une vie collégiale et synodale » (n° 61). Il s'agit donc d'une certaine « coresponsabilité » qui pourrait s'exercer dans le mode de choix des évêques, dont on sait qu'il a beaucoup varié au cours de l'histoire. Il serait bon que leur désignation soit « le fruit d'une relation vivante et d'une concertation entre l'évêque de Rome, les évêques voisins, les prêtres du diocèse et tout le peuple concerné » [31] (n° 62). Il en va ainsi de toutes les affaires de l'Église diocésaine ; puisqu'elles concernent l'ensemble du peuple de Dieu, « il importe que les baptisés contribuent effectivement à préparer et à orienter les décisions qui devront être prises » (n° 64). Ce qui suppose l'existence de certaines instances capables d'exercer un rôle responsable de conseil dans les divers domaines de la vie ecclésiale.

Mais l'évêque n'est pas le seul ministre de l'Église particulière : il est entouré d'autres ministres, et principalement du collège des prêtres. Depuis quelques années, « un conseil du presbyterium » [32] est né dans la plupart des diocèses : il connaît souvent des débuts difficiles, et c'est bien dommage. Car l'existence « d'institutions réellement collégiales » permettrait à la « fonction épiscopale de se multiplier » (n° 65). En ce domaine, les propositions du groupe ne constituent que quelques exemples. Ne serait-il pas souhaitable de tenter « plus souvent l'expérience de synodes diocésains, malgré les difficultés qu'elle comporte » (n° 66) ? Celle-ci est restée rarissime

---

30. *Ibid.*, p. 72. L'Église catholique reconnaît aujourd'hui officiellement les déficiences historiques de l'épiscopat, en particulier au XVIᵉ siècle. La note 10 du texte estime qu'« il faut aller plus loin dans l'aveu », car il ne s'est pas agi seulement de fautes personnelles, mais d'un contre-témoignage, de l'institution elle-même, « en raison des modèles sociaux qu'elle avait adoptés ».

31. Les « Normes concernant la désignation des nouveaux évêques dans l'Église latine » de 1972 (*Doc. cath.*, 1610 [1972], p. 513-515) ouvrent déjà cette voie.

32. C'est-à-dire une assemblée de prêtres élus et délégués par leurs pairs.

en France, alors qu'elle a pu fonctionner avec bonheur à l'étranger. De même, la composition du conseil épiscopal, qui existe partout, pourrait être améliorée de telle façon « qu'il soit composé de représentants (clercs ou laïcs) des responsables des *champs pastoraux* essentiels » [33] (n° 67). Les Églises particulières voisines pourraient aussi développer des échanges fructueux à l'échelon régional.

Du côté protestant

Les propositions faites aux Églises de la Réforme partent d'une situation toute différente. En effet, le protestantisme a vécu à son départ — dans de vastes régions tout au moins — une rupture avec le ministère des évêques, rupture dont il importe d'ailleurs de bien comprendre les raisons : celles-ci avaient un côté doctrinal, mais elles ont aussi tenu à la conjoncture historique. Des études récentes [34] insistent plutôt sur la seconde et se gardent d'interpréter les déclarations de réformateurs — parfois divergentes — dans le sens d'un refus doctrinal formel de l'épiscopat. Le « commentaire » du document résume ainsi la question d'un point de vue protestant :

Les réformateurs n'avaient [...] pas de position de principe en matière d'épiscopat : là où les évêques exerçaient leur ministère suivant le critère indiqué (et se ralliaient à la Réforme), on les conservait. Tel fut le cas en Angleterre et en Suède. On n'entendait pas, en effet, provoquer dissidence ou rupture, mais ramener l'Église à son authenticité. Là où l'épiscopat refusait la Réforme on fut conduit à se passer de lui et à s'organiser en conséquence, et on pensa d'autant mieux pouvoir le faire que les données du seul Nouveau Testament sont loin d'être claires pour ce qui concerne l'organisation des Églises et de leurs ministères. La transmission fidèle et l'Évangile importait bien davantage que la continuité dans la chaîne des ordinations [35].

---

33. Vatican II souhaitait ainsi la reconstitution d'un « conseil pastoral » présidé par l'évêque, avec la participation de clercs, de religieux et de laïcs (*Christus Dominus*, n° 27).

34. Cf. Hébert ROUX, « Le Ministère d'unité dans l'Église locale et l'épiscopat en perspective réformée », *Études théologiques et religieuses*, t. 51, 1976-1, p. 39-57.

35. « Commentaire », p. 74-75.

Devant la gravité de la situation de l'Église au XVIe siècle, la tradition luthéro-réformée a donc mis l'accent sur l'authenticité de la prédication de l'Évangile et de l'administration des sacrements, les deux éléments qui fondent pour elle la succession apostolique. Elle n'en estimait pas moins — surtout chez Calvin — que prédication et sacrements supposent un ministère fondé sur un « vrai ordre d'Église »[36]. Mais l'insistance répétée sur la suffisance de la Parole et des sacrements a conduit à mettre du côté de la libre organisation des éléments structurels du ministère de l'*épiscopè*. Le document reconnaît ainsi que « l'affirmation unilatérale de cette position a voilé la légitimité de la succession apostolique de l'évêque » (n° 70). Parole d'aveu, qui rejoint à sa manière le texte de *Foi et Constitution* cité au début de cet article. Mais on souligne aussi que certaines Églises de la Réforme ont gardé des évêques. Dans les autres, le ministère épiscopal s'exerce à la fois par des Assemblées synodales, par des Conseils et par des personnes « assumant le ministère pastoral d'unité » (n° 71).

Or, il se trouve — j'y fais allusion plus haut — que les ministères de présidence, où l'*épiscopè* inclut la personnalisation, prennent aujourd'hui une importance plus considérable. Il y a là un signe des temps. Mais ces fonctions n'ont pas la reconnaissance ecclésiologique qui devrait leur revenir. C'est pourquoi les orientations proposées concernent un effort de réflexion doctrinale aidant les Églises de la Réforme « à retrouver le sens et la nature spécifique d'un ministère d'unité essentiellement destiné à promouvoir la réconciliation » et « à entretenir la communion » (n° 73). Une telle revalorisation apparaît d'autant plus urgente « devant les risques de divisions ou d'éclatements qui se multiplient » (n° 74). La recherche en ce sens pourrait être « menée en relation avec les autres Églises ayant conservé ou retrouvé l'épiscopat » ; elle pourrait s'aider des travaux du Conseil œcuménique des Églises ; de même, « l'égalité historique des pasteurs dans l'ordination » ne devrait pas « exclure la reconnaissance de divers niveaux de responsabilité » ; enfin, la diversification des ministères pourrait donner lieu à de nouvelles formes d'ordination « d'anciens ou de prédicateurs laïques », ce qui « mettrait mieux en évidence la spécificité d'un ministère de *pasteur-épiscope* » (n° 75). Tout

---

36. Cf. H. ROUX, *art. cit.*, p. 44.

n'est pas dit par ces suggestions, sans doute, mais elles marquent une orientation positive sur le long chemin qui va vers l'unité d'une même structure ecclésiale vécue dans la pluralité de ses modes d'exercice. Le but ultime est bien évidemment « la reconstitution d'une fonction épiscopale vécue dans l'unité » [37]. Mais, pour l'instant, il n'est pas possible de tracer avec précision le parcours qui y conduit. Cependant, il est sûr qu'à l'évolution proposée aux Églises de la Réforme correspond le renouvellement demandé à l'Église catholique. L'une et l'autre ne seront efficaces que si l'ensemble du peuple chrétien est mis à même de les comprendre et d'en sentir l'enjeu œcuménique.

Tel est donc ce texte des Dombes, qui forme une unité concrète avec le précédent. Le travail a été mené à bien par des catholiques et des protestants ; mais, à sa première conception ont aussi contribué une voix orthodoxe et une voix anglicane. Il s'achève par une parole d'espérance vis-à-vis de cette « institution charismatique » capable de servir « la vitalité de l'Église, la liberté chrétienne et la défense des faibles et des opprimés » (n° 78), et qui constitue un pôle irréductible de l'unité chrétienne.

Il s'agit d'un livre « de bonne foi », comme aurait dit Montaigne. Comme ses frères aînés, il trouvera sans doute la contradiction ; puisse-t-il faire lentement le même chemin dans la vie des Églises interrogées à son sujet (l'unité sera l'œuvre de la patience de Dieu). Au-delà de sa portée, proprement œcuménique, il apparaît aussi d'une grande actualité par le témoignage qu'il veut rendre à une autorité de type évangélique qui marque toute sa différence vis-à-vis des modèles mondains.

---

37. « Commentaire », p. 77.

CHAPITRE 17

LE DÉPLACEMENT
DES CATÉGORIES
DU MINISTÈRE APOSTOLIQUE
À VATICAN II

et sa répercussion sur le dialogue
œcuménique

La problématique du concile de Vatican II sur les ministères prend une distance certaine par rapport à la théologie post-tridentine. Par le déplacement des catégories qu'il a opéré, le concile rend possible non seulement une herméneutique dogmatique plus juste, mais encore une meilleure mise en situation des données doctrinales qui sont en cause.

Cet horizon doctrinal renouvelé a permis de grands progrès dans le dialogue œcuménique sur les ministères, dont il faut bien dire qu'ils constituent encore aujourd'hui le grand verrou sur la voie de l'unité. Tout n'est pas résolu, tant s'en faut, mais les lignes de force d'une réconciliation doctrinale possible sont désormais tracées. L'active participation catholique à ce travail n'aurait pas été possible sans l'événement du concile et le mouvement qu'il a induit.

J'essaierai donc de faire le point tant sur Vatican II que sur le dialogue œcuménique qui l'a suivi.

I. LES DÉPLACEMENTS OPÉRÉS PAR VATICAN II

Ma méthode sera simple : elle consistera à parcourir brièvement les documents clés de Vatican II sur notre sujet. Nous avons d'abord deux documents majeurs : la constitution dogmatique sur l'Église (*Lumen gentium* de novembre 1964) et le décret sur le ministère et la vie des prêtres (*Presbyterorum ordinis* de décembre 1965). Autour de ces textes fondamentaux gravitent deux documents satellites : le décret sur la charge pastorale des évêques (*Christus Dominus* d'octobre 1965) qui est un développement plus pastoral de *Lumen gentium*, et celui sur la formation des prêtres (*Optatam totius* d'octobre 1965). Enfin nous ne devons pas oublier les documents complémentaires que sont le décret sur l'apostolat des laïcs (*Apostolicam actuositatem* de novembre 1965), le décret sur l'œcuménisme (*Unitatis redintegratio* de novembre 1964) et celui sur l'activité missionnaire de l'Église (*Ad gentes* de décembre 1965). Nous disposons donc d'un matériel textuel considérable.

A. *L'ecclésiologie du peuple de Dieu et le sacerdoce commun des fidèles*

L'ecclésiologie du Peuple de Dieu est inscrite dans la construction de *Lumen gentium* comme le manifeste à l'évidence la succession de ses quatre premiers chapitres :

chap. I : Le mystère de l'Église (c'est-à-dire son origine trinitaire, son rapport au Royaume et les images bibliques qui la désignent) ;

chap. II : Le peuple de Dieu ;

chap. III : La constitution hiérarchique de l'Église et spécialement l'épiscopat ;

chap. IV : Les laïcs.

On a beaucoup souligné à l'époque et depuis lors le renversement de la problématique hiérarchique, ou même « hiérarchologique » qui semblait identifier l'Église à sa hiérarchie, en même temps qu'elle définissait avant tous les laïcs par leur rapport au monde, au profit d'une ecclésiologie qui considère en premier lieu le mystère « théandrique » de l'Église (chap. i), puis l'*Ekklêsia* comme le peuple convoqué et acquis par Dieu. Il ne s'agit pas ici des laïcs, mais du peuple des baptisés dans son intégralité. Il s'agit de tous, ministres ou non, « depuis les évêques jusqu'aux derniers des fidèles laïcs » (n° 12), en tant que tous ont en commun le même baptême, la même confirmation et sont bénéficiaires de la même grâce dont ils vivent dans la même foi. A ce niveau premier tous sont fondés dans leur identité chrétienne par les mêmes sacrements qui font d'eux sans différence les convives de l'eucharistie. Ce n'est qu'ensuite, dans les deux chapitres suivants, que sera posée la structure ecclésiale qui distingue la hiérarchie des laïcs. Mais le chapitre sur le peuple de Dieu développe longuement ce qu'on pourrait appeler une théologie baptismale de la communauté chrétienne avec toutes les activités, les responsabilités et l'initiative qui lui reviennent. Et cette théologie va faire une place importante au « sacerdoce commun » des fidèles.

La fécondité de cette visée sera grande, en théologie catholique tout d'abord. Elle remet en honneur l'identité du fidèle chrétien, en tant qu'il est membre du peuple saint de Dieu. (Étymologiquement parlant, le *laïkos* est d'abord membre du *laos*, même « s'il est lié par les préceptes propres aux laïcs » [1].) Elle aidera à prendre conscience que le ministère de l'Église est porté par tous les chrétiens et que le ministère ordonné « n'est pas antérieur ni extérieur » à la communauté [2]. Si toute l'Église est sacrement, si toute l'Église est apostolique, alors toute l'Église est aussi ministérielle [3]. Cette même construction se retrouve dans le nouveau code de Droit canon au livre II. Pour le dialogue œcuménique cette visée est peut-être plus féconde encore. Elle marque une convergence avec l'ecclésiologie orthodoxe qui fait une place importante au sacerdoce commun des fidèles [4]. Il est également remarquable que tous les documents œcuméniques actuels traitant des ministères

1. CLÉMENT DE ROME, *Épitre aux Corinthiens*, chap. 40, trad. A. Jaubert, Cerf, *S.C.* 167,1971, p. 167.

2. Y. CONGAR, *Ministères et communion ecclésiale*, Cerf, 1971, p. 15.

3. Cf. *Tous responsables dans l'Église ? Le ministère presbytéral dans l'Église tout entière « ministérielle »*. Assemblée plénière de l'épiscopat français, Lourdes, 1973, Centurion, 1973, p. 16.

4. Cf. N. AFANASSIEFF, *L'Église du Saint-Esprit*, Cerf, 1975.

évoquent d'abord la communauté chrétienne dans son ensemble, avec sa vocation et sa responsabilité globale, avant d'aborder le ministère apostolique, ordonné ou pastoral.

Le sacerdoce commun

Le mystère de l'existence chrétienne est décrit en *Lumen gentium* 10 à partir des deux textes du Nouveau Testament (Ap 1, 6 et 1 P 2, 4-10) qui parlent du Peuple de Dieu comme « d'un Royaume et de prêtres pour Dieu », et « d'une demeure spirituelle et d'un sacerdoce saint, pour offrir, par toute l'activité de l'homme chrétien, des hosties spirituelles ». Grâce à ce sacerdoce spirituel les chrétiens « s'offrent eux-mêmes en hostie vivante, sainte, agréable à Dieu » (cf. Rm 12, 1). C'est ainsi que se pose le rapport entre sacerdoce et sacrifice, en des termes bien différents de ceux de Trente (qui soulignait la corrélation entre le sacrifice visible de l'eucharistie et le sacerdoce visible des prêtres). Tout le peuple de Dieu est constitué par grâce en sacerdoce saint, c'est-à-dire en un sacerdoce *existentiel*, capable de s'offrir en sacrifice *spirituel* : toute l'existence chrétienne a donc valeur théologale ; elle est orientée vers la préférence d'amour à donner à Dieu et à ses frères, qui est le contenu du sacrifice chrétien. Elle vérifie la loi chrétienne selon laquelle le prêtre et la « victime » sont identiques : le peuple saint s'offre lui-même. Pour qu'il puisse le faire, il lui est conféré une participation existentielle au sacerdoce unique du Christ, « unique Médiateur entre Dieu et les hommes » (1 Tm 2, 5). Tous les fidèles participent ainsi à la triple mission de l'Église et y exercent ce sacerdoce commun : d'abord par leur députation au culte et par toute leur vie sacramentelle (*L.G.* 11), puis par leur participation à la fonction prophétique du Christ (*L.G.* 12), enfin à la dignité royale. Cette trilogie se retrouve de manière plus nette dans le chapitre sur les laïcs (nos 34, 35, 36). Dans les deux cas le lien est plus formellement affirmé entre le sacerdoce commun et la vie cultuelle et sacramentelle, mais nous retrouverons la même trilogie dans un lien global avec l'idée de sacerdoce.

La conséquence immédiate de cette réhabilitation théologique du sacerdoce commun est que l'on ne peut plus considérer spontanément la catégorie de sacerdoce comme la catégorie

mère de tout ce qui concerne le ministère ordonné ou apostolique. Elle n'est plus une catégorie exclusivement ministérielle, comme elle l'était pour la théologie du Moyen Âge et
au concile de Trente. Vatican II amorce là un déplacement
décisif de catégories. Il faudra désormais préciser en quel sens
le ministère ordonné est « sacerdotal » au regard de l'unique
sacerdoce du Christ et du sacerdoce commun des fidèles.

Cette conséquence, le texte de *Lumen gentium* 10 la tire
aussitôt en situant l'un par rapport à l'autre le sacerdoce
commun et le sacerdoce ministériel. Ils diffèrent entre eux
« d'essence et non seulement de degré » *(essentia et non gradu
tantum)*, cependant ils « sont ordonnés » l'un à l'autre. La
première affirmation fait spontanément difficulté aux protestants. Ils y lisent la confirmation de leur soupçon que pour
les catholiques les prêtres sont de « super-chrétiens » par
rapport aux laïcs. Or ce soupçon se vérifierait si le texte avait
dit au contraire *« gradu, non essentia »*. Une différence de
degré dans le même sacerdoce serait fort inquiétante [5]. Par
contre la différence d'essence dit qu'il s'agit de deux choses
qui ne sont pas du même ordre, que l'on ne peut pas
additionner. Il y a une analogie fondamentale entre l'emploi
des deux termes : dans un cas il s'agit d'un sacerdoce existentiel,
dans l'autre d'un sacerdoce ministériel. C'est pourquoi ils
peuvent être ordonnés l'un à l'autre à l'intérieur de la structure
de l'Église. Le concile précise qu'ils constituent deux participations différentes et particulières *(suo peculiari modo)* de
l'unique sacerdoce du Christ. Le sacerdoce ministériel est au
service du peuple sacerdotal : il donne au peuple de Dieu de
pouvoir exercer son sacerdoce royal comme don du Christ,
en particulier par la célébration de l'eucharistie. Le sacerdoce
royal de son côté s'exerce dans toute la vie chrétienne et
trouve son sommet dans l'offrande existentielle que le peuple
de Dieu fait de lui-même en célébrant l'eucharistie présidée
par le ministre ordonné. Le sacerdoce commun n'est pas une
réalité formellement ministérielle, même s'il fonde de légitimes
ministères dans l'Église ; il s'attache à l'existence même du
peuple gracié et il demeurera éternellement sous une forme
glorieuse. Le sacerdoce ministériel est solidaire de la vie

---

5. D'où le regret que l'on peut exprimer devant le fait que le texte dit
« *non gradu tantum* », comme s'il y avait « aussi » une différence de degré
entre ces deux sacerdoces.

itinérante de l'Église : il n'aura plus de raison d'être dans l'eschatologie.

Le pas franchi consiste donc dans l'articulation mutuelle du sacerdoce royal et du sacerdoce ministériel. En parlant de « sacerdoce ministériel » le concile forge une expression nouvelle qui souligne que le ministère du prêtre est une participation ministérielle à l'unique sacerdoce du Christ. Il emploie même une formule immédiatement intraduisible en français : « *sacerdos ministerialis* ». Nous ne pouvons que dire « prêtre ministériel ». Mais le vocabulaire français nous fait ici tomber sous le coup de la confusion entre le vocabulaire *sacerdotal* et le vocabulaire *presbytéral* dont les deux étymologies sont nettement différentes, mais que l'évolution sémantique a fait se recouvrir l'un l'autre dans l'ensemble de nos langues modernes [6]. Vatican II amorce ici discrètement la distinction qu'il développera dans d'autres documents entre *sacerdos* et *presbyter*.

Le concile ouvre-t-il la voie à la conception de ministères fondés sur le baptême et la confirmation ?

Le sacerdoce commun n'est pas de nature ministérielle, il appartient à l'existence chrétienne. Cependant l'être chrétien fonde une participation de tous les baptisés à la triple mission de l'Église. Peut-on parler à ce niveau de « ministères » à proprement parler ? Il n'est pas inutile de poser la question maintenant à propos de la théologie du peuple de Dieu.

Lumen gentium emploie le langage des *charismes* : l'Esprit Saint, dit la Constitution,

distribue parmi les fidèles de tout ordre des grâces spéciales, par lesquelles il les rend aptes et prompts à se charger de diverses œuvres

---

6. Sur la confusion sémantique des deux vocabulaires sacerdotal et presbytéral, cf. B. Sesboüé, « Ministère et sacerdoce », dans *Le Ministère et les ministères selon le Nouveau Testament. Dossier exégétique et réflexion théologique*, sous la direction de J. Delorme, Seuil, 1974. Ce livre est le dernier résultat des travaux engagés par l'atelier dit « BECES » (Bureau d'étude du célibat dans l'Écriture sainte », formé à la demande de l'épiscopat français pour la préparation du synode de 1971. Cet atelier de travail avait vite étendu le champ de sa recherche de la question du célibat à celle du et des ministères dans le NT.

ou offices, profitables à la rénovation de l'Église et au développement de sa construction [...] Ces charismes [...] sont très appropriés et très utiles aux nécessités de l'Église (n° 12).

Dans le chapitre consacré aux laïcs le terme clé sera celui d'*apostolat* :

L'apostolat des laïcs est la participation à la mission salutaire de l'Église ; à cet apostolat tous sont députés par le Seigneur, par le baptême et la confirmation (*L.G.* 33).

Ce texte est très fort et situe exactement la source sacramentelle de cette participation active des laïcs à la mission de l'Église. Le décret sur les laïcs garde le même langage de l'apostolat, comme l'indique son propre titre.

Mais Vatican II s'ouvre également, bien que discrètement, au vocabulaire du ministère. Le même décret sur les laïcs introduit sa réflexion sur la participation des laïcs à la charge sacerdotale, prophétique et royale du Christ par cette formule : « Il y a dans l'Église diversité de *ministères*, mais unité de mission » (*A.A.* 2). Plus net encore est ce texte d'*Ad gentes* :

Pour l'implantation de l'Église et le développement de la communauté chrétienne, sont nécessaires des *ministères* divers *(varia ministeria)* qui, suscités par l'appel divin du sein même de l'assemblée des fidèles, doivent être encouragés et respectés par tous avec un soin empressé : parmi eux, il y a les fonctions des prêtres, des diacres et des catéchistes, et l'action catholique (*A.G.* 15).

Cette ouverture du vocabulaire me paraît très importante, car s'il importe aussi de souligner la spécificité du ministère ordonné, il n'est pas bon que celui-ci confisque la totalité du et des ministères dans l'Église. Il y a une « ministérialité » fondamentale de l'Église et celle-ci s'exprime à la fois par les ministères des laïcs et par le ministère ordonné. Paul VI entérine ce vocabulaire dans son *Motu proprio « Ministeria quaedam »* [7]. On sait que ce document supprime la tonsure, les ordres mineurs et le sous-diaconat, et déclare que l'entrée

---

7. « Les fonctions, qui jusqu'à présent étaient appelées "ordres mineurs", devront désormais être appelées "ministères" ». PAUL VI, *Motu proprio « Ministeria quaedam »* du 15 août 1972, *Doc. cath.*, 1617 (1972), p. 852-854.

dans la cléricature a lieu par la réception du diaconat. A la place des ordres mineurs il institue les deux ministères d'acolyte et de lecteur, en précisant que la liste n'est pas close et que d'autres ministères pourront être ainsi créés. Ce faisant, il pose la distinction entre *ministère ordonné*, celui qui est conféré par les différents degrés du sacrement de l'ordre, et *ministère institué*, comportant un acte de l'Église tout autre qu'une ordination, puisque ce type de ministère est fondé sur le baptême et la confirmation. Paul VI restitue, pourrait-on dire, les anciens ordres mineurs à leur véritable nature de ministères laïcs, alors qu'ils avaient été aspirés dans la spirale ascensionnelle qui conduisait au ministère presbytéral. De ce point de vue on peut regretter que ces ministères, ouverts à des laïcs comme ministères stables, demeurent nécessaires pour les candidats au presbytérat.

On peut également concevoir dans l'Église l'existence de ministères laïcs non formellement institués au cours d'une célébration liturgique, mais *reconnus* ou *confiés*. Pour que l'on puisse parler de ministère, il faut alors un minimum de stabilité dans le temps, la consistance visible d'un service spécifique et son insertion dans l'ensemble organique des ministères d'une Église particulière.

B. *Le ministère ordonné : le ministère apostolique étudié à partir de l'épiscopat*

La grande lacune du concile de Trente au sujet du sacrement de l'ordre concernait l'épiscopat. Les dures tensions traversées par le concile amenèrent celui-ci à se taire sur le fameux « droit divin des évêques » et à traiter de l'ordre avant tout à propos du presbytérat, lui-même étudié à partir de la catégorie de sacerdoce. La grande lacune de Vatican I concernait également la fonction des évêques qui n'avait pas été articulée avec celle du pontife romain. Les Pères de Vatican II étaient parfaitement conscients de la nécessité d'aborder ce problème dans l'étude de la hiérarchie ecclésiale, d'où le titre du chapitre III de *Lumen gentium* : « La constitution hiérarchique de l'Église et spécialement l'épiscopat ».

Nous constatons donc encore un déplacement : le ministère ordonné et hiérarchique n'est plus étudié à partir du presby-

térat, mais à partir de l'épiscopat. Et en pleine cohérence
avec ce que nous venons de voir, le concept référentiel n'est
plus celui de sacerdoce, mais celui de *mission* [8]. La mission
a sa source dans celle du Christ qui a choisi les Douze et les
a envoyés (*L.G.* 19). Les évêques, successeurs des apôtres,
ont reçu à leur tour cette mission et sont ainsi investis d'un
ministère « apostolique ». La mission fonde la triple détermination de la participation à ce ministère et le triple degré
d'un même sacrement : épiscopat, presbytérat et diaconat.
C'est dans la mission qu'il faut chercher le sens de la distinction
entre épiscopat et presbytérat, alors que la catégorie de
sacerdoce ne permet pas de les distinguer. La constitution
hiérarchique de l'Église sera donc étudiée à partir des trois
degrés du ministère ordonné : les évêques, les prêtres et les
diacres.

Tel est l'éclairage selon lequel il nous faut recueillir les
grandes affirmations de *Lumen gentium* concernant les
évêques :

Première affirmation : les évêques sont successeurs des apôtres par institution divine

« Le saint concile enseigne que les évêques ont succédé aux
apôtres par institution divine comme pasteurs de l'Église »
(*L.G.* 20). Le fameux terme « d'institution divine » est donc
lâché à propos des évêques. On passe de l'institution des
Douze par Jésus à l'institution par les apôtres de leurs successeurs. L'institution des Douze est rapportée à la totalité
du ministère de Jésus (*L.G.* 19), et non à tel ou tel texte
isolé, ce qui représente une manière nouvelle de lire le
témoignage du Nouveau Testament. L'institution des successeurs des apôtres, fondée sur la nécessité d'une mission qui
doit durer jusqu'à la fin du monde, fait appel au triple
témoignage de Clément de Rome, d'Irénée et de Tertullien.
Le lien de l'une à l'autre institution permet d'affirmer l'ins-

---

8. Sur ce point, cf. l'étude classique de H. DENIS, « La théologie du
presbytérat de Trente à Vatican II », *Les prêtres*, Décrets « Presbyterorum
Ordinis » et « Optatam totius », textes latins et traductions françaises, commentaires sous la direction de J. FRISQUE et Y. CONGAR, Cerf, coll. « Unam
sanctam 68 », 1968, p. 193-232.

titution divine des évêques. Leur « succession apostolique » s'origine dans une authentique succession aux apôtres. Les évêques appartiennent à la constitution de l'Église.

H. Küng critiquera cette lecture des origines faites par *Lumen gentium*, qu'il trouve trop hiérarchique, trop dogmatique et trop affirmative au plan historique [9]. Très influencé par les thèses de Käsemann, il entend partir du témoignage des communautés néo-testamentaires et voir comment émergent les ministères en leur sein. Il privilégie les lettres de Paul jugées les plus anciennes au détriment des témoignages des Synoptiques et des Actes jugés trop théologiques. C'est ainsi qu'il en vient à poser son affirmation d'une double structure de l'Église dans le Nouveau Testament.

Il y a en fait deux « voies » pour rendre compte de l'origine du ministère apostolique dans le Nouveau Testament. L'une est la voie « d'en haut » : elle part de Jésus et passe aux Douze, aux apôtres, à leurs collaborateurs et à leurs successeurs. C'est une voie christologique qui est traditionnellement privilégiée par l'ecclésiologie catholique. C'est la voie de *Lumen gentium*. L'autre voie est la voie « d'en bas » : elle part du témoignage des ministères dans les communautés chrétiennes primitives ; elle souligne la diversité des « organisations » [10] ; mais aussi elle montre le souci de ces communautés de fonder la légitimité de leurs ministères dans l'institution des Douze, à une époque où ce groupe n'existe plus comme tel. C'est une voie généralement suivie par les exposés protestants. Elle est plus pneumatologique. Ces deux voies ne peuvent être opposées l'une à l'autre, sous peine de tomber dans un unilatéralisme dangereux. Elles sont complémentaires : la seconde renvoie à la première et lui enlève ce qui pourrait être une mauvaise immédiateté. Les travaux post-conciliaires ont essayé d'articuler ces deux voies [11], dans l'intention de mettre en relief le rapport fondamental et structurant entre ministère ordonné et communauté ecclésiale. Cette double piste est

---

9. Cf. H. KÜNG, « L'Église selon l'Évangile. Réponse à Yves Congar », *RSPT* (1971), p. 209.

10. Sur le sens de la distinction théologique que je fais entre structure d'une part et organisation et figures d'autre part, cf. *supra*, p. 291-293 et 316-317.

11. Cf. « Essai scripturaire et théologique sur le et les ministères dans l'Église », document du BECES rédigé à l'intention des évêques avant le synode de 1971, publié dans *SNOP* (1972/4) [Numéro spécial 44 bis, 2.2.1972].

également féconde dans la recherche œcuménique et elle habite de nombreux documents récents. Il est remarquable que le document du synode de 1971 en ait tenu compte, dans une discrète mesure, par sa manière de situer l'origine et le sens du ministère hiérarchique. « Des écrits du Nouveau Testament, écrit-il, il ressort que les places respectives de l'apôtre et de la communauté des fidèles soumis au Christ Tête et à l'inspiration de son Esprit appartiennent à l'inaliénable structure originelle de l'Église » (*Le Sacerdoce ministériel*, n° 4) [12].

Deuxième affirmation : la sacramentalité de l'épiscopat

Le saint concile enseigne que par la consécration épiscopale est conférée la plénitude du sacrement de l'Ordre, que l'usage liturgique de l'Église et la voix des Saints Pères appellent le sacerdoce suprême, le sommet du sacré ministère. La consécration épiscopale, avec la charge de sanctifier, confère aussi la charge d'enseigner et de gouverner, lesquelles cependant ne peuvent s'exercer que dans la communion hiérarchique avec la Tête et les membres du Collège (*L.G.* 21).

L'épiscopat est donc proprement sacramentel : il confère grâce et caractère. Un vieux débat entre écoles théologiques est tranché, contre l'opinion de saint Thomas. Le docteur angélique tenait en effet que le sacrement de l'ordre se définit par rapport à l'eucharistie et que, puisque le pouvoir de l'évêque sur l'eucharistie n'est pas plus grand que celui du prêtre, l'épiscopat ne peut pas être sacramentellement distinct du presbytérat [13].

L'épiscopat confère un pouvoir particulier sur le corps mystique du Christ qu'est l'Église. Vatican II dit au contraire que l'épiscopat est la plénitude du sacrement de l'ordre. Cette affirmation est une conséquence de son institution divine et elle appartient au sens de ce ministère. On insiste beaucoup aujourd'hui sur le fait que chaque ministère se définit d'abord par son sens et ensuite par ses tâches. Le sens est prioritaire et il s'exprime à travers la diversité solidaire des tâches.

---

12. Le langage du document synodal semble s'inspirer ici du texte français évoqué à la note précédente.
13. SAINT THOMAS, *S. Th*, Suppl. q. 40, a. 5, in corp.

Les évêques jouent ministériellement le rôle du Christ vis-à-vis de son Église : tel est le sens de l'épiscopat. « Dans les évêques, assistés des prêtres, le Seigneur Jésus, Pontife Suprême, est présent au milieu des croyants » (*L.G.* 21). Et le texte poursuit en reprenant le vocabulaire du NT qui, selon tout un jeu d'images, montre que le ministère apostolique fait pour l'Église ce que le Christ fait pour elle. Il n'est pas une médiation nouvelle qui s'ajouterait à celle du Christ : il est le service — ministère — vivant de l'unique médiation du Christ. « Les évêques d'une façon éminente et visible jouent le rôle du Christ lui-même, Maître, Pasteur et Pontife, et agissent comme ses représentants *(in ejus persona)* » *(ibid.)*. Mais le concile ne dit pas encore ici ce qu'il exprimera à propos des prêtres : ils agissent au nom du Christ-Tête.

Cette affirmation suppose qu'il y a un seul sacrement de l'ordre distribué en trois degrés. Mais le concile ne se prononce pas sur l'origine de cette distinction : vient-elle de l'institution par le Christ ou est-elle de disposition ecclésiale ? Le texte nous dit seulement que l'épiscopat constitue la plénitude du sacrement et que par conséquent le presbytérat et le diaconat en sont des participations partielles. A la lumière de la distinction entre structure et organisation dans l'Église je dirais volontiers ceci : le ministère apostolique (ou ordonné) dans son ensemble et avec ses trois degrés appartient à la structure de l'Église ; il en va de même de l'épiscopat avec sa double note de présidence personnelle et de collégialité. La trilogie de l'épiscopat, du presbytérat et du diaconat en tant que telle est une forme très vénérable, parce que très antique et pratiquement universelle de cette structure. L'histoire nous apprend en effet que d'importants déplacements se sont produits entre épiscopat et presbytérat et que le diaconat a connu des variations considérables quant à son importance et à son rôle. On doit donc reconnaître que l'Église garde une certaine liberté dans la « distribution » de ce sacrement dont l'épiscopat représente la plénitude. L'enjeu de la décision de Vatican II est de nous faire opérer tout ce discernement à partir de l'épiscopat et non plus à partir du presbytérat identifié au sacerdoce [14].

---

14. Je me suis exprimé sur ce point dans *Le Ministère et les ministères...*, *op. cit.*, p. 415.

Revenons à notre texte : il fait intervenir *la catégorie de sacerdoce* d'abord à propos de l'épiscopat et cette catégorie *devient une catégorie-attribut et non plus une catégorie-sujet* : « ... la plénitude du sacrement de l'Ordre, que l'usage liturgique de l'Église et la voix des Saints Pères *appellent le sacerdoce suprême* ». Nous constatons ici un double déplacement qui fait appel à la tradition ancienne et à la liturgie. Le premier est un retour à l'usage le plus ancien des Pères qui ont d'abord appliqué la catégorie de sacerdoce à l'épiscopat, avant de l'étendre au presbytérat « de second rang ». Le second déplacement est plus important encore. Il rend compte du mouvement de pensée par lequel l'ancienne tradition a vu dans le ministère de l'évêque un ministère « sacerdotal » dans le cadre de la loi nouvelle. Le Nouveau Testament avait évité le vocabulaire sacerdotal pour désigner le ministère de la Nouvelle Alliance : il avait employé un langage varié, tiré de diverses fonctions religieuses ou civiles. Il voulait ainsi souligner l'achèvement du sacerdoce ancien et son dépassement absolu dans l'unique sacerdoce du Christ.

Cependant le nouveau ministère de l'Église a quelque chose à voir avec cet unique sacerdoce du Christ. Le ministère apostolique des évêques est sacerdotal en ce sens qu'il confère une charge *(munus)* qui est un service de l'unique médiation du Christ. Cette médiation et d'abord descendante, puisqu'elle a sa source dans l'initiative gratuite de Dieu de se donner à son peuple, elle est ensuite ascendante puisqu'elle conduit ce même peuple à l'offrande de lui-même grâce à l'unique sacrifice du Christ. La médiation du Christ est sacerdotale, selon le langage de l'épître aux Hébreux ; le ministère de cette médiation a donc un caractère sacerdotal. Il est sacerdotal, parce qu'il est *théologal*. Il s'agit d'une détermination christologique du ministère, qui doit être comprise à la lumière de la conversion radicale que le Christ opère sur la catégorie de sacerdoce. C'est une détermination qui s'exprime sous la forme d'une épithète ou d'un attribut et fait comprendre en vérité, dans un contexte de sens bien précis, la nature profonde du ministère. Il s'agit d'une *participation* à l'unique sacerdoce du Christ. Le sacerdoce ne joue donc pas ici le rôle de catégorie-mère ou catégorie-sujet, prise en général, et à partir de laquelle on pourrait déduire toute la réalité du ministère. Le passage de l'attribut au sujet s'est opéré au Moyen Âge. Mais alors la catégorie proprement néo-testamentaire du sacerdoce a été discrètement parasitée par la notion générale de sacerdoce véhiculée par l'expérience religieuse générale de l'humanité. Des éléments de sa conversion ont été perdus, parce qu'elle n'était plus réfléchie d'abord en fonction de l'agir du Christ et de l'envoi en mission des apôtres, avec tout le vocabulaire qui le caractérise et parle d'eux comme d'intendants, d'ambassadeurs, de pasteurs, de guides, etc. Certains archétypes venus de l'histoire des religions ont fonctionné indûment, comme la chose s'est produite d'ailleurs aussi pour le vocabulaire de la rédemption. Vatican II nous aide à restituer les choses dans leur véritable relief. C'est pourquoi j'estime préférable de parler de « ministère sacerdotal » plutôt que de « sacerdoce ministériel ». En employant la deuxième expression le concile apporte déjà une détermination indispensable, mais sa logique, confirmée par le décret *Presbyterorum ordinis*, nous conduit à la première [15].

Ce même texte nous dit enfin que la dimension sacerdotale de l'épiscopat ne se réduit pas à la célébration des sacrements, mais intéresse la triple charge de ce ministère : sanctifier (et donc présider l'eucharistie), mais aussi *enseigner et gouverner*. Il est d'ailleurs remarquable que le texte — quasi unique — du Nouveau Testament qui emploie le vocabulaire sacerdotal à propos du ministère chrétien l'applique à la fonction d'enseigner : Paul parle de la grâce que Dieu lui a donnée « d'être un officiant de Jésus-Christ auprès des païens, exerçant le service (*hierourgoûnta*, service « sacerdotal ») de l'Évangile de Dieu » (Rm 15, 16). L'annonce de l'Évangile a une dimension sacerdotale, au sens indiqué plus haut, de même la conduite du peuple dans sa marche eschatologique. L'histoire ancienne de l'Église montre d'ailleurs la solidarité entre présidence de l'Église et présidence de l'eucharistie [16]. D'autre part, la « juridiction » a sa source dans l'ordination sacramentelle : elle appartient à l'autorité théologale de l'évêque. Cette extension de la compréhension du caractère sacerdotal du ministère de l'évêque nous ramène à l'intelligence néo-testamentaire et convertie de la catégorie sacerdotale.

---

15. Cf. le texte « Ministère et sacerdoce » évoqué dans la note 6.
16. Cf. H. LEGRAND, « La présidence de l'eucharistie selon la tradition ancienne », *Spiritus* 69 (1977), p. 409-431.

Troisième affirmation : le collège épiscopal

L'épiscopat forme un collège dont le successeur de Pierre est la tête. Ce thème fut âprement discuté au concile, car il touchait précisément au point sur lequel Trente avait achoppé et Vatican I s'était tu. Certains exerçaient une vigilance ombrageuse, afin que ce qui serait dit du collège épiscopal n'enlevât rien à l'autorité propre de l'évêque de Rome. Le fondement biblique et traditionnel était cependant ferme et clair. Tout remonte à la constitution par Jésus du collège des Douze au sein duquel Pierre joue un rôle propre. De même, l'Église ancienne avait un sens fort de l'apostolicité « in solidum » des évêques, selon le mot de Cyprien [17]. Chaque évêque en effet, à l'exception de celui de Rome, ne succède pas à tel apôtre en particulier : l'ordre des évêques succède au collège des apôtres. Cette responsabilité solidaire et commune s'exprimait par les nombreux échanges de la même communion et par les décisions prises en commun lors des conciles locaux ou régionaux, puis lors des conciles œcuméniques qui « prouvent manifestement la nature collégiale de l'ordre épiscopal » (*L.G.* 22). Comme membre de ce collège chaque évêque est tenu à la sollicitude de l'Église universelle, il a une responsabilité vis-à-vis de toute l'Église, et pas seulement à l'égard de l'Église particulière qui lui est confiée. Mais il ne peut évidemment l'exercer qu'au sein du collège et ce collège n'est tel qu'en communion avec sa tête, le Pontife romain. Cette précision — capitale sans aucun doute — est exprimée avec une telle insistance qu'elle tient une place littéraire plus longue dans le n° 22 de *Lumen gentium* que l'affirmation elle-même de la collégialité.

La remise en honneur de la catégorie collégiale opère elle aussi un déplacement de la théologie de l'épiscopat. L'évêque est désormais situé à une articulation essentielle de l'Église : le ministre de l'unité et de la communion de l'Église particulière est aussi le ministre de la communion et de l'unité de son Église avec l'Église universelle, et de la communion de toutes

---

17. « Episcopatus unus est, cujus a singulis in solidum pars tenetur ». CYPRIEN, *De l'Unité de Église catholique*, V.

les Églises particulières entre elles sous la présidence de l'Église de Rome. On peut regretter que cette visée théologique, qui est en fait un retour à une ecclésiologie très ancienne, ne s'appuie pas dans *Lumen gentium* sur une théologie de l'Église particulière au sein de l'Église universelle. Le concile a cependant progressé nettement dans ce sens, comme le montre le décret sur la charge pastorale des évêques où la théologie de l'Église particulière est esquissée avec cette importante définition :

Le diocèse, lié à son pasteur et par lui rassemblé dans le Saint-Esprit grâce à l'Évangile et à l'Eucharistie, constitue une Église particulière en laquelle est vraiment présente et agissante l'Église du Christ, une, sainte, catholique et apostolique (*C.D.* 11).

Enfin tout l'événement du concile a remis en honneur la considération de l'Église particulière.

Quatrième affirmation : le triple ministère des évêques

Le concile en vient alors aux tâches principales des évêques. Les termes choisis pour les définir sont ceux de mission, de *munus*, que l'on peut traduire par fonction, charge ou tâche, de service (*diakonia* ou ministère) et d'autorité. Ce vocabulaire marque aussi un déplacement par rapport au terme classique de pouvoir. Il rend bien compte de la réalité du ministère dans la Nouvelle Alliance. Sans doute ces fonctions comportent-elles l'exercice d'une autorité, mais il ne s'agit pas d'un pouvoir qui serait propre au ministre. Celui-ci est un intendant, il agit au nom d'une mission reçue, il est en charge de responsabilité et il a des comptes à rendre. Le pouvoir au sens propre, l'*exousia*, est le fait du seul Seigneur, comme le précise très justement le document synodal de 1971 : l'imposition des mains donne au ministre ordonné « de participer à la mission du Christ sous le double aspect de l'autorité et du service. Cette autorité n'appartient pas en propre au ministre : elle est en effet la manifestation de l'*exousia* (c'est-à-dire de la puissance) du Seigneur » (*Le Sacerdoce ministériel*, n° 5). Ce déplacement du vocabulaire est ici intentionnel, et il est d'autant plus significatif qu'il arrive souvent au concile de continuer à employer le terme de *potestas* en son sens scolastique.

Les fonctions des évêques sont regroupées selon une trilogie que nous avons déjà rencontrée et qui joue un grand rôle à Vatican II. Elle est appliquée au Christ qui est à la fois roi, prêtre et prophète ; elle est reprise à propos de la mission de l'Église et de la participation de tous ses membres à cette mission ; elle intervient de manière structurelle pour les minis-tères de l'évêque et du prêtre. Elle indique le contenu existentiel du sacerdoce commun et *royal*, de même qu'elle résume les tâches principales du ministère sacerdotal. Elle a un fondement biblique réel puisqu'elle renvoie à la triple institution du roi, du prêtre et du prophète dans l'Ancien Testament. Le Nouveau Testament ne la formalise pas à propos du Christ, mais son usage permet de montrer avec justesse que le Seigneur de l'Église assume, récapitule et dépasse toutes les fonctions d'ordre messianique. Dans la tradition théologique sa thé-matisation est relativement tardive. On la doit principalement à la scolastique de la Réforme et elle a été reprise du côté catholique au XIXᵉ siècle. L'intérêt de son emploi récurrent à Vatican II est de permettre une articulation entre la personne du Christ et le mystère de l'Église.

La triple fonction des évêques est donc d'enseigner, de sanctifier et de gouverner. L'ordre n'est pas indifférent : non seulement la fonction doctrinale est mentionnée la première, mais encore *Lumen gentium* reprend une affirmation surpre-nante du concile de Trente : « Parmi les fonctions principales des évêques la première est la prédication de l'Évangile » (n° 25). Ce texte trop peu connu vient d'un document de réforme [18] et non d'un décret dogmatique. Le drame de ce concile fut de scinder, en raison du contexte polémique, entre deux séries de documents, les uns consacrés à la réforme de l'Église et les autres traitants des « dogmes », ce qu'il voulait dire sur le ministère des évêques et des prêtres. Parce que les réformateurs affirmaient de manière unilatérale la priorité de l'annonce de l'Évangile, le décret dogmatique souligne trop exclusivement la fonction de sanctifier à partir de la catégorie

---

18. Concile de Trente, Décret de réformation, Sess. 5, can. 2, n. 9 et Sess. 24, can. 4 ; *Conc. œc. Decr.*, p. 645 et 739.

sacerdotale. Mais comme les Pères du concile reconnaissaient volontiers que le déclin du ministère de la prédication était un véritable abus, ils n'hésitèrent pas devant cette affirmation dans un décret de réforme qui urgeait le devoir de la prédication sous toutes ses formes. Pour rendre pleine justice au concile, nous devons tenir compte des deux lignes d'affirmation. Malheureusement seuls les décrets dogmatiques ont façonné la théologie subséquente. Mais il faut dire aussi que les décrets de réforme sont à l'origine d'une vraie réforme de la vie et du ministère des évêques et des prêtres. Nous avons donc à retenir cette priorité de la prédication de l'Évangile.

L'énoncé de cette fonction donne au concile l'occasion de préciser la nature et les conditions d'exercice de l'infaillibilité dont jouit le collège épiscopal. Le suivre dans son analyse complexe, car il reprend dans ce contexte l'affirmation de Vatican I sur l'infaillibilité pontificale, dépasserait mon sujet. Je me contente de souligner que le mouvement des affirmations va de l'infaillibilité de toute l'Église à celle des organes de cette infaillibilité, le collège des évêques dans leur enseignement ordinaire, le même collège assemblé en concile pour un enseignement extraordinaire, enfin le pape lui-même en tant que pasteur et docteur suprême de tous les fidèles. C'est de l'infaillibilité « dont le divin Rédempteur a voulu doter son Église » (n° 25), que jouit le Pontife romain dans les conditions prévues. Ce mouvement de la doctrine est indispensable à sa juste compréhension [19].

Les charges de sanctifier et de gouverner demandent peu d'explications. Il va de soi que la présidence de l'eucharistie devant la communauté rassemblée est une tâche essentielle de l'évêque qui préside à toute la distribution des sacrements dans son diocèse. Quant à la charge de gouverner, elle est donnée fondamentalement par l'ordination. Il ne faut donc pas voir dans les évêques « des vicaires des Pontifes romains » (n° 27). Mais, trop solidaire des formules de Vatican I, le

---

19. « L'ensemble des fidèles, qui ont reçu l'onction du Saint, ne peut faillir dans la foi, et manifeste cette propriété qui lui est particulière, par le moyen du sens surnaturel de la foi de tout le peuple, quand "depuis les évêques jusqu'aux derniers fidèles laïcs", il exprime son consentement universel en matière de foi et de mœurs » (*L.G.* 12). Telle est la première mention de l'infaillibilité dans la Constitution dogmatique sur l'Église.

document conciliaire reprend ici largement le vocabulaire du pouvoir.

Tout cet ensemble est significatif : c'est une visée nouvelle — ou plus exactement renouvelée — du ministère des évêques dans l'Église qui s'exprime. Quelque chose de tout cela est déjà passé dans les faits. La figure du ministère épiscopal s'est déjà modifiée depuis le concile, entre autres par la mise en œuvre de la collégialité. La théologie de l'Église particulière est revenue au premier plan de la préoccupation, de même que l'ecclésiologie de communion. Mais les possibilités inscrites dans les textes du concile sont loin d'être épuisées.

C. Le ministère ordonné : le presbytérat, coopérateur de l'épiscopat

Selon une logique toute simple le concile passe de l'épiscopat, qui est sacerdotal, au presbytérat, dont il va dire en quoi il est sacerdotal. La catégorie maîtresse ou catégorie-sujet est le presbytérat, déjà dans *Lumen gentium* et plus encore dans *Presbyterorum ordinis* comme le montre le titre même du décret, qui constitue une sorte d'indicatif du texte.

L'idée majeure de Vatican II est de présenter le ministère des prêtres comme celui des coopérateurs de l'évêque. C'est la conséquence logique de l'option qui a conduit le concile à partir de l'épiscopat comme mission. Le prêtre participe au même ministère que l'évêque, mais selon une extension plus limitée. Son ministère est pastoral, il est aussi sacerdotal, il s'exerce selon la même trilogie de l'enseignement de l'Évangile, de la sanctification par les sacrements et du gouvernement de la communauté. L'évêque et le prêtre agissent vis-à-vis de l'Église au nom du Christ *(in persona Christi)*. La comparaison synoptique entre *Lumen gentium* 24-27 et 28 d'une part, et *Presbyterorum ordinis* 4-6 d'autre part est particulièrement édifiante à cet égard. Le schéma d'exposé est fondamentalement le même. La définition du sens de leur ministère et la description de leurs tâches suit un cours parallèle. Le prêtre fait donc *essentiellement* ce que fait l'évêque, mais il ne fait pas *tout* ce qu'il fait, car il exerce son ministère en dépendant de son autorité et en un degré subordonné. Dans l'Église particulière il est ministre officiel de la Parole de Dieu, mais il n'a pas de responsabilité magistérielle ; il est ministre des sacrements, mais pas de tous ; il a une autorité pastorale, seulement ce n'est pas la charge d'une Église particulière ou diocèse, mais d'une communauté plus réduite. Enfin le prêtre n'a pas de responsabilité propre vis-à-vis de l'Église universelle. Mais le principe collégial vaut analogiquement de son ministère. Les prêtres forment un collège, le *presbyterium*, entourant l'évêque qui est sa tête. L'idée de « coopérateurs » résume bien ce qui rapproche et distingue les prêtres des évêques. En insistant sur cette catégorie, Vatican II propose une conception très élevée du prêtre, véritable sujet du « ministère apostolique ». Cette conception se traduit par une grande exigence pour la vie des prêtres.

Cette similitude fortement soulignée me permettra d'être plus bref au sujet des prêtres. Je me contenterai de commenter ce qui les concerne de manière originale, dans *Lumen gentium* 28 tout d'abord, dans *Presbyterorum ordinis* ensuite.

Comme les évêques les prêtres participent au sacerdoce du Christ. La difficulté ici vient de ce que l'identification du contenu sémantique entre le radical *sacerdotal (hiéreus, sacerdos)* et le radical *presbytéral (presbuteros, presbyter)* s'est opérée au point que dans nos langues modernes nous ne disposons plus d'un double registre, alors que la différenciation s'est maintenue entre le *sacerdotal* et l'*épiscopal*. Il est donc d'autant plus difficile de rendre compte à ce niveau du passage de la catégorie-sujet à la catégorie-attribut. Nous disposons d'une belle phrase de *Lumen gentium* qui en témoigne à l'évidence ; mais sa traduction est impossible, car en français elle aboutit à une tautologie : les prêtres sont de vrais prêtres ! Il importe de la lire en ayant présents à l'esprit les termes du latin :

Les *prêtres* (= *presbyteri*), bien qu'ils n'occupent pas « le sommet du pontificat », et que, dans l'exercice de leur pouvoir, ils dépendent des évêques, leur sont cependant unis dans la dignité *sacerdotale (sacerdotali honore)*, et, en vertu du sacrement de l'ordre, à l'image du Christ, *Prêtre* souverain et éternel *(summi atque aeterni Sacerdotis)*, ils sont consacrés pour prêcher l'Évangile, paître les fidèles et célébrer le culte divin (= la trilogie des tâches), comme de vrais *prêtres (veri sacerdotes)* de la Nouvelle Alliance (*L.G.* 28).

Il est difficile de dire plus clairement que les *presbyteri* sont des *sacerdotes*, en participation ministérielle à l'unique sacerdoce du Christ et en dépendance et communion hiérarchique avec les évêques. Ce texte confirme celui qui concernait les évêques. Mais le précédent était facilement traduisible en français, celui-ci ne l'est plus. Il est donc important de réintroduire dans notre langue la distinction entre le vocabulaire presbytéral et le vocabulaire sacerdotal. Malheureusement nous devons reconnaître que malgré de nombreux efforts cette distinction n'est pas passée dans le langage courant. Le mouvement de balancier a rejeté un temps le terme de sacerdoce ; le même mouvement le ramène aujourd'hui sans que la clarification inscrite dans les documents du concile ait opéré ses fruits.

Pour étayer davantage cette argumentation, une analyse précise de tous les emplois des deux vocabulaires dans les textes de Vatican II serait nécessaire. Je note seulement dans *Presbyterorum ordinis* 125 emplois du mot *presbyter* (le plus souvent au pluriel), 32 emplois des substantifs *sacerdos, sacerdotium* et 15 emplois de l'adjectif *sacerdotalis*. Ces proportions sont significatives d'une intention sur la catégorie-sujet et la catégorie-attribut. Le document synodal de 1971, malgré son titre, donne encore la priorité à *presbyter* (67 emplois) sur *sacerdos* (44 emplois). Il utilise 26 fois l'adjectif *sacerdotalis*, très souvent dans l'expression « ministère sacerdotal », plus fréquente dans le texte que celle du titre (11 emplois contre 6). Par contre le nouveau code de droit canon semble revenir à un usage indifférencié de *presbyter* et *sacerdos*, avec un préférence pour *sacerdos*.

Nous retrouvons donc à propos des prêtres la même attribution de la dimension sacerdotale qui a été déjà faite au ministère épiscopal. Mais elle est ici d'autant plus nette et signifiante qu'elle rompt avec la confusion de fait qui s'était introduite entre *presbyter* et *sacerdos*. Comme l'évêque le prêtre exerce un ministère sacerdotal, parce qu'il est théologal : « Le caractère sacerdotal du ministère est de signifier la donation parfaite de l'Esprit à l'Église par le Christ et la tradition du Christ au monde par son Père, puisque c'est par l'une et par l'autre que s'accomplit l'œuvre sacerdotale de la réconciliation de Dieu et de l'homme [20]. » En d'autres termes est sacerdotal le ministère de la grâce et du salut, en tant qu'il est d'une part le don total de Dieu à l'homme et d'autre part l'appel au don total de l'homme à Dieu, et qu'il s'exerce au service d'un peuple tout entier sacerdotal.

Telle est encore la raison de préférer l'expression de « ministère sacerdotal » à celle de « sacerdoce ministériel ». Je constate d'ailleurs qu'elle se répand chez un certain nombre de théologiens [21]. Je remarque aussi qu'elle constitue une voie de réconciliation œcuménique. Les Églises de la Réforme ont toujours exprimé une grande réticence — et plus qu'une réticence — devant l'application de la catégorie de sacerdoce au ministère des évêques et des prêtres, au nom même du Nouveau Testament, qui réserve le sacerdoce au Christ et au peuple saint tout entier. L'expression de « ministère sacerdotal » permet de situer avec justesse l'affirmation catholique dans le plein respect de ces données bibliques. C'est ainsi, par exemple, que le document des Dombes en rend compte :

A travers ce ministère, le Christ conduit ses disciples au sacrifice spirituel, au témoignage et au service, sur des multiples chemins dont l'eucharistie est comme le carrefour. C'est en ce sens que le ministère est dit sacerdotal [22].

Plus récemment nous trouvons la même approche et le même genre d'affirmation dans le document de Lima :

Les ministres ordonnés participent, comme tous les chrétiens, à la fois au sacerdoce du Christ et au sacerdoce de l'Église. Mais ils peuvent être proprement appelés prêtres [= au sens sacerdotal], parce qu'ils accomplissent un service sacerdotal particulier en fortifiant et en construisant le sacerdoce royal et prophétique des fidèles par la Parole et les sacrements, par leurs prières d'intercession et leur direction pastorale de la communauté [23].

---

20. J. MOINGT, « Pastorat et célibat », *Études*, t. 335 (juillet 1971), p. 112.

21. Cf. H. LEGRAND, « L'ordination au presbytérat ne confère pas le sacerdoce, mais seulement un ministère sacerdotal », in « Où en est la théologie des ministères ? », *Vocation* n° 264 (octobre 1973), p. 416.

22. GROUPE DES DOMBES, *Pour une réconciliation des ministères*, Presses de Taizé 1973, n. 31.

23. FOI ET CONSTITUTION, *Baptême, Eucharistie, Ministère*, Centurion/Presses de Taizé 1982, n° 17 du document sur le ministère. Le commentaire de ce texte ajoute : « Dans l'Église ancienne on commença à utiliser les termes

Le décret *Presbyterorum ordinis* reprend, développe et accentue la même visée doctrinale. Mais les actes du concile montrent que ce document, voté le 7 décembre 1965 à la veille de la clôture du concile, c'est-à-dire un an après *Lumen gentium*, a dû reprendre les choses *ab ovo* à travers une histoire assez mouvementée. Les premiers schémas étaient si décevants que l'organe directeur du concile en vint à décider de les retirer et d'en réduire le texte à quelques propositions. Puis se produisit une prise de conscience assez soudaine dans le concile : les prêtres risquaient de devenir les grands oubliés de Vatican II. Les évêques avaient tout à coup mauvaise conscience d'avoir tant et si bien parlé d'eux-mêmes et si peu des prêtres (les nos 28 et 41 de *L.G.*). On décida donc de se remettre au travail pour préparer un document très consistant sur le ministère et la vie de prêtres. Plusieurs évêques français y participèrent d'assez près. L'évolution des différents schémas, dans leurs passages doctrinalement les plus décisifs, récapitule tout le mouvement qui a fait passer l'Église de la problématique tridentine à celle de Vatican II [24]. Déjà l'évolution des titres est particulièrement significative au regard de ce que je viens de souligner : on est passé d'un « De sacerdotibus » à un « De vita et ministerio sacerdotali » et enfin au « De presbyterorum ministerio et vita ».

Le n° 2 du décret est un doublet plus développé du n° 28 de *L.G.*. Comme la constitution sur l'Église, le texte prend son point de départ dans l'affirmation du sacerdoce royal de toute la communauté chrétienne avec la citation de 1 P 2, 5 et 9. Puis il situe dans ce contexte l'envoi des apôtres, dont les évêques sont les successeurs. La fonction ministérielle de ces derniers a été transmise aux prêtres à un degré subordonné : l'Ordre du presbytérat est coopérateur de l'Ordre épiscopal. Les prêtres participent à l'autorité par laquelle le Christ

---

"sacerdoce" et "prêtre" pour désigner le ministère ordonné et le ministre présidant l'eucharistie. Ils soulignent le fait que le ministère ordonné est en relation avec la réalité sacerdotale de Jésus-Christ et de la communauté. Quand les termes sont utilisés en relation avec le ministère ordonné, ils ont un sens différent que lorsqu'ils sont appliqués au sacerdoce sacrificiel de l'Ancien Testament, à l'unique sacerdoce rédempteur du Christ et au sacerdoce commun du peuple de Dieu. »

24. Une thèse inédite de Rémy PARENT, consacrée à l'analyse des premiers numéros de *P.O.* et présentée devant la Faculté de théologie de Lyon en 1969, a clairement montré la chose.

construit son Église. Il y a donc « un sacerdoce des prêtres », conféré par un sacrement qui les marque d'un caractère spécial et les « configure ainsi au Christ Prêtre pour les rendre capables d'agir au nom du Christ Tête en personne » [25]. Nous retrouvons ici la perspective de *L.G.*, mais la pointe du développement est dirigée sur les prêtres. Cependant ce développement, logique et unifié, est interrompu par la reprise de la formulation tridentine :

> Le Seigneur [...] a établi [...] des ministres qui, dans la communauté des chrétiens, seraient investis par l'Ordre du *pouvoir sacré d'offrir le sacrifice et de remettre les péchés*, et y exerceraient publiquement pour les hommes au nom du Christ la fonction sacerdotale [26].

Cette définition tridentine du ministère est juxtaposée à l'autre, sans qu'elle lui soit véritablement intégrée. Cette phrase est posée là comme une garantie de continuité de la doctrine catholique, comme une assurance que l'on ne veut pas contredire le concile de Trente. Mais entre les deux exposés la distance demeure assez grande, car ni le mouvement doctrinal ni l'ordre de priorité des catégories (le rapport entre sacrifice et sacerdoce d'un côté et la mission apostolique de l'autre) ne sont les mêmes.

L'axe du texte continue cependant selon la problématique nouvelle : après avoir dit le sens de ce ministère, « agir au nom du Christ Tête », le même paragraphe 2 articule entre elles les tâches principales du prêtre. Il propose une intégration, cette fois-ci tout a fait heureuse, des deux points de vue qui s'opposaient : certains voulaient donner la priorité au ministère de l'eucharistie et des sacrements, comme le faisait le texte de Trente déjà utilisé ; d'autres voulaient souligner celle du ministère d'évangélisation, comme cela avait été fait dans *Lumen gentium* pour les évêques. D'un côté, une vue avant

---

25. L'expression « agir au nom du Christ Tête » est théologique mais non biblique. L'image biblique du corps présente plutôt les ministères comme des articulations qui permettent au corps de grandir vers sa Tête (cf. Ep 4, 15-16). Un autre langage exprime le vis-à-vis du ministère apostolique et de la communauté.

26. Les expressions soulignées sont proches de celles de la Session XXIII du concile de Trente sur le sacrement de l'ordre, chap. I (Dz-Sch. 1764) et can. 1 (Dz-Sch. 1771).

tout cultuelle, de l'autre une vue missionnaire. Très adroitement le document met en relief le rapport mutuel de ces deux ministères. Il parle d'abord de l'annonce de l'Évangile, appelé « ministère sacré » ou sacerdotal selon Rm 15, 16 et ordonné au sacrifice spirituel du peuple rassemblé selon Rm 12, 1. Mais ce sacrifice spirituel du peuple ne peut se consommer sans le sacrifice unique du Christ, offert au nom de toute l'Église dans l'eucharistie par le ministère des prêtres. La célébration de l'eucharistie est donc l'accomplissement ou la « consommation » dernière du ministère des prêtres. Sa priorité qualitative s'intègre elle-même dans la priorité fondamentale de l'annonce de l'Évangile et de la mission. Dans cette annonce comme dans la présidence de l'eucharistie les prêtres agissent au nom du Christ Tête. Inscrite dans cette mission, toute la vie des prêtres doit rendre gloire au Père dans le Christ et porter témoignage de ce qu'ils annoncent.

Du paragraphe 3 je ne retiens qu'une idée importante exprimée à travers un jeu de mots : le prêtre est « mis à part » selon l'expression paulinienne (Rm 1, 1) mais il n'est pas séparé. Il est mis à part dans l'Église par sa consécration au ministère ; mais il n'est pas séparé du peuple de Dieu. Il est solidaire du Christ dont il est le ministre et dont il dispense la vie ; mais il demeure solidaire des hommes auxquels il est envoyé et à l'existence desquels il ne peut rester étranger. Le concile insinue enfin ici le thème du prêtre, homme de relations humaines, sur lequel il reviendra longuement à propos de ses tâches.

Il n'est pas nécessaire de nous attarder sur l'exposé systématique de la trilogie des tâches dévolues aux prêtres : ils sont ministres de la Parole de Dieu (mais n'ont pas de responsabilité magistérielle), ministres des sacrements et de l'eucharistie, chefs du peuple de Dieu, éducateurs de la foi. Nous retrouvons ici, avec les distinctions nécessaires, ce qui a été dit à propos des évêques. Par contre le décret développe longuement les relations des prêtres : relations de communion hiérarchique avec les évêques, relations entre eux dans le presbyterium, dont les tâches diverses sont au service d'un ministère unique, relations fraternelles avec les laïcs dont ils doivent discerner tous les charismes. Cette perspective présente donc le prêtre comme un homme de relations dans l'Église et dans la société. Ce trait me paraît particulièrement suggestif.

La vocation des prêtres à la sainteté est longuement traitée. Celle-ci est fondée non seulement sur la consécration baptismale comme pour tous les chrétiens, mais encore sur l'ordination qui fait d'eux les instruments du Christ Prêtre. Elle est exigée en même temps que nourrie par l'exercice de leur triple fonction. Elle s'exprime par leur obéissance au service de Dieu et de leurs frères, par le témoignage du célibat pour le Royaume (bien que la continence parfaite ne soit « pas exigée par la nature du sacerdoce, comme le montre la pratique de l'Église primitive et la tradition des Églises orientales » n° 16), et par une attitude de pauvreté volontaire. Il y a là une analogie évidente avec les trois vœux religieux. La figure du prêtre coopérateur de l'évêque ici décrite est celle d'un prêtre qui d'une certaine manière est aussi un « religieux ».

Pour conclure et récapituler ce que je viens de dire sur le ministère des prêtres, je ne peux faire mieux que de citer les formules clés qu'emploie à ce sujet le commentaire, déjà évoqué, d'Henri Denis qui souligne le changement de problématique entre Trente et Vatican II. C'est une autre manière de mettre en évidence le déplacement des catégories :

1. Le point de départ : De la célébration de l'Eucharistie (Trente) à la mission de l'Église (Vatican II).
2. L'institution du presbytérat : De la Cène (Trente) à l'institution apostolique dans son ensemble (Vatican II).
3. La spécificité du presbytérat : Du pouvoir sur le corps eucharistique (Trente) à l'action au nom du Christ Tête (Vatican II).
4. Le contenu du sacerdoce ministériel : Du sacerdoce cultuel (Trente) au ministère apostolique (Vatican II).
5. Le théocentrisme du ministère et la présence du prêtre au monde : Du théocentrisme du culte (Trente) au théocentrisme de toute la vie et de tout le ministère du prêtre (Vatican II) [27].

Est-ce que cette doctrine, avec toutes les nuances un peu complexes que je viens d'indiquer, est passée dans les mentalités ? Il faut avouer que non. Il y faudra sans doute beaucoup de temps. Les mots ont leur poids, leur charge d'histoire, et il n'est pas facile de convertir leur usage. Les habitudes de

---

27. H. Denis, « La théologie du presbytérat de Trente à Vatican II », *art. cit.*, p. 206-221.

pensée de nombreux prêtres et évêques comme de la plupart des laïcs restent façonnées par l'enseignement antérieur au concile. Pour en revenir à la catégorie de sacerdoce, on en reste trop souvent à une dichotomie toute simple : les uns l'emploient comme auparavant, les autres la rejettent complètement. Ce rejet amène, par contrecoup conjoncturel, une insistance nouvelle des documents officiels sur l'idée de sacerdoce, quitte à lui faire jouer à nouveau la fonction de catégorie-sujet. Nous ne pouvons qu'espérer que la « réception » de Vatican II, c'est-à-dire son passage dans la chair et le sang de la vie ecclésiale, se situera à la longue dans la ligne dominante tracée par le concile.

D. *Le ministère ordonné : le diaconat, ordonné pour le service*

Poursuivant l'étude du triple ministère ordonné, le texte de *Lumen gentium* aborde le diaconat (n° 29). J'en retiens les trois affirmations principales : le sens du diaconat comme ministère ordonné, ses tâches, sa restauration comme ordre permanent.

Le sens du diaconat

Les diacres appartiennent au ministère ordonné (on leur impose les mains) et sacramentel (« fortifiés par la grâce du sacrement »). Ils participent donc au ministère hiérarchique et pastoral de l'Église : « Les évêques ont reçu le ministère de la communauté avec l'aide des prêtres et des diacres » (*L.G.* 20) ; les diacres « sont au service du Peuple de Dieu, en union avec l'évêque et son presbyterium » (29). Le diaconat n'est donc pas la mise en œuvre d'un charisme baptismal ; son charisme repose sur une ordination sacramentelle et pastorale qui le met, dans la structure de l'Église, du côté de l'épiscopat et du presbytérat dans leur rapport à la communauté. Avec les évêques et les prêtres les diacres expriment et réalisent l'initiative du Christ pour son Église. Ils appartiennent au ministère pastoral de « quelques-uns » vis-à-vis de « tous » [28].

---

28. Le rapport structurel entre « quelques-uns » et « tous » est abondamment analysé et commenté dans l'ouvrage collectif cité, *Le Ministère et les ministères dans le Nouveau Testament*.

Cependant les diacres sont ordonnés « non pour le sacerdoce, mais pour le service » : le concile reprend ici une expression de la tradition ancienne [29]. Il nous précise donc que les catégories de ministère sacramentel et de sacerdoce ne se recouvrent pas : évêques et prêtres exercent un ministère sacerdotal, mais non les diacres [30]. Du même coup le mot clé pour définir le sens du ministère diaconal est celui de service. Les diacres sont la représentation symbolique privilégiée dans l'Église de la personne du Christ Serviteur, qui « est venu non pour être servi, mais pour servir et donner sa vie en rançon pour la multitude » (Mc 10, 45). Leur ministère est donc un service, qui a sa source théologale dans le Christ, et un service du salut de tout l'homme.

Sans doute cette loi du service vaut-elle de tous les ministres ordonnés (par définition, si on en croit l'étymologie du terme de ministère) et vaut-elle également de toute la communauté chrétienne appelée à une existence de service. Cependant il n'est pas possible aux autres ministres d'illustrer tous les aspects du service dans l'Église. D'autre part, il est très heureux que le rapport « quelques-uns/tous » trouve aussi son application dans le domaine du service : au nom du Christ Serviteur les diacres donnent le témoignage du service évangélique, pour que toute la communauté soit engagée à vivre le service fraternel et le service du monde. Ignace d'Antioche, dans ce langage dont il avait le secret, avait fort bien exprimé la chose :

Il faut aussi que les diacres, étant les ministres des mystères de Jésus-Christ, plaisent à tous de toute manière. Car ce n'est pas de nourriture et de boisson qu'ils sont les ministres, mais ils sont serviteurs

---

29. L'expression vient de la *La Tradition apostolique* d'Hippolyte de Rome, n. 8, Cerf, *S.C.* 11 bis, 1968, p. 58-59.

30. *L.G.* 41 dit cependant : « Les ministres d'un ordre inférieur participent aussi d'une façon particulière à la mission et à la grâce du Sacerdoce suprême, et avant tout les diacres, qui, étant au service des mystères du Christ et de l'Église, doivent se garder purs de tout vice... » La signification propre d'une telle affirmation est difficile à saisir... Elle apparaît mieux convenir aux diacres dans la mesure où ils participent au ministère pastoral de la parole et des sacrements en tant que celui-ci est « théologal ».

de l'Église de Jésus-Christ. [...] Pareillement, que tous révèrent les diacres comme Jésus-Christ [31].

Et Polycarpe lui fait écho, en invitant les diacres à « être irréprochables, en tant que diacres de Dieu et non des hommes, [...] marchant dans la vérité du Seigneur qui s'est fait diacre de tous » [32].

Les tâches du diaconat

Lumen gentium distingue trois formes particulières du service diaconal : la liturgie, la parole et la charité. Les tâches liturgiques sont déjà nombreuses : célébration solennelle du baptême, conservation et distribution de l'eucharistie, célébration du mariage ; porter le viatique aux mourants, présider le culte et la prière des fidèles, administrer les sacramentaux, présider aux funérailles. La Constitution sur la liturgie précise que la célébration de la parole de Dieu les dimanches pourra être confiée aux diacres dans les localités privées de prêtres (*S.C.* 35). (Ce dernier point peut mener à une ambiguïté dans la compréhension du ministère du diacre : car le propre de ce ministère n'est pas d'apporter une réponse aux problèmes de la présidence des communautés, même s'il en fut ainsi dans certaines paroisses de l'Église carolingienne.) Le service de la Parole comporte la lecture aux fidèles de la Sainte Écriture, la proclamation de l'Évangile et l'instruction, de même que l'exhortation adressée au peuple. Au service de la charité — qui dans la tradition restait étroitement lié au service liturgique, par le don aux pauvres des offrandes apportées à l'eucharistie — appartiennent non seulement les œuvres de charité proprement dites, mais aussi les charges d'administration du temporel [33].

---

31. IGNACE D'ANTIOCHE, *Trall.* 2, 3 ; trad. Pr. P. Th. Camelot, Cerf, *S.C.* 10, 1951, p. 113. Il est remarquable que, dès Ignace d'Antioche, les diacres ne forment pas un « collège » comme les prêtres, mais qu'ils exercent leur ministère en lien direct avec l'évêque.

32. POLYCARPE DE SMYRNE, *Aux Philippiens, ibid.*, p. 211.

33. Cf. PAUL VI, « Règles générales concernant la restauration du diaconat permanent dans l'Église latine », chap. V : Les fonctions du diacre ; *Doc. cath.*, 1948 (1967), col. 1283-1284.

Une objection peut se présenter aussitôt : prises une à une, dans certaines circonstances, la plupart de ces tâches ne peuvent-elles pas être confiées à des laïcs et ne le sont-elles pas déjà assez largement ? L'objection vaut si l'on se fait une conception « résiduelle » du diaconat. Outre qu'il n'est pas bon, à long terme, que les tâches normales du ministère ordonné soient exercées de manière supplétive par les laïcs, les tâches diaconales doivent toujours être rapportées à leur sens et au titre de leur exercice. C'est là qu'elles trouvent leur spécificité et leur valeur « symbolique ».

La restauration du diaconat permanent

Au jugement des conférences épiscopales le diaconat pourra « être restauré comme un degré propre et permanent de la hiérarchie » et « confié à des hommes d'âge mûr même déjà mariés, et à des jeunes gens capables, pour lesquels cependant doit rester en vigueur la loi du célibat ». Il y a donc là une double nouveauté : un ordre permanent et un ordre confié à des hommes mariés. L'âge mûr dont il est question sera fixé par Paul VI à trente-cinq ans [34]. Le concile reprend la tradition de l'Église ancienne pour laquelle un ordre peut être accessible à un homme marié, sans que celui-ci puisse se marier après avoir été ordonné.

On peut aujourd'hui se poser la question : quel est le bilan de cette restauration ? Il est très varié suivant les pays et les situations locales en fonction desquelles le diaconat a été restauré. Des pays comme les États-Unis ou l'Allemagne ont développé un diaconat permanent beaucoup plus rapidement que la France qui est restée pendant un certain nombre d'années hésitante et tâtonnante. Une difficulté demeure tant que le nombre des diacres ne sera pas suffisant pour donner à ce ministère une visibilité et une figure suffisamment reconnues dans les communautés. Certaines orientations se dégagent cependant : dans l'appel au ministère on recherche la collaboration de la communauté chrétienne, afin que le diacre se trouve inséré dans un ensemble pastoral ; dans le service

---

34. Cf. *Ibid.*, n. 11, col. 1282. Paul VI est revenu sur les normes relatives à l'ordre sacré du diaconat dans le motu proprio « Ad pascendum » du 15 août 1972 ; *Doc. cath.*, 1617 (1972) p. 854-857.

liturgique on cherche à éviter de faire du diacre un suppléant partiel du prêtre ; dans le domaine du service on vise à la fois le service du monde et celui de la communauté. Le diacre peut exercer une présence heureuse aux secteurs particulièrement marqués par l'incroyance ou par les diverses formes de pauvreté « marginalisante » : malades, vieillards, migrants, handicapés, chômeurs, familles aux problèmes insolubles, etc. Dans la communauté également les diacres rendent de nombreux services d'animation locale, en particulier au bénéfice des jeunes, d'entraide paroissiale, voire d'aumônerie et de catéchuménat. Ils accomplissent des tâches administratives.

Une donnée très intéressante se dégage du témoignage de ces premiers diacres permanents (et le plus souvent mariés) : ils font l'expérience de vivre, du fait de leur ordination, une relation de type nouveau avec ceux auxquels ils sont envoyés, même s'ils exercent des tâches pour lesquelles l'ordination ne serait pas indispensable. Ils agissent, de manière à la fois discrète et officielle, au nom de l'Église : leur action a de ce fait une portée propre, elle donne lieu à une confiance originale et ouvre à une écoute particulière de ce qui fait le poids de la vie de chacun.

II. LES RÉPERCUSSIONS DE VATICAN II
DANS LE DIALOGUE ŒCUMÉNIQUE

Je voudrais maintenant faire le point des répercussions de l'« ouverture » de la doctrine de Vatican II sur les nombreux dialogues œcuméniques, qui se sont instaurés depuis la tenue du concile et se sont attachés à la difficile question des ministères. Le petit tableau suivant indique les principaux documents et les interférences qui existent entre eux :

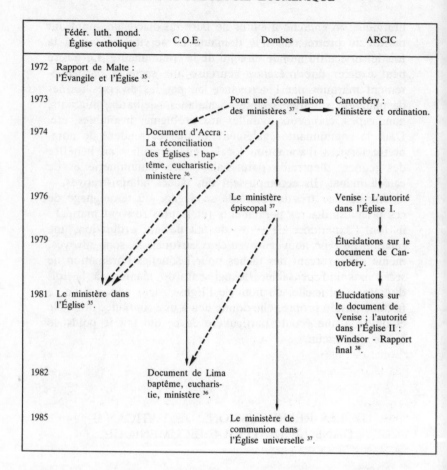

On pourrait mentionner également dans ce cadre la section, consacrée au ministère, du document plus global élaboré par la commission mixte entre l'Alliance réformée mondiale et l'Église catholique romaine, « La présence du Christ dans

35. Cf. *Face à l'unité*, op. cit.

36. FOI ET CONSTITUTION — CONSEIL ŒCUMÉNIQUE, *La Réconciliation des Églises : baptême, eucharistie, ministère*, Presses de Taizé 1974; *Baptême, Eucharistie, Ministère, Convergence de la foi*, Centurion/Presses de Taizé 1982.

37. GROUPE DES DOMBES, *Pour la communion des Églises*, op. cit.

38. COMMISSION INTERNATIONALE ANGLICANE — CATHOLIQUE ROMAINE, *Rapport final*, Windsor, 1981, Cerf, 1982.

l'Église et dans le monde » de 1977 [39]. Une comparaison entre ces divers documents fait apparaître une ligne de convergence et pour une part de véritables accords, encore qu'il soit toujours très difficile de dire jusqu'où les différents partenaires se sentent véritablement engagés. Elle permet d'autre part de cerner avec précision les points qui font encore difficulté.

A. *Convergences et accords*

— La catégorie maîtresse est celle de « ministère », comme le montre l'unanimité des titres des divers documents. La réalité du ministère est située dans l'Église tout entière apostolique. C'est à l'intérieur de la globalité du et des ministères dans leur diversité multiple qu'est posée la distinction entre les ministères fondés sur le baptême et le ministère particulier, ordonné, pastoral, « apostolique ». D'une part la vocation baptismale du peuple de Dieu est source de dons, de charismes et de ministères, de même qu'il y a ministère et mission de l'Église tout entière, au nom de son apostolicité. D'autre part, il existe un ministère « ordonné » dont la source se situe dans l'appel des apôtres par le Christ et dans leur envoi au monde par le don de l'Esprit. La reconnaissance par les catholiques de l'apostolicité de toute l'Église (inscrite dans le Symbole de foi) permet aux protestants une reconnaissance de la succession apostolique du ministère ordonné. Il est entendu que l'apostolicité de toute l'Église ne dépend pas uniquement de la succession apostolique de ce ministère. Il y a là une dualité articulée dans l'unité même du mystère de l'Église. Certains textes reconnaissent que le ministère ordonné appartient à la structure de l'Église.

— Le ministère ordonné a une double référence christologique et pneumatologique : d'une part il s'inscrit dans une succession qui remonte à l'envoi des apôtres par le Christ, d'autre part il est don de l'Esprit de Dieu fait à l'Église de chaque époque. Le sens de ce ministère est « d'assurer et de

39. ALLIANCE RÉFORMÉE MONDIALE ET SECRÉTARIAT ROMAIN POUR L'UNITÉ DES CHRÉTIENS, « La présence du Christ dans l'Église et dans le monde » (1970-1971), *Doc. cath.*, 1737 (1978) col. 206-223.

signifier » la dépendance de l'Église vis-à-vis du Christ. Cette dépendance radicale « s'exprime et se vit dans la dépendance réciproque de la communauté et du ministre » [40]. Il est fait souvent appel à l'idée d'interdépendance, car il est dangereux de confisquer l'initiative du Christ entièrement du côté du ministère ordonné. Les ministres ne peuvent disposer à leur gré du peuple chrétien. De même que celui-ci vit sa dépendance au Christ à travers le vis-à-vis *(gegenüber)* qui le rapporte aux ministres ordonnés, de même ces derniers vivent également une dépendance au Christ à travers leur écoute de ce que l'Esprit dit à l'Église et par le discernement respectueux des charismes et des ministères divers. Cette interdépendance, qui ne repose pas sur une symétrie, demeure bien réelle puisque le ministère ordonné est inconcevable en dehors de la relation structurelle qu'il établit entre les ministres et le peuple de Dieu.

— Les tâches principales du ministère ordonné ne font pas non plus de difficulté. Avec quelques variantes elles sont toujours résumées sous les trois chefs classiques : l'annonce de la parole, le ministère des sacrements, le rassemblement et la direction de la communauté. Certains textes mentionnent la dimension sacerdotale du ministère ordonné du prêtre et de l'évêque.

— L'ordination est reconnue comme la forme traditionnelle de la transmission du ministère. Elle atteste « que l'Église est liée à Jésus-Christ et au témoignage apostolique » [41]. Elle comporte un don de l'Esprit de Dieu pour la communauté. Elle exprime donc le double rapport du ministère au Christ et à l'Esprit dans le service de la communauté en marche vers le Père. Elle est conférée par une imposition des mains et une invocation de l'Esprit Saint. Elle fait entrer le nouveau ministre dans le collège des ministres. Elle exprime enfin à la fois l'engagement du ministre envers la communauté et l'accueil de celui-ci par l'Église. Plusieurs textes reconnaissent qu'une telle ordination est « sacramentelle ».

---

40. GROUPE DES DOMBES, *Pour une réconciliation...*, *op. cit.*, n. 22.

41. FOI ET CONSTITUTION, *Baptême, eucharistie, ministère, op. cit.*, n. 39 du document sur le ministère.

— Le ministère ordonné à une triple dimension : il est *personnel* et comporte une présidence ; il est *collégial* et ne s'exerce pas de manière solitaire, il est enfin *communautaire* et inscrit dans la vie de toute l'Église. Cette triple dimension, fortement soulignée dans le document de Lima [42], constitue un schéma réconciliateur entre les traditions épiscopalienne, presbytérienne et congrégationaliste.

— Enfin ces divers documents expriment une évaluation positive de la trilogie traditionnelle de l'épiscopat, du presbytérat et du diaconat. Cette trilogie est au moins considérée comme un fait d'Église très anciennement attesté. Le document de Lima dit pour sa part : « Le triple ministère de l'évêque, du presbytre et du diacre peut servir aujourd'hui d'expression à l'unité que nous cherchons et aussi de moyen pour y parvenir [43]. » Il s'agit ici d'une convergence, non encore acceptée par tous.

B. *Les difficultés qui demeurent*

Elles sont de trois ordres :
— Certaines se situent dans le caractère inachevé des convergences exprimées plus haut. Sous une affirmation fondamentalement commune coexistent des divergences réelles. Par exemple, si l'on reconnaît la succession apostolique du ministère, on hésitera davantage devant la forme historique qu'elle a prise avec la succession épiscopale et la nécessité de celle-ci pour l'union à retrouver. De même, demeure une estimation encore différente de la forme tripartite du ministère considérée comme fait de tradition. Pour sa part la tradition réformée répugne à toute distinction entre l'épiscopat et le presbytérat, au nom de l'égalité des ministres et en raison de son refus des abus politiques auxquels une certaine figure historique de la hiérarchie a donné lieu. Les conceptions concernant un magistère doctrinal dans l'Église demeurent aussi très différentes et n'ont vraiment progressé que dans le cadre du dialogue avec la Communion anglicane. N'oublions pas enfin

---

42. *Ibid.*, n. 26 et son commentaire.
43. *Ibid.*, n. 22.

le sérieux problème nouveau posé entre les Églises par l'ordination des femmes.

— D'autres difficultés se situent en amont de la question proprement dite des ministères. Elles tiennent à certains aspects de fond de l'ecclésiologie protestante, en tant que celle-ci se distingue des ecclésiologies orthodoxe et catholique. La manière de proposer la distinction entre l'Église invisible et l'Église visible rend très difficile la compréhension d'une Église visible qui soit vraiment l'expression du don de Dieu, et le lieu où s'exprime et se vit la médiation unique du Christ [44]. Cette réticence devant la sacramentalité profonde de l'Église se répercute au niveau de la conception des sacrements et de la reconnaissance de la structure ministérielle comme sacramentelle. Pour certains les ministères, même ordonnés, demeurent de l'ordre de la nécessaire organisation de l'Église : ils n'appartiennent pas à sa structure instituée et à son mystère. Cela se traduit également par une certaine ambiguïté, qui s'attache à certaines formulations œcuméniques qui expriment des reconnaissances de fait, fondées sur l'histoire, mais non des reconnaissances « de droit » fondées dans le mystère de l'Église, en tant que celui-ci dépend du Christ, son fondement et son fondateur. C'est pour cette raison que le Groupe des Dombes a proposé une réflexion centrée sur les sacrements en tant que tels [45].

— Enfin, quoi qu'il en soit des avancées proprement doctrinales, les Églises se trouvent désormais devant un seuil redoutable : au-delà du dialogue, il y a maintenant le pas du geste à poser. C'est le pas, souhaité et redouté, de la réconciliation des ministères. Il comporte un risque pour tous : il met en cause l'identité de chaque Église, telle qu'elle est actuellement vécue. Une réconciliation des ministères lèverait en effet presque complètement l'obstacle actuel qui s'oppose à de nouveaux progrès œcuméniques, puisqu'elle ouvrirait à un exercice réconcilié du culte et des sacrements. Pour certains elle apparaît comme le pas final, consacrant une communion complète, puisque la communion eucharistique ne peut être

---

44. Sur ce point, cf. *supra*, le chap. 9 « Y a-t-il une différence séparatrice... ? », p. 157-188.

45. GROUPE DES DOMBES, *L'Esprit Saint, l'Église et les Sacrements*, Presses de Taizé, 1979.

séparée de la communion ecclésiale. Pour d'autres elle pourrait précéder ce pas final, mais elle constituerait un engagement décisif de chaque Église, un point de non retour dans la voie de la communion complète. C'est pourquoi chacun entend vérifier que l'accord sur les ministères ne comporte pas de confusion ou d'ambiguïté verbale au regard de ce qu'il considère comme imprescriptible, et que cet accord est solidaire d'un accord plus global sur les points essentiels de la foi.

D'autre part, les formes de réconciliation aujourd'hui proposées demeurent encore solidaires de visées théologiques divergentes : elles vont de la simple reconnaissance mutuelle à un acte liturgique de réconciliation qui aurait une portée sacramentelle originale [46]. Le contentieux doctrinal resurgit, dans la mesure même où il n'est pas vraiment résolu, à travers la conception que l'on se fait de la réconciliation des ministères.

Il est difficile d'être plus précis dans un bilan global des convergences et des divergences. Il faudrait pouvoir entrer dans les situations propres à chaque Église : les difficultés ne sont pas les mêmes, respectivement avec l'orthodoxie, avec la Communion anglicane, avec la Fédération luthérienne mondiale et avec l'Alliance réformée mondiale. Aujourd'hui l'ensemble de ces dialogues est l'objet d'une longue procédure d'étude, de reconnaissance critique, de discernement qui aboutit à des prises de position officielles des Églises. Celles-ci sont inévitablement nuancées et invitent à une progression doctrinale nouvelle. Pendant ce même temps s'engage un autre processus au cœur du peuple chrétien qui met en cause le « *sensus fidelium* » lui-même. De ce processus de « réception » (ou de « non-réception » ou de « réception critique ») nul ne peut encore prévoir l'issue. Des signes précieux en seront donnés par la mesure selon laquelle les convergences doctrinales prendront une figure concrète dans la pratique et la liturgie des Églises. Car le degré d'accord actuellement obtenu peut donner lieu à de véritables « conversions confessionnelles ».

Dans cette démarche œcuménique globale, qui demeure malgré les difficultés une immense espérance, l'Église catho-

---

46. Cf. la « proposition pour une reconnaissance et une réconciliation des ministères » faite par le Groupe des Dombes, cf. *supra*, p. 301-310, cf. aussi FOI ET CONSTITUTION, *Baptême, eucharistie, ministère, op. cit.*, n. 51-55 du document sur le ministère.

lique a un rôle important à jouer. Il ne peut s'agir pour elle d'attendre tranquillement que les autres Églises la rejoignent là où elle est. Elle se doit à elle-même comme elle doit aux autres Églises de convertir de nombreux aspects de sa pratique ministérielle ; elle se doit d'intégrer des valeurs ecclésiales mieux exprimées et mieux vécues par ses partenaires ; il lui faut montrer qu'elle tient compte dans ses exposés doctrinaux comme dans sa vie des points d'accord dans lesquels elle s'est déjà engagée par la voie des diverses commissions qu'elle a instituées. Le renouveau doctrinal accompli à Vatican II a ouvert une voie et permis des résultats qui étaient impensables il y a trente ans. Certains enthousiasmes, insuffisamment conscients de la difficulté des problèmes accumulés par les siècles, étant aujourd'hui dépassés, puisse la sagesse plus prudente qui se fait jour désormais ne pas contredire une impulsion aussi féconde qui n'a pas encore porté tous ses fruits.

SIXIÈME SECTION

LA VIERGE MARIE

CHAPITRE 18

MARIE,
COMBLÉE DE GRÂCE [1]

Au moment où je dois contempler avec vous les merveilles que la grâce de Dieu a accomplies pour la Vierge Marie, c'est-à-dire les prémices de l'Évangile du salut, j'implore de l'Esprit de Dieu cette même grâce, afin qu'un double don me soit fait : d'abord, de « sentir avec l'Église » sans timidité aucune tout ce qui a trait à la Vierge Marie, de parler d'elle en me situant au cœur de la foi catholique au point de réussir à vous parler au cœur ; ensuite, de garder présents à l'esprit nos frères chrétiens avec lesquels nous ne sommes pas encore en pleine communion, orthodoxes, anglicans, luthériens, réformés non seulement dans le souci d'éviter toute « exagération fausse » (*Lumen gentium* 67), mais dans le désir de trouver « une manière de parler et un langage qui [leur] soient facilement accessibles » (*Unitatis redintegratio* 11) et ne constituent « nul obstacle au dialogue » avec eux. Reprenant à mon compte ces invitations formulées par le concile de Vatican II, je demande à Dieu que mon propos nous fasse progresser, les uns et les autres, vers une compréhension biblique et chrétienne du mystère de la Vierge Marie et pose une petite pierre sur le chemin d'un dialogue encore largement à venir.

---

1. Texte de la Conférence de Carême donnée à Notre-Dame de Paris le 6 mars 1988. J'avais tenu à donner à cette conférence une intention délibérément œcuménique (elle est structurée en correspondance aux trois adages *sola gratia, sola fide, soli Deo gloria*), dans l'espoir d'en faire la base de départ d'un dialogue à venir sur la Vierge Marie. C'est à ce titre que je la reproduis ici.

L'objet de cette conférence peut se résumer en quelques expressions fort simples : tout en Marie vient de la grâce de Dieu ; tout en Marie est le fait de la réponse de sa foi, étant bien entendu que cette réponse elle-même est portée par la grâce de Dieu ; tout en Marie rend gloire à Dieu et au Christ, à commencer par le « ministère » original qu'elle a rempli en vertu de sa vocation propre.

1. Tout en Marie vient de la grâce de Dieu

Il suffit pour nous en convaincre de lire un des textes les plus familiers de l'Évangile : la scène de l'Annonciation. L'ange Gabriel, envoyé de Dieu, salue Marie en lui disant : « Réjouis-toi, comblée de grâce [...] Ne crains pas, Marie, car tu as trouvé grâce devant Dieu » (Lc 1, 28.30). Ce salut est beaucoup plus qu'un simple bonjour : en lui résonne l'appel à la joie, adressé jadis à la Fille de Sion devant la perspective de la délivrance du peuple de Dieu (So 3, 14-17 ; Za 2, 14). Ce salut introduit une révélation : Marie est « comblée de grâce ». Ce n'est pas exactement « pleine de grâce », expression que la traduction latine de saint Jérôme a vulgarisée jusque dans nos Ave Maria. C'est Jésus, le Verbe fait chair, le Fils unique du Père, qui est appelé par Jean « plein de grâce et de vérité » (Jn 1, 14). Une nuance, me direz-vous peut-être, mais une nuance capitale pour notre sujet. Jésus est habité par la plénitude de la grâce, parce qu'il en est la source active : il se tient du côté de Dieu qui la donne. Marie est la bénéficiaire passive d'une grâce qui a une autre plénitude, parce qu'elle la reçoit. Elle est toujours, selon le mot de l'ange, celle qui « a trouvé grâce devant Dieu » (Lc 1, 30).

Mais qu'est-ce donc que la grâce de Dieu ? Ce terme de nos catéchismes n'est-il pas démonétisé par un usage trop ancien qui semble ne correspondre à aucune expérience dans nos vies ? Pourtant, le mot de grâce habite notre langage courant selon des harmoniques variées. La première, il est vrai, est une référence juridique et souvent sombre : c'est la grâce du condamné, celle qui, naguère, pouvait le sauver de l'échafaud. Le droit de grâce présidentiel demeure encore en certains domaines ; nous profitons aussi de divers « délais de grâce ». Dans tous ces cas on passe déjà de la rigueur de la loi et du droit à un ordre de gratuité où la relation personnelle relègue le reste au second plan.

C'est bien en effet le registre des relations humaines qui nous fait employer le plus souvent des expressions où le terme de grâce évoque — souvent avec une note de paternalisme — la bienveillance, la faveur, le don, le bienfait, l'indulgence parfois. On aime être dans les bonnes grâces de quelqu'un ; on peut connaître la disgrâce et rentrer en grâce ; on désigne certaines situations comme des « états de grâce », c'est-à-dire un temps d'entente, de bonheur et d'harmonie exceptionnelle ; rendre grâce, c'est remercier. Dans ce terme il y a une note d'amabilité, de gentillesse, d'amitié gratuite, de plaisir même et de bon plaisir : c'est ainsi qu'on agit de bonne ou de mauvaise grâce. La grâce, c'est aussi la beauté qui plaît, l'agrément source de joie, le charme, l'attrait : on parle de la grâce d'un geste d'enfant, de la grâce d'un visage féminin. Les images de la Vierge Marie, depuis les icônes orientales jusqu'aux peintures et aux statues de l'Occident, comme la Vierge à l'oiseau de Riom ou la Vierge dorée d'Amiens, n'essaient-elles pas de traduire en beauté le mystère de la grâce de Marie ? De même, la grâce exprime le don mystérieux qui inspire l'artiste dans la réalisation de son œuvre.

La grâce n'est donc pas une chose ; elle est de l'ordre de la communication vivante entre personnes. Je devrais même dire communication de vie, car nul ne peut vivre sans être « en grâce » avec quelqu'un. On raconte qu'un prince du XVIIIᵉ siècle avait donné l'ordre, par curiosité scientifique, que de petits enfants soient privés de toute marque d'affection de leurs nourrices, tout en recevant les soins et la nourriture nécessaires à leur développement. Ces enfants sont morts. Car la grâce, indispensable à notre bonheur, est affaire de vie ou de mort parce qu'elle est affaire d'amour. L'adoption est, au contraire, un geste de grâce au sens le plus fort du mot, une grâce de vie et de renaissance. De même, le fiancé et la fiancée n'ont-ils pas trouvé grâce l'un devant l'autre ?

L'Écriture a donc repris ce mot de notre monde et l'a transposé pour faire comprendre notre relation à Dieu. La grâce, c'est la bienveillance amoureuse de Dieu envers les hommes ; la grâce, c'est l'attitude qui le pousse à se donner à nous pour faire notre bonheur ; la grâce, c'est la bénédiction dont nous sommes l'objet de sa part ; la grâce commande tout le dessein de création et de salut. L'hymne placée au début de l'épître paulinienne aux Éphésiens célèbre ainsi « la richesse de la grâce » de Dieu dans un élan de prière où la grâce rendue vient répondre à la grâce reçue :

> Béni soit Dieu, le Père de notre Seigneur Jésus-Christ : il nous a *bénis* de toute *bénédiction* spirituelle dans les cieux en Christ. Il nous a *choisis* en lui avant la fondation du monde pour que nous soyons saints et irréprochables sous son regard *dans l'amour*. Il nous a *prédestinés* à être pour lui des *fils adoptifs* par Jésus-Christ, ainsi l'a voulu sa *bienveillance*, à la louange de sa *gloire* et de la *grâce* dont il nous a comblés en son Bien-aimé (Ep 1, 3-6).

Tous les mots portent ici : bénédiction et bienveillance, choix, élection et prédestination, adoption filiale, gloire et grâce de Dieu.

C'est de cette grâce que Marie a été comblée. En effet, lui dit l'Ange : « Le Seigneur est avec toi » et « l'Esprit Saint viendra sur toi » (Lc 1, 28.35). Comme chacun d'entre nous, Marie est élue et prédestinée par Dieu dès avant la fondation du monde, pour être fille adoptive du Père. De quel droit excepterait-on Marie de ce qui est le fait de tous ? Comme nous tous elle a été rachetée du péché par le sang du Christ. Mais sa vocation a aussi, à l'intérieur du grand dessein de Dieu, quelque chose d'unique : elle a été choisie pour être la mère de Jésus, de celui « qui sera saint et sera appelé Fils de Dieu » (Lc 1, 35). C'est pourquoi elle est « bénie entre toutes les femmes » (Lc 1, 42). Appelée à devenir la demeure de l'Esprit Saint, appelée à tisser en son propre corps le corps du seul « saint », Marie reçoit de Dieu la grâce de la justice et de la sainteté. Le destin de Marie, dans ce qu'il a de commun, comme en ce qu'il a d'unique, doit tout à la grâce.

La tradition chrétienne à l'exemple de Marie a médité les données de l'Écriture : elle les a confrontées les unes aux autres ; elle en a cherché la cohérence à la lumière du mystère du Christ. Elle en a dégagé la portée absolue. Elle n'a rien voulu « ajouter » au message de l'Écriture, mais elle l'a véhiculé jusqu'à nous dans une mémoire vivante. Aussi là où l'Écriture appelait Marie « mère de Jésus » ou « mère du Seigneur », la tradition a compris que Marie est la « mère de Dieu », puisque Jésus est à titre personnel le Fils unique et éternel de Dieu. Sur ce discernement opéré par la tradition, et proclamé au concile d'Éphèse, tous les chrétiens sont d'accord. Il est vrai que ce titre de Mère de Dieu est avant tout tourné vers le Christ et nous dit d'abord l'unité en lui de Dieu et de l'homme. Mais il nous dit aussi la relation propre qui l'unit à Marie, une relation qui engage une consécration de la mère au Fils dans le service, comme les évangiles l'attestent. Pour le service de son Fils sa maternité a engagé sa virginité. Aussi la tradition la dit « toujours Vierge ». Pour le service de son Fils Marie a été comblée de sainteté. Aussi la tradition l'appelle la « sainte Vierge » en un sens absolu. Mais c'est ici que les chemins divergent entre chrétiens. Puissé-je faire comprendre en vérité l'intention de la foi catholique en ce domaine.

La maternité divine de Marie l'a placée en contact brûlant avec la sainteté de Dieu. Quelle fut donc la « retombée » de cette sainteté unique sur la sainteté reçue par Marie ? Car il ne s'agit pas d'abord de privilège, mais d'exigence christologique. Quelle sainteté est le corollaire en Marie de sa vocation à la maternité divine ? Jusqu'où doit être comblée de grâce celle qui a donné au monde la source de la grâce ? De quelle bénédiction entre toutes les femmes a été l'objet celle dont le fruit du sein est béni ? Quelle disposition de pure grâce Dieu a-t-il voulu prendre à l'égard de la Vierge Marie, Mère de Jésus, sans aucun mérite préalable de sa part ? À ces questions la foi de l'Église a répondu en donnant un sens absolu aux expressions de l'Écriture : Marie est entièrement sainte, elle n'a commis aucun péché personnel ; plus encore sa sainteté est initiale et même originelle.

Quand l'Ange dit à Marie « le Seigneur est avec toi », il exprime le don de la justification fait à Marie. Dieu lui annonce « tu es avec moi, tu es de mon côté ». Quand l'Ange salue Marie comme celle qui « a trouvé grâce auprès de Dieu », il exprime un don sans limite qui exclut toute disgrâce, même celle dans laquelle nous naissons tous du simple fait d'appartenir à une humanité marquée par le péché.

Ici il semble que nous sommes au rouet. La solidarité de l'humanité dans le péché n'est-elle pas universelle ? En excepter Marie, n'est-ce pas la mettre en dehors de notre race et au-dessus de notre destin ? La difficulté a arrêté longtemps l'Occident devant l'affirmation de l'Immaculée Conception de

Marie. Lentement la solution s'est faite un chemin dans le plein respect des données imprescriptibles de la foi. Marie appartient pleinement au peuple des rachetés. Comme nous tous, Marie a été libérée du péché, et sauvée par la croix et la résurrection du Christ. Mais cette libération a pris chez elle non la forme de la guérison ou de la purification, mais celle de la préservation. Selon le mot de Karl Rahner, Marie « est celle qui a été rachetée de la manière la plus parfaite » [2], par l'unique Rédempteur et Médiateur. Par rapport à la rédemption Marie est du même côté que nous. Seulement elle a été rachetée autrement que nous, pour une raison christologique. L'Immaculée Conception est l'incidence dans le salut personnel de Marie de sa vocation de mère du Christ. Car le salut apporté par le Christ inaugure en Marie, de façon anticipée, l'économie de la grâce, de la bénédiction et de la sainteté. Il restaure dans la mère du Sauveur l'état primitif d'Ève avant le péché. Marie est ainsi « indemne de toute souillure du péché, façonnée pour ainsi dire par le Saint-Esprit, et formée comme une nouvelle créature » (*Lumen gentium* 56).

2. *Tout en Marie est réponse de la foi*

La grâce, c'est le don gratuit de Dieu envers les hommes ; mais la grâce a pour but de créer un lien : elle demande à être reçue, comme on reçoit avec émerveillement un splendide cadeau qu'on nous fait. La grâce appelle en nous la libre réponse active de la foi : elle la demande et elle la suscite. Selon le mot de saint Paul la grâce nous justifie par le moyen de la foi (cf. Rm 3, 22-25). Ce qui vaut de nous tous vaut aussi de Marie, même si la Vierge n'a pas eu à passer personnellement de l'état de péché à l'état de grâce.

La scène de l'Annonciation nous met encore en présence de l'acte de foi de Marie. À la parole de l'ange, c'est-à-dire à la Parole de Dieu qui lui est transmise, la vierge de Nazareth répond : « Je suis la servante du Seigneur. Qu'il me soit fait selon ta Parole » (Lc 1, 38). Là où Zacharie n'avait pu réprimer un mouvement de doute, Marie accorde toute sa foi. C'est pourquoi Élisabeth énoncera la grande béatitude de la Vierge

---

2. *Recherches de sciences religieuses*, 42 (1954), p. 499.

Marie : « Bienheureuse celle qui a cru » (Lc 1, 45). C'était en effet la foi qui faisait courir Marie vers les montagnes pour rendre visite à sa cousine. C'est la foi qui fait de sa maternité un acte vraiment humain. Car elle a conçu de cœur avant de concevoir de corps, selon le mot des Pères. Sa foi est un acte de liberté, qui fait d'elle en vérité la Mère de Dieu.

La réponse de Marie à l'annonciation est le début d'un long itinéraire vécu sous le signe d'une foi grandissante. Par son « Fiat » Marie a en quelque sorte signé un chèque en blanc à Dieu sur toute son existence. Elle ne savait pas de quoi cette page blanche serait remplie. Elle le fut de joies, sans doute, comme l'atteste le cantique du *Magnificat*, mais elle le fut aussi de contradictions, d'obscurités et de souffrances. Comme toute mère de famille, Marie a connu le risque couru par la maternité, avec sa part d'inquiétude et d'angoisse. Ce risque était le plus élevé qui soit, puisque Marie avait part au risque volontairement couru par son fils pour le salut du monde. Elle s'est trouvée « au centre même de ces "voies incompréhensibles" et de ces "décrets insondables" de Dieu » (Jean-Paul II, *Redemptoris Mater* n. 14).

La foi de Marie s'est traduite dans l'obéissance de sa vie à la Parole de Dieu. Elle la met sur la route de Bethléem, route de pauvreté et de dénuement. Elle lui fait accueillir la dramatique prophétie du vieillard Syméon : son fils sera en butte à la contradiction et un glaive lui transpercera l'âme (cf. Lc 2, 34-35). Bien vite la foi de Marie fait l'expérience de la volonté de mort qu'Hérode fait peser sur Jésus. Dans l'exil égyptien la sainte famille connaît la condition des immigrés. Marie fait l'expérience que la proximité de Dieu n'est pas confortable et elle marche dans la nuit. Dans sa récente encyclique le pape Jean-Paul II n'hésite pas à dire que Marie a vécu après le retour à Nazareth « une sorte de "nuit de la foi" » (*Ibid.* n. 17). Cette nuit est particulièrement obscure, lorsque Marie et Joseph cherchent « tout angoissés » (Lc 2, 48) l'enfant qui leur avait échappé au retour de Jérusalem. Quand Jésus retrouvé répond à ses parents sur le ton de l'évidence : « Ne saviez-vous pas qu'il me faut être chez mon Père ? » (Lc 2, 49), Marie ne comprend pas le sens de ces paroles : elle avance dans la nuit. Oui, « Marie a avancé, progressé dans le pèlerinage de la foi » (*Lumen gentium* 58), comme chacun d'entre nous. Pendant le ministère public de

Jésus, la foi de Marie a accepté le détachement. La Vierge n'a rien d'une « mère abusive » : elle laisse son fils « faire sa vie ». Elle se soumet à la refonte difficile qui affecte la relation entre parents et enfants devenus adultes. Sa discrète intercession à Cana respecte la liberté de Jésus et s'achève par le conseil qui est l'écho de la charte de sa vie : « Faites tout ce qu'il vous dira » (Jn 2, 5). Elle est mère de Jésus, d'abord et avant tout, parce qu'elle « fait la volonté de Dieu » (Mc 3, 35). Sa béatitude ne vient pas tant du fait qu'elle a porté et allaité Jésus, que de ce qu'elle a « écouté la Parole de Dieu et l'a observée » (Lc 11, 27-28).

Généralement absente du ministère de Jésus, comme une mère l'est normalement des activités de son fils, Marie se retrouve présente au pied de la croix, comme une mère accourt à l'hôpital, parce qu'il est arrivé quelque chose à son enfant. Silencieuse, consentante et aimante, elle va jusqu'au bout de son pèlerinage de la foi. « Debout au pied de la croix, dit encore Jean-Paul II, Marie est témoin d'un démenti total des paroles » de l'ange de l'Annonciation. Il lui avait été dit que son fils serait grand et qu'il régnerait sur le trône de David son Père. Et voici qu'il règne par le bois, sur le trône sanglant de la Croix. « Marie participe par la foi au mystère bouleversant de ce dépouillement. C'est là sans doute, la "kénose" de la foi la plus profonde dans l'histoire de l'humanité » (*ibid.* n. 18). Enfin Marie est présente au Cénacle à ce temps où l'Église naissante se prépare à la Pentecôte : elle prie (Ac. 1, 14) et elle croit.

On comprend donc la comparaison, proposée par le pape, entre la foi de Marie et la foi d'Abraham (*ibid.* n. 14). Paul en effet a célébré « Abraham, notre père dans la foi » (Rm 4, 12) qui « espérant contre toute espérance, crut et devint ainsi père d'une multitude de peuples » (Rm 4, 18). Comme la foi d'Abraham avait marqué le début de l'Ancienne Alliance, la foi de Marie est située à l'aurore de la Nouvelle. Marie, elle aussi, a cru et espéré contre toute espérance humaine. Elle est devenue la mère de celui qui allait rassembler l'Église comme son propre corps. Dès le IIe siècle l'évêque de Lyon, Irénée, dans son célèbre parallèle entre Ève et Marie, faisait de la foi de la Vierge la pointe de sa réflexion : « Ainsi le nœud de la désobéissance d'Ève a été dénoué par l'obéissance de Marie, car ce que la vierge Ève avait lié par son incrédulité, la Vierge Marie l'a délié par sa foi [3]. »

La réponse de foi de Marie n'ajoute pas à la grâce quelque chose qui viendrait d'ailleurs et en serait indépendant, ou même la conditionnerait en quelque façon. Selon la doctrine la plus traditionnelle de l'Église, interprétation des enseignements de l'Écriture, la grâce et la liberté de l'homme ne se situent pas sur le même plan, comme feraient deux animaux tirant le même chariot. Le propre de la grâce est de susciter notre liberté et de lui rendre, après le péché, sa véritable orientation vers Dieu, de même que la boussole est attirée vers le nord. L'action de l'homme n'est donc pas en partie le fait de la grâce et en partie celui de notre liberté. Elle est tout entière le fait de la grâce et tout entière le fait de notre liberté. Car la grâce, c'est l'amour que Dieu a pour nous ; et la vraie liberté, c'est l'amour que nous avons pour Dieu. Sur ce point il nous faut bien comprendre notre expérience : ne disons-nous pas que plus une influence reçue est forte, plus une aide est efficace, moins l'activité est libre et personnelle ? Cela est vrai sur un certain plan. Mais si nous creusons cette expérience, nous nous apercevons qu'un enfant ne peut s'éveiller à l'amour s'il n'est d'abord aimé par ses parents. De même le propre de l'éducation est de former à la liberté, non pas à la liberté du caprice ou de la jouissance immédiate, mais à une liberté capable de responsabilité et d'engagement à travers des décisions qui construisent une vie et bâtissent finalement de l'éternel. Une telle liberté est comme « induite » par l'exemple de liberté que donnent les parents. La liberté aimante et éducatrice des parents est la forme de grâce qu'ils donnent à leurs enfants. On sait, hélas, les souffrances et les désastres engendrés chez les enfants qui ont été privés de ce don-là, si constitutif de nos personnalités. Saint Augustin, qui avait fait la douloureuse expérience de la libération de sa liberté pécheresse par la grâce de Dieu, pouvait dès lors dire à Dieu dans la joie : « Donne ce que tu ordonnes et ordonne ce que tu veux », et à ses frères : « Aime, et fais ce que tu veux ».

---

3. *Contre les hérésies*, III, 22, 4, trad. fr. A. Rousseau, Cerf, 1984, p. 386.

Tel est le mouvement qui va de la grâce à la foi libre de Marie, sans que celle-ci ait fait l'expérience personnelle du péché. Son oui à l'Annonciation n'est en rien étranger à la grâce : il en est le fruit le plus pur. Lui donner tout son poids ne dérobe rien à la gloire de Dieu. Marie n'est pas l'objet de la grâce *en vertu* de son assentiment : elle donne son assentiment parce qu'elle est comblée de grâce. Ce oui de Marie ne met nullement Dieu en dépendance vis-à-vis de Marie. C'est par grâce que Dieu l'a sollicité et par grâce qu'il l'a intégré à son dessein. Mais cela ne veut pas dire que la grâce ait rendu vain le oui de Marie, comme une formalité sans contenu. Car alors Dieu jouerait tout simplement avec lui-même à travers la Vierge. Non, en Marie Dieu suscite un partenaire libre et aimant, capable d'engager sa foi en toute responsabilité, une foi pleine d'espérance et d'amour capable de poser des actes au service de l'œuvre même du salut.

3. Tout en Marie rend gloire à Dieu
en particulier le « ministère » de la maternité divine

S'il est vrai que Dieu met sa gloire dans l'homme vivant, Marie a été la « femme vivante » sous le regard de Dieu. Tout en elle rend gloire à Dieu seul, en particulier sa coopération au salut. C'est sans doute le point qui fait le plus difficulté encore aujourd'hui entre catholiques et chrétiens de la Réforme. C'est pourquoi je voudrais l'aborder dans la seule lumière de la gloire de Dieu.

La coopération de Marie au salut est évidente, puisqu'elle a été la mère du Sauveur. Tout se résume là. Marie a accueilli librement la nouvelle de sa maternité. À partir de là elle a voulu et désiré être mère de Jésus. Sa fécondité a été pleinement humaine, à la fois charnelle et spirituelle. De la crèche à la croix sa maternité a été pleinement active. Cette maternité, Marie l'a vécue comme un service : « Voici la servante du Seigneur... » (Lc 1, 38). Or tout ministère est un service. Il me plaît que Vatican II ait employé pour Marie le terme de charge *(munus)* dont il s'était déjà servi pour les ministres de l'Église. Oui, la maternité divine a été le *ministère* propre et unique qui a été dévolu à Marie dans l'Église. Marie a été mise au service de la rédemption.

Il est clair que ce service s'inscrit dans le mouvement de la grâce et de la foi que je viens d'esquisser. Dans l'ordre de la grâce, coopérer, c'est toujours répondre. Marie est la première rachetée, la première sauvée et c'est du côté des sauvés qu'elle est invitée à coopérer au salut comme un instrument mis au service de la grâce. L'acte rédempteur accompli par le Verbe incarné est bien évidemment l'œuvre d'un seul. Nulle autre créature que l'humanité du Christ n'y joue un rôle. Marie ne partage en rien l'œuvre de la rédemption que le Christ peut seul et suffit seul à accomplir. Jésus est la source de la grâce ; Marie la reçoit, elle en est comblée et à ce titre elle est mise à son service. Entre la rédemption accomplie par le Christ et la coopération de Marie il y a donc une différence qualitative absolue (K. Rahner). Et pourtant dans son dessein libre et gratuit, « à la louange de sa gloire » (Ep 1, 6), Dieu a voulu donner un rôle à Marie, il en donnera un à l'Église ; le rôle d'un instrument libre et croyant mis au service de la communication du salut. Marie est la figure pleinement accomplie de la vocation des hommes et des femmes de ce monde, figure de l'humanité graciée, type de l'Église, recevant tout de Dieu, et donc aussi la capacité de répondre librement à l'œuvre de la grâce et de participer à ce titre au salut du monde.

Il est vrai qu'il existe une certaine ressemblance entre le ministère de Marie et celui de l'Église, selon ses diverses formes. Sans doute le ministère de Marie est-il original en son contenu : elle seule a été choisie pour être la Mère de Dieu, mais l'Église et Marie, qui lui appartient et en constitue la figure exemplaire, sont inscrites dans le même ordre de la grâce. Dans l'Église Marie continue son ministère maternel, à l'égard des pasteurs et des fidèles de l'Église, c'est-à-dire de l'Église militante en chemin vers la maison du Père. Marie a été la mère de celui qui est devenu le « Premier-né d'une multitude de frères » (Rm 8, 29). Jésus l'a donnée pour mère au disciple bien-aimé. Dans l'Église elle demeure la mère qui intercède et qui prie. « Sainte Marie, Mère de Dieu, priez pour nous pauvres pécheurs ».

*
**

« Que tes œuvres sont belles », chantons-nous dans un cantique d'inspiration toute biblique. Comment pourrions-nous en effet contempler la gloire de Dieu, plus aveuglante que mille soleils, sinon à travers le prisme de ses œuvres, qui en diffracte la lumière en une variété de couleurs ? Si la terre chante la gloire de Dieu (cf. Ps 8, 2), combien plus l'homme « que tu as fait à peine moindre qu'un dieu, couronné de gloire et d'honneur », au pouvoir de qui « tu as mis l'œuvre de tes mains ». Parmi tous les hommes, parmi les saintes et les saints, l'humble Vierge Marie est le chef-d'œuvre de la grâce de Dieu et de la foi humaine. C'est pourquoi nous la contemplons « dans la lumière du Verbe fait homme » (*Lumen gentium* 65) et nous nous souvenons devant elle que la grâce est beauté. En elle Dieu a couronné ses propres dons et Marie est devenue pour nous un miroir de la gloire de Dieu. Nous la louons, la vénérons et nous confions à son intercession.

Oui, notre génération veut te dire bienheureuse, Vierge Marie, parce que le Tout-Puissant a fait en toi des merveilles, parce qu'il t'a élevée à nos regards, parce que tu as cru à la Parole du Seigneur et que tu es bénie entre toutes les femmes. Nous te louons comme le faisaient plusieurs des premiers réformateurs et te considérons comme un exemple et un modèle que nous cherchons à imiter. Nous n'en avons pas peur, car nous savons que, selon le mot de Paul VI, tu es « toute relative au Christ et à Dieu ». C'est pourquoi nous faisons nôtre la salutation de l'ange :

Réjouis-toi, Marie, comblée de grâce,
le Seigneur est avec toi !

Amen.

CHAPITRE 19

THÉOLOGIE MARIALE
ET DIALOGUE ŒCUMÉNIQUE

Le concile de Vatican II fut l'occasion d'une réorientation
décisive de la théologie mariale dans l'Église catholique [1]. Elle
s'imposait, d'abord, en raison des renouveaux biblique, patristique et théologique de la première moitié de ce siècle ;
ensuite, du fait de la « conversion » officielle de cette Église
au mouvement œcuménique. Mais elle n'alla pas sans un débat
difficile, car les affectivités spirituelles étaient en jeu sur un
tel sujet. Elle aboutit au beau texte que fut le chapitre VIII
de *Lumen gentium*. Après le concile, on observe un temps
de relatif silence sur la Vierge Marie. Sans doute fallait-il
« réaliser » le changement accompli et trouver un ton nouveau
pour parler d'elle, non plus dans un discours « maximaliste »,
mais avec la sobriété, la profondeur et la vérité qui conviennent
si bien à son image évangélique. Cependant la recherche a
continué, et le pape Paul VI a publié dans les années post-
conciliaires deux documents mariaux importants [2]. Le souci
œcuménique a été certainement pour quelque chose dans cette
discrétion parfois hésitante. Pourtant, on notait au même

---

1. J'emploie à dessein l'expression de « théologie mariale » et non de
« mariologie », parce que celle-ci véhicule souvent une absolutisation et un
isolement de la considération sur Marie, au lieu de situer celle-ci dans
l'ensemble du mystère chrétien.
2. Exhortation apostolique *Signum magnum*, 13 mai 1967 (*Doc. cath.* 1495,
col. 961-972) ; Exhortation apostolique *Marialis cultus*, 2 février 1974 (*Doc.
cath.* 1651, p. 301-319).

moment les signes d'une réappréciation positive du mystère de la Vierge Marie sous la plume de théologiens protestants [3].

Mais, depuis quelques années, le climat a changé et le discours ecclésial sur Marie se fait plus intense, au plan théologique, pastoral et spirituel. La piété mariale du peuple catholique demeure vive, comme le montre le maintien de la fréquentation des pèlerinages mariaux au moment même où la pratique religieuse générale baissait. Tout un mouvement s'est cristallisé lors de la publication, le 25 mars 1987, de l'encyclique de Jean-Paul II, *Redemptoris Mater*, et de l'indiction d'une nouvelle année mariale (Pentecôte 1987 — Assomption 1988). L'intention œcuménique du pape était évidente, en particulier vis-à-vis de l'Orient. Mais son texte a été scruté de très près par les chrétiens des Églises issues de la Réforme. On s'aperçoit ainsi que le dialogue œcuménique a encore peu porté sur la Vierge Marie. Celle-ci n'est pourtant pas un domaine à part et le contentieux qui la concerne rejoint les enjeux essentiels de difficultés doctrinales encore pendantes, en particulier la justification par la foi et le mystère de l'Église. L'encyclique a provoqué des réactions et des échanges qui jettent les bases d'un nouveau dialogue possible sur Marie [4].

C'est dans ce contexte que ces pages veulent se situer : elles rendront compte des éléments caractéristiques de la réorientation catholique à Vatican II et depuis lors ; elles feront ensuite le point du contentieux œcuménique.

1. *Une réorientation purifiante*

La réorientation qui s'est produite à Vatican II n'a nullement le caractère ambigu d'une concession faite aux Églises de la

---

3. Par exemple, en France, le beau livre de M. THURIAN, *Marie, Mère du Seigneur, Figure de l'Église,* Presses de Taizé, 1962 ; l'article de Hébert ROUX sur « Marie » dans l'*Encyclopædia Universalis,* vol. 10, 1968 ; en Allemagne, H. ASMUSSEN, *Maria, die Mutter Gottes,* Stuttgart, 1950, où l'on trouve cette formule : « On ne peut chercher le Christ sans trouver sa mère [...] Sans Marie, on n'a pas Jésus-Christ » (p. 13).

4. Il est impossible de mentionner ici la littérature mariale catholique suscitée par l'année sainte et l'encyclique de Jean-Paul II, de même que les prises de position de plusieurs protestants dans les journaux et revues. Périodiquement, le bulletin sur la Vierge Marie donné par R. Laurentin dans la *Revue des sciences philosophiques et théologiques* fait un point très complet des parutions.

Réforme, mais bel et bien celui d'une vérification évangélique purifiante de la théologie mariale catholique.

Un débat difficile à Vatican II

Le concile connut un moment de crise grave à propos de la Vierge Marie. Deux tendances s'affrontaient dont les convictions furent décrites à l'époque dans un livre-choc de l'abbé Laurentin [5] : l'une était l'héritière immédiate du mouvement marial qui s'était développé dans les 150 dernières années, et militait en faveur d'affirmations (éventuellement, de définitions) mariales nouvelles, bref de titres qui viendraient ajouter, comme certains disaient, de « nouvelles pierres précieuses à la couronne de la Vierge ». Un premier schéma sur Marie avait été préparé, qui allait assez loin dans cette logique. Le conseil de présidence, puis le cardinal Ottaviani proposèrent qu'il soit discuté dès la première période du concile, dans le désir de le faire voter pour la fête du 8 décembre 1962, date de la clôture de la session. Mais la réaction des Pères fut négative, qui redoutaient « la promotion ou la dogmatisation hâtive de formules nouvelles » et qu'un coup d'arrêt soit donné à l'élan œcuménique [6]. L'autre tendance, fidèle au renouveau biblique et théologique, préférait que l'on traitât de la Vierge Marie après le débat sur l'Église.

Très vite, le conflit se concentra sur la question de savoir s'il fallait parler d'elle dans le cadre de la constitution sur l'Église ou dans un document indépendant. Tel fut le sens d'une question posée aux Pères en octobre 1963. Les partisans de l'intégration entendaient souligner que la Vierge Marie faisait partie de l'Église et stopper les tendances inflationnistes de la théologie mariale spécialisée. Les adversaires de cette intégration estimaient que celle-ci ravalerait la Vierge au niveau des autres chrétiens, ferait injure à la « madone » et diminuerait la dévotion envers elle. Après des échanges passionnés et parfois vifs, le vote donna 40 voix de majorité aux partisans

5. R. LAURENTIN, *La Question mariale*, Paris, Seuil, 1963. Ce livre est de peu antérieur à la crise évoquée ici et décrit clairement les deux orientations en conflit.

6. ID., *La Vierge au concile*, Paris, Éd. Lethielleux, 1965, p. 10.

de l'intégration [7]. Cette majorité de justesse jeta la conster-
nation puisque le concile, dont le principe de fonctionnement
est celui de l'unanimité morale, se montrait coupé en deux.
Il fallut de patientes tractations et des interventions de Paul VI,
pour que le concile retrouve cette unanimité dans le vote final
du chapitre VIII de *Lumen gentium*. Douloureusement, un
tournant était pris : à partir de là, le concile élabora un
discours sur Marie dans un ton nouveau. Mais ce débat
n'appartient pas encore à un passé complètement révolu.
Certaines cicatrices demeurent...

Une théologie mariale intégrée

L'intention première de cet enseignement se manifeste par
son insertion dans la Constitution sur l'Église comme dans le
titre du chapitre : « La bienheureuse Vierge Marie, Mère de
Dieu, *dans* le mystère du Christ et de l'Église ». Le *dans* est
ici décisif. La méditation de la foi n'est pas rivée sur Marie
comme sur un objet ultime. Elle situe Marie dans sa relation
avec le Christ, avec l'histoire générale du salut et finalement
avec le mystère de l'Église, à laquelle Marie appartient comme
l'un de ses membres, suréminent sans doute. Dans le salut,
Marie se situe du côté des rachetés. Dans le même esprit,
Paul VI dira qu'elle est « toute relative à Dieu et au Christ » [8].
En d'autres termes, nous avons ici affaire à une théologie
mariale *intégrée*, qui met en lumière « le *rôle* de la bienheureuse
Vierge dans le mystère du Verbe incarné et du Corps mystique »
(n. 54, repris dans le titre de la IIᵉ section).

Dans cette perspective, le concile propose une synthèse
doctrinale sur Marie, même s'il n'entend pas tout dire, la
première qu'un concile œcuménique ait jamais livrée, ce qui
souligne son autorité [9]. Non seulement il ne veut rien définir
à propos de Marie, mais il reste délibérément en deçà du
vocabulaire spéculatif élaboré par le mouvement marial et les

---

7. Il y eut exactement 1 114 voix favorables à l'intégration et 1 074 voix
opposées.

8. PAUL VI, Discours au concile du 21 novembre 1964. R. Laurentin avait
employé des formules voisines dans *La Question mariale* : « Marie est toute
relative à Dieu. Marie est toute corrélative à l'Église » (*op. cit.*, p. 101).

9. Par cette formule le concile prend une précaution : il entend ne pas se
prononcer sur tout ce dont il ne parle pas.

théologiens. Au lieu de continuer à travailler à l'élaboration conceptuelle de certains titres mariaux, il préfère le ressourcement biblique et traditionnel à la lumière de l'économie du salut (qu'il mentionne sans cesse). Il y a là un changement de cap : l'idée que le dogme marial doit sans cesse se développer, de définition en définition, ne conduit pas au plus grand bien de la doctrine ni au plus grand honneur de la Vierge.

Le schème d'exposition est le suivant : situés dans l'économie du salut depuis la lente préparation de la venue du Christ jusqu'à la glorification de la Vierge, le rôle et le destin de Marie sont présentés en suivant le cours de son existence. Il ne s'agit pas d'exégèse, mais d'une théologie biblique très sobre, où les commentaires doctrinaux, venus de la tradition, se trouvent greffés sur le récit des mystères de la Vierge. Le dossier scripturaire invoqué se caractérise par une prudence scrupuleuse. Le concile ne fait intervenir que les textes dont la portée mariale est indiscutable [10]. Il incorpore le thème, récemment redécouvert du côté protestant, de Marie, Fille de Sion. Il fait droit aux textes, souvent dits « restrictifs » sur Marie, des Synoptiques (Mc 3, 35 ; Lc 11, 27). Il souligne fortement la foi de Marie « qui a avancé dans le pèlerinage de la foi » (n. 58) jusqu'à l'épreuve de la croix, où elle se tint debout. Les citations et allusions patristiques sont également nombreuses dans ce chapitre.

Au plan proprement doctrinal, le texte reprend sans faille et à la lettre les définitions mariales antérieures, mais sans rien y ajouter. Par exemple, il ne prend pas parti sur la question de la mort de Marie avant son Assomption : il s'en tient strictement aux paroles de Pie XII. La *virginitas in partu* de Marie est sobrement évoquée par la formule liturgique traditionnelle : « Son Fils premier-né [...] n'a pas porté atteinte à sa virginité, mais l'a consacrée » (n. 57). On remarque l'absence voulue de toute idée de co-rédemption et une marginalisation non moins intentionnelle de l'idée de médiation,

---

10. D'où le grand nombre de « cf. » qui soulignent une distance consciente entre la rédaction conciliaire et les textes scripturaires invoqués. De même, le concile a évité de s'inféoder à telle ou telle exégèse récente, même cautionnée par de grands noms. On remarque ainsi un silence massif sur les textes sapientiels appliqués à Marie par la liturgie et l'absence de toute allusion à Ap 12.

en raison de la nette affirmation scripturaire de l'unicité du médiateur (cf. 1 Tm 2, 5-6, cité n. 60). L'expression de « médiatrice » n'est employée qu'une seule fois dans tout le chapitre, au terme d'une série de titres exprimant tous l'intercession (n. 62). En revanche, il est dit clairement que Marie a « coopéré » au salut des hommes (n. 56) « dans la liberté de la foi et de l'obéissance » (n. 61) et elle est appelée « généreuse associée et humble servante du Seigneur » (n. 61).

Les termes clés qui expriment le rapport de Marie à l'Église sont : membre, mère et type (n. 53). Les deux premiers ne sont pas incompatibles : la mère de famille fait partie de la famille. On sait que le concile préféra le titre de « mère dans l'économie de la grâce » au titre de « Mère de l'Église », qu'il ne jugeait pas assez traditionnel et susceptible de mauvaise interprétation . Mais le pape Paul VI tint à proclamer à la fin de la session de 1964, Marie « Mère de l'Église », tout en glosant ce titre par des précautions que suggéra la Commission théologique. Cette expression lui était chère et était de nature à « consoler » une minorité quelque peu déçue par la discrétion du texte conciliaire. Elle a l'avantage de dire la suréminence de Marie, tout en la maintenant dans l'Église. L'idée de Marie « type de l'Église » est sous-tendue par une analogie entre le rôle maternel de Marie et celui de l'Église. Cette symbolique a influencé la théologie mariale après Vatican II. La finale du texte propose un culte de la Vierge qui soit avant tout christocentrique et rende gloire à Dieu. Elle explicite également, par une invitation à prier pour l'unité des chrétiens, le souci œcuménique immanent à toute la rédaction, aussi bien à l'égard de l'orthodoxie que des Églises issues de la Réforme.

Accents nouveaux après Vatican II

Après le moment de silence auquel j'ai fait allusion, la théologie catholique dans son ensemble a emboîté assez rigoureusement le pas aux orientations du concile. Les deux thèmes majeurs de celui-ci, Marie dans l'économie du salut et Marie dans l'Église, constituent la problématique de base. A son exemple, les recherches scrutent les textes bibliques et traditionnels et relisent avec rigueur les prophéties. On passe ainsi d'une théologie de Marie-Reine à une théologie de Marie-Servante. Ce ne sont plus les « privilèges » d'une « mariologie triomphaliste » qui occupent l'attention, mais la Vierge d'Israël : celle qui représente les « pauvres de Yahvé », la servante de l'annonciation, la mère de famille qui a couru les risques et les épreuves liés à l'enfance de Jésus et qui a mené à Nazareth une existence « ordinaire » ; celle qui s'est effacée devant la mission de son Fils pour se retrouver présente à l'épreuve de la croix, celle qui s'offre ainsi à notre imitation comme exemple d'une existence selon le Royaume. Dans tout cet itinéraire, la foi de Marie joue un rôle exemplaire.

A vrai dire, de graves interrogations ont traversé cette théologie dans les années 70 : la conception virginale de Jésus fut mise en cause, non point dans son sens, mais dans son fait, à l'instar d'ailleurs de la résurrection. Cette crise, qui semble calmée aujourd'hui, était intérieure à la réflexion christologique, mais atteignait inévitablement Marie. Étaient alors en question la réalité de l'humanité de Jésus et le rapport entre anthropologie et sexualité. Je suis de ceux qui ont toujours estimé que la conception virginale de Jésus, irreprésentable et inaccessible pour nous sinon dans la foi, signe et non point preuve de la divinité de Jésus, signe second, crédible seulement à la lumière de la résurrection, appartenait, dans son fait comme dans son sens, à la foi chrétienne, tant en raison des témoignages scripturaires que de sa présence constante dans les Symboles de foi les plus anciens [11]. Aujourd'hui, le débat semble bien se conclure en ce sens. Il a permis, comme celui qui a porté sur la résurrection, de clarifier une problématique extrêmement complexe et de mieux situer, à la fois, le contenu et la portée de cette affirmation. A sa manière, il a montré que la virginité de Marie concernait d'abord le Christ et ne rejaillissait qu'ensuite sur sa mère : il a illustré un aspect de la théologie mariale intégrée.

Un autre trait concerne la relation de Marie à l'Esprit Saint. D'intéressantes contributions, en particulier bibliques, ont jeté

---

11. Cf. B. SESBOÜÉ, « Conçu de l'Esprit Saint, né de la Vierge Marie », dans G. GILSON et B. SESBOÜÉ, *Parole de foi, paroles d'Église*, Limoges, Éd. Droguet-Ardant, 1980, p. 143-150.

une bonne lumière sur ce point [12]. Mais on rencontre, là aussi, le danger d'une inflation, par exemple la thèse qui vise à affirmer l'existence d'une « union hypostatique » entre la Vierge et l'Esprit Saint [13]. Cette réflexion invite à une meilleure appréciation du lien entre Marie et la Trinité.

Il faut signaler enfin une attention nouvelle donnée à Marie comme figure de la femme, en lien avec toutes les questions posées aujourd'hui sur le rôle de la femme dans l'Église et la société. C'est un point d'anthropologie féminine chrétienne. Les mouvements féministes critiquent volontiers l'image de Marie comme représentation de l'idéal féminin. Sans doute, au cours de l'histoire, des projections culturelles ont-elles exagérément marqué cette image. Une prise en compte plus complète et plus biblique du mystère de Marie (en particulier, le « ministère » qui lui est propre) peut certainement apporter des éclairages nouveaux. Il est significatif que Jean-Paul II, dans sa dernière encyclique, exprime son désir d'aborder ce sujet à l'avenir [14].

L'encyclique Redemptoris Mater

Après avoir donné une trilogie trinitaire dans ses premières encycliques, Jean-Paul II vient d'en consacrer une à Marie. Cet ordre n'est pas neutre : la Vierge se trouve ainsi naturellement mise à sa place dans le mystère chrétien. Comment le pape se situe-t-il par rapport à l'enseignement marial de Vatican II ? Tout d'abord, l'encyclique a une visée explicite-

---

12. Cf. *Maria e lo Spirito Santo,* Actes du IVᵉ symposium international de mariologie, Rome, Éd. « Marianum », Bologne, Éd. Dehoniane, 1984.

13. Comme semble le faire curieusement L. Boff, au nom d'une appropriation du visage féminin de Dieu au Saint-Esprit et en raison d'une « spiritualisation » de l'Esprit en Marie. Cf. la discussion de cette position par A. Amato dans l'ouvrage cité, note 12. N'oublions pas que dans un livre consacré à l'Immaculée Conception en 1857, Mᵍʳ Malou ose appeler Marie « une personne divine » ou « la quatrième personne de la Sainte Trinité » : cf. R. LAURENTIN, *Court traité sur la Vierge Marie,* Paris, Éd. Lethielleux, 1967, p. 87.

14. Le développement récent de nouvelles « apparitions mariales » est aussi un élément de la situation contemporaine, étant donné son impact sur la piété populaire. Il importe cependant de garder à leur sujet la plus grande prudence, dont l'exemple est périodiquement donné par le magistère romain. En tout cas, de telles apparitions ne doivent pas faire dévier la théologie dogmatique de ses propres exigences.

ment œcuménique, bien qu'elle se préoccupe davantage de l'Orient orthodoxe que des Églises de la Réforme en Occident. Ensuite, deux données inscrivent clairement le document dans la suite de *Lumen gentium*. Le ton de cette méditation doctrinale est délibérément biblique : non seulement Jean-Paul II cite abondamment les grands textes évangéliques sur Marie, mais encore il applique à bon droit à Marie les passages décisifs de saint Paul sur l'élection, la grâce, la justification et la foi. La foi de Marie est comparée à celle d'Abraham. La Vierge est ainsi inscrite dans la grande communauté des rachetés et sa vocation exceptionnelle ne la fait pas échapper à la condition évangélique essentielle qu'est la justification par la foi. Seconde donnée : le document se réfère constamment au chapitre VIII de *Lumen gentium* (67 citations pour 110 pages de textes dans l'édition vaticane). Il en suit pratiquement le plan : Marie dans le mystère du Christ, puis dans le mystère de l'Église. L'originalité du texte tient dans la mise en relief de la maternité de la Vierge.

Cependant, l'encyclique fait un angle important avec *Lumen gentium* dans sa 3e partie, consacrée à la « médiation maternelle » de Marie. Elle remet en quelque sorte sur orbite un terme qui avait été délibérément marginalisé par Vatican II [15]. L'expression est sans doute expliquée en un sens qui lui enlève toute ambiguïté. La réflexion part du texte majeur sur l'unique médiateur (1 Tm 2, 5) et y revient sans cesse comme à sa norme. La « médiation » de Marie découle donc d'une source unique, elle est *participée* et *subordonnée* ; elle vient de ce que la Vierge *a été* généreusement *associée* au Rédempteur. C'est une médiation *maternelle*, qui s'est exprimée à Cana dans l'intercession de la mère de Jésus. Elle n'est rien d'autre que la « coopération » de Marie à l'action salvifique de son Fils. Ce que vise le terme à propos de Marie est donc radicalement différent de la véritable et seule médiation accomplie par le Verbe incarné. L'analogie comporte ici beaucoup plus de différence que de ressemblance. Le texte de l'encyclique, justement compris, est au-dessus de tout soupçon ; mais est-il opportun d'employer un mot qui a besoin de tant de précautions, d'explications et de justifications pour être

---

15. On sait que Pie XII, en raison de la netteté de l'affirmation scripturaire sur l'unique médiateur, était devenu très réservé à l'égard d'une médiation de Marie. En révisant ses textes, il remplaçait ce titre par d'autres termes.

« justement compris » et qui fait inévitablement difficulté aux
chrétiens issus de la Réforme ?

2. Dialogue œcuménique et contentieux marial

Le dialogue œcuménique sur Marie en est encore à ses
débuts. Mais il s'est déjà sérieusement libéré des caricatures.
La réorientation catholique a stimulé nombre de protestants
à reconsidérer positivement la personne et le rôle de Marie.
Les conditions semblent aujourd'hui réalisées pour que le
dialogue entre désormais dans le vif du sujet. A ce dialogue,
Redemptoris Mater, malgré son insistance sur la médiation de
la Vierge, apporte une contribution importante par sa manière
de souligner le rôle de la grâce et de la foi en Marie. Je
voudrais proposer un bref diagnostic des difficultés majeures
et indiquer quelques pistes pour avancer.

Le contentieux originaire : l'invocation de Marie

Il n'est pas inutile d'en revenir aux réformateurs. Le florilège
de leurs textes mariaux rassemblés, il y a longtemps déjà, par
le protestant zurichois Walter Tappolet, sous le titre *Hommage
des Réformateurs à Marie*, mériterait d'être mieux connu des
protestants comme des catholiques [16]. Il bouleverse bien des
idées reçues. La louange de Marie sous la plume de Luther,
Zwingli, Bullinger et, avec plus de réserve dans l'expression,
Calvin, est étonnante. Compte tenu du fait que l'Immaculée
Conception et l'Assomption n'étaient pas définies à l'époque,
leur doctrine mariale demeure substantiellement celle du dogme
catholique. Encore leurs positions sur ces deux points, différentes entre elles, apparaissent-elles le plus souvent très
ouvertes. L'étude de ce dossier montre que les positions
antimariales du protestantisme moderne représentent une dévia-

---

16. W. TAPPOLET, *Das Marienlob der Reformatoren,* Tübingen, 1962. Cet
ouvrage a fait l'objet d'un compte rendu français abondant par R. STALDER,
« La Sainte Vierge chez les Réformateurs », *Choisir,* mai 1962, p. 17-21, et
juin 1962, p. 15-18.

tion par rapport à la pensée des réformateurs et sont le fait du rationalisme du siècle des Lumières [17].

D'où venait donc la difficulté ? Des excès et des déformations du culte marial dans l'Église catholique du temps. On connaît la formule de Luther : « Je voudrais qu'on évacue totalement le culte de Marie, seulement à cause de l'abus qu'on en fait [18]. » Les réformateurs refusent toute demande d'intercession adressée à Marie, qui supposerait chez elle un rôle d'instrument efficace dans l'économie du salut ou une coopération de sa part. Nous n'avons qu'un seul intercesseur, dit Zwingli, qu'un seul médiateur, ajoute Bullinger. Calvin refuse que Marie soit « trésorière de grâces ». Cette attitude est évidemment liée au refus général du culte des saints.

Pour résumer, protestants et catholiques sont d'accord pour reconnaître qu'il faut *vénérer*, c'est-à-dire honorer, respecter, louer la Vierge Marie, que toutes les générations ont à tâche de dire bienheureuse ; qu'il faut aussi l'*imiter* et la considérer comme un exemple, en particulier en raison de sa foi. Mais ils divergent au moment de l'*invoquer* : les protestants lui refusent tout rôle d'intercession, tandis que les catholiques se confient à son intercession maternelle et lui disent quotidiennement : « Priez pour nous, pauvres pécheurs. »

Les « privilèges mariaux »

Les deux définitions mariales catholiques de 1854 et de 1950 ont évidemment cristallisé des difficultés nouvelles. Notons d'ailleurs que la forme pontificale de ces définitions fait autant et peut-être plus de difficulté, tant aux Orthodoxes qu'aux protestants, que leur contenu. C'est toute la question de la nature, du rôle et du fonctionnement concret du magistère catholique qui est ici en cause. Les Orthodoxes estiment volontiers que les deux mystères de l'Immaculée Conception et de l'Assomption sont des *theologoumena*, c'est-à-dire des conclusions théologiques justifiant tout à fait un culte liturgique. Du côté protestant, on pense que ces affirmations ne sont

---

17. Cf. R. STALDER, *art. cit.,* mai 1962, p. 18.
18. M. LUTHER, *Gesammelte Werke,* Weimar, t. 11, p. 61. Ces déviations et abus étaient parfaitement reconnus par saint Pierre Canisius (cf. R. STALDER, *art. cit.,* juin 1962, p. 18, n. 4).

pas suffisamment fondées en Écriture pour pouvoir être proposées de manière nécessaire à la foi des fidèles. De plus, les modernes n'aiment guère l'idée de privilège, et, dans le cas de Marie, le soupçon se redouble de la voir située dans un statut différent de celui de l'humanité rachetée.

La théologie catholique gagnerait, en effet, à rendre compte de l'Immaculée Conception et de l'Assomption non pas en termes de privilèges, mais comme conséquences de la maternité divine de Marie, affirmation fondamentale de la foi, proclamée au concile d'Éphèse, et reconnue par tous les chrétiens aujourd'hui. Cette affirmation est déjà le fruit d'un « développement » dogmatique et d'une compréhension « radicale » des données évangéliques. Parce que Marie a été vraiment la mère de Jésus, elle est confessée comme la mère de Dieu. De même, parce qu'elle a été la mère virginale de Jésus, elle est confessée comme « toujours vierge », sa maternité consacrant de manière absolue sa personne à celle de son Fils. De même encore, l'Immaculée Conception apparaît comme la « retombée » de la sainteté unique du Fils sur la sainteté reçue par sa mère. La foi vivante de l'Église, à la double lumière des expressions évangéliques et de la cohérence du mystère de l'incarnation, a affirmé que la mère du Saint par excellence a été revêtue d'une sainteté initiale et originelle qui l'a rendue libre de toute sujétion au péché, étant bien admis que cette sainteté est chez elle une grâce de rédemption qui lui vient de la mort et de la résurrection de son Fils.

Il en va de même pour l'Assomption, répondant de l'Immaculée Conception au terme de la vie de Marie. Celle qui a tissé dans son sein la chair incorruptible et destinée à la résurrection du Verbe de Dieu pouvait-elle connaître la corruption du tombeau, signe de la victoire de l'Adversaire sur l'homme et destruction de l'œuvre de Dieu ? L'Assomption est l'expression de la relation définitive de salut nouée par le Fils avec celle qui lui a donné son propre corps. Elle nous dit aussi que la résurrection de Jésus est pour nous, pour son Église. L'assomption de Marie est l'anticipation typologique de l'assomption eschatologique de l'Église. Ainsi ces mystères prennent-ils tout leur sens dans le cadre d'une théologie mariale « intégrée ».

Le noyau dur : la coopération de Marie au salut

A mon sens, ce ne sont pas les « privilèges mariaux » qui constituent aujourd'hui la difficulté la plus grave entre catholiques et protestants. C'est l'idée qu'une femme ait pu *coopérer* à l'œuvre du salut. On sentait déjà cette idée poindre chez les réformateurs dans leur refus du culte marial. Il y a là pour nos frères de la Réforme un vice congénital de la théologie catholique, qui porte atteinte au *sola fide* et au *sola gratia*. Naguère, dans sa célèbre *Dogmatique*, Karl Barth a formulé avec la plus grande vigueur le *non possumus* des protestants [19].

Barth s'estime ici « en présence d'une hérésie » (p. 129). La « mariologie » catholique est « une excroissance maligne, une "branche gourmande" de la réflexion théologique ». Il l'écarte donc : « 1. parce que, vis-à-vis de l'Écriture et de l'ancienne Église, elle représente une nouveauté arbitraire ; et 2. parce que cette nouveauté constitue objectivement une falsification de la vérité chrétienne » (p. 132). La falsification consiste dans le fait d'attribuer à Marie un rôle « indépendant » (Barth revient souvent sur ce mot) de celui du Christ, fût-il tout relatif, et cela en raison de son « assentiment à la promesse », c'est-à-dire, en définitive, de son mérite. Barth a d'ailleurs très bien vu la solidarité entre la doctrine catholique sur Marie et celle qui est professée sur l'Église : cela dit l'enjeu doctrinal de la question. « Au sens du dogme marial, la "mère de Dieu" constitue très simplement le principe, le prototype et la somme de l'idée selon laquelle la créature humaine collabore *(ministerialiter)* à son salut, sur la base d'une grâce prévenante ; par conséquent, elle constitue aussi très exactement le principe, le prototype et la somme de l'Église elle-même » (p. 132-133). Marie, l'Église et la justification par la foi seule constituent le triangle de la difficulté essentielle.

La critique de Barth n'est pas grossière et elle met le catholique en garde de faire de la « mariologie » un critère déterminant en théologie, alors que celle-ci doit toujours être déterminée par la christologie. Elle nous invite en particulier,

---

19. K. BARTH, *Dogmatique*, vol. I, II/1, Genève, Éd. Labor et Fides, 1954, t. 3, p. 127-135.

pour des raisons d'abord doctrinales et par conséquent œcuméniques, à renoncer à l'expression de « co-rédemption ». Dans son sens obvie, le terme donne à entendre que Marie a participé à la Rédemption au plan même où le Christ l'a accomplie. Pour concrétiser les choses de manière simple, disons que le Christ en aurait fait 90 % et Marie 10 %. Une telle affirmation serait formellement hérétique. Sans doute les mariologues partisans de la co-rédemption savent-ils s'entourer des précautions nécessaires et des distinctions subtiles qui leur permettent de ne pas en arriver là; mais leurs développements de naguère se situent sur un terrain particulièrement glissant et dangereux et comportent des ambiguïtés graves qui tombent sous le coup de la critique de K. Barth.

Cela dit, on doit constater un malentendu fondamental dans la manière dont Barth interprète la théologie mariale catholique. Jamais l'Église n'a prêté à Marie un rôle « indépendant » dans le salut. Dans l'ordre de la grâce, coopérer, c'est toujours répondre. La participation active de Marie au salut ne constitue pas un don complémentaire de grâce. Elle est le fruit de la grâce *reçue* et s'exerce sous la grâce et dans la grâce. La différence qualitative entre l'acte du Christ et la participation de Marie est absolue. C'est l'efficacité même de la grâce qui rend possible la foi de Marie, son *Fiat* et sa participation au mystère. Barth fait bien allusion à la doctrine de la « grâce prévenante » du concile de Trente : mais cela ne le désarme pas, car il n'en a pas vu l'enjeu. Il n'admet pas que la grâce puisse libérer suffisamment l'homme pour que, sur le fond de cette passivité originaire, celui-ci puisse devenir un partenaire libre et actif de Dieu et poser des actes salutaires dans le Christ. Le refus de la « coopération » de Marie n'est chez lui qu'un cas particulier de son refus de la coopération à la grâce de toute liberté sauvée. Tel est le point qui demeure encore aujourd'hui objet de litige entre protestants et catholiques sur la justification par la foi. Tel était le sens de la question posée naguère à Barth par H. Küng : « L'acte divin de la grâce n'est-il pas faible et peu convaincant, du fait que l'homme n'est pas véritablement gracié ? [...] En définitive, la créature n'échoue-t-elle pas en tant que partenaire de Dieu ? [20] »

---

20. H. KÜNG, *La Justification. La doctrine de Karl Barth. Réflexion catholique*, Paris, DDB, 1965, p. 120-121.

Corrélativement, Barth pense que l'assentiment de la créature fait nombre avec l'action de Dieu et porte atteinte à sa souveraineté. Il y a là un schéma inconscient de rivalité entre Dieu et l'homme, qui aboutit en l'occurrence à écraser l'homme devant Dieu. Pour reprendre l'image évoquée plus haut, c'est parce que la rédemption est à 100 % l'œuvre du seul Christ, unique source de la grâce, que Marie, sauvée et comblée de grâce, peut à son tour faire fructifier à 100 % le don reçu dans une coopération active qui s'exprime dans sa foi, son obéissance, son service et son intercession. Comme on le voit, la considération œcuménique du mystère de Marie ne constitue pas une marge du dialogue doctrinal, elle nous renvoie à la compréhension de la justification et par voie de conséquence à l'ecclésiologie. Car il y a bien une « analogie », faite de ressemblance et de différence, entre le « ministère » unique de Marie, celui de la maternité divine, et les divers ministères de l'Église.

*
**

Au moment de conclure cette brève présentation, je crois pouvoir diagnostiquer une occasion favorable (un *kairos* biblique) pour l'entrée de la Vierge Marie dans le dialogue œcuménique, non pas comme un sujet à part, mais de manière « intégrée » en lien avec les points les plus cruciaux de la foi. Dans un premier temps, catholiques et protestants pourraient se mettre d'accord pour penser le mystère de Marie à la lumière du *sola gratia*, du *sola fide* et du *soli Deo gloria* [21]. Marie a été « comblée de grâce » (Lc 1, 28). De quel droit l'exclurait-on de l'élection dès avant la fondation du monde et de la prédestination dont l'hymne de l'*épître aux Éphésiens* (1, 4-5) nous annonce à tous la Bonne Nouvelle ? L'élection de Marie s'est simplement réalisée au sein d'une vocation unique. De même, tout en Marie vient de la réponse de sa foi, fruit de la grâce reçue. Marie a été justifiée moyennant sa foi : « Bienheureuse celle qui a cru ! » (Lc 1, 45). Cette foi obéissante a grandi à travers les épreuves les plus cruci-fiantes. La comparaison entre la foi de Marie et la foi

---

21. Cf. le chapitre précédent.

d'Abraham, développée par le pape dans son encyclique, est ici particulièrement éclairante. Car la foi d'Abraham est pour Paul l'exemple premier de la justification par la foi. Enfin, tout en Marie rend gloire à Dieu, selon qu'elle le dit elle-même dans son *Magnificat*. Il semble qu'une théologie mariale bien structurée selon ces trois points poserait les fondements d'un accord doctrinal plus large, engageant du même coup la justification et le mystère de l'Église.

CONCLUSION

Unité, pluralisme et confession de foi [1]

Le mouvement œcuménique est engagé par vocation dans une tâche d'unité au sein d'une mentalité contemporaine qui évalue de façon nouvelle le pluralisme. Cette situation demande un discernement critique. Je voudrais proposer ici deux réflexions : la première concerne nos a priori culturels en la matière ; la seconde essaiera de faire le point du rapport entre unité et pluralisme dans la confession commune de Jésus-Christ qui est notre tâche primordiale.

1. Unité et pluralisme : nos a priori culturels

Le pluralisme perçu comme une valeur

Le pluralisme est une valeur. Notre mentalité socio-culturelle a « découvert » la différence, l'altérité, la particularité, liées au respect de la richesse originale de chaque personne et de chaque groupe humain. Nombre de livres, de revues et de journaux en font l'éloge. De même on prend en compte davantage le statut des « minorités » linguistiques et ethniques. On peut discerner là une réaction contre la conception jusqu'alors dominante d'une universalité abstraite, indûment nivelante et parfois « impérialiste ». C'est pourquoi le thème de

---

1. Je reprends ici à titre de conclusion quelques extraits des réflexions données lors de l'Assemblée des délégués à l'œcuménisme de Chantilly en 1974.

la liberté et de la libération est souvent associé à celui du pluralisme.

Dans le même climat nous avons également pris conscience du poids humain des conflits. Certains diront même : ne vivons-nous pas des situations où la réconciliation est un luxe ? N'y a-t-il pas des cas où la solidarité doit passer avant l'unité ? N'oublions-nous pas qu'il nous faut être réconciliés avec Dieu dans l'irréconciliation avec le monde qui hait [2] ? De tels appels à prendre en compte de manière effective « le poids de l'intolérable » méritent certainement d'être entendus.

Mais allons plus loin : aujourd'hui la différence est volontiers perçue comme opposition ou même conflit. Est-ce la crainte secrète, ou la panique intérieure, qui nous envahit devant la menace possible que constitue toute différence ? Est-ce un désir obscur qui pousse à durcir ce qui différencie les groupes humains ? Bref, dans bien des situations où un observateur externe ne verrait pas matière à conflit, les partenaires brandissent volontiers le conflit comme on brandit un étendard. Le conflit devient alors une des catégories essentielles de l'existence, un de ses modes d'expression indispensable : « Je conteste, donc je suis ; si je ne conteste pas, je n'existe pas. » En un autre domaine le conflit devient également un modèle d'interprétation des textes. Il me semble qu'on le projette souvent maintenant dans les analyses de l'Écriture.

L'unité devenue suspecte

Réciproquement l'unité est désormais l'objet d'un soupçon : elle a mauvaise presse, parce qu'elle est interprétée comme une uniformité ou comme une réduction à une identité abstraite, ou plaquée de l'extérieur. Les protagonistes de l'unité sont facilement accusés de refuser la réalité des conflits. L'appel à la réconciliation passera pour le désir d'imposer une contrainte ou la prétention de récupérer ce qui dérange dans un équilibre inoffensif.

Il est assez frappant que les récents accords doctrinaux, spécialement ceux qui émanent de libres groupes de travail

---

2. Cf. Gérard DELTEIL, « Annonces différentes de Jésus-Christ », *Unité des chrétiens*, n° 15, juillet 1974, p. 2-8.

comme celui des Dombes, soient perçus par certains avec reproche comme une élimination de l'altérité ou une réduction indue à l'identique. On mettra au contraire en relief les différences entre la christologie de Matthieu et celle de Luc, par exemple. Mais on restera évasif au moment d'affirmer l'unité de fond entre ces deux visages de Jésus. On verra de même dans les différences ecclésiologiques évidentes que trahissent les différents documents du Nouveau Testament le témoignage d'une absence de communion entre les diverses communautés.

Un tel climat ne va pas sans poser une question radicale à la mission œcuménique, qui est par définition au service de l'unité. Que pourrait avoir encore à dire ou à faire le mouvement œcuménique au sein d'une conscience culturelle qui ou bien refuserait la référence à l'unité ou bien en désespérerait presque ? Et comme nous lisons l'Évangile avec les lunettes de notre temps, on peut se demander si le message de l'unité, pour l'Église et pour le monde, lui appartient encore. Ne sommes-nous pas en train de nous battre pour une chimère et de monter dévotement la garde devant un temple, sans nous apercevoir qu'il est désormais vide ?

Nous vivons la fin d'une Église Une et Universelle, écrit H. Mottu, et le début d'un affrontement littéralement œcuménique entre *des* Églises rivales et antagonistes. La problématique confessionnelle s'est muée en une problématique raciale, sociale, culturelle [...] Il faut entrer aujourd'hui dans le deuil de l'universalité mensongère et dans la nuit des particularités exclusives [...] Il nous faut maintenant mettre carte sur table et déclarer *de qui* nous sommes solidaires pour la vie et pour la mort [3].

Malgré tout le respect que mérite une telle prise de conscience, pouvons-nous considérer une telle évolution comme un bien pur et simple ? Quelles que soient les valeurs qui sont en gestation dans la crise mondiale actuelle, pouvons-nous regarder d'un œil serein le risque ainsi couru par l'Église dans sa vocation essentielle de réconciliation ?

Il est vrai aussi que nos présupposés confessionnels respectifs interviennent subtilement dans l'appréciation de cette situation. Certains catholiques pourront se raccrocher coûte que coûte

---

3. Cité par G. DELTEIL, *op. cit.*, p. 7.

à une conception étroite et intransigeante de l'unité, parce que celle-ci les sécurise, et par conséquent nier la réalité de la différence et du conflit. Mais certains protestants pourront s'accommoder trop facilement d'une diversité et d'une pluralité qui évitent d'aborder certaines questions gênantes et finalement nous justifient tous à trop bon compte.

Unité et pluralisme sont solidaires

Pour quiconque réfléchit un peu, c'est là une évidence incluse dans les mots eux-mêmes : qui dit unité, désigne un tout formé d'éléments différenciés (du moins dès que l'on sort de l'unité mathématique, la plus pauvre qui soit) ; l'unité suppose donc la différence, au moins celle de la pluralité. Réciproquement, qui dit pluralisme, suppose un fond d'unité. Le pluralisme ne vise pas la multiplicité pure d'éléments complètement indépendants les uns des autres. Il suppose des termes comparables et associables, il les situe dans une certaine communauté. La différence ne peut être perçue comme différence qu'en référence à un ensemble unifié où elle trouve sa place. La solidarité des deux termes est donc immanquable.

Le théologien catholique allemand du début du XIXe siècle J.-A. Möhler avait déjà clairement exprimé la corrélation des deux termes dans la vie de l'Église. Dans un ouvrage consacré à l'unité, il montrait un sens aigu des droits de la différence, qui était très en avance sur son temps. Je lui emprunte quelques expressions caractéristiques. Évoquant différentes manières de vivre sa foi, il dit :

L'unité et la différence des deux aspects du christianisme, dont il est ici question, ont leur fondement dans l'Église ; ils en sont deux états différents. Cela explique leur unité dans la diversité et en même temps nous indique la manière dont elles peuvent et doivent s'accorder [4].

Plus loin il fait ce reproche à l'hérésie sectaire :

_____

4. J.-A. MÖHLER, _L'Unité dans l'Église ou le principe du catholicisme d'après l'esprit des Pères des trois premiers siècles de l'Église_, trad. de l'allemand par A. de Lilienfeld, Cerf, coll. « Unam santam » 2, 1938, p. 125.

Ne supportant pas de différences, elle n'a pas d'unité et n'ayant pas d'unité, elle n'admet pas de différences [...] Une simple différence n'est telle que par rapport à une autre avec laquelle elle coexiste dans la même unité. Cette dernière lui est donc indispensable [5].

Pour Möhler il ne peut y avoir de vie dans l'Église sans d'authentiques différences : il compare la tension qui existe entre unité et différences à un repos mouvementé ou à un mouvement en repos [6].

L'exemple paulinien de l'unité organique du corps humain nous oriente dans la même direction. Cette unité suppose la diversité complémentaire des membres et le développement original de chacun. Mais la vie du corps exige aussi un juste équilibre, une relation de communication et une solidarité précise au service de l'unité du tout. Dans un corps humain tout n'est pas possible à chaque membre pris en particulier, sous peine de mort. Nous pourrions dire encore la même chose à partir du langage contemporain de la structure. Une structure est un ensemble cohérent qui admet de nombreuses variables. Pourtant les variations d'une structure ont des limites au-delà desquelles celle-ci n'existe plus.

Ne pas confondre différence et opposition

Je me réfère ici encore à une distinction éclairante de Möhler : ce qui est incompatible avec l'unité, ce n'est pas la différence, c'est l'opposition, entendue au sens fort d'un antagonisme irréductible et inconciliable. Il notait déjà que « les différences sans lesquelles il n'est pas de vie tournent si facilement en oppositions » [7]. Cela rejoint le constat fait précédemment : dans notre souci de donner une analyse radicale des situations, nous interprétons et nous vivons facilement les différences comme des oppositions. Du même coup on légitime l'opposition au nom de la différence. Mais peut-on faire ici l'économie d'un certain discernement ? L'opposition, ou le conflit, représente en certains cas un temps nécessaire de tension parfois tragique, afin de dénouer une situation et de

---

5. *Ibid.*, p. 145-146.
6. *Ibid.*, p. 147.
7. *Ibid.*, p. 149 ; cf. *supra*, p. 158-159.

faire advenir un mode de communion nouveau. Mais, hors
d'une dynamique authentique de réconciliation, l'opposition
doit-elle être considérée comme une situation normale dans
laquelle on peut s'installer sans plus ? Le problème n'est-il
pas de convertir l'opposition en différence ? Reprenons
l'exemple évoqué des textes d'accord œcuménique. Ce type
de contestation les accuse, à la limite, d'être anti-évangéliques.
Ce qui est très grave. N'essaient-ils pas au contraire d'exprimer
le sens dans lequel nos différences peuvent se reconnaître
comme de vraies différences ? Ne représentent-ils pas plutôt
un effort de conversion de mauvaises oppositions en différences
authentiques, en différences saines et fécondes ?

2. Unité et pluralisme dans la confession commune de Jésus-Christ Seigneur

Nous voulons confesser *ensemble* Jésus-Christ Seigneur au
sein du monde de l'incroyance qui est celui de notre société.
Cette confession doit se faire selon deux dimensions, concrètement indissociables, mais dont la distinction est néanmoins
signifiante au plan de l'exposé : la dimension du « langage
parlé » et celle du « langage vécu ». Je vais aborder maintenant
les questions qui se posent au niveau du langage parlé de nos
Églises. Mais je n'oublie pas qu'aujourd'hui, plus que jamais
sans doute, le témoignage rendu à l'Évangile se joue dans un
certain visage de notre existence, ce que j'appelle le langage
vécu.

L'unité est imprescriptible

« Un seul Seigneur, une seule foi, un seul baptême » (Ep 4,
5) : telle est la donnée imprescriptible qui commande l'unité
profonde de notre langage parlé. Pas plus aujourd'hui qu'hier
on ne peut prétendre que les chrétiens sont des hommes qui
disent n'importe quoi de Jésus de Nazareth. Ils confessent
unanimement que Jésus est Seigneur, que Jésus est le Christ.
Il y a là un moment de « vérité » qui est inhérent à leur
confession de foi. L'unité profonde de leur parole, sans cesse
présente au cœur de leurs recherches multiples et inlassables

pour en rendre compte toujours mieux, est indissociable du témoignage rendu à l'Évangile. Car il n'y a qu'un Évangile : il n'est que de relire le début de l'épître aux Galates pour en recueillir l'affirmation la plus abrupte et la plus violente qui soit, puisque Paul n'hésite pas à brandir l'anathème :

> Je suis stupéfait que vous vous laissiez détourner si vite de Celui qui vous a appelés à la grâce du Christ pour passer à un autre Évangile. Non qu'il y en ait un autre [...] Eh bien, quand nous-même, quand un ange venu du ciel vous annoncerait un Évangile différent de celui que nous vous avons annoncé, qu'il soit anathème ! Nous l'avons dit et je le répète aujourd'hui : si quelqu'un vous annonce un Évangile différent de celui que vous avez reçu, qu'il soit anathème ! (Ga 1, 6-9).

L'Évangile est une Bonne Nouvelle unique pour un peuple uni, un peuple rassemblé et réconcilié. C'est pourquoi il appartient à l'unité de l'Évangile qu'il soit proclamé par des hommes qui le disent « ensemble » et par un peuple qui constitue une seule Église, même si ce peuple pécheur est toujours dans un laborieux devenir de réconciliation. Sur ce point nous sommes tous d'accord, même si nous divergeons dans la manière de comprendre l'unité de cette Église.

Cette annonce de l'unité, inhérente à l'Évangile, me paraît en correspondance avec une des aspirations les plus douloureuses de l'humanité d'aujourd'hui. Si dans certaines situations intolérables la réconciliation immédiate peut apparaître un luxe, la tension fondamentale vers la réconciliation et l'unité n'est certainement pas un luxe. Cette aspiration nous est aussi nécessaire que l'air que nous respirons. Je pense aux diverses analyses de Ricœur sur le besoin de signification dans notre monde. Je crois que l'aspiration à l'unité n'est qu'un aspect de l'aspiration à la justice et à l'amour, et, plus profondément encore, de l'aspiration à une signification pour nos existences. Si l'Évangile du Christ ne véhicule plus cette valeur de l'unité, s'il n'apparaît plus au service de l'unité de l'humanité, je me demande alors s'il a encore quelque chose à dire au monde d'aujourd'hui.

En affirmant cette conviction, je ne prétends nullement oublier ce qui a été dit sur la nécessité de « ré-inventer » l'Évangile. Oui, nous avons toujours à faire jaillir l'inépuisable de l'Évangile, car celui-ci est toujours pour nous un avenir et sa manifestation ne sera achevée qu'à la fin des temps quand tous les croyants lui auront rendu témoignage. Mais « ré-inventer » n'est pas purement et simplement « inventer » : nous n'avons pas à inventer l'Évangile. Il nous a été donné. Notre ré-invention se situe dans une fidélité à l'Évangile auquel les apôtres ont rendu le premier témoignage et dans la communion d'un peuple rassemblé par lui. On a donné l'exemple du texte que l'acteur ré-invente en lui donnant chaque fois une vie nouvelle et en faisant jaillir de lui des harmoniques insoupçonnées. Oui, mais l'acteur ne peut pas faire n'importe quoi de son texte, car ce dernier a sa consistance et sa cohérence. Il y a des interprétations qu'il ne supporte pas, car elles le contredisent.

Mais l'unité n'est jamais une facilité

Si l'unité de l'Évangile et de l'Église est imprescriptible, elle n'est pas pour autant une facilité. Dans la mesure même où l'Évangile est mystère inépuisable et objet d'inlassable recherche, son unité est aussi l'objet d'un mystère et d'une recherche. Il en va de même de l'unité de l'Église. Ce fut sans doute une tentation de faire fonctionner l'unité comme une facilité : chaque fois que l'Église ou les chrétiens y ont succombé, ils ont eu tort et se sont fait du tort.

Voyons la chose de plus près à partir de la question de l'unité du NT souvent soulevée. Le problème de l'unité qui se pose au niveau de l'exégèse du NT est étroitement solidaire de celui de l'unité ecclésiale. En aucun cas l'unité du NT ne saurait devenir une facilité pour son interprétation (herméneutique). Elle doit être l'objet de constantes recherches et de soigneuses vérifications.

Nous ne pouvons lire le NT en croyants et dans l'Église sans le recevoir comme un tout que celle-ci nous propose en engageant son autorité, puisqu'il s'agit d'un recueil de textes « canonisés ». Corrélativement, nous devons lire le NT en présupposant l'unité profonde de son message. Néanmoins cet horizon de l'interprétation ne doit pas nous faire oublier des diversités évidentes. S'il n'y a qu'un *Évangile*, il existe quatre *évangiles*, c'est-à-dire quatre présentations originales, comportant des différences théologiques et historiques, du visage du Christ et de son message. C'est là une donnée capitale, que l'on ne peut en aucun cas gommer. De même les types d'organisation ecclésiale varient manifestement d'une épître à l'autre. On pourrait donner bien d'autres exemples. Parfois le rapprochement immédiat de deux textes donne l'impression de données incompatibles. Pascal avait parfaitement senti la chose et donnait en même temps le principe dernier de la solution :

Contradictions [...] pour entendre le sens d'un auteur, il faut accorder tous les passages contraires.

Ainsi pour entendre l'Écriture, il faut avoir un sens dans lequel tous les passages contraires s'accordent ; il ne suffit pas d'en avoir un qui convienne à plusieurs passages accordants, mais d'en avoir un qui accorde les passages même contraires.

Tout auteur a un sens auquel tous les passages contraires s'accordent ou il n'a point de sens du tout. On ne peut pas dire cela de l'Écriture et des prophètes : ils avaient assurément trop de bon sens. Il faut donc en chercher un qui accorde toutes les contrariétés (B. Pascal, *Pensées*, éd. Lafuma, n° 257).

L'interprète du NT est donc toujours à la recherche de l'unité de sens capable de rendre compte de toutes les diversités et de chacune des « contrariétés » dont parlait Pascal. Cette unité, toujours présente, est souvent difficile à discerner et à manifester. Agir autrement, c'est-à-dire uniformiser indûment les témoignages serait être infidèle à la richesse de la vie inscrite dans le NT. Mais le chercheur ne peut pas plus que l'Église ancienne qui a rassemblé en un « canon » unique ces textes divers, renoncer à leur unité fondamentale, sous peine de faire voler en éclats le message évangélique. Car il sait que l'Église ancienne, qui a reconnu quatre évangiles, en a exclu bien d'autres comme « apocryphes » ; en exerçant ce discernement entre les témoignages, elle a décrit le périmètre authentique de la confession de foi en Jésus Seigneur [8].

---

8. J'ai donné une étude plus technique de cette question dans l'ouvrage collectif *Le Ministère et les ministères selon le Nouveau Testament. Dossier exégétique et réflexion théologique*, coll. « Parole de Dieu », Seuil, 1974, p. 358 s. sous le titre « L'unité du nouveau Testament et son interprétation ».

Pluralisme et ministère de l'unité

Certaines réflexions dans cette assemblée ont montré combien nous nous sentons à certains moments comme frappés d'aphasie devant la nécessité de rendre témoignage à Jésus Seigneur : il est des heures où nous ne savons plus quoi dire, où nous avons envie de nous taire. Pourtant la foi ne peut se passer de la « confession de bouche » (Rm 10, 9), elle ne peut devenir aphasique sous peine de s'évanouir. L'unité non plus ne peut se passer de signes et de témoignages dans l'ordre de la parole et de la vie. Et de même que le ministère de la Parole nourrit la foi, de même l'unité a-t-elle besoin d'un ministère. Cette nécessité d'un ministère de l'unité a été évoquée plusieurs fois dans nos débats, sans jamais être prise en compte pour elle-même. Mais l'émergence spontanée de cette question dans une assemblée comme la nôtre est en elle-même pleine de signification.

Je ne puis m'empêcher ici de faire un rapprochement : on a dit plusieurs fois la convergence de notre thème de travail avec celui de la campagne de réflexion proposée par le Conseil œcuménique des Églises dans le document intitulé « Rendre raison de l'espérance qui est en nous ». Or dans un contexte tout à fait proche du nôtre les auteurs de ce texte de *Foi et Constitution* posent finalement la même question. Après avoir invité un grand nombre de groupes de chrétiens à exprimer leur foi en Jésus-Christ, chacun dans la situation qui est la sienne, afin de rassembler une immense gerbe de témoignages, les rédacteurs terminent par cette remarque :

Il est toujours possible que nous ne puissions pas approuver le rapport d'un groupe et le reconnaître comme un témoignage valable rendu au Christ, parce que nous le considérons comme inexact. Il est clair que c'est là un grave problème. Ici intervient une nouvelle série de questions auxquelles nous devons réfléchir :

a) Qui sont ces hommes (« nous ») qui reconnaissent ou ne reconnaissent pas leurs témoignages respectifs ?

b) Quelle est la norme ou quelles sont les normes selon laquelle ou selon lesquelles on décide de l'acceptation ou du rejet d'un témoignage ? (p. 6)

Ces questions concernent très exactement le ministère de l'unité de la foi. Ainsi par des voies diverses mais convergentes, nous sommes tous invités à nous interroger sur la nécessité de reconnaître ou de restaurer entre nous un tel ministère. C'est un objectif important à inscrire au programme du dialogue œcuménique.

De l'espérance à la foi

La confession de Jésus ressuscité est quelque chose qui ne va pas de soi. Elle n'est pas accueillie facilement par l'homme d'aujourd'hui, et sans doute par l'homme tout court. Il ne suffit pas de s'intéresser, même passionnément, à Jésus de Nazareth pour passer, comme automatiquement, à la reconnaissance de son mystère de mort et de résurrection. Beaucoup s'arrêtent en route. Beaucoup de chrétiens regardent aussi un peu en arrière. La prédication de l'Église n'annonce-t-elle pas la résurrection comme une chose trop « normale » ? Nous disons que la résurrection de Jésus est le fondement de la foi chrétienne, et que le chrétien se définit comme celui qui croit en Jésus-Christ ressuscité des morts. Nous avons fondamentalement raison. Mais peut-être oublions-nous, ce disant, que la résurrection est aussi le sommet d'un long et difficile itinéraire. Les apôtres n'ont été invités à en être les témoins qu'après un long cheminement avec Jésus de Nazareth, et ils n'ont franchi le seuil qu'après une épreuve radicale. Ne nous étonnons donc pas que certains « décrochent » devant ce même seuil. Nous-mêmes, croyants qui confessons sincèrement Jésus ressuscité, nous demeurons aussi en deçà de la résurrection. Il est clair que nous sommes en deçà, parce que nous ne sommes pas encore pleinement ressuscités, et aussi parce que nous avons encore à cheminer vers une meilleure confession de la résurrection. Chacun à notre manière nous vivons cette tension : à la fois nous confessons et nous cheminons humblement vers cette confession. Chez beaucoup de nos contemporains le deuxième aspect, celui d'une démarche encore catéchuménale, est plus sensible que le premier. Beaucoup de groupes vivent difficilement ce chemin : ils sont dans le temps de l'espérance qui va à la foi, sans aucun automatisme d'ailleurs. L'ordre des vertus théologales semble s'inverser : ce n'est plus tellement la foi qui développe l'espérance, que l'espérance qui mène à la foi.

La communion, autre nom de l'unité

L'unité ecclésiale que poursuit le mouvement œcuménique peut s'exprimer tout à fait adéquatement avec le terme non moins traditionnel de *communion*. Peut-être ce mot provoque-t-il moins de réticence. Sans entrer ici dans la difficile question des modèles d'unité, on peut dire qu'une ecclésiologie de communion est capable de promouvoir une pleine communion entre les Églises, qui comporte la profession commune d'une même foi et la célébration commune des mêmes sacrements, présidée par des ministres reconnus selon des critères communs. Une telle communion, ou unité, respecterait totalement le légitime pluralisme de toutes les différences capables d'enrichir de la variété de ses couleurs la tunique sans couture du seul et même Christ.

ÉPILOGUE [1]

Lors de la session de Bièvres de 1970 j'avais discerné trois grandes phases du mouvement œcuménique [2] : d'abord le temps de la *conversion du cœur* ouvrant l'œcuménisme de la charité; puis la *conversion de l'intelligence* permettant le dialogue doctrinal ; enfin le temps que l'on voyait s'approcher de nous, celui de la *conversion confessionnelle,* devant mener un jour à la réconciliation des Églises. Aujourd'hui je discerne mieux sous quelle forme ce troisième temps est engagé, avec son inévitable durée, celle de la *conversion à la symbiose progressive.* On vivait dans la « figure » de la séparation ; on essaie de vivre maintenant dans une convivance nouvelle et dans la « figure » de la communion partout où cela est possible. C'est pourquoi il nous est bon de recevoir le témoignage du « tissu conjonctif qui se développe entre les deux bords de la plaie de séparation », ou de la « reconstitution d'un tissu ecclésial de base ». Puissent ces îlots de symbiose ecclésiale en devenir s'élargir jusqu'à former des continents !

« Mes frères, vous avez changé, moi aussi, j'ai changé. »

Tel est le témoignage d'une sœur de l'Orthodoxie. Un foyer mixte continue : « Nous avons donc au fil des ans et des circonstances vraiment changé ; chacun de nous est devenu à la fois moins et plus catholique et protestant. » Et un pasteur et un prêtre reconnaissent. « Nous avons vécu ce ministère ensemble pendant dix ans. On n'est pas tout à fait le même après qu'avant. » *Changer,* c'est le terme même de la *conversion*

---

1. Extrait de la relecture d'un dossier sur « L'œcuménisme à la base », *Unité des chrétiens,* n° 45, janvier 1982, p. 25.
2. Cf. *supra,* le chap. 1 « Exigences de l'œcuménisme », p. 15-25.

dans le NT : « Convertissez-vous et croyez à l'Évangile » (Mc 1, 15), c'est-à-dire : changez votre cœur. Oui, la dynamique œcuménique est une dynamique de conversion : elle nous change et elle doit encore nous changer pour nous réconcilier complètement. Plus elle progressera, plus elle rendra possible la conversion des mentalités, des institutions ou des « structures », toutes cristallisations objectives de nos libertés. C'est par là que passe le patient cheminement de la réconciliation du peuple de Dieu dans une conversion commune à l'Évangile.

TABLE DES MATIÈRES

Introduction 7

Origine des textes 11

1ʳᵉ section

UNE VISÉE SPIRITUELLE, L'ŒCUMÉNISME DE LA CONVERSION

Chap. 1ᵉʳ. EXIGENCES DE L'ŒCUMÉNISME 15

1. Comment interpréter l'histoire de l'œcuménisme, 15. — 2. Discerner les sacrifices, 17. — 3. L'avenir de l'œcuménisme, 21.

Chap. 2. LA *METANOIA* CONFESSIONNELLE DE L'ÉGLISE CATHOLIQUE 27

1. De grands exemples dans le passé et le présent, 30. — 2. Les tâches de la *metanoia* catholique aujourd'hui et demain, 32.

2ᵉ section

PRÉALABLES

Chap. 3. QUELLE EST L'AUTORITÉ DES ACCORDS ŒCUMÉNIQUES ? 39

1. Les autorités des Églises, 39. — 2. Les commissions interconfessionnelles officielles, 40. — 3. Les groupes œcuméniques privés, 44.

Chap. 4. LE CONTENTIEUX SUR LA FOI ENTRE ÉGLISES SÉPARÉES 47

1. Entre les Églises orthodoxes et l'Église catholique, 51. — 2. Entre les Églises issues de la Réforme et l'Église catholique, 58.

Chap. 5. « JÉSUS CHRIST, VIE DU MONDE » : CINQ QUESTIONS THÉOLOGIQUES POSÉES À PROPOS DU THÈME DE VANCOUVER (1983) 73

1. Comment rendons-nous compte de l'identité de Jésus de Nazareth, Christ et Seigneur ?, 79. — 2. Comment rendons-nous compte de la véritable humanité de Jésus ?, 81. — 3. Comment rendons-nous compte de la véritable divinité de Jésus ?, 84. — 4. Comment comprenons-nous le rapport de l'humanisation à la divinisation dans la vie de l'homme ?, 85. — 5. Comment comprenons-nous le mystère de l'Église, don de Jésus-Christ pour la vie du monde ?, 87.

3ᵉ section

ÉGLISE ET ÉCONOMIE SACRAMENTELLE

Chap. 6. LES SACREMENTS DE LA FOI. L'ÉCONOMIE SACRAMENTELLE, CÉLÉBRATION ECCLÉSIALE DE LA JUSTIFICATION PAR LA FOI 91

I. La structure fondamentale de la justification par la foi 95

A. La justification, œuvre visible de Dieu dans notre histoire, 96. — B. La foi, réponse de l'homme à la justification, 98.

II. La structure des « sacrements de la foi » 99

A. Premier point de vue : le sujet et le ministre du sacrement, 101. — B. Deuxième point de vue : la foi de l'Église dans la célébration des sacrements, 110.

III. Une économie unique 114

A. Les sacrements, « représentation » de la justification par la foi, 114. — B. Pour une clarification des débats confessionnels, 118.

IV. Les dangers des dissociations 119

A. Le côté de la foi, 119. — B. Le côté des sacrements, 122.

Chap. 7. LES INDULGENCES. PROBLÈME ŒCUMÉNIQUE A NOUVEAU POSÉ ? 127

Chap. 8. ECCLÉSIOLOGIE DE COMMUNION ET VOIES VERS L'UNITÉ 137

I. Fondement théologique : une ecclésiologie de communion 138

II. Interprétation de la division des chrétiens à la lumière de l'ecclésiologie de communion 142

III. Retour à l'unité, retour à la communion plénière 144

IV. Propositions pour l'aménagement des relations entre l'Église universelle et les Églises particulières du côté catholique 146

A. Pour un renouvellement de l'exercice de l'autorité de Rome, 147. — B. Pour un plein exercice de la responsabilité épiscopale, 152. — C. Pour une meilleure participation des fidèles, 154.

Chap. 9. Y A-T-IL UNE DIFFÉRENCE SÉPARATRICE ENTRE LES ECCLÉSIOLOGIES CATHOLIQUE ET PROTESTANTE ? 157

I. L'ecclésiologie 161

A. Divergence exprimée à partir de quelques catégories catholiques, 161. — B. Divergence exprimée à partir de quelques catégories protestantes, 174.

II. La sotériologie 178

III. L'anthropologie 184

4e section

L'EUCHARISTIE

Chap. 10. L'ACCORD EUCHARISTIQUE DES DOMBES. RÉFLEXIONS THÉOLOGIQUES 191

1. Le mouvement du texte, 192. — 2. L'eucharistie « mémorial sacrificiel », 195. — 3. La présence sacramentelle : le contenu de l'accord, 197. — 4. La présence sacramentelle : une vérification de la visée catholique, 200. — 5. La présence réelle : les points de « conversion ecclésiale », 205. — 6. Ministère et présidence de l'eucharistie, 207. — 7. Eucharistie et Église, 208. — 8. Eucharistie et Église : essai de vérification catholique, 210.

Chap. 11. RÉFLEXIONS SUR LA PRÉSENCE RÉELLE DU CHRIST DANS L'EUCHARISTIE 217

1. La notion de présence, 217. — 2. La notion de substance, 218. — 3. Présence du corps ressuscité du Seigneur, 221. — 4. Présence sacramentelle, présence dans un signe, 223.

Chap. 12 : LA CONSISTANCE EUCHARISTIQUE DE LA CÈNE PROTESTANTE 225

Chap. 13 : EUCHARISTIE : DEUX GÉNÉRATIONS DE TRAVAUX 233

1. Avant 1960, 234. — 2. Les années 1960-1980, 237. — 3. Les efforts œcuméniques, 250.

5ᵉ section

LE ET LES MINISTÈRES

Chap. 14 : Les ministères dans l'Église 257

I. La relation au Christ et à l'Esprit de l'Église et des ministères 257

A. La double référence de l'Église au Christ et à l'Esprit 258

B. La double référence des ministères au Christ et à l'Esprit 262

II. Les différentes formes de ministères dans l'Église d'aujourd'hui 267

A. Quels ministères ? 267
1. Ministère de l'Église et ministère dans l'Église, 268. — 2. Ministère apostolique et ministère baptismal, 269. — 3. Peut-il y avoir une Église sans ministère apostolique ?, 272

B. Pour une mutation de la figure du ministère épiscopal 274
1. Le lien de l'évêque à l'Église universelle, 276. — 2. Le lien de l'évêque à l'Église particulière, 280.

C. A propos des ministères presbytéral et diaconal. 282

Chap. 15. « Pour une réconciliation des ministères ». Réflexions théologiques sur le document des Dombes 287
1. Éléments d'accord sur le ministère, 288. — 2. Proposition pour une reconnaissance et une réconciliation des ministères, 301.

Chap. 16. « Le ministère épiscopal ». Réflexions théologiques sur le document des Dombes 313
1. Continuité doctrinale et urgence œcuménique, 314. — 2. Présentation théologique du ministère épiscopal, 320. — 3. Propositions pratiques, 330.

Chap. 17. Le déplacement des catégories du ministère apostolique a Vatican II et sa répercussion sur le dialogue œcuménique   337

I. Les déplacements opérés par Vatican II   338

A. L'ecclésiologie du peuple de Dieu et le sacerdoce
commun des fidèles, 338. — B. Le ministère ordonné :
le ministère apostolique étudié à partir de l'épiscopat,
344. — C. Le ministère ordonné : le presbytérat,
coopérateur de l'épiscopat, 355. — D. Le ministère
ordonné : le diaconat, ordonné pour le service, 363.

II. Les répercussions de Vatican II dans le dialogue
œcuménique   367

A. Convergences et accords, 369. — B. Les difficultés
qui demeurent, 371.

6ᵉ section

LA VIERGE MARIE

Chap. 18. Marie, comblée de grâce   377

1. Tout en Marie vient de la grâce de Dieu, 378. —
2. Tout en Marie est réponse de la foi, 382. — 3.
Tout en Marie rend gloire à Dieu, 386.

Chap. 19. Théologie mariale et dialogue œcumé-
nique   389

1. Une réorientation purifiante, 390. — 2. Dialogue
œcuménique et contentieux marial, 398.

Conclusion : Unité, pluralisme et confession de foi   405

1. Unité et pluralisme : nos a priori culturels, 405. —
2. Unité et pluralisme dans la confession commune de
Jésus-Christ Seigneur, 410.

Épilogue...   417

Théologie et sciences religieuses
Cogitatio fidei

Collection dirigée par Claude Geffré

L'essor considérable des sciences religieuses provoque et stimule la théologie chrétienne. Cette collection veut poursuivre la tâche de *Cogitatio fidei*, c'est-à-dire être au service d'une intelligence critique de la foi, mais avec le souci d'une articulation plus franche avec les nouvelles méthodes des sciences religieuses qui sont en train de modifier l'étude du fait religieux.

1-2. P. BENOIT
Exégèse et théologie
tomes I et II

3. Y. CONGAR
*Les voies
du Dieu vivant*

4. Y. CONGAR
Sacerdoce et laïcat devant leurs tâches d'évangélisation et de civilisation

7. O. A. RABUT
Valeur spirituelle du profane

8. N. DUNAS
Connaissance de la foi

9. P.-R. RÉGAMEY
Portrait spirituel du chrétien

10. M.-D. CHENU
La foi dans l'intelligence

11. M.-D. CHENU
L'Evangile dans le temps

13. O. A. RABUT
La vérification religieuse

**14. F. G. BRACELAND,
X. LEÓN-DUFOUR,
A. PLÉ, etc.**
Mariage et célibat
ENCYCLOPÉDIE
DE LA FOI

15. T. I.
Adam-Eschatologie

16. T. II.
Espérance-Lumière

17. T. III.
Mal-Puissance

18. T. IV.
Rédemption-Virginité

19. W. JAEGER
*A la naissance de la théologie
Essai sur les Présocratiques*

20. E. SCHILLEBEECKX
Le mariage. Réalité terrestre et mystère de salut, t. I

21. M. SECKLER
Le salut et l'histoire

22. D. DUBARLE
Approches d'une théologie de la science

**23. H. DE LUBAC
J. DANIÉLOU
E. SCHILLEBEECKX
Y. CONGAR, etc.**
Théologie d'aujourd'hui et de demain

24. R. DE VAUX
Bible et Orient

25. J.-M. POHIER
Psychologie et théologie

27. Y. CONGAR
Situation et tâches présentes de la théologie

28. J.-P. JOSSUA
Le salut, incarnation ou mystère pascal

30. P. BENOIT
Exégèse et théologie, t. III

31. J. MOUROUX
A travers le monde de la foi

32. P. ROQUEPLO
Expérience du monde, expérience de Dieu ?

**33. L. BEIRNAERT,
C. DARMSTADTER,
R. HOSTIE, etc.**
La relation pastorale

36. LUCIEN-MARIE
L'Expérience de Dieu

**37. R. SCHNACKEN-
BURG,
A. VOEGTLE,
H. SCHURMANN,
etc.**
Le message de Jésus et l'interprétation moderne

38. P. ROQUEPLO
*La foi
d'un mal-croyant*

40. G. M.-M. GOTTIER
Horizons de l'athéisme

**41. J. COLETTE,
C. GEFFRÉ,
C. DUBARLE,
A. DUMAS, etc.**
Procès de l'objectivité de Dieu

42. H. CHAVANNES
L'analogie entre Dieu monde selon saint Thomas d'Aquin et selon Karl Barth

43. J.-P. MANIGNE
Pour une poétique de la foi

44. G. LAFONT
Peut-on connaître Dieu en Jésus-Christ ?

45. M. XHAUFLLAIRE,
Feuerbach et la théologie de la sécularisation

46. J.-H. WALGRAVE
Un salut aux dimensions du monde

47. F. FERRÉ
Le langage religieux a-t-il un sens ?

48. G. CRESPY
Essais sur la situation actuelle de la foi

49. **D. DUBARLE,**
G.-PH. WIDMER,
J. POULAIN, etc.
La recherche en philo-
sophie et en théologie

50. **J. MOLTMANN**
Théologie
de l'espérance

51. **CONGRÈS**
D'OTTAWA
Le prêtre hier, aujour-
d'hui, demain

52. **F. BRAVO**
La vision de l'histoire
chez Teilhard de
Chardin

53. **R. PANIKKAR**
Le mystère du culte
dans l'hindouisme et le
christianisme

54. **F. HOUTART,**
J. LADRIÈRE,
A. ASTIER, etc.
Recherche interdisci-
plinaire et théologie

55. **CH. WIDMER**
Gabriel Marcel et le
théisme existentiel

56. **L. MALEVEZ**
Histoire du salut et
philosophie

57. **J. B. METZ**
Pour une théologie du
monde

58. **P. SCHELLENBAUM**
Le Christ dans l'éner-
gétique teilhardienne

59. **J.-M. AUBERT**
Pour une théologie de
l'âge industriel

60. **COMMISSION**
INTERNATIONALE
DE THÉOLOGIE
Le ministère sacerdotal

61. **J. FLORKOWSKI**
La théologie de la foi
chez Bultmann

62. **W. PANNENBERG**
Esquisse d'une christo-
logie

63. **C. GEFFRÉ,**
H. BOUILLARD,
J. AUDINET,
L. DEROUSSEAUX,
I. DE LA POTTERIE
Révélation de Dieu et
langage des hommes

64. **J. MOLTMANN,**
DOM HELDER
CAMARA, etc.
Discussion sur « la
Théologie de la révo-
lution »

65. **J.-P. DE JONG**
L'Eucharistie comme
réalité symbolique

66. **J.-M. POHIER**
Au nom du Père...
Recherches théolo-
giques et psychanaly-
tiques

67. **CH. DUQUOC**
Christologie, essai
dogmatique.
II. Le Messie

68. **C. GEFFRÉ**
Un nouvel âge de la
théologie

69. **M. XHAUFFLAIRE**
La « théologie
politique »,
Introduction
à la théologie politique
de J.B. Metz

70. **J. MOLTMANN,**
W. D. MARSCH,
M. MASSARD, etc.
Théologie
de l'espérance,
II. Débats

71. **P. J. A. M.**
SCHOONENBERG
Il est le Dieu des
hommes

72. **A. GRILLMEIER**
Le Christ dans la tra-
dition chrétienne
De l'âge apostolique à
Chalcédoine

73. **M. LIENHARD**
Luther, témoin de
Jésus-Christ

74. **R. PARENT**
Condition chrétienne
et service de l'homme
Essai d'anthropologie
chrétienne

75. **J.-M. R. TILLARD**
Devant Dieu et pour
le monde
Le projet des religieux

76. **G. PHILIPS,**
Q. DUPREY,
M.-D. CHENU,
J.-J. VON ALLMEN,
etc.
Le service théologique
dans l'Église
Mélanges offerts à
Yves Congar pour
ses soixante-dix ans

77. **P. VALADIER**
Nietzsche et la critique
du christianisme

78. **J.-C. SAGNE**
Conflit, changement,
conversion

79. **J. ROLLET**
Libération sociale
et salut chrétien

80. **J. MOLTMANN**
Le Dieu crucifié

81. **Y. LABBÉ**
Humanisme
et théologie

82. **R. MARLÉ**
Parler de Dieu aujour-
d'hui
La théologie hermé-
neutique de Gerhard
Ebeling

83. **N. AFANASSIEFF**
L'Eglise
du Saint-Esprit

84. **G. D. KAUFMANN**
La question de Dieu
aujourd'hui

85. **Y. CONGAR**
Un peuple messianique
Salut et libération

86. **P. FRUCHON**
Existence humaine
et révélation
Essais
d'herméneutique

87. **J.-M.-R. TILLARD,**
J.-L. D'ARAGON,
F. DUMONT,
E. R. FAIR-
WEATHER, etc.
Foi populaire,
foi savante

88. **W. KASPER**
Jésus le Christ

89. **G. VAHANIAN**
Dieu et l'utopie
L'Eglise et la technique

90. **L. DUPRÉ**
L'autre dimension.
Recherche sur le sens
des attitudes religieuses

91. **FR. BUSSINI**
L'homme pécheur
devant Dieu

92. **A. DELZANT**
La communication de
Dieu

93. **B.J.F. LONERGAN**
Pour une méthode en
théologie

94. **N. VIALLANEIX**
Ecoute, Kierkegaard
(tome I)

95. **N. VIALLANEIX**
Ecoute, Kierkegaard
(tome II)

96. **G. LAFON**
Esquisses pour un
christianisme

97. **S. BRETON**
Ecriture et révélation

98. **A. GANOCZY**
Homme créateur,
Dieu Créateur

99. **J.B. METZ**
La foi dans l'histoire
et dans la société
Essai de théologie fon-
damentale pratique

100. A. DUMAS
Nommer Dieu

101. M. DESPLAND
La religion
en Occident.
Evolution des idées et
du vécu

102. J. MOLTMANN
L'Eglise dans la force
de l'Esprit. Une contri-
bution à l'ecclésiologie

103. R. MEHL
Vie intérieure et trans-
cendance de Dieu

104. P.-M. BEAUDE
L'accomplissement des
Ecritures

105. A. SHORTER
Théologie chrétienne
africaine

106. S. BRETON
Unicité et
monothéisme

107. M. AMIGUES
Le chrétien devant le
refus de la mort

108. Travaux du
C.E.R.I.T.
dirigés par
M. MICHEL
Pouvoir et Vérité

109. F. MUSSNER
Traité sur les juifs

110. C. GEFFRÉ (éd.)
La liberté religieuse
dans le judaïsme, le
christianisme
et l'islam

111. J. DORÉ (éd.)
L'ancien et le nouveau

112. Y. CONGAR
Diversité et commu-
nion

113. M. MICHEL
La théologie aux prises
avec la culture

114. P. BEAUCHAMP
Le récit, la lettre et le
corps. Essais bibliques

115. P. EICHER
La théologie comme
science pratique

116.-117 E. JÜNGEL
Dieu mystère du
monde, tomes I et II

118. A.-M. DUBARLE
Le péché originel :
perspectives
théologiques

119. Y. CONGAR
Martin Luther,
sa foi, sa réforme

120. C. GEFFRÉ
Le christianisme
au risque de
l'interprétation

121. Colloque de
l'Institut catholique
édité par C. GEFFRÉ
Théologie et choc
des cultures

122. B. FORTE
Jésus de Nazareth,
Histoire de Dieu,
Dieu de l'histoire

123. J. MOLTMANN
Trinité et Royaume de
Dieu. Contributions
au traité de Dieu

124. J. LADRIÈRE
L'Articulation du
sens
I. Discours scientifique
et parole de la foi

125. J. LADRIÈRE
L'Articulation du
sens
II. Les langages de la
foi

126. Travaux du
C.E.R.I.T.
dirigés par
M. MICHEL
La théologie à
l'épreuve de la vérité

127. CH. A. BERNARD
Théologie affective

128. W. KASPER
Le Dieu des chrétiens

129. J.-F. MALHERBE
Le Langage théolo-
gique à l'âge de la
science. Lecture de
Jean Ladrière

130. B. WELTE
Qu'est-ce que croire ?

131. D.K. OCVIRK
La Foi et le Credo.
Essai théologique sur
l'appartenance chré-
tienne

132. D. BOURG
Transcendance et dis-
cours.
Essai sur la nomina-
tion paradoxale de
Dieu

133. J. GREISCH
L'Âge herméneutique
de la raison

134. Collectif édité
par G. ALBERIGO
et J.-P. JOSSUA
La Réception de
Vatican II

135. S. BRETON
Deux mystiques de
l'excès : J.-J. Surin et
Maître Eckhart

136. E. SCHÜSSLER-
FIORENZA
En mémoire d'elle

137. G. GUTIÉRREZ
La force historique
des pauvres

138. Travaux
du C.E.R.I.T.
dirigés par D. BOURG
L'Être et Dieu

139. G. LAFONT
Dieu, le temps et l'être

140. J. SOBRINO
Jésus en Amérique
latine

141. A. BIRMELÉ
Le salut
en Jésus Christ

142. H. BOURGEOIS,
P. GIBERT,
M. JOURJON
L'expérience chré-
tienne du temps

143. J.-M. R. TILLARD
Église d'Églises

144. L.-M. CHAUVET
Symbole et sacrement

145. Y. LABBÉ
Essai sur le mono-
théisme trinitaire

146. JÜRGEN
MOLTMANN
Dieu dans la création

147. P. GAUTHIER
Newman et Blondel

148. J. L. SEGUNDO
Jésus devant la
conscience moderne

149. H. LEGRAND
Les Conférences épis-
copales

150. M. MESLIN
L'expérience humaine
du divin

151. J. L. SEGUNDO
Le Christianisme de
Paul

152. J. CAILLOT
L'Évangile de la
communication

153. M. LIENHARD
L'Évangile et l'Église
chez Luther

154. A. GRILLMEIER
Le Christ dans la tra-
dition chrétienne

155. **X. TILLIETTE**
Le Christ de la philosophie

156. **A. FOSSION**
La catéchèse dans le

champ de la communication

157. **Cl. BOFF**
Théorie et pratique

158. **W. KASPER**
La théologie et l'Église

159. **H. WALDENFELS**
Manuel de théologie fondamentale

160. **B. SESBOÜÉ**
Pour une théologie œcuménique

Achevé d'imprimer en janvier 1991
sur les presses de l'imprimerie Laballery
58500 Clamecy